シン・ニホン

AI×データ時代における
日本の再生と人材育成

安宅和人

はじめに

「安宅さん、この〝シン・ニホン〟、ちゃんと本にしたほうがいいです」

ある嵐の日、対談を終えた後、その相手だったS氏[1]に、しっかりと目を見て、真剣かつ真摯に言われた。

「でも、シン・ニホンという言葉を2016年のTED×Tokyoで生み出してからもう3年、何十回、もしかしたら100回近くさまざまなところで話をしてきました。[2]財務省の方によると、今でもホームページに上がったシン・ニホンの資料[3]へのアクセスは群を抜いて多いそうです。今さらだと思うが」

そう言うと、S氏は首を振った。

「それでも、まとめて紙で出すべきです。このままでは、届くべき多くの人に届かないのです。間に合わなくなります」

めずらしく重い球を受け取り、「シン・ニホン」を書くのか、と頭がいっぱいになった。夜中に目が冴え、起き上がり、よし書こう、そう決意した。

1　ウェルスナビCEOの柴山さん。財務省、マッキンゼー出身のFintech創業者

2　CEATEC、全国経済同友会セミナーなどさまざまなカンファレンスに加え、自由民主党の青年局では全国集会を合わせて2度、経済産業省（経産省）の産業構造審議会（産構審）新産業構造部会、財務省の幹部勉強会、内閣府の教育再生実行会議、文科省の部局横断の勉強会、経産省×文科省の共同勉強会、経団連の未来社会協創タスクフォースや未来産業・技術委員会、かなりの数の大臣、副大臣、政務官の前でも一対一で直接お話しした

3　財務省 財務総合政策研究所 イノベーションを通じた生産性向上に関する研究会 第4回会合 平成29年12月21日 https://www.mof.go.jp/pri/research/conference/fy2017/inv2017_04_02.pdf

『シン・ニホン』……この少々変わったタイトルで話すようになって、もうかれこれ3年になる。このタイトルの由来は本書を読んでいただければわかる。

2019年秋現在、日本には不安と停滞感、現実を直視しない楽観、黄昏（たそがれ）感が満ちている。悲観論や批判ばかりの人、危険を煽るだけの人も多い。

単なる悲観論、それは逃げだ。自分たちが未来も生き続けること、自分たちが次の世代に未来を残す存在であることを無視している。

危機感を煽ることにまったく意味がないとは言わないが、本当に未来を変えるべきと思うなら、なぜもっと現実に向かい合い、建設的（Constructive）な取り組みやイニシアチブ[4]を仕掛けないのか。

誰もが、なぜあのとき、自分たちは仕掛けなかったのか、見て見ぬ振りをしたのかと気づくときが来るだろう。失われた時間は帰ってこない。

破壊するだけの（Destructive な）アイデアは何も生み出さない。「文句は言っていい、しかし言った人が直す」は僕らが保育園や幼稚園で学んだ、この社会の掟（おきて）だったはずだ。

自分を取り巻く現実を直視しないのは人の常だが、それにしても、この世の中の変化と意味合いをファクト（事実）に基づき、全体観を持って語る建設的な議論はとても少ない。

現代の経済のルールや知的生産のルールが大きく変わってしまったこと、日本が今どういう状況にあるかということ、そしてその中で個人や社会は何をしなければいけないかということ、これらをひとつなぎに通した議論を見ることもまずない。

4 自ら開始し、仕掛ける最初のステップ、取り組みのこと。主語は個人のときも組織のときもある

関連する領域が多い上、それぞれ個別の専門家が語っているから、ということももちろんある。この専門化された社会では、他人（ひと）の領域に口を出さないことが半ば良識とされているということもあるだろう。

一方で、これらの変化はすべて、誰しも自分の人生に直接影響してくる。

ほとんどの人は、あまりにも多くのことが変数として一気に動く目まぐるしさの中で、変化が落ち着く日を待っているようだ。でも、残念ながらそんな日は来ない。世界は昔も今もダイナミックに動いてきた。これからもそうだ。

では、どうしたらいいのか。

僕の答えは、振り回される側に立つことをやめる、臭いものに蓋をすることはやめるということだ。

世の中には振り回す側と振り回される側しかない。台風には目（eye）とよばれる中心があるが、目の中は無風だ。青天すら見えるときがあるという。その外でどれほどの暴風雨が起きていようとも。

僕ら一人ひとりは、望むと望まないとにかかわらず、これからの未来を生きていくことになる。臭いものに蓋をしても隠し通すことはできない。必ずその現実と向かい合う日は来る。それも次世代ではない。おそらく、問題のほとんどは僕らが生きているうちに顕在化する。

大切なのは、自らハンドルを握り、どうしたら希望の持てる未来になるのかを考え、できることから仕掛けていくことだ。濁流だからと腰が引けたまま待つのではなく、ラフティングのように流れに乗ることを逆に楽しもうということだ。

とはいえ、考える材料は必要だ。振り回すどころか、こんな複雑な世の中を読み解くことなんてできないと思われる人も多いかもしれない。臭いはずなのに気づかれていないだけの、あるいは直視されていないだけの現実も多いかもしれない。

よいお知らせ（good news）は、今起きている変化は、これまでとは異質なだけで、気づいてしまえばそれほど理解が難しいわけではない、ということだ。気づきにくい理由は、前提そのものが質的に組み変わっていることが多く、これまでの慣性で思考する我々の本能では判断を見誤ることが多いのが1つ。もう1つは、これが複数の次元で、同時に連動しつつ起きているからに過ぎない。

審議会や講演会の場では、

- 現在の世の中の変化をどう見たらいいのか？
- 日本の現状をどう考えるべきか？　その中で産業再興、科学・技術政策はどうあるべきか？
- すでに大人の人はこれからどう生き、どうサバイバルしていけばいいのか？
- この変化の時代において、子どもにはどのような経験を与え、どう育てていけばいいのか？

・若者は、このＡＩネイティブ時代をどう捉え、どう生きのびていけばいいのか？
・国としてのＡＩ戦略、知財戦略はどうあるべきか？　企業はどうしたらいいのか？
・ＡＩ時代の人材育成は何が課題で、どう考えたらいいのか？　一人ひとりはどう学べばいいのか？
・日本の大学など高等教育機関、研究機関の現状をどう考えたらいいのか？　今後、どうやったら元気になるのか？

など、実に多様なテーマでお題をいただいてきた。オーディエンスもバラバラだ。官もいれば、産も学もいる。経済系の人もいれば、教育系、データ×ＡＩ系、科学・技術系、財務系、法律系の人もいる。大人もいれば、子を持つ親、学生、中高生もいる。話す場ではそのどれかなのだが、これらをひとつなぎに俯瞰したものを描けないか、という途方もない試みに挑んだのがこの本だ。

「シン・ニホン」には数十のバージョンがあり、全体を見たことのある人はいない。扱っているテーマが極めて広範だからだが、全体像をまとめる試みは自分としてもこれが初めてになる。また、通常図表をみれば明らかとして十分お話しできていない部分もなるべく丁寧に説明した。以前、僕の話を聞かれたことのある人でも何割かは初見のものが多いだろう。

それなりに広範な領域で生きてきた自分でも[5]、専門とは言い難いことにもかなり首を突っ込んで書いた[6]。これだけの広がりをつなぎ合わせないと見えない大切な話がずいぶんとあるからだ。それを一緒に感じ、考えてもらえるのであれば、と思って自分の限界までストレッチしてこの本を書き下ろした。

5　ニューロサイエンス／神経科学（Neuroscience）、ストラテジー&マーケティング（Strategy and Marketing）、データ×ＡＩ（Data and AI）の3つの領域の中で生きてきた

6　できる限り誠実に書いたつもりだが、相当に広範な内容になっており、稚拙な誤りもきっとあるだろう。適宜教えていただけるとありがたい

確かに日本にとっても人類にとっても、相当にしんどい局面ではある。しかし、手なりの未来[7]が受け入れ難いとき、それをそのまま待つのは負けだ。人間の持つ、おかしな未来が来ることを予測する力は、予測される未来を引き起こさないためにある。どんなことを仕掛けたら未来を変えられるのか。それを考え、仕掛けていくのはとても楽しい。一人ひとりがヒーローになり得る時代なのだ。

僕らは少しでもましになる未来を描き、バトンを次世代に渡していくべきだ。

もうそろそろ、人に未来を聞くのはやめよう。

そしてどんな社会を僕らが作り、残すのか、考えて仕掛けていこう。

未来は目指し、創るものだ。

7　ビジネスの世界でよく使われる言葉で、「今の流れのまま、そのままなりゆきで進めるとすると」というような意味。もともとは麻雀用語。役などを考えすぎずに、手持ちの組み合わせに素直に従って打っていくこと
（参考）筆者ブログ「手なりの未来を受け入れるな」2018-12-29 http://kaz-ataka.hatenablog.com/entry/2018/12/29/151743

目次

シン・ニホン

AI×データ時代における

日本の再生と人材育成

目次

1章 データ×AIが人類を再び解き放つ――時代の全体観と変化の本質

2章 「第二の黒船」にどう挑むか――日本の現状と勝ち筋

3章 求められる人材とスキル

4章

「未来を創る人」をどう育てるか

5章 未来に賭けられる国に——リソース配分を変える

6章 残すに値する未来

1章

データ×AIが人類を再び解き放つ
――時代の全体観と変化の本質

誰もが、あえて出る釘になる
決意をしなければ、
時代はひらかれない。
―― 岡本 太郎

岡本太郎：芸術家（1911–1996）
『強く生きる言葉』岡本太郎著、イースト・プレス

1 歴史的な革新期

人類史に残る戦い

２０１６年3月、おそらく人類史に永遠に残るであろう碁の戦いが行われた。イ・セドル（Lee Sedol）vs AlphaGo。イ・セドルは魔王とまで言われた韓国の天才棋士で、囲碁世界タイトル優勝記録18回、歴代2位。AlphaGoは英国DeepMind社が開発した碁ＡＩだ。

チェスの対戦においては20世紀末の１９９７年、世界チャンピオンであったガルリ・カスパロフ（Garry Kasparov）が破れたが、それとは大きく異なる。計算機の性能が当時とは比較にならないほど高くなりiPhoneが誕生した２００７年でも、囲碁はアマ５級程度と（プロどころか）アマチュア級位者に負けるほど弱かった。[1] 碁はチェスに比べ、採りうる盤面のパターンが極端に多いせいだ。

AlphaGoは欧州のプロ棋士を破ってはいたものの、明らかにイ・セドルのような世界トップレベルの棋士とは格が違う相手での勝利であり、イ・セドル自身も、自分が負けることはまったく想定していなかった。[2]

「僕は尊大なつもりは何もないのだが、この戦いは接戦（very close match）になるとは思っていない。10月に（欧州プロ相手に）行われたゲームは僕と同じレベルではない。まだ数ヶ月しかたっておらず、僕に追いつくには時間が足りていない。僕の希望は５－０、もしくは４－１。大切（critical）なのは１つの試合も落とさない、ということだ」

1 Deepmind, "ICML 2017: Test of Time Award (Sylvain Gelly & David Silver)" YouTube. https://www.youtube.com/watch?v=Bm7zah_LrmE

2 Rajarshee Mitra, "AlphaGo Documentary", YouTube, 14:35~15:10. https://www.youtube.com/watch?v=jGyCsVhtW0M

3 ARIRANG NEWS, "Lee Se-dol vs. AlphaGo match kicks off Wednesday", YouTube, 1:14~1:20. https://www.youtube.com/watch?v=c9B1RmeOKyk&feature=youtu.be

「5戦全勝はちょっとしたチャレンジかもしれないが、僕はＡＩが人間を打ち負かすまでには到達していないことを示したいと思う」[3]

DeepMindのデミス・ハサビス（Demis Hassabis）ＣＥＯは試合の前にこう語った。

「この3月の（イ・セドル棋士との）戦いに勝つということは、かつてチェスの世界でカスパロフを（ＩＢＭのディープブルーが）破ったことに匹敵する」[4]

「この戦いはＡＩの世界においても、そしておそらく碁の世界においても歴史的なもの（huge moment）になる。これまでAlphaGoは開発者である我々が与えたすべての挑戦を乗り越えてきたが、本当の強さは世界の頂点と言える人と戦わなければわからない。我々がイ・セドル氏を相手に選んだのは、彼こそが歴史に残る伝説的な棋士であり、過去10年でもっとも偉大な碁の棋士（greatest player of the last decade）と認められている人だからだ」[5]

結果は第1局AlphaGo、第2局AlphaGo、第3局AlphaGoと連続で取られイ・セドルの敗北が決定。第4局にようやく勝利するものの、第5局はまたもAlphaGo。1勝4敗という誰もが予測していない結果に終わった。なお、この第4局でイ・セドルが打った第78手は現在「神の一手」[6]と言われている。

さらに翌年2017年5月、非公式棋士レーティング（goratings.org）世界1位であり、「大帝」と呼ばれる世界最強棋士、カ・ケツ（Ke Jie）が対戦。「AlphaGoはイ・セドルに勝っても、僕には勝てない」と豪語していたが、結果は3局全敗。第3局も落とすことを悟ったカ・ケツは涙を拭った。人類が本気のマシンに二度と碁で勝てなくなったことを示す瞬間でもあった。

4 Jordan Novet, "YouTube will livestream Google's AI playing Go superstar Lee Sedol in March", *VentureBeat*, 4 Feb. 2016. https://venturebeat.com/2016/02/04/youtube-will-livestream-googles-ai-playing-go-superstar-lee-sedol-in-march/

5 "AlphaGo Documentary", *YouTube*, 14:10–14:34.

6 Fun Call Centre, "Lee Sedol Hand of God Move 78 Reaction and Analysis", *YouTube*. https://www.youtube.com/watch?v=mzZWPcgcRD0&feature=youtu.be
「神の一手」は漫画「ヒカルの碁」で使われる究極の打ち手を指す言葉

資料1-1　イ・セドル（上）とカ・ケツ（左下）

AlphaGoは2016年3月にイ・セドルを、2017年5月にカ・ケツを破った

資料：gettyimages

イ・セドルとの勝利の1ヶ月あまり前にNature上で発表されていたのは、AlphaGoは①16万局、約3000万の局面を3週間かけて学習、②さらに自己対局させ、一手のみランダムに打ち、さらに別のアルゴリズムに打たせることで3000万局面を生み出すこと。そして、③その局面と勝敗結果を1週間で学習する、という途方もない離れ業によって作られていたということだった。[7] ちなみに一人の棋士が毎日1局打ったとしても30年で1万1000局程度に過ぎない。この訓練量がどれほど桁違いなのかわかるだろう。ウサイン・ボルト(Usain Bolt)がフェラーリと戦うような戦いだったのだ。[8]

ただし、プロの碁や将棋の意味がなくなるかどうかといえばまったく別だ。人間がクルマに走りで勝てなくなってもう100年以上だが、いまだに人間がもっとも興奮するスポーツの1つは陸上競技の100メートル走だ。人としての限界を極めることの価値は、人間が自分たちの限界を理解したい、人間としての進化を感じたい、と思う気持ちがある限り続く。[9]

すでに来ている未来

計算機、情報科学の進化、そしてビッグデータ時代の到来によって起きている変化はとてつもなく大きい。具体的には「情報の識別」「予測」「目的が明確な活動の実行過程」はことごとく自動化していく。[10] たとえば、すでに来ている未来で印象的なものだけでも以下のようなものがある。

識別

・街中のセンサーで即時に発砲地点を通報する

7 David Silver et al., "Mastering the game of Go with deep neural networks and tree search", Nature, vol. 529, pp.484-489, 28 Jan. 2016 ; 伊藤毅志・村松正和『ディープラーニングを用いたコンピュータ囲碁 〜AlphaGoの技術と展望〜』情報処理 Vol.57 No.4 Apr. 2016 pp335-337

8 2019年11月イ・セドルは「第一人者になっても勝てない存在がいる」という言葉を残し引退を表明した

9 参考：大川慎太郎『不屈の棋士』講談社 2016年；筆者ブログ『不屈の棋士』Hatena Blog 2016-08-20 http://kaz-ataka.hatenablog.com/entry/20160820/1471679080

・顔画像だけで双子まで明確に判別する
・一筆見ただけで贋作を見破る
・世界最高レベルの医者と同レベルで皮膚がんの識別を行う
・レアな遺伝病を顔写真だけから診断する
・動画を読唇する
・歩き方から人物が誰か、認知症に罹患しているかどうかを判定する
・200メートル離れていても心臓の鼓動で人を判別する

このように情報の識別は2019年夏現在、すでに最高レベルの人間の能力すら凌駕(りょうが)しつつある。音声からテキスト、テキストの補完、テキストの解釈と極めて高度な情報処理が求められる音声認識においても、2019年2月に明確に人間の能力をキカイは超えた。人間の脳のかなりの部分は現在このような情報識別に使われているが、この相当部分が解放されることの効果は大きい。

予測

・どの駅に向かっているかを自動で察知し、その路線が動いていないことを教え、聞かれる前に代替経路を提案する
・購買欲の高い瞬間にその人に刺さるクーポンを提供する
・成功するスタートアップをデータドリブンに予測する
・機械が壊れることを1ヶ月以上前に予測する

10 参考：安宅和人「人工知能はビジネスをどう変えるか」DIAMONDハーバード・ビジネス・レビュー、2015年11月、https://www.dhbr.net/articles/-/3531

今のインターネットを無料のツールたらしめているデジタルマーケティング[11]は、まさにこの予測技術の塊だ。個別の人どころか場面ごとに人の置かれている状況や文脈を推測し、そこに合わせて適切な情報を提供する。検索の場合はピンポイントに、広告の場合は若干幅を持たせて推測を行うが、人の意図を読む技術、情報と意図のマッチング技術という意味では極めて相性がいい。1つの場面に対して行うのですら大変だが、それどころか数千万、数億の端末に対してリアルタイムで行うのは驚異と言うほかはない。

実行

・複数言語に対し、ほぼ人間レベルの翻訳を瞬時に行う
・モノクロ写真に色を付ける
・モネ、ビートルズのような特定のアーティストの作品（絵画、音楽）の芸風を学習し、酷似したスタイルで新たな作品を作る
・リアルタイムで表情と声を他の人物像に移し替える
・さまざまな物体のピッキング作業を試行錯誤を通じ学習する
・乗車中360度を常時モニターし、周囲の交通事故時に追突されない場所に逃げる

この実行の自動化はわかりやすいこともあり、一般向けのニュースでも流れることが多い。現在、世界的に競争が激化している自動走行車もその1つだ。ピッキング作業などは、人間が何気なく行っているが定式化できない典型的な暗黙知であり、従来の機械学習方法で訓練することは

11 デジタルな情報配信先（オーディエンス）の選定、リアルタイムの意図・文脈把握、文脈に合致した情報提供（販促、広告他）、コンバージョン管理などを包括した概念。単なる広告の話ではない

ほぼ不可能であったが、それらも実装されている。

人類は火に始まり使える技術はすべて使い倒してきた。人間は再び解き放たれる。産業革命が始まった数百年前、労働の大半は肉体作業もしくは手作業だったが、このほとんどは自動化された。つい半世紀ほど前までホワイトカラーの労働の相当部分はそろばんなどによる計算作業で、家事の多くも炊事、洗濯、掃除など手作業の塊であったが、これらもほとんど自動化されたの[12]はご存知のとおりだ。

指数関数的な思考が不可欠に

データ×ＡＩの世界ではすべての変化が指数関数的（exponential）に起きる。５年、10年で数倍という変化ではなく、一桁二桁変わるということだ。

結果、現在の不可能なことの多くは５年後、10年後には可能になる。冒頭に示したとおり、２００７年には予測できたとはいえ遥か遠くに見えた囲碁のＡＩは、わずか９年でトッププロ９段の誰も勝てない状況になった（２０１６年）。深層学習が動くようになった２０１２年から数えればわずか４年だ。囲碁が生まれてから約２０００年。この衝撃の大きさがわかるだろう。

リニアな[13]思考では世界を読み違えるのだ。すべての変化は桁で考える必要がある。横軸を普通に時間で置くとしても、差分を読み取る縦軸はログスケール（片対数目盛り）[14]にして考えないといけないということだ（図１－１下図）。指数関数的な思考（Exponential thinking）が不可欠な時代に僕らは突入している。

12　余談だが、これらの結果、週末の余暇が生まれ、クルマ産業やレジャー産業が発展した

13　Linear（線形的）。等差的とも言える

14　目盛りの幅を均等ではなく、１、10、１００、１０００のような桁で刻む表記。横軸が時間のとき、傾きが変化率を示す（高校数学IIの教科書を参照）

図1-1 **Linear(線形的) vs. Exponential(指数関数的)**
(初期値1)毎日1ずつ増える vs. 毎日10%ずつ増えるケース

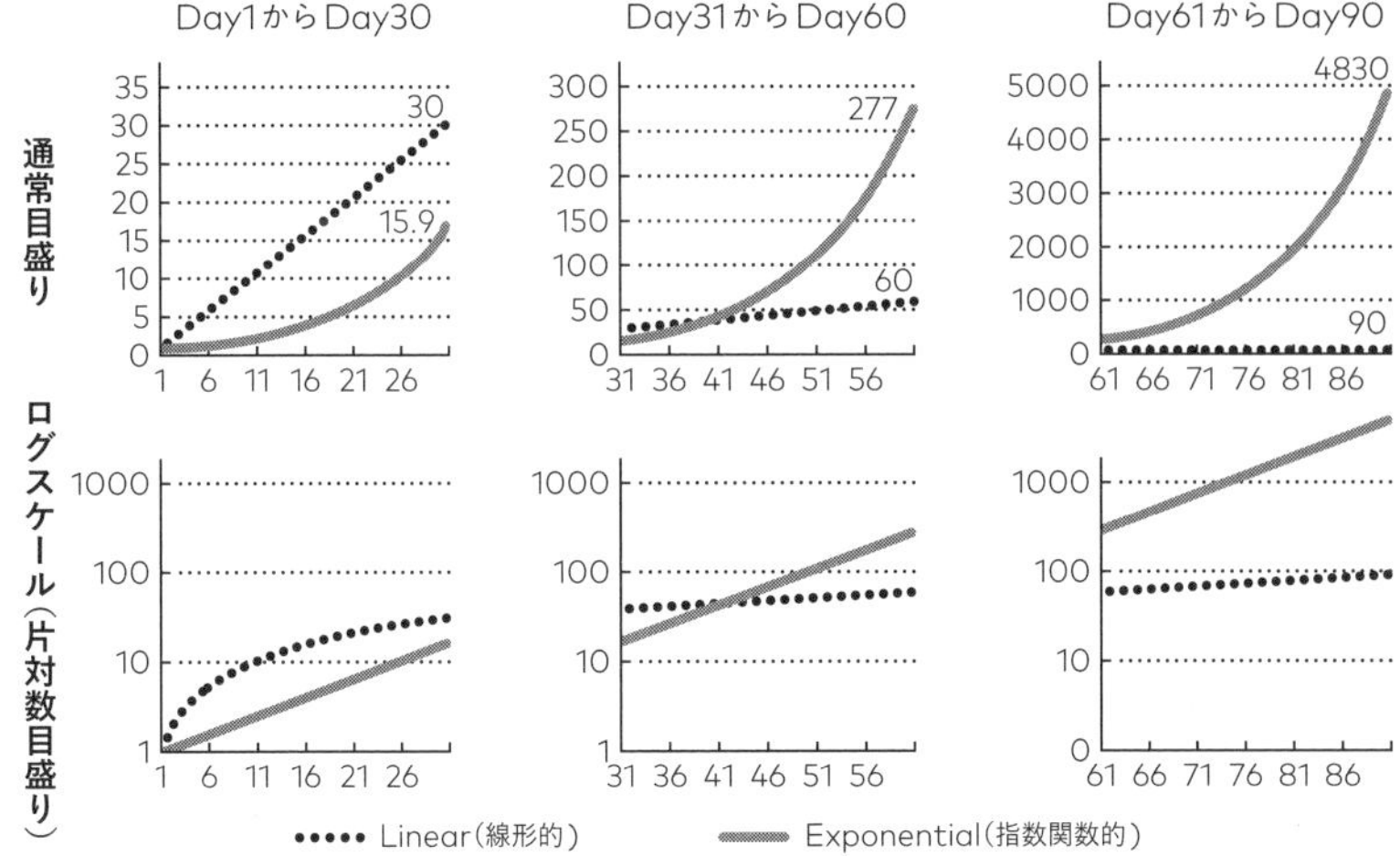

資料：安宅和人分析

資料1-2 **Googleの共同創業者セルゲイ・ブリン(Sergey Brin)**

2017年の世界経済フォーラムでセルゲイ・ブリンは「AIにおける革命は深遠だ。間違いなく僕を驚愕させたよ、僕はこの世界のど真ん中に座ってきたのにね」と述べた。

資料：https://www.weforum.org/agenda/2017/01/google-sergey-brin-i-didn-t-see-ai-coming/, aflo

こういう話をあるとき高校生の娘にしていると、「そうは言うけれど、そんなに急に世の中が変わっているとは思えない」と言った。それは完全に正しい。しかし、時間をかけてみると信じられないほど大きな差を生むのが指数関数的（Exponential）変化の意味だ。

図1－1の上段をよく見てほしい。これは初期値を1として毎日1増える場合（リニアな場合）と10％増える場合（指数関数的な場合）を比べている。最初は明らかに毎日1増えるほうが伸びがいいが、途中から伸びるスピードは指数関数的な側が急激に上がることがわかるだろう。60日目には4倍以上、90日目には50倍以上と、最初の30日間、競っていたことが信じられないほどの差になる。

1つ留意してほしいのは、指数関数的というのは不連続という意味ではないということだ。連続的であるにもかかわらず、ちょっと時間がたつと想像を絶する変化になってしまう、これが指数関数的な変化の本質だということを押さえておきたい。

翻訳の世界一つとっても、2010年代初頭には人間にはまったくかなわなかった機械翻訳（machine translation）の世界が、すでに人間のプロに肉薄したレベル、すなわち大半の人を超えたレベルまで来ている。しかも人間の何倍ものスピードでこなし、同時に26ヶ国語に対応するサービスすら現れている。中高から英語一つを学ぶだけでも大変な苦労をしてきた我々の多くからすれば、これを「この程度のもの」とは到底言えない。日本に限らずとも同じように感じる人が多いだろう。

これは考えようによればとても前向きな話だ。今、技術的にできないからといって簡単に諦める必要はないからだ。結構な確率でそれらは可能になる。それも目に見える未来にだ。もちろんエネルギー保存則であるとか、時間の不可逆性のような物理法則に逆らう方法はないが、とはいえものすごい時代だ。一人ひとりが超人的なパワーを持てる時代を僕らは生きている。

そもそも現在、仕事と名のつくものは人間がなんらかの判断を行う必要のあるものがほぼすべてだが、これらの結果から仕事の多くは根本的にキカイにアシストされる時代が来る。すなわち現在の労働の中心を占める情報処理的な業務における生産性とスケーラビリティ[15]は共に桁違いに向上する。

人類は再び解き放たれる

過去100万年にわたる人間の生産性の推移を調べた人がカリフォルニア大学バークレー校にいる。彼によるとローマ時代の2000年前から産業革命が始まる頃まで、人間の生産性は2倍ぐらいにしかなっていない。しかし、そこからの200年ぐらいで50~100倍に上がっている。ここからの数十年でこれがもう一段跳ねる瞬間を僕らは生きている可能性が高い（図1－2）。

15 規模の拡大のしやすさのこと

図1-2　紀元500年以降の一人あたりGDPの推移
（1990 International Dollars）

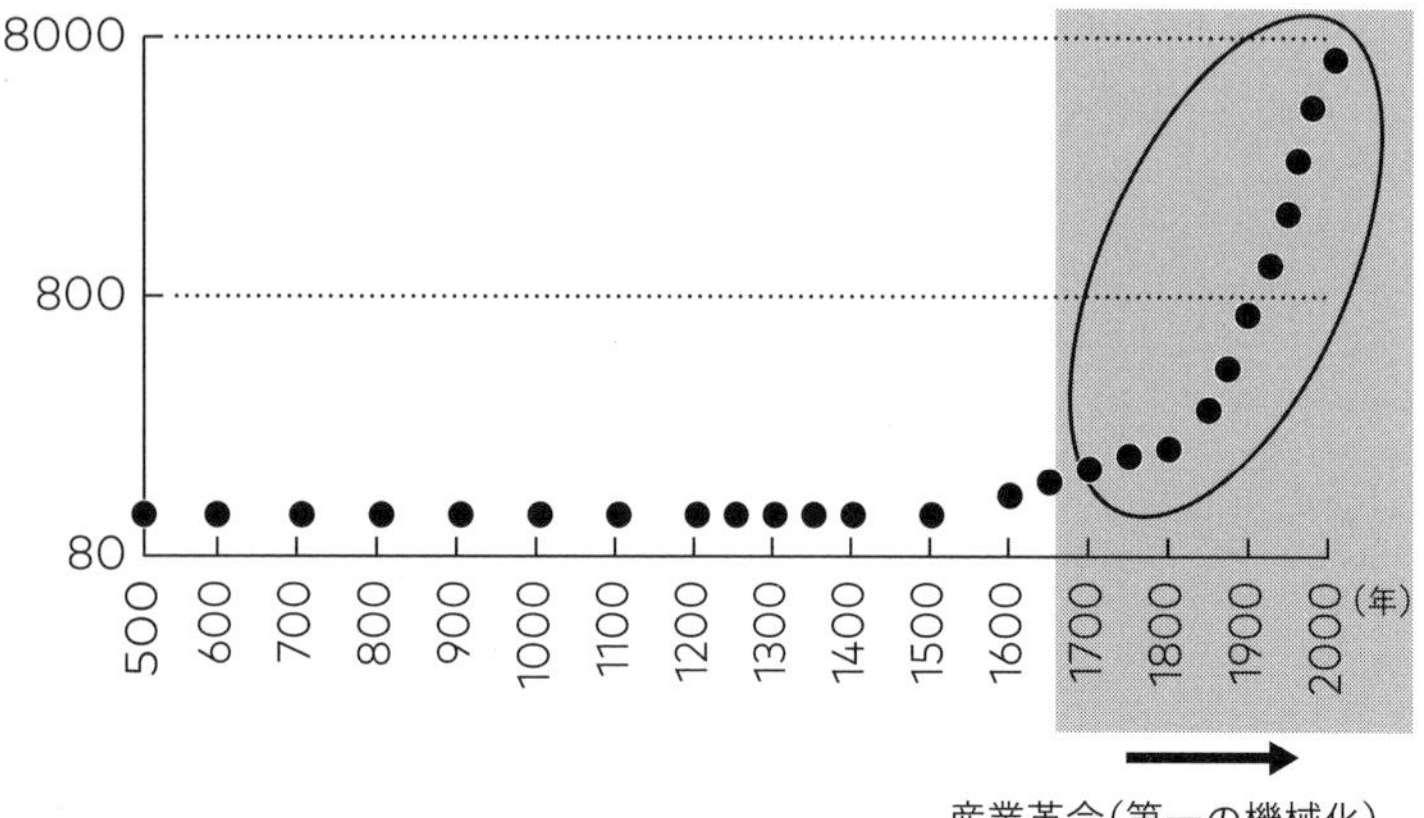

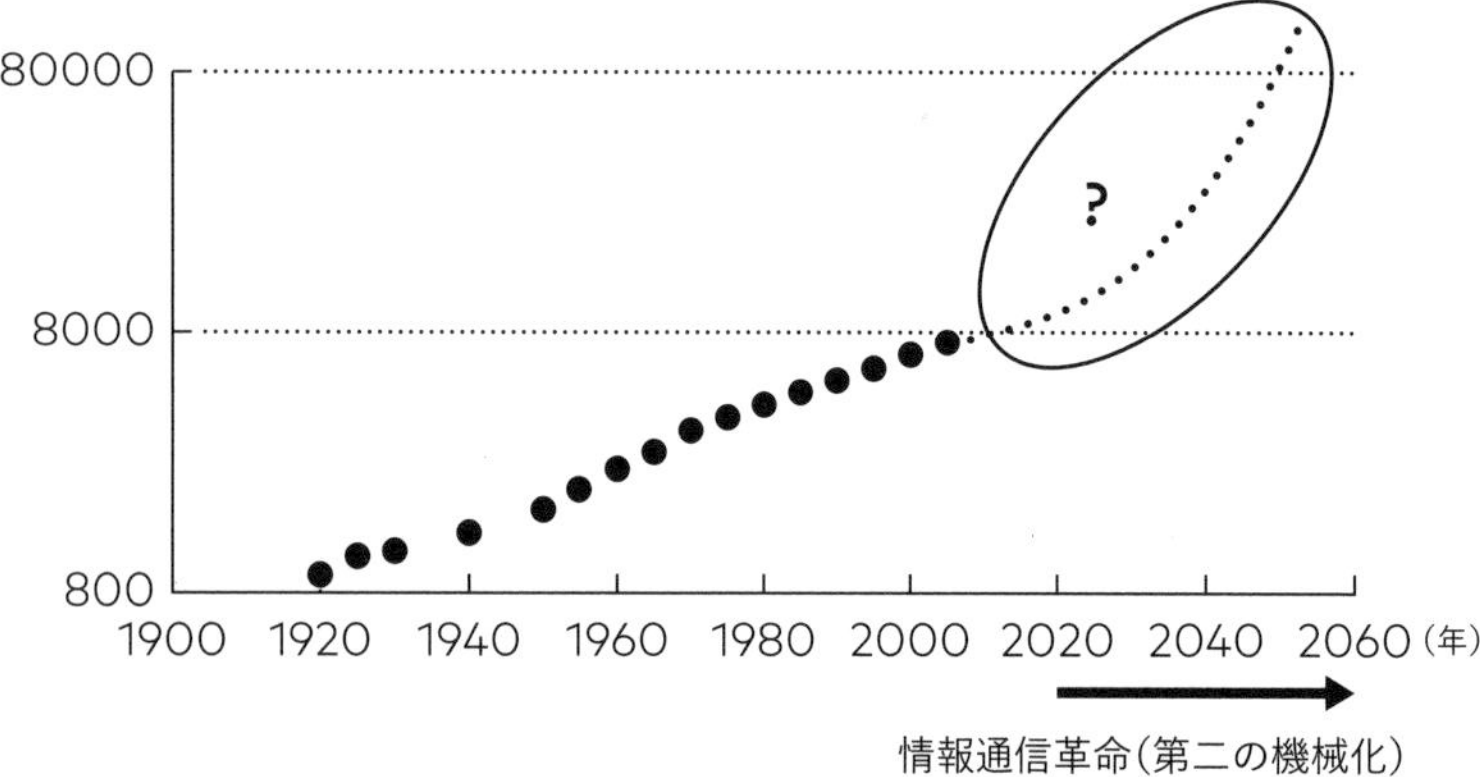

資料：J. Bradford DeLong "Estimating World GDP, One Million B.C. - Present" (1998)

2 知的生産そのものが変わる

ディープラーニングは何にでも使えるAIだとよく誤解されている。これは残念ながら2つの意味で間違っている。ディープラーニング、日本語で深層学習と呼ばれる一連の機械学習分野の技術は確かに革新的な要素技術群だが、これだけではAIにはならない。また、そもそも汎用性の高い、何にでも使えるAIなるものを創ることは今のところできる見込みはないからだ（図1－3）。

では現代（2010年代末）において「正しいAIの理解とは何か」といえば、速い計算環境、もしくは計算機（コンピュータ）に、情報を処理したりパターン学習したりするための情報科学技術（アルゴリズム群）を実装し、最終目的に即した膨大な訓練を与えたものだ（図1－4）。

訓練には通常かなりの量のデータが必要なので、言ってみれば計算機×アルゴリズム×データ＝AIということになる。データとAIは表裏一体なのだ。日本の新聞などのメディアはAIと連呼しているがミスリーディングであることが多いと言わざるをえない。

なぜ大量のデータが必要かといえば、人間がパターンを読み切れる世界で決まりをせっせと作って適用するタイプのAI（ルールベースのアプローチで作ったAI）は対応できるものが少なすぎるからだ。マシンは人間や他の動物のように経験から類推する力がないので、まれにしか現れないさまざまなパターンを含む大量のデータ（いわゆるロングテールを持つデータ）から、対応すべき対象の多様性を学習させる必要があるのだ。

なお、ここまで説明せずに使ってきたが、AIとはArtificial Intelligenceの略。Artificialとは

図1-3　AIに対するよくある誤解

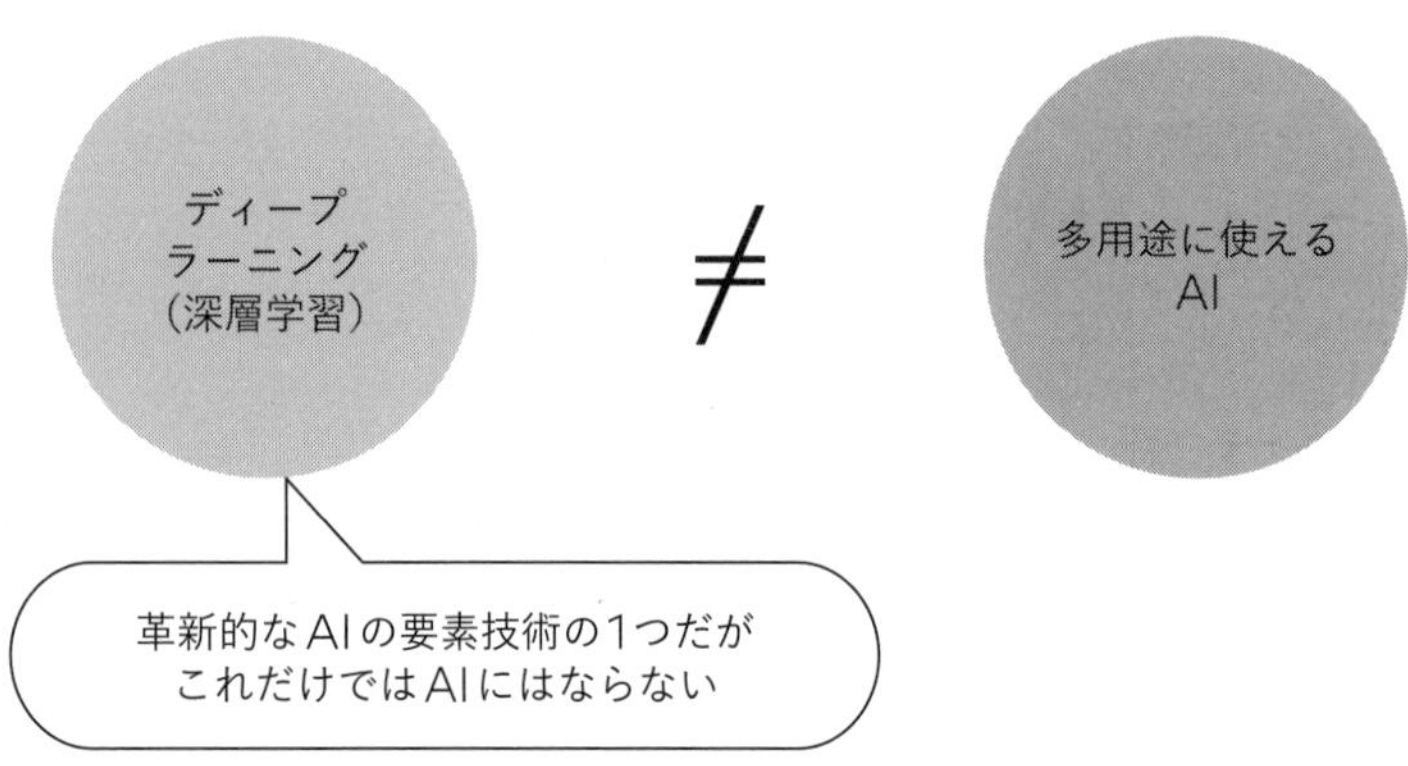

資料：安宅和人 「人工知能はビジネスをどう変えるか」DIAMOND ハーバード・ビジネス・レビュー (2015/11)

図1-4　AI に対する正しい理解

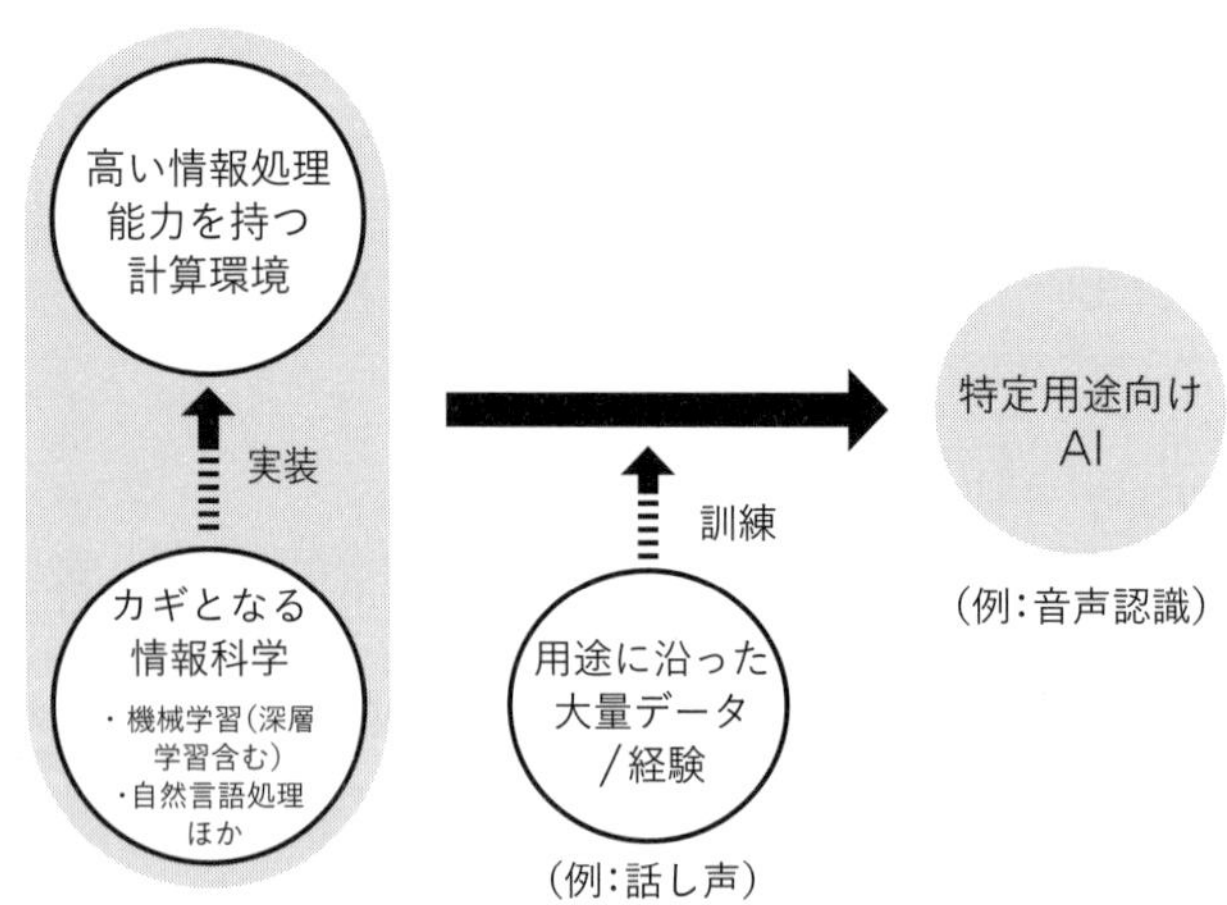

資料：安宅和人 「人工知能はビジネスをどう変えるか」DIAMOND ハーバード・ビジネス・レビュー (2015/11)

Natural（天然、人間を介さない）ではない、人間が何らかの技で作り上げたという意味である。Intelligence（知性）の本来の意味は学習したり新しい状況に対応する能力を言う（この本質については本書後半で深く検討する）。一方、「知能」は頭の能力を表すもので、Intelligenceとは本来似て非なるものだ。ＡＩは通常「人工知能」と訳されるが、昨今英語圏ではMachine Intelligence（直訳すると機械知性）と言うことも多い。

　ちなみに人間のように状況や目的が変わっても対応できる汎用性の高いＡＩのことを汎用人工知能（artificial general intelligence: AGI）もしくは「強いＡＩ（strong AI）」と言う。これに対し、特定用途向けのＡＩのことを「弱いＡＩ（weak AI）」とも言うが、当面のところ人間の手元にあるのは弱いＡＩと弱いＡＩを組み合わせたソリューションとしてのＡＩだ。

　こう聞かれるとがっかりされる人も多いかもしれないが、この弱いＡＩと呼ばれているものでさえ、――たとえばリアルタイムでプロに近いレベルの翻訳が可能になる、大量の線画に一気に色を付ける、１００万件の訴訟データから関連する案件のみを秒単位で抽出するなどというつい10年前では不可能だったことを実現させている。しかもこれらが人間のかなり高度な知的生産そのもの（＝知的プロフェッショナル的な業務そのもの）であることを考えると、驚くべき技術革新が起きていることは間違いない。

　このデータ×ＡＩが世の中、特にビジネスとマネジメントにどのような影響を与えるのかについても簡単にまとめておこう。ビジネス全般として見ると大きく7つある。

すべての産業がデータ×AI化する

これは言うまでもないだろう。今起きているデータ×ＡＩ系のテクノロジーは、人間や家畜（要は生命体）しかできなかったことをキカイがやれるようになるタイプの典型的な「産業革命型」の技術革新だ。かつての機織り、田畑の耕し、鉄を溶かすフイゴの吹き込みのいずれもが機械に置き換わったのと似ている。このタイプの技術革新が起こり、一度、キカイが置き換え始めると人や動物ではまったく太刀打ちできないようになるため、これらの変化には対応せざるをえなくなる。

もうすでにデジタルメディアやＥコマース領域では相当のところまで進んでいるのは耳にしているが、自分の産業で起きることはちょっと考えにくいと思っている人も多いかもしれない。そうではないのだという実例をいくつか紹介したい。

まずは繊維・アパレル産業だ。

ニューヨークのメトロポリタン美術館に入り、エジプトに関する彼らの常設展示を見てみよう。きっとそこには、１万年以上前、中には1万３０００年前の布が当たり前のように飾ってある。21世紀と言って僕らは歴史を語ろうとするが、１３０世紀前の布なのだ。このようにアパレルは文明と共に現れたと言っていい極めて古い産業である。

この産業で、米国に１００年以上前からほとんど同じ服を売って、それをむしろ売りにして繁栄している会社がある。リーバイスだ。そのリーバイスも、導電繊維を織り込んで半ば袖口がスマホ化したジージャンをGoogleと共同で売り出した。袖口をなでたり、タップしたりするだけで連携するスマホの音楽を飛ばしたり、地図のナビゲーションも可能になる。発売は2年半前の2017年9月。このように服もセンシング、入力デバイスになる。

おそらく同じくらい古い産業の1つに小売がある。ある程度まとまった数の人がいれば物々交換が始まり、そして市場ができるのだから、その歴史は長い。

中国、そして米国では近年、まったく新しいタイプの店舗が急速に生まれつつある。店舗に入る、そしてカバンにモノを入れてレジを通さず出てくる、すると取ったものの金額が正しく課金されるという店舗だ。

スマホでリアルタイムに支払状況がわかる。入るときのスマホによる認証自体は、顔や手、あるいは指紋など幅広い技術が活用される。顧客が何を手にとり、カバンに入れたのかは複数のカメラの画像によりリアルタイムで認識する。人間では判別が厳しいレベルのスピーディな棚からの出し入れも問題ない。

中国の盒馬鮮生（ファーマーションシェン）に行くと、よくスーパーなどにある商品の脇の説明タグも質的に変容している。そもそも紙ではなく電子インクで表示されており、商品の入荷ごとにその生産者情報や最終情報が刷新され、しかもスマホを当てるとより詳細な情報を画像などもセットで見ることができる。POSシステム、物流システムと、データ×AIとの相性が抜群によい小売産業だが、最後に残った顧客とのインターフェースも急激に進化している。そもそもこの店舗自体が物流センターを兼ねており、そこで買うことができるだけでなく近隣からオンラインで注文を受けた商品はここから運び出され30分で自宅に届く。小売の進化は自動販売機、コンビニ、Eコマースの誕生

資料1-3　テクノロジーを用いたplenty社の栽培システム

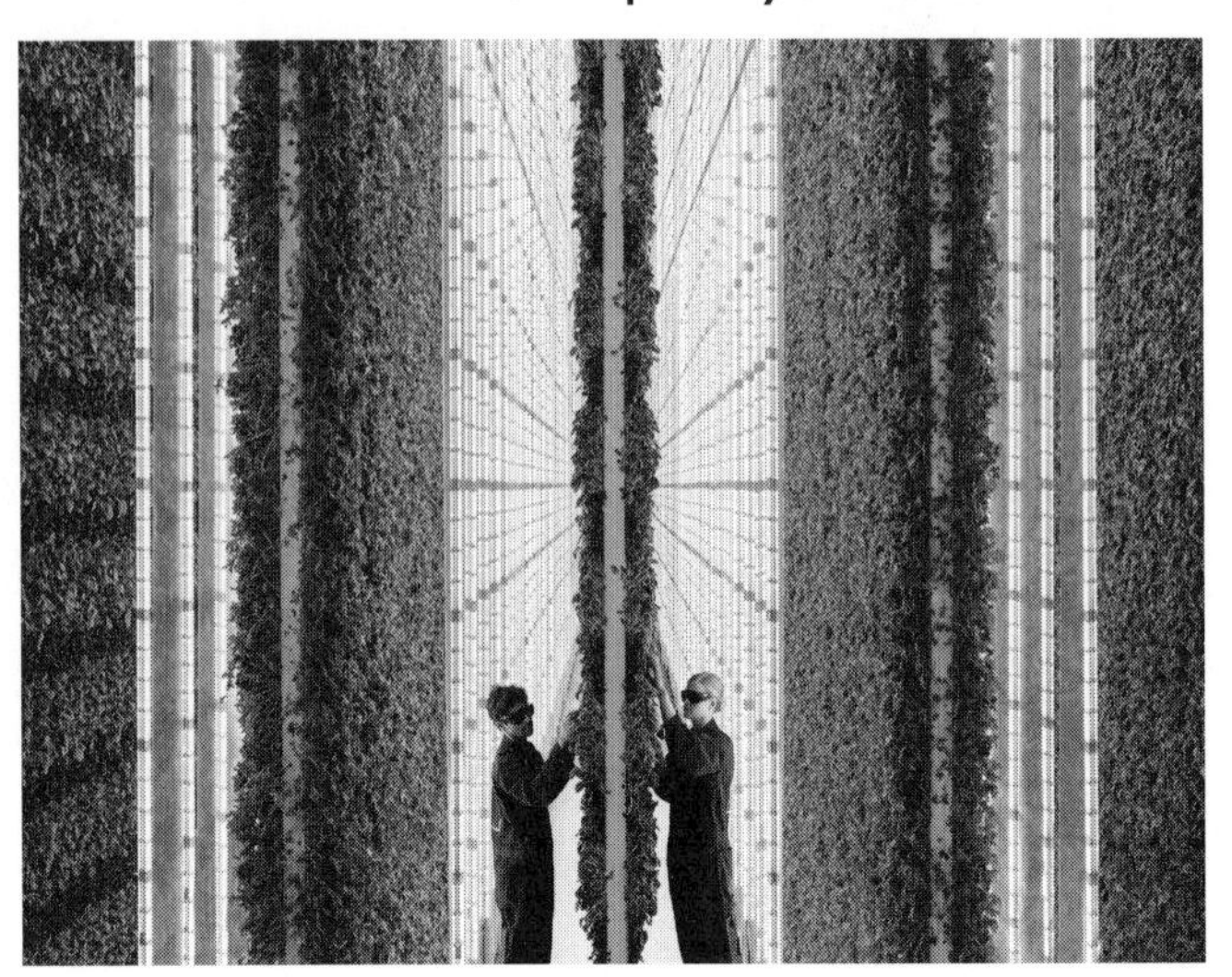

資料：plenty社ホームページより

で終わったわけではない。

もっと古い産業はといえば間違いなく農業になるだろうが、この分野も本質的な進化を遂げつつある。米国のスタートアップPlentyでは垂直な壁に野菜を植え、横からのLED照射により最小の農薬、肥料条件下で育成している。電気と水さえあればよく、季節性も当然超越する。コンパクトなスペースで育てることが可能なので、言ってみれば、どんな空きビルのスペースでやってもよい。消費地に産地をつくることも可能であり、農業界のジャスト・イン・タイムを実現する大きなポテンシャルも持っている。

このように最古の3つの産業がこれほど変わりつつあるのだ。変わらない産業があると思うほうが無理がある。今我々の身の回りに産業革命の恩恵を一切受けていないものはほとんど存在しない。単なるキカイへの置き換えではなく、この新しい技術の利活用によって、まったく新しい未来が生まれつつある。そしてここからの未来がいかにワイルドで興味深いものになるかは、我々の想いと仕掛ける力にかかっている。

意思決定の質とスピードが上がる

これは戦術レベルでも戦略レベルでも起こる。戦術レベルでは、日常オペレーションの判断においてその多くをキカイに任せることができるようになり、人はより難しい問題に集中できるようになる。

戦略レベルでは、情報が生々しく可視化されてくるため、意思決定の質が上がる。経営分析や経営ダッシュボード的な機能の多くは自動化されていくため、人手を煩わせずに、ほぼリアルタイムで情報が可視化される。全量データを活用した判断が基本になり、これまで切り捨ててきた発生データ数が少ない部分（いわゆるテール）も含めた特徴や意味合いが可視化されることから、より精度の高い意思決定につながる。

また、これまで人手をかけなければ価値の抽出が困難だった電力の変動などの意味解読が困難なセンサーデータ[16]や言語ベースの構造化されていないデータ（Tweetやコールセンターへの通話内容、営業と取引先の情報のやり取りなど）からも自動処理の活用により情報を得られるようになる。これにより、不連続な変化や異常の検知も格段に早くかつ正確になる。

16　現在、電力消費パターンを刻一刻と記録するスマートメーターからのデータと機械学習技術の発達により、その家でどのメーカーのどのような機械が今動いているのかもわかるようになりつつある

図1-5　データ×AI利活用の基本ループ

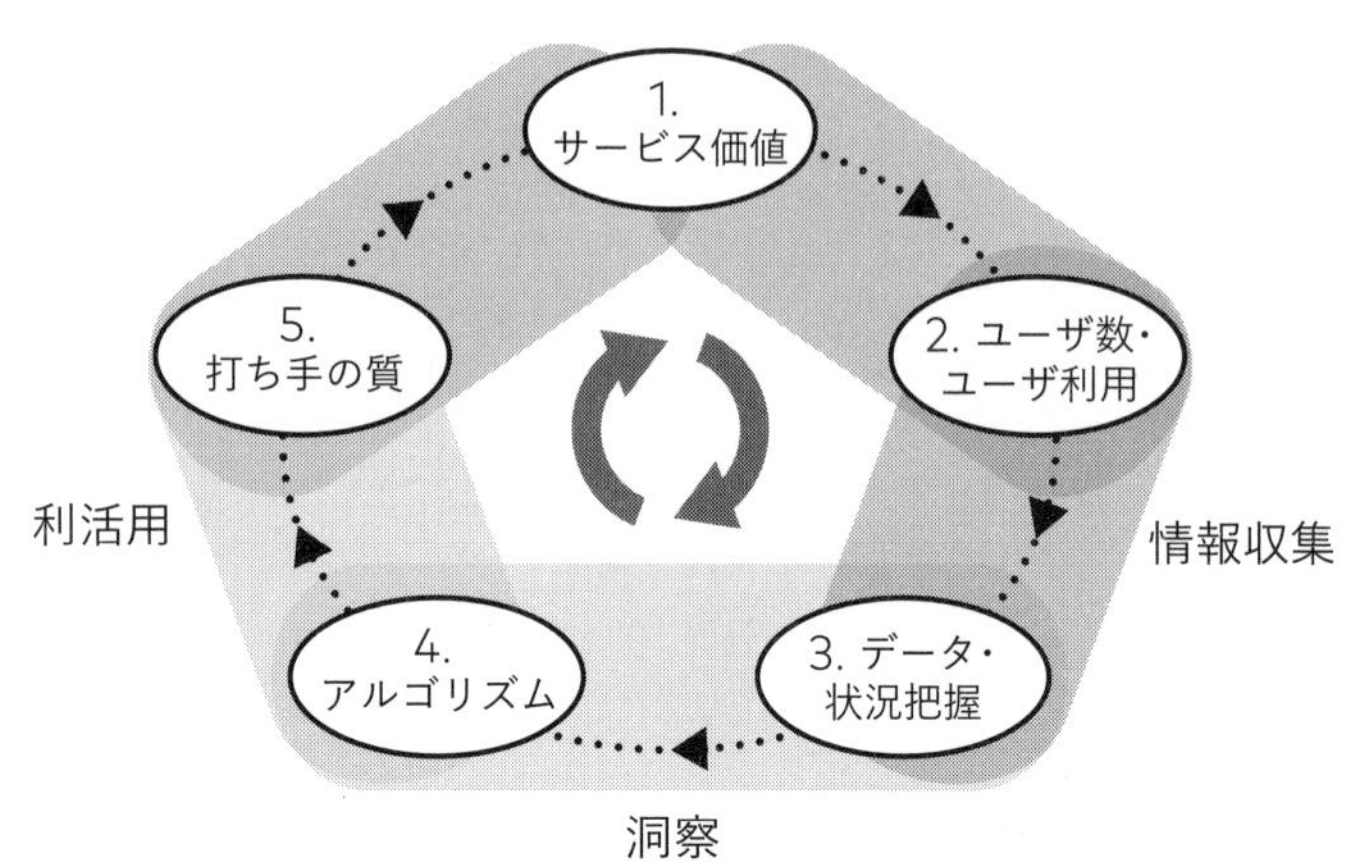

資料：安宅和人分析

状況把握から打ち手まで1つのループになる

データ×ＡＩシステムの中心にあるのは、訓練すればより成長する学習するシステムであり、学習に基づくアルゴリズムの自動適用だ。なので、特定の事業やサービスを主語に取った場合、次のようなサイクルが起きる（図1－5）。

1：サービスの価値が上がる
2：よりユーザが集まる、もしくは利用が増える
3：データが増え、状況把握が進む
4：アルゴリズムの性能が上がる
5：打ち手の質が上がる（→1に戻る）

このようなサイクルが無限にぐるぐる回るのがデータ×ＡＩシステムを回すということであり、正のスパイラルが極め

て効きやすい。すなわち先行者利益が効きやすい構造をしている。この直接的な意味合いとしては、学習優位を築くためにもさっさとどんな分野でも始めたほうがいいということが1つ。もう1つは、これらのメカニズムを入れると従来型のPDCAサイクル[17]は半ば終焉するということだ。

これからはむしろ「系」[18]のパフォーマンスを見ながら、系そのものをチューニングすることが業務の中心になる。IT系の業界の方々であればご存知のとおり、Googleが検索アルゴリズムの変更を行うと、多くの業界で悲喜こもごもが起きるが、このようなアルゴリズム変更やデータのとり方の見直しこそが、データ×AI化された世界のPDCAの中心になる。日本のお家芸と言ってもいいTQC（Total Quality Control）も本質的な影響を受けるだろう。

たとえばリアルタイムの顧客対応、不正検知&対応が可能となり、対応結果からの学びも即座にフィードバックされていくようになる。予測の範囲が広がり与信スコアリングや需要予測がなされれば、そのままスコア算出や受発注につながっていき、その結果がまた次の予測に反映されていく。マーケティングも消費者の意図を予測し、顧客の意思決定の流れに沿ってインタラクションを提供するオンデマンド的なものになっていく。同時に、そこからのフィードバックを即座に反映するループが回るようになっていく。

集合知的なAIを作れるかのゲームになる

AIでは、病理診断であれ、音声認識であれ、キカイが学習する元データが豊かになればなるほど正確さが増す。データを提供する人の数が増えれば増えるほど、キカイは「賢く」なるのだ。

17 Plan,Do,Check,Actの略。結果を見ながら次の打ち手を修正していくサイクル

18 関連するシステム全体のこと

逆に、一人のデータだけを使っても、役に立つＡＩはほとんど作れない。このように同じＡＩプラットフォームを使う人同士は、情報からの学習効果を相互に使えるようにすることが前提になる。データを集めれば集めるほど、ＡＩの生む価値が高まるからだ。[19]

先にＡＩとは計算機×アルゴリズム×データであると述べた。これはシンプルだがなかなか神妙な式で、単にアルゴリズム技術を持っている、あるいは単に膨大なデータを持っているだけではＡＩを作れないことを示している。

また特定種類のデータをいくら持っていても、単一種類のデータでは訓練しようがないことも多い。たとえば近隣の気圧の変化がある範囲で上昇局面になると、あるキカイのトラブルが起きやすくなるというような話があったとする。近隣の気圧の情報とそのキカイの情報は必ずしも同じ人たちが持っているとは限らないために、両方のデータをつなぎこまないとここで求められるデータの価値が生まれない。

したがってデータ×ＡＩ化が進むということは技術ホルダーとデータホルダー、またデータホルダー間の協働、あるいはその両方が進むことを強く示唆している。ＤＭＰ（Data Management Platform）に代表されるデータ連携を加速するための動きが２０１２年以降急激に進んできたが、基本的にこの発想がもとにある。この連携がうまくいかないとデータから価値を生み出すことなど夢のまた夢になるケースが多い。今もこの文脈で見なければ理解できない合従連衡、利活用連合がいくつも生まれているが、この流れは当面続くだろう（図１－６）。

一方、データ連携により価値を生み出すことに生理的に反発する動きが一部に生まれているが、

19　これまでの機械を使うのとは異なり、ただＡＩを使うのではなく、図１－５のようなシステム（系）へ参加しているという態度と理解が利用者に求められる

図1-6　加速するデータ利活用のための連携

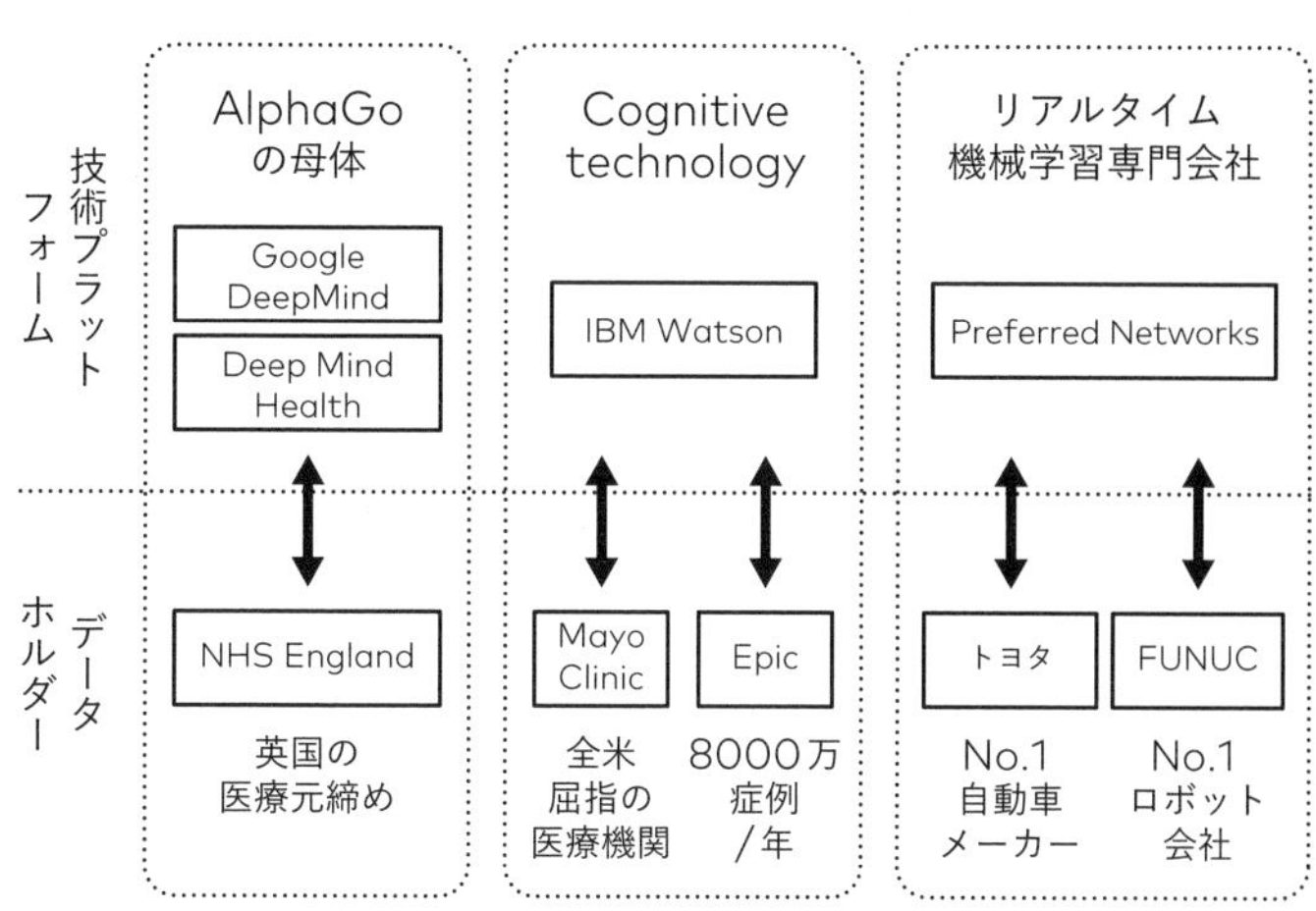

資料：各種報道データより安宅和人分析

これは利便性の視点からも、経済性の視点からも課題が大きい。

江戸時代の呉服店が「あそこのお嬢さんがそろそろ婿を取るらしい」という話を聞いてきて提案をそろそろと行っていたように、データは持っている人と必要な人、あるいは持っている人同士は、つながらなければ価値を生まないことが多い。これらを禁ずることは、さまざまなデータを自社で持ち、それらを1社でネットワーク化してつなぎ得るメガプラットフォーマー（ＧＡＦＡ[20]とＢＡＴＪ[21]など）が圧倒的に力を握る社会となることを強く意味している。個人のプライバシーを守ることは当然最重視しなければいけないが、このデータをつなぐ話とは切り離して議論しなければいけない。どこよりもデータがつながりやすくして、データ利活用の地平を切り開く国や市場が、人類の未来を生み出す場となる可能性が高い。[22]

20　ＧＡＦＡ：Google (Alphabet), Apple, Facebook and Amazon。Appleを外したＦＡＮＧ（Facebook, Amazon, Netflix, Google）という言葉もあるがOSを含むサービスの多様性ということを考えればＧＡＦＡこそが脅威

21　ＢＡＴＪ：Baidu, Alibaba, Tencent, and Jingdong

22　２０１９年秋現在、まさに中国とシンガポールがこの方向に大きく舵を切っている

マッシュアップエコノミーの時代になる

もう１つ大きな変化は、データ×ＡＩ社会ではパーツの何もかもを自ら作り込む必要がなくなるということだ。正確にはすべてを自力で作り込むことは不可能になり、すなわち餅は餅屋になる。「ここだけは」という要素を徹底的に作り込み、一方で、勝負どころではないものについては外部のデータ×ＡＩ的なモジュールをつなぎ込んでいくことが大切になる。

たとえば非上場スタートアップとして世界最大級の時価総額[23]を誇ったUber。最大の要の配車エンジン、つまり顧客とドライバーをマッチさせる部分、その評価、プライシングシステムは自社で握ってきたが、地図はGoogle Maps、決済システムはBraintree、通話・ＳＭＳ機能はTwilioの各社ＡＰＩ[24]に任せることでサービスを迅速に立ち上げた。〝マッシュアップ〟の力が速やかなサービス実現の原動力だったと言える。

どこかを握ってどこかを他力を借りるということは、前節で述べた集合知的なＡＩを作り込む上でも必要だ。その作り込みにおいてもＡＰＩ的なデータの出入口を用意しておくことが重要になる。

「データはある」と言う会社は多いが、それをすべてリアルタイムでキカイが読み込めるようにデジタル化しており（= machine-readable）、少なくとも社内向けにＡＰＩができている会社はどのぐらいあるだろうか。ＡＰＩがないというのは、家の玄関まで水道管は来ているが、蛇口がないのと同じである。

23　２０１９年9月17日現在で５８５億ドル、約６・４兆円

24　ＡＰＩはApplication Programming Interfaceの略で、アプリ間で情報をやり取りする仕組み、情報の出入口のこと。リアルタイム対応のものが基本。外部組織への公開の度合いによって、プライベートＡＰＩ（組織限定）、パートナーＡＰＩ（特定のパートナーへのみ開放する場合）、パブリックＡＰＩ（誰でも利用可能にする場合）がある

なお、さらにUberはこのサービス自体をＡＰＩ化して外部（地図ＡＰＩの提供元であるGoogle mapsを含む）に提供し、自社への送客も強化している。要素をつなげ、そしてサービスをつなげ合うことが成長の大きな要になっていることがわかる。

何もかもをブラックボックス化して作ることで競争優位、競合の参入障壁を築く時代は終わりつつある。仮にUberが、世界最大のユーザ数を誇るGoogle maps並みの地図を自力で構築しようとしていたら、彼らの劇的な成長は起きず、世界展開も遅れ、結果、現在のような企業価値を生み出すことはなかっただろう。

事業および収益構造が二重になる

２０１８年、ソニーの犬型ロボットaiboが12年ぶりに発売になった。何も知らない状態で届くが、日々の飼い主とのふれあいを通じて、唯一無二のペット、そしてパートナーとして成長するチャーミングなロボットだ。留意点として、月々２９８０円のベーシックプランに加入しないとちゃんと成長しない。これはソニーが不当に売上を上げているわけではない。このaiboの生み出すさまざまなデータは日々クラウドに自動で送り込まれ、これをベースにアルゴリズムが進化し、またそれが各個体にフィードバックされる。飼い主から見たときに、aiboが快調であり続けるために必要なのだ。

このaiboと同様なことが、これから多くの商品やサービスで起こる。なぜならデータ×ＡＩ化する世界に完成はなく、常にその商品やサービスは学習し、変化し続けるからだ。つまり、半ば「生きている」状態になる。

資料1-4　ソニーが販売するペットロボットaibo

資料：gettyimages

もちろん、これまでも使い込んだ味を愛でることはあったが、それはあくまである種のエイジング（経時変化）を味わう侘び寂び的な話が大半であり、外部からのメンテを通じた機能そのものの進化ではなかった。

商品やサービスの提供者側からすると、これはある種、大きな成長、収益拡大のチャンスでもある。多くの商品やサービスは売り切るだけでなく、このように販売後もサービスからの収益が発生するようになる。実際、2016年、経済産業省 産業構造審議会の任務でインダストリー4・0の視察にドイツを訪問した際、ジーメンス（Siemens）などドイツのメーカーや関係省庁の方々は収益機会が2倍になることに大いに前向きであった。そう、〝座布団〟は2倍になるのだ。当時、似た立ち位置にいる日本の重電系メーカーから聞いたことのない発言に、目を開かれた思いをした。

2019年8月29日、ハリケーン・ドリアンが米国東海岸を襲った際、Tesla のオーナーであるイーロン・マスク（Elon Musk）は「この台風の進路上にある Tesla の多くは、一度の充電でこれまで考えられないほど多くの距離を突然走れるようになる」と発表した。ソフトウェアで機能を抑えていた Tesla の廉価モデルの充電力を、遠隔からの操作で解き放ったのだ。[25]

このようにあらゆるものがIoT[26]化し、リアルタイムでのメンテナンス、そして顧客対応も可能になる。顧客と商品・サービスの接点の情報は刻一刻とクラウドに届き、多くのものがバックグラウンドでスマホのようにアップデートされるようになる。これは産業の多くが、複合機、エレベーター、オフィス用エアコンなどに近い事業モデルとなるということだ。つまり、各事業者はこれまでとは比較にならないほど長い間、顧客との関係にコミットするようになる。

ヒューマンタッチがより重要になる

情報処理の仕事の多くが自動化すれば、当初は技術プラットフォームのよしあしを競うゲームが相当続くだろう。その後、いずれプラットフォームのパフォーマンスがこなれてくれば、これを前提とした上でキカイにできない人間的な接点（ヒューマンタッチ）がこれまで以上にビジネスでの価値創造、価値提供の中心になっていく。

人間は合理性を求める一方、ヒトの温かみ、ヒトを通じた価値を大切にする生き物だ。AIが

25 参考："How the internet of things will change the world", *The Economist*, 14 Sep. 2019.

26 IoT：internet of things……さまざまなモノがネットワークを介してクラウドや他のモノにつながり合うようになること。モノのインターネットとも言う

毎回正確に同じものを提供してくれるサービスと、不揃いでも誠心誠意、生身のヒトが提供してくれるサービスなら、後者の価値が高いケースは多い。

デザインにおいても、単にＡＩによって過去の知見を活かし最適化されたものより、ヒトがヒトならではの感性と技を活かし、こだわりぬいたものにはセレンディピティとヒューマンタッチが感じられ、付加価値はずっと高い可能性が大きい。

ＡＩとデータに得意なことはＡＩとデータに任せ、浮いた余力をヒトにしか生み出せない価値の打ち出し、ヒトにしかできないこだわりや温かみの実現を目指していくことが、ビジネスの勝負どころになっていく。

3 不連続な変化はデータ×AIだけではない

以上見てきたとおりデータ×AI化はさまざまな点で世の中を質的に変容させる。しかし現在起きている不連続な変化はこれだけではない。留意すべきものをいくつか見てみよう。

キカイは分子レベルでデザインする時代に

2016年のノーベル化学賞はどのような研究に与えられたかご存知だろうか。受賞したのはモレキュラーマシーン（Molecular machines）、つまり分子レベルの大きさのキカイを研究した方々だ。この極小規模のキカイになると当然のことながら、エンジン（内燃機関）でもモーターでも動かない。化学的なエネルギーで動く。

ノーベル賞を受賞したということはこれらの研究は10～15年前に行われていたということで[27]、実用化までそれほど遠いわけではない。キカイは分子レベルでデザインする時代に入ったのだ。

人間すらデザイン可能な時代に突入

2017年8月には人間の胚における遺伝子改変の成功が報じられ、翌2018年11月にはその遺伝子改変した胚から本物の人間の子どもが生まれたとの報（しらせ）が流れた。これらは倫理的には深刻な課題を抱えた研究であるものの、成果だけに関して言えば、僕のようにかつて分子生物学を専攻していた人間からすれば衝撃だ。長らく人間ではクローンすら成功してこなかったのに、い

27 1964年に存在が予測され、長年存在を確かめられるかどうかがイシューとなり、2012年に存在確定後、翌年受賞につながったヒッグス粒子のような例外的事例はあるが、通常続く研究が10～15年なされ、インパクトが確定し初めてノーベル賞受賞につながるケースが大半である。世紀の大発見であるジェームズ・ワトソン(James Watson)とフランシス・クリック(Francis Crick)によるDNAの二重らせん構造ですら1953年の提唱からノーベル賞受賞まで9年を要した

資料1-5　2016年にノーベル化学賞を受賞した分子レベルのキカイ（Molecular machines）の一例

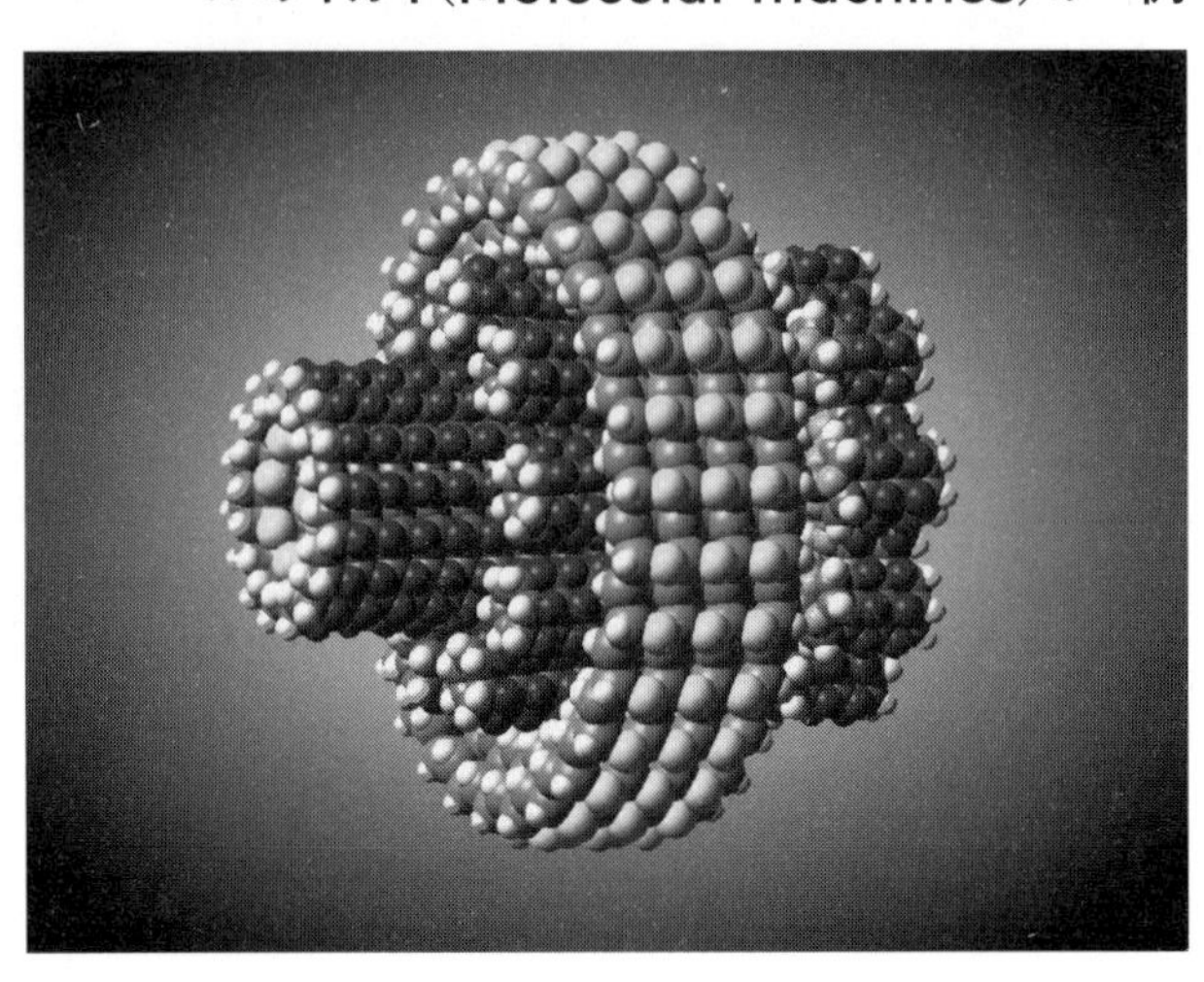

資料：Walterdenkens "nanob", *Wikimedia*, https://commons.wikimedia.org/wiki/File:Nanob.jpg

きなりデザイナーベイビーが登場したのだ。人間すら遺伝的にデザイン可能な時代に突入したということだ。

1953年のDNAの二重らせん構造の発見のあと、ウイルスから人間に至るまで、地球上の生命体のすべてが核酸の3つ組コドンによって遺伝情報、すなわち設計図を保持していることを我々は解明してきた（図1－7）。このベースになっているのは4種類の塩基であり、我々地球上の生命体は、本質的に四進法のデジタル情報に基づいている。このデジタル情報をタンパク質やその他の生命活動というアナログ情報に変換する、すなわち「天然のD to A（digital to analog）コンバーターが地球生命である」というのが過去65年にわたる厖大な研究の結論なわけだ。だが、遺伝情報は重く（人間のDNAで1ゲノムあたり約30億塩基対）、特に真核生物におけるゲノムDNAの編集は容易とは言い難かった。ゲノム編集技術が、このビッグデータにまつわるデータサイエンスの発展と期を同じくして、革新を遂げるというのは実に感慨深い。[28]

地政学的な重心のシフト

もう1つ見逃せないのが世界経済の重心が急速にアジアに戻りつつあることだ。つい200～300年前まで世界経済のトップは長らく中国及びインドであったが、産業革命以降、インドの植民地化や阿片戦争を経て数百年にわたって抑えつけられてきた。この二大大国のプレゼンスが世界史上かつてなかったスピードで元に戻ってきている（図1－8）。

トランプ政権の豪腕な打ち手により達成は遅れているが、中国は遅くとも2035年までに米国を追い越し世界経済、そして情報科学のトップになるだろう（情報科学分野については後述）。英米を代表する雑誌の表紙が2017年に相次いで中国の半ば勝利を称えていることからもわかるとおり、[29] 中国は覇権国家の1つとなる。まもなく世界語に中国語が加わる。

インドも出遅れてはいるものの、それほど遠くない未来に人口で中国を追い抜く。加えて、データ×AI人材をもっとも大量に国外に輩出している国であることを鑑み（かんが）みると未来は明るい。2019年現在、企業価値世界一であるMicrosoftのCEOはサティア・ナデラ（Satya Nadella）、GoogleのCEOはスンダー・ピチャイ（Sundar Pichai）、いずれもインド系だ。[30]

これらの地政学的な重心の変化は日本にとって千載一遇のチャンスと言える。日本は現在、米中に次ぐ3位の経済規模を誇る大国であり、現在トップの米国の強い同盟国であり、なおかつこれからトップに立つ中国の隣というこれ以上なく地政学的に有利な状況にいるからだ。

28 参考：安宅和人×Future Society 22『〝ブレードランナー〟な暗黒未来を迎えるのか、豊かな「風の谷」を創るのか』 2018年3月22日 (http://www.future-society22.org/blog/ataka)

29 "The world's most powerful man", *The Economist*, 14 Oct. 2017. "China won", *Time*, 13 Nov. 2017.

30 このあたりは蛯原健『テクノロジー思考』（ダイヤモンド社 2019）を参考にされたい

図1-7　1953年以降に明らかになった生命の本質

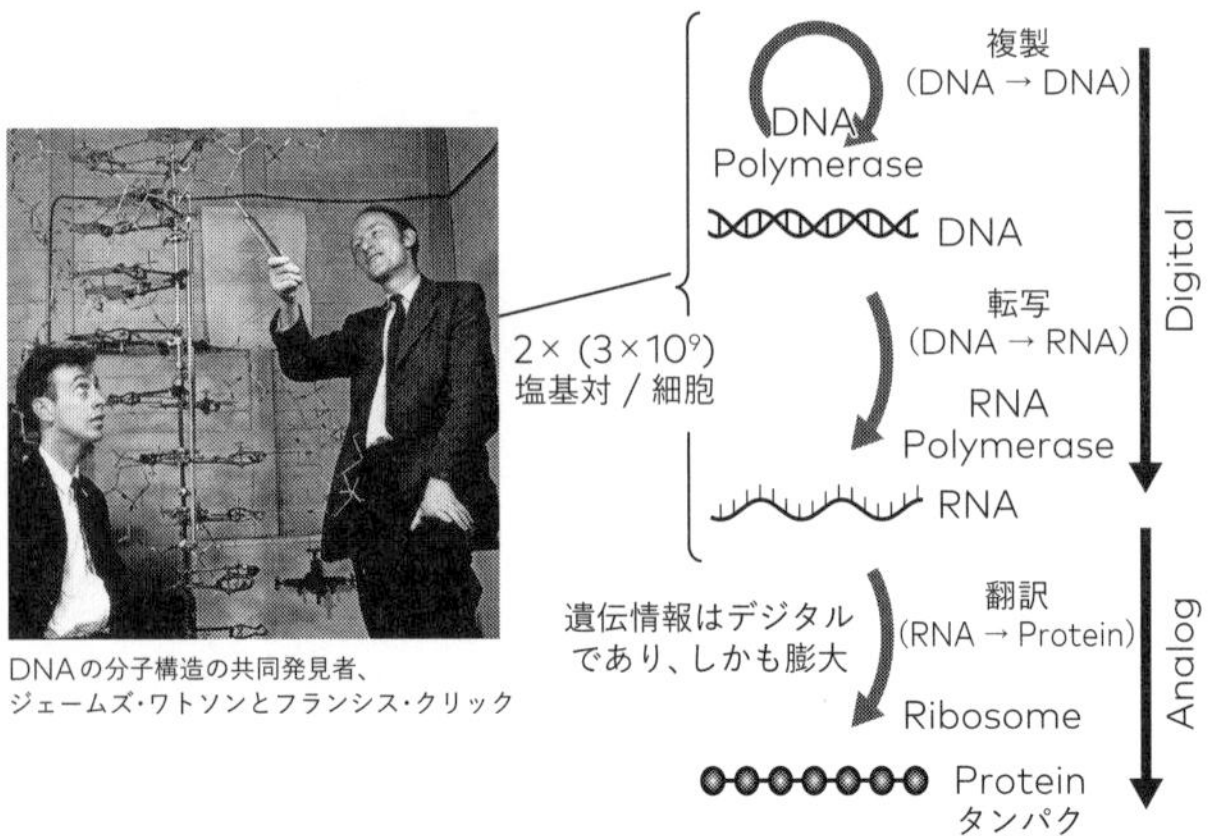

DNAの分子構造の共同発見者、
ジェームズ・ワトソンとフランシス・クリック

資料：Contact prints of the photographs taken by Antony Barrington Brown of Watson, Crick, and their model in the Cavendish Laboratory (1953). CREDIT: SCIENCE PHOTO GALLERY/A. BARRINGTON BROWN Dhorspool at en.wikipedia (https:// commons.wikimedia. org/wiki/File: Central_ Dogma_of_ Molecular_ Biochemistry _with_Enzymes.jpg)

図1-8　世界の重心がアジアに戻るダイナミックな局面
World GDP 1700-2008

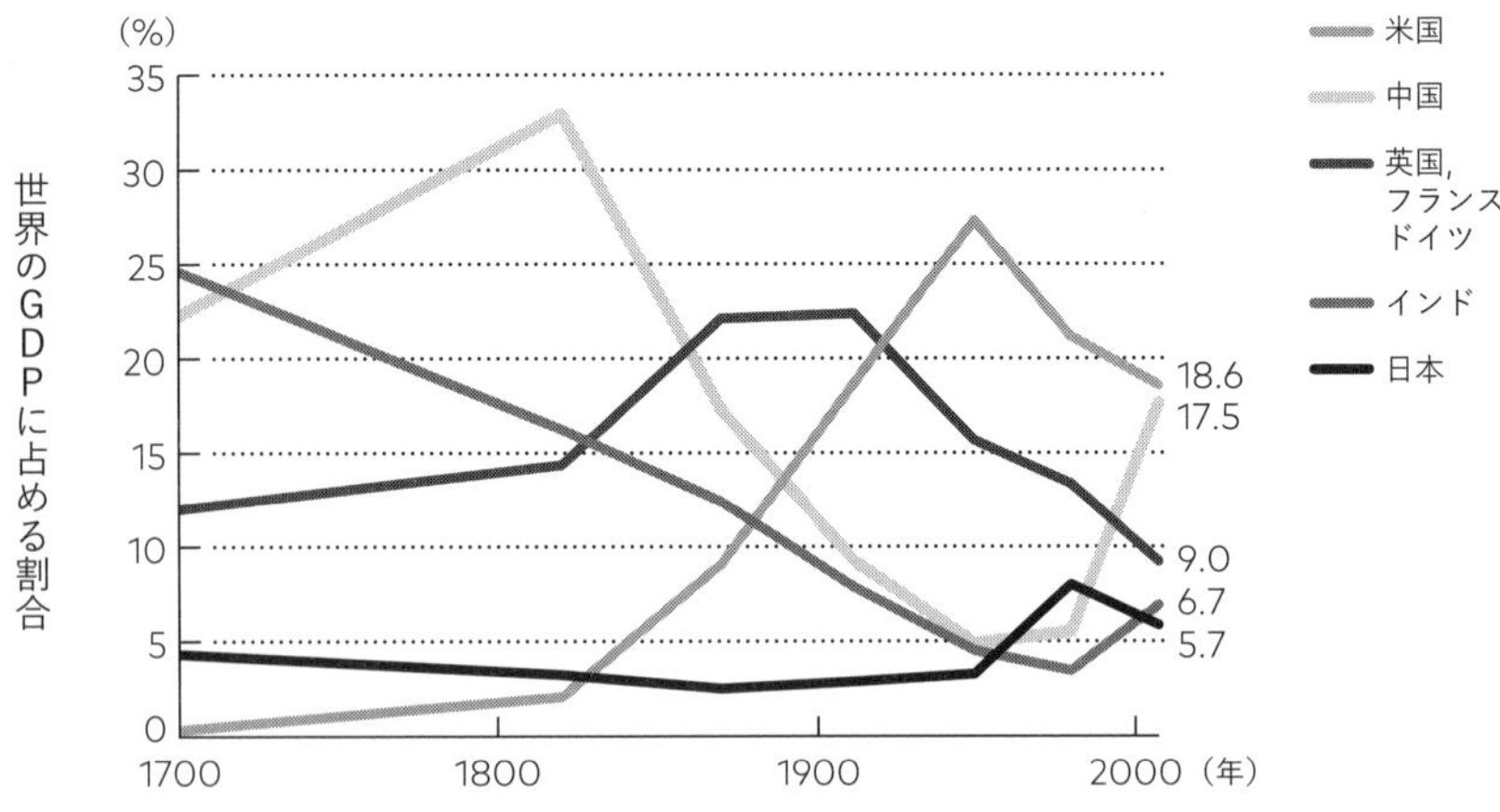

資料 :https://infogram.com/Share-of-world-GDP-throughout-history

4 未来の方程式

以上見てきたとおり、時代は多面的に「確変モード」に突入している。不連続なレベルの技術革新は、単にデータ×ＡＩだけで起きているわけではなく、日本が伝統的に強いものづくり、また自然科学分野でかなり強みを持つ生物科学分野でも起きている。さらに経済・地政学的な変化も日本にとってかなり好ましい状況だ。一方で、環境問題により人類だけでなく地球上の生命全体にとって持続可能性を失いかねない状況にあることも事実であり、未来に向けて新しい変化を仕掛ける人たちにとってこれ以上ないほどエキサイティングな局面にある。

変化は遥かに速く起きる

ここで、２０１６年に孫泰蔵さんから見せてもらった二枚の写真を共有しておきたい。一枚は20世紀になる直前、１９００年のニューヨーク。もう一枚はその13年後、１９１３年の同市の風景だ（次ページ資料１-６、１-７）。馬車しか走っていなかった道が、すべてＴ型フォードに変わっている。ちなみにＴ型フォードの発売は１９０８年。わずか5年でこれほどの変化が起きたということだ。大半の人が思っているよりも、変化は遥かに速く起きる。

深層学習と共にＡＩが一気に話題になった頃、かつて機械化の波が来たとき人がどう対応したかを振り返ろうということで、「馬車に乗っていた連中はどうなったのだろうか」という疑問[31]がずいぶんあがったが、これを見たらわかるとおりクルマに乗ったのだ。そして馬の代わりにクルマを世話する産業が一気に花開いたのだ。

31 19世紀初頭（１８１１〜１８１７）に英国の中北部の織物工業地帯で起こったラッダイト運動（Luddite movement）のような機械取り壊しの機運が生まれたという話は聞かないが、というニュアンス

資料1-6　1900年のニューヨーク

資料:"Fifth Avenue in New York City on Easter Sunday in 1900"
By an unknown photographer, 1900
National Archives and Records Administration, Records of the Bureau of Public Roads
https://commons.wikimedia.org/wiki/File:EasterParade1900.jpg

資料1-7　1913年のニューヨーク

資料:Scan from Congress Library, https://commons.wikimedia.org/wiki/File:Ave_5_NY_2_fl.bus.jpg

実際、iPhoneが2007年に生まれてからわずか12年だが、現在世界のコンピュータ出荷の約7割がスマホになり[32]、インターネット利用の半分を超している[33]。これを考えればAmazon, Apple, Alphabet, Facebook, Tencent, Alibabaと世界時価総額トップ10の企業の半分以上がスマホ関連事業を本業とするのは当然と言える。目には見えないが、スマホの上に現在、世界最大の〝大陸〟があることを理解している日本人は残念ながらまだ少ないように思える。

質的に変わる富を生む方程式

2017年春、Teslaが世界最大級のクルマ会社GMの企業価値を追い抜くというニュースが流れた。仮にこのトレンドが続いていればトヨタすら1～2年で抜かれていた（図1－9）。販売台数規模でいえば、GM、トヨタ、VW（Volkswagen）の3大グループの130分の1以下なのに、である。産業革命の最大の申し子の1つであるクルマ産業でこのようなことが起きたのは歴史的な出来事だ。

実際、企業価値ランキングはこの10年で様変わりした。2007年のトップ10を見ると、確かにMicrosoftが6位にいたが、それ以外は軒並み銀行、石油の元売り、そしてメーカーだ。それが2019年は大半がデータ×AIを使い倒している企業に入れ替わった。しかもその多くは前述のとおり2007年に生まれたスマホそのもの、もしくはスマホを前提とした事業で価値を生み出している（図1－10）。今世界でもっとも大きな〝大陸〟は、皆さんの手のひらの上、スマホの上にあるのだ。

32 "Gartner Says Global Smartphone Sales Declined 2.7% in First Quarter of 2019". Gartner, 28 May 2019. https://www.gartner.com/en/newsroom/press-releases/2019-05-28-gartner-says-global-smartphone-sales-declined-2-7--in
"Gartner Says Global Smartphone Sales Stalled in the Fourth Quarter of 2018". Gatner, 21 Feb. 2018. https://www.gartner.com/en/newsroom/press-releases/2019-02-21-gartner-says-global-smartphone-sales-stalled-in-the-fourth-quart

33 "Desktop vs Mobile vs Tablet vs Console Market Share Worldwide". StatCounter, 2019. https://gs.statcounter.com/platform-market-share#monthly-200901-201907

図1-9　自動車メーカー大手3社の株価推移

2016年10月〜2017年4月

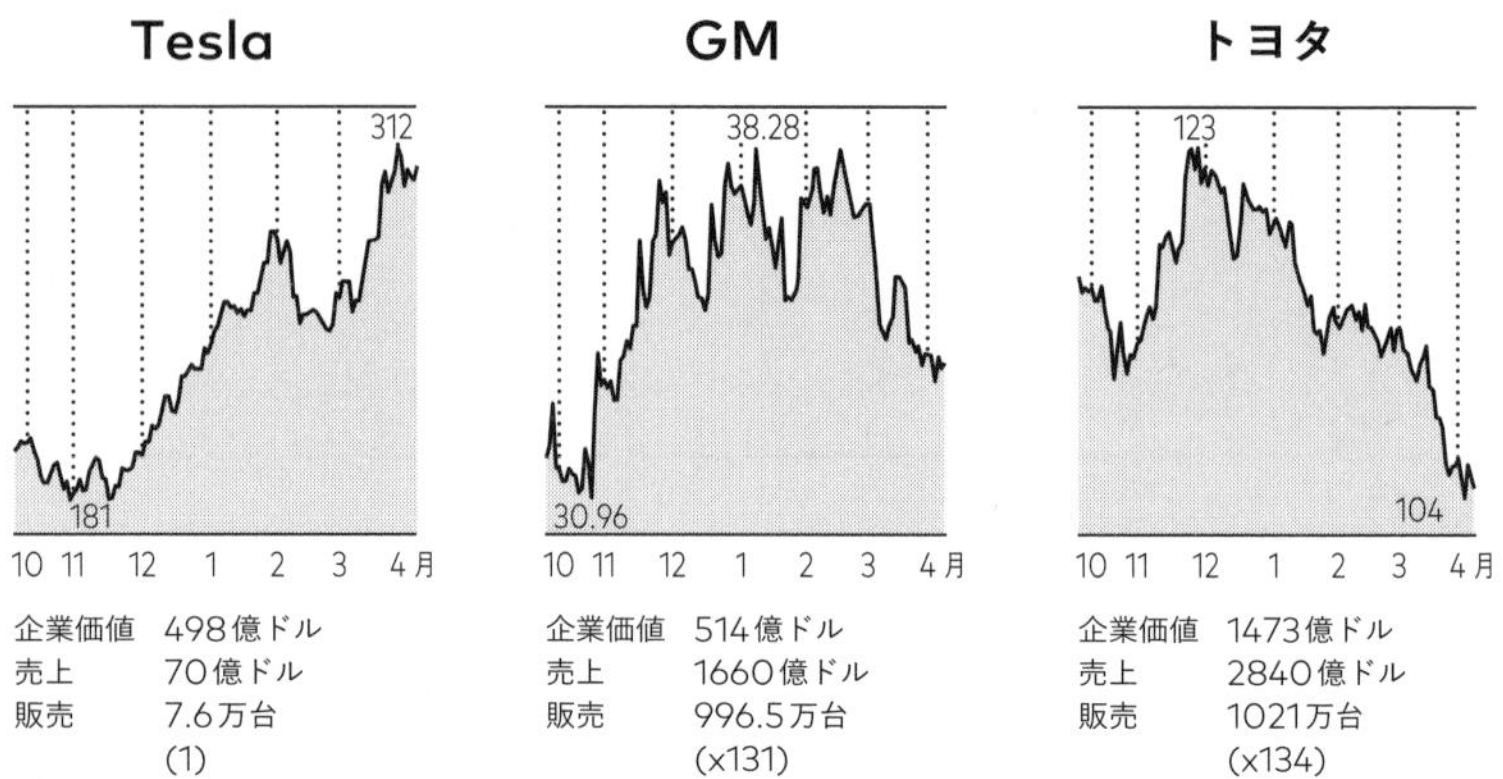

資料：iOS 株価アプリ (2017/4/20)、Wikipedia, 各社ウェブサイト 2016, https://www.forbes.com/sites/bertelschmitt/2017/01/30/its-official-volkswagen-worlds-largest-automaker-2016-or-maybe-toyota/#71e6841476b0

図1-10　企業価値世界ランキング

10億ドル 2019

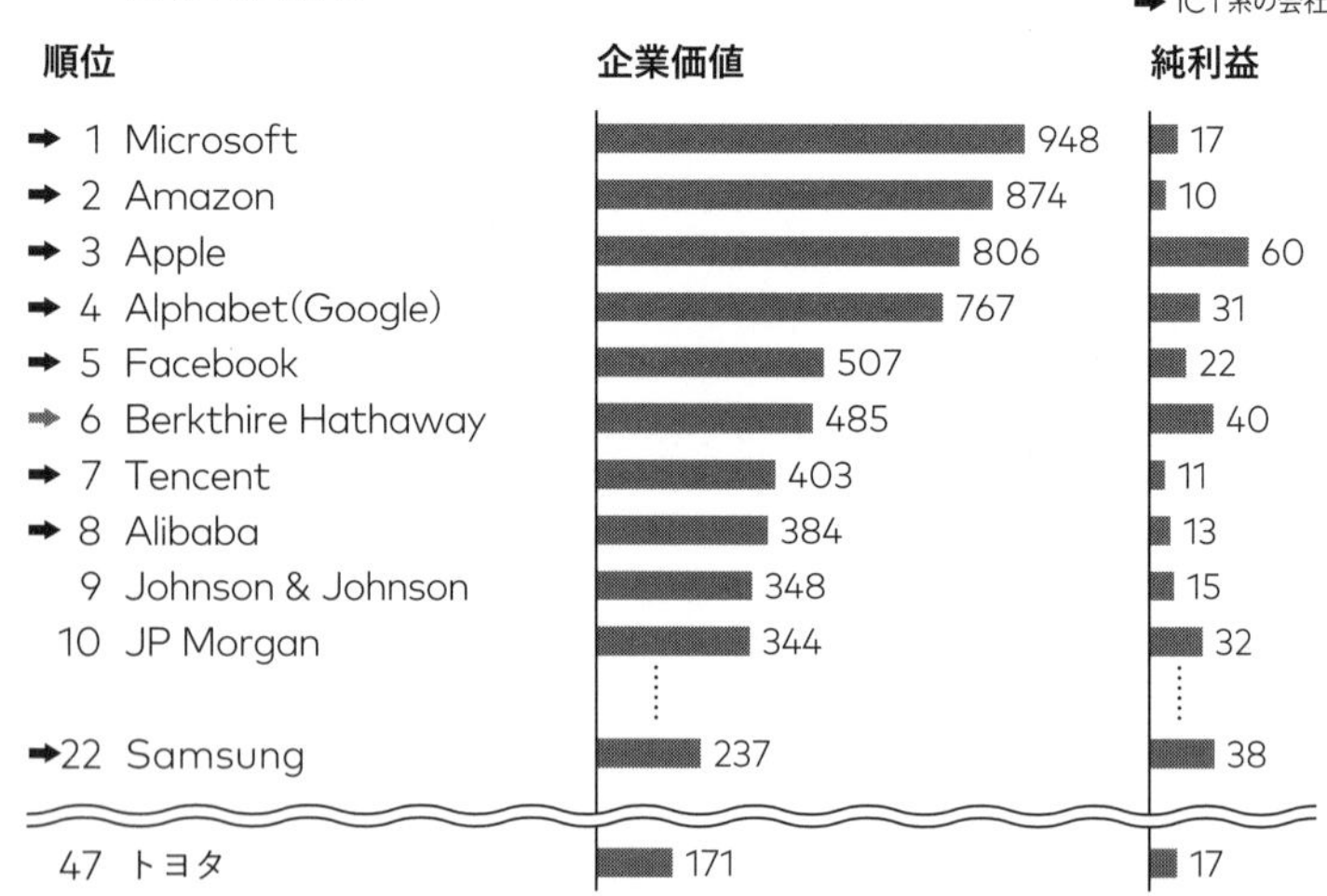

資料：時価総額 World Stock Market Cap by Think 180 around (May 2019)、純利益 各社 IR 資料より安宅和人分析

特に留意してもらいたいのは、今上位に来ている企業群が、それまで米国が誇ってきた大企業群、たとえばGE、IBM、Walmart、DuPontなどから生まれたわけではないということだ。また、日本の企業がこれまでしのぎを削ってきた分野で負けたわけでもない。トヨタの企業価値はクルマ会社としては相変わらず世界で一番だ。まったく見えないところから新しいゲームが始まり、そこに参加しなかったために国としてジリ貧になったのだ。

結果、極限的な下剋上の時代に突入している。オールドエコノミーのど真ん中である自動車業界で起きたようなことが、あらゆる業界で起きる可能性は高い[34]。

これまでは「スケール」を取り、大きな売上、付加価値、そして利益を生めば企業価値につながるのが、富を生む基本方程式だった。しかし、この非連続的な変化に富む局面では、そもそも「未来を変えている感」が企業価値になり、これをテコに投資し、最終的に付加価値、そして利益につながるという真逆の流れになった（図1－11）。

スタートアップに大企業級の信用はないが、一方で重荷になるいわゆるレガシー的なアセットがない。ほぼ必要な人員だけで成り立っており、お荷物になる人がいない。銀行や小売のように、コストが高くメンテコストも重すぎるシステムがない。才能を柔軟にバリューベースで評価し、既存の人事システムにとらわれず集めることもできる。VC（Venture Capital）の充実に伴い、リスクマネー[35]は大企業内の新規事業より柔軟に集めたり利活用しやすいケースも多い。

スタートアップによる下剋上はおそらく、刷新が済んでいない産業で当面ことごとく進む。刷新後の産業でもさらに新しい刷新を仕掛けるプレーヤーがいれば再び足元をすくわれる。このような局面では守る側よりも仕掛ける側が圧倒的に有利だ。

34 参考："Tech's raid on Banks", *The Economist*, 2 May. 2019.

35 投資サイドから見たときの回収リスクは大きいが、成功すればまとまった収益を得ることができる事業資金。エンジェル投資家、VCを通じてIPO前の事業体に入れられるケースが多い。被投資側から見ると、通常株式(equity)提供を通じて得るもので、借金（debt）と異なり返済の義務がない

図1-11　国富を生む方程式の変容

Old Game		New Game
・市場でのプレゼンス・寡占	→	・未来への期待感、寄与
・既存の枠組みの中での規模と効率の追求	→	・既存の枠組みを超え、ICT、技術革新をテコに世の中をアップデート
・既存のルールでのサバイバル	→	・ジャングルを切り開きサバイバル

資料：安宅和人「AI× データはビジネスをどう変えるか？」経済産業省 産業構造審議会・新産業構造部会 第２回 資料（2015/10/28）
https://www.meti.go.jp/shingikai/sankoshin/shinsangyo_kozo/002.html

主要先進国は人口調整局面に突入

この背景には、先のレガシーコスト、リスクマネーの有無に加え、人類が人口調整局面に突入したことが挙げられる（図１－12）。米国を除く主要国は、中国を含め消費の中心をなす生産年齢人口は軒並み頭打ち、もしくは減少局面にある。米国も、移民の受け入れをやめれば２０３０年には減少に陥ると推定されている。[36]すでにシェアの大きな企業にとっては、このマクロトレンドは負に働く。一方、まだ伸びしろの大きなスタートアップにとってはこれらのトレンドはほとんど影響しない。企業価値の下剋上が極めて起きやすい要因の１つはここにある。

国連などの予測を見ているとアフリカ、インドの人口増大は、今のところ止まる気配はないかのように見える。しかしこ

36　William H. Frey "US population growth hits 80-year low, capping off a year of demographic stagnation" BROOKINGS (December 21, 2018) Figure2

図1-12　主要先進国の生産年齢人口推移

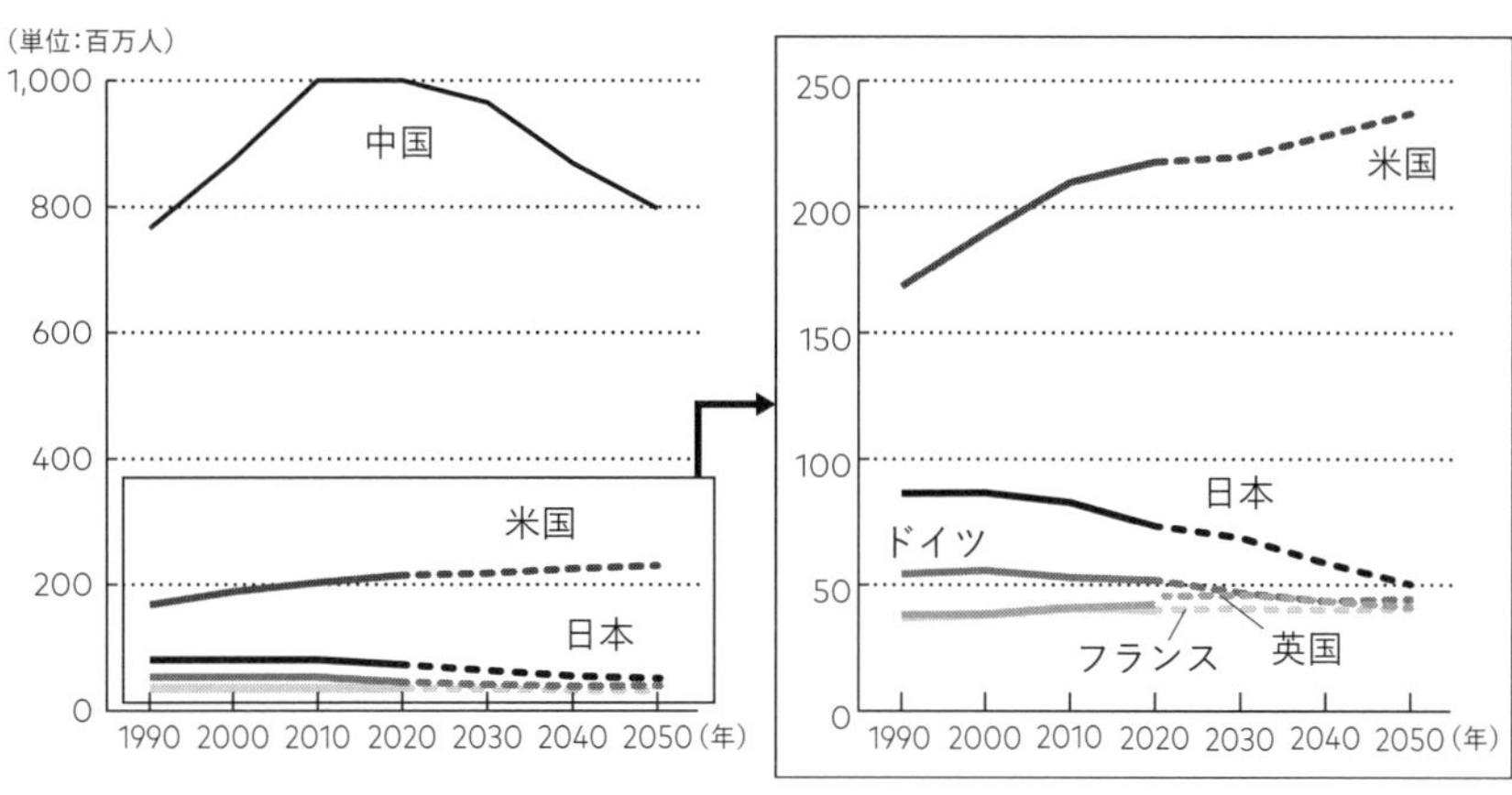

資料:総務省統計局「世界の統計 2017」より安宅和人分析

れは『FACTFULNESS』[37]で語られたとおり、将来国が豊かになることの影響が十分に織り込まれていないのが実情だ。アジア・アフリカも遠からず人口調整局面に陥っていくと見立てるのが筋だろう。

37 Hans Rosling et al., "*Factfulness: Ten Reasons We're Wrong About The World - And Why Things Are Better Than You Think*" Sceptre (2018)(『FACTFULNESS』、上杉周作・関美和 訳、日経BP社、2019)

「虚数軸」が富を生む時代の到来

単にリアル空間でのスケールだけがものを言う時代は終了した。技術をテコに世の中を刷新、アップデートできる企業に企業価値が生まれるようになったのだ。電話、計算機、PDA、iPodをすべて統合し、iPhoneを生み出したスティーブ・ジョブズ(Steve Jobs)、そして持続可能なエネルギーの世界を創ると掲げるイーロン・マスクのように、「妄想し、カタチにする」ことが富に直結する時代だ。

言ってみれば、「実数軸」での規模感よりも、データ、AI、ロボティクスな

資料1-8　妄想しカタチにする力が富に直結する

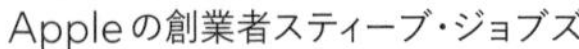

Appleの創業者スティーブ・ジョブズ

Teslaの創業者イーロン・マスク

資料：（左）Romaine "Steve Jobs Headshot 2010-CROP", *Wikimedia*, https://commons.wikimedia.org/wiki/File:Steve_Jobs_Headshot_2010-CROP.jpg（右）gettyimages

どの新しいテクノロジーをテコに世の中を刷新できているか、いわば「虚数軸」での強さが大きな価値を生むカギになっている。企業価値はハード軸を中心とした世界から情報・新技術をベースにした虚数軸をかけ合わせた世界、すなわち複素数平面ゲームへと移行した（図1－13）。

未来の方程式

この複素数平面ゲームで未来を仕掛けるために何を考えるべきだろうか。

ウェブ上はもちろん、昨今の雑誌や新聞は新しい技術の話ばかりしているが、本当に技術だけを身につけたら未来は生み出せるのだろうか。答えは否だ。未来を生み出す人の多くが何らかの技術領域に詳しいことは確かに多いが、逆は真ではない。

たとえば医者、電気系エンジニア、プ

図1-13　企業価値の「複素数平面化」

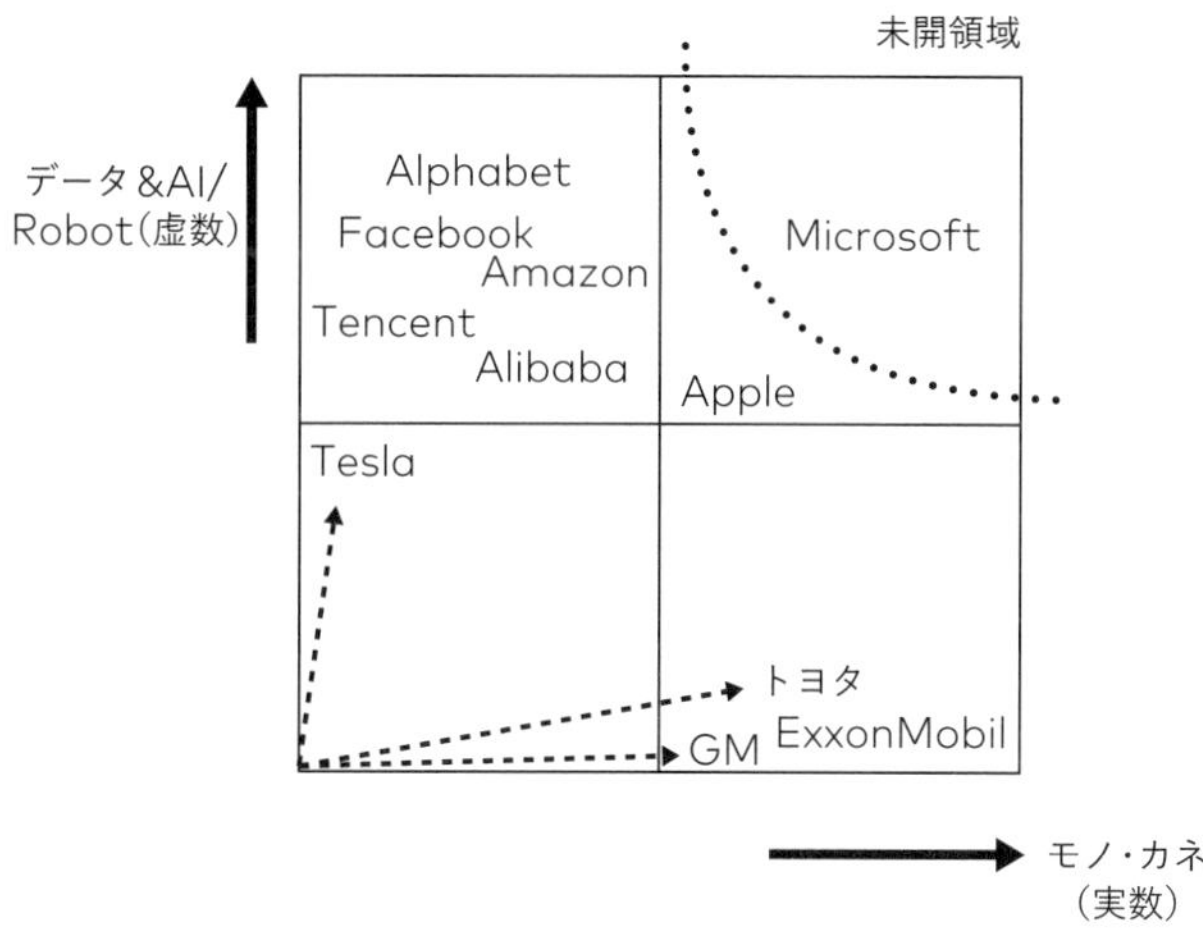

資料：安宅和人 「人工知能はビジネスをどう変えるか」DIAMOND ハーバード・ビジネス・レビュー（2015/11）をもとに著者改変

ラントエンジニア、あるいは弁護士の方々の多くは、明らかに普通の人よりも深く実践的な技術を身につけているが、その大半は未来を生み出す側の人というより、あくまでプロとして業務に当たる人だ。

では、何が必要なのだろうか？

少し間をおいて考えてほしい。いかがだろうか。

これに対する僕の答えはシンプルだ。未来は我々の課題意識、もしくは夢を何らかの技・技術で解き、それをデザインでパッケージングしたものと言える。つまり「未来＝夢×技術×デザイン」だ[38]（図1-14）。データ×AI、バイオ技術、土木・建築技術、電気電子技術、医療技術、その他もろもろの科学的な知識やそれらを適用する技術は大事だが、それだけでは未来の創造につながらない。こん

38　この「未来の方程式」は「価値デザイン社会」を訴える内閣府の知的財産戦略ビジョン［２０１８年6月12日発表］にも採用された

な課題を解きたい、こんな世界を生み出したい、そういう気持ちなしで、手なり以外の未来など生まれる理由がない。

ここでは、技術軸そのものの発展については棚上げしている。たとえば、かつて国の人工知能産業化のロードマップの検討[39]の際に整理したように、ＡＩの利活用のベースとなるシステム×データ×ハードの進化の方向性はある程度見える（図1-15）。しかしどんな未来が創られるかは、我々がどのような課題にどう技術を適用するか、そしてどのような未来を描くかによってまったく変わる。また技術領域であっても、実際には多くの道があり、どの道を通るのかは、関わる人の想い次第であり、歴史を開けてみなければわからないことは多くのエンジニア、サイエンティストが知っているとおりだ[40]。

デザインの新しい定義

今から20年ほど前の20世紀末、僕は米国東海岸の大学院で研究生活を送っていた。日本ではノストラダムスの大予言などで嬉々としていた頃だ。

当時、米国の学生の間ではやっていたのがＭＰ３プレーヤー。大学の研究室には個人が持っているよりも遥かに速いマシンが置いてあり[41]、それを使ってＣＤから音源を取り出し、それを友人知人の間でたらい回しにして聴くという行為が、大学院生やポスドクの一部で日常的に行われていた。学生の中ではＣＤを「クラックする」[42]という言葉が使われていたとおり、当然、あまり正しいことではないと理解されてはいたが、そのやり取りは黙認されていた。あるいは単純に大学

39 筆者は人工知能技術戦略会議 産業化ロードマップＴＦの副主査として参画。２０１７年3月31日発表

40 次節に掲げるデジタル音楽プレーヤーの事例を参照

41 しかも大学間を走るインターネットの本物の土管（バックボーン）に直結していたので情報のやり取りは至極容易だった。すでに１０００Ｂａｓｅ－Ｔ、すなわちスループット１Ｇｂｐｓを実現するイーサネットが引かれた頃で２０〜３０ＭＢのデータのダウンロードには数秒もあれば十分だった

42 crack：暗号を解読するなどの意味で俗語的に使われる言葉

図1-14　未来の方程式

未来（商品・サービス）＝ 課題（夢） × 技術（Tech） × デザイン（Art）

資料：安宅和人「“シン・ニホン” AI× データ時代における日本の再生と人材育成」首相官邸 教育再生実行会議・技術ワーキンググループ（第４回）配布資料（平成30年11月27日）

図1-15　人工知能の利活用のベースとなるシステム×データ×ハードの進化

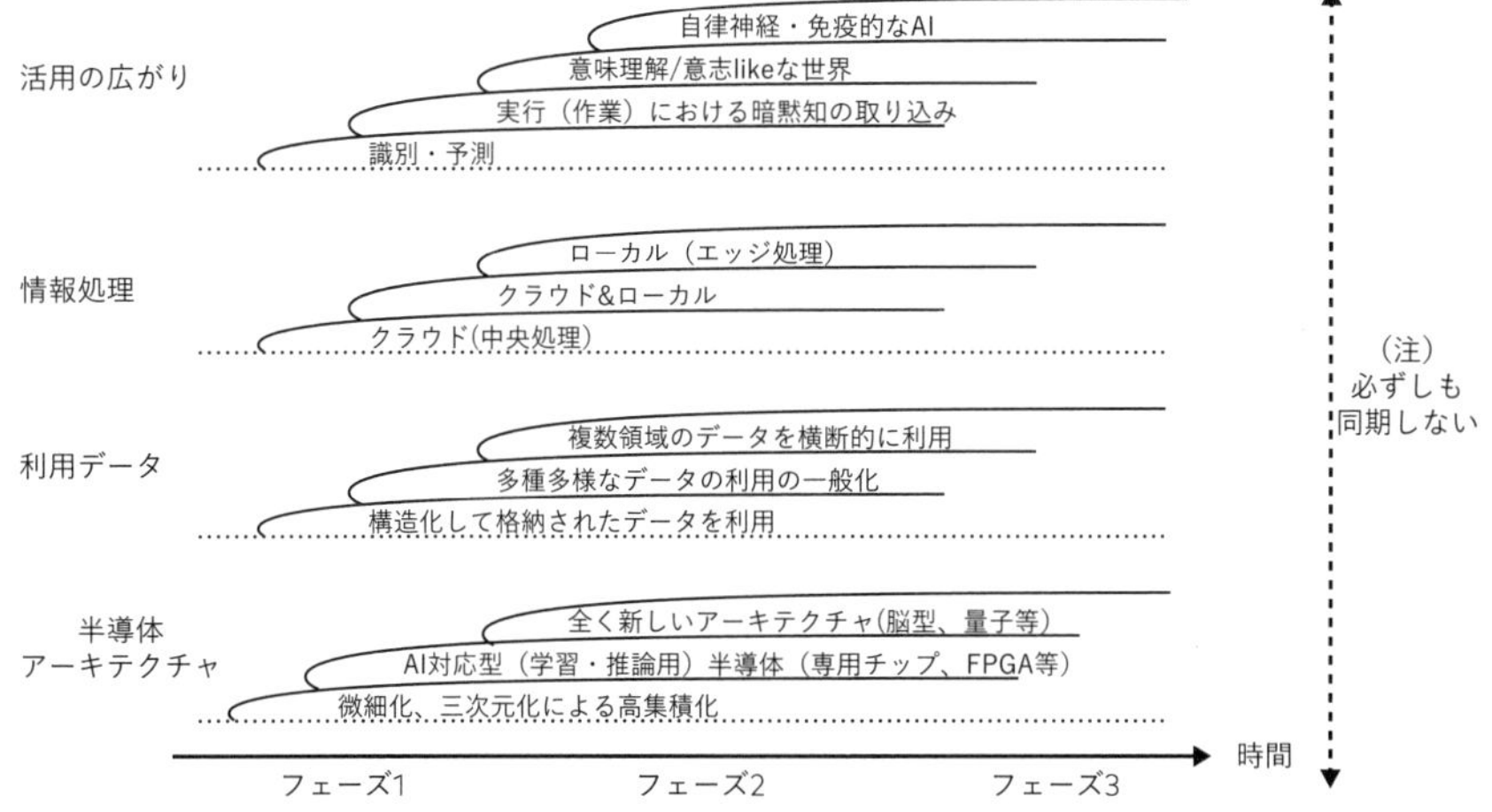

資料：人工知能技術戦略会議資料「人工知能の研究開発目標と産業化のロードマップ」（2017/3/31）より抜粋
https://www.nedo.go.jp/content/100862412.pdf

当局にはあまり知られていなかった可能性もある。大学というところはこういうアヤシイ取り組みをする中から未来を生み出す空間でもある。そんなところに2001年、唐突に現れたのがiTunes、そしてiPodだった。

合法化された音源が圧倒的に洗練されたデザインとユーザインターフェース(UI)を持つデバイス、そしてソフトウェアと共に現れたインパクトは絶大だった。映画『インデペンデンス・デイ(原題:Independence Day)』の主人公が登場するCMのインパクトも鮮烈で、「このCM見たか?」と、リンクが何度も回ってきた。

そのあとの世界がどうなったのかは言うまでもない。ポータブル音楽プレーヤー業界をゼロから生み出し、数十年にわたって市場を牛耳ってきたソニーのウォークマンをほぼ完全に置き換えただけでなく、この進化が2007年のiPhoneにつながり、音楽だけでなく、電話も、コンピュータも、いや世界そのものを根底から変えてしまった。

音楽をデジタルのままで聴き、持ち歩くという点ではほとんど同じはずのMP3プレーヤーとの差は何だったのか?

明らかに描いた絵の大きさ、そしてデザインだ。それも画期的なクリックホイール、シックで洗練された画面での曲探しに代表される「意匠」だけではない。iTunesに代表されるソフトウェアとの完全なる融合を含めた「商品/サービス設計」、デジタル音源の版権処理、それを流通させるクラウドの仕組みまで含めたビジネスの「系・モデル設計」まですべてが一体となったデザインだ。

図1-16　デザインの真の広がり

資料：安宅和人「“シン・ニホン” AI× データ時代における日本の再生と人材育成」教育再生実行会議 技術革新ワーキング・グループ（第4回）配布資料（2018/11/27）https://www.kantei.go.jp/jp/singi/kyouikusaisei/jikkoukaigi_wg/kakusin_wg4/siryou.html
Magnus Manske “ipod 1G”, *Wikimedia*, https://commons.wikimedia.org/w/index.php?curid=12976762
Turbo-myu-z “2015toyota prius(ZVW50) a 2WD”, *Wikimedia*, https://commons.wikimedia.org/w/index.php?curid=45566080

この歴史的な事例からわかるとおり、これからの未来を変えようと思うのであれば、デザインという言葉の意味を幅広く捉え直し、鍛え上げる必要がある。日本語の「デザイン」は意匠にとどまった意味になりがちだが、英語本来の意味合いに立ち返るときが来ている（図1－16）。

技術の実装だけで未来を変えることは難しい。単なる技術オタクではダメなのだ。大切なのは、目に見えない特別な価値を生み出せるかどうかだ。素晴らしい世界を描き、領域を超えたものをつなぎデザインする力が、これまで以上に重要な時代を僕らは生きている。

この観点からも、習ったことをきっちりやる〝マシン〟的な人では新しい価値の生み出しようがないということがわかるだろう。

「目に見えない価値」を想像し生み出せるか

欲しい世界を描くことが大切だと述べたが、そこで生み出すべきは単なる機能的な差異を超えた「目に見えない価値」だ。たとえば従来型の喫茶店とスターバックスの違いは何かを機能的に説明するのはなかなか難しい。

人がいいなと思うであろうことを先んじて感じ、それを自分なりに表現できる力が重要となる。言葉でもいいし、絵でもいい。その両方があるとさらに最高だ。そういう力を持った人を育てていけるかが僕らに問われている。そして僕ら一人ひとりもそういう価値を感じられる能力を磨いておきたい。

仮に生み出せなくとも、少なくとも識別できる、そんな「知覚」の能力が深く広い人が多くなることで、街も、空間も質が上がる（知覚については3章で詳しく触れる）。東京、京都、大阪は世界の都市の中でもっともミシュランの星が多いトップ3であり、京都の祇園周辺に至っては面積あたりのミシュランの星の密度が世界最高と言われる。これには日本人の食、味覚、また、それにまつわる多面的な経験に対する知覚の深さと広さが寄与していることは言うまでもない。価値を感じる人がいないところでこのような文化が育つわけがないからだ。

パリにおける建物・絵画・視覚芸術の奥深さ、ロンドンにおけるウイットの味わい、フィレンツェを含むイタリアトスカーナ地方の豊かな田園空間創造にも同様に「知覚」が生んだ豊かな文

資料1-9　**値段のつけられない茶杓**

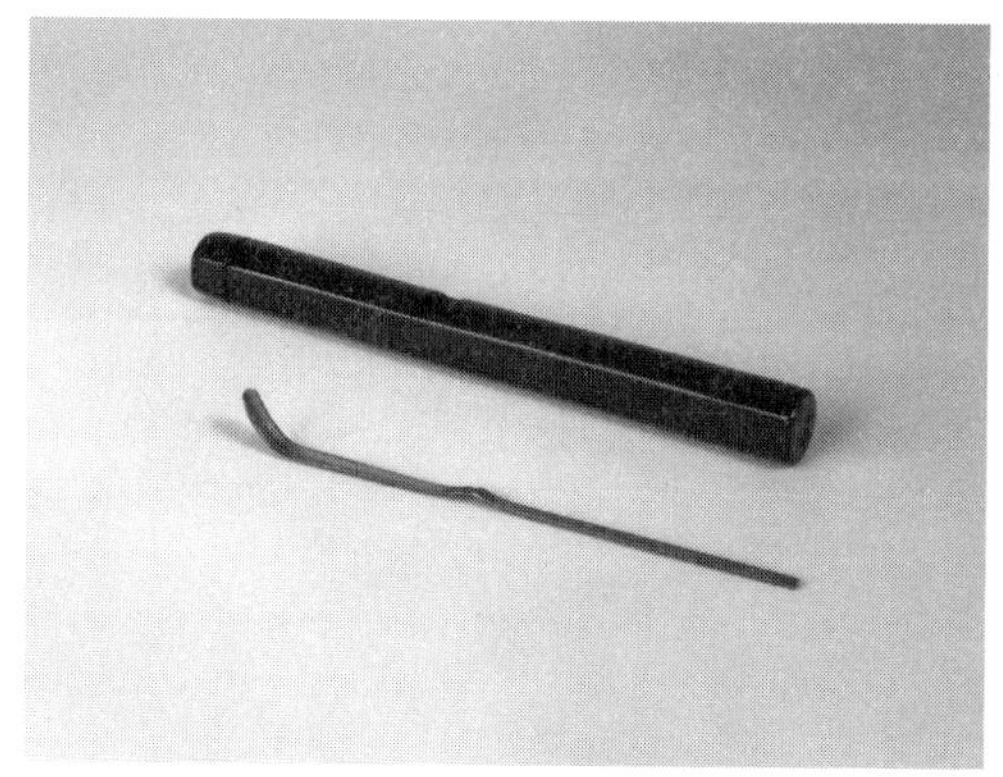

天正19年(1591)2月、秀吉に切腹を命ぜられた利休が、自ら削って最後の茶会に用いた茶杓

資料：徳川美術館所蔵　© 徳川美術館イメージアーカイブ /DNPartcom

化が見られる。食のように我々日本人が優れている部分もあるが、そうでない部分は謙虚に学び、さらに深い知覚を磨いていくことが空間、そして土地の力や価値に直結していく。技やテクノロジーの強さ（技術）はもちろん大切なのだが、利休[43]がかつて行ったように、新たな価値観の挑戦（夢）とそれを形にする力（デザイン）こそが我々の未来の価値を生み出していくもう一方の力になる。

43　茶の湯を華美をすべて削ぎ落とした「わび茶」の世界に刷新した。高価な名物（古来優れた一品）の保持を競うのではなく、装飾性を否定した楽茶碗や万代屋釜に代表される利休道具を活用し、茶の前の平等を追求。庶民の間でしか使われていなかった3畳、2畳の茶室を採りいれ、単なる通路に過ぎなかった空間を、積極的な茶の空間、もてなしの空間とした（Wikipedia「千利休」を参考に筆者とりまとめ）

2章

「第二の黒船」にどう挑むか
――日本の現状と勝ち筋

創造的な仕事をなしとげる
三つの条件がある。それは、
①若いこと、
②貧乏であること、
③無名であることだ
―― 毛沢東の言葉

毛沢東：政治家・思想家（1893–1976）
中国共産党初代中央委員会主席

1　一人負けを続けた15年間

我々の生きる時代の意味合いを掴んだところで、日本の現状を俯瞰してみよう。図1－10の世界の企業価値ランキングを見ればわかるとおり、企業単位では、日本は中国はおろか韓国にも大敗している。これは平成が始まった頃、上位の多くが日本企業だったことを知っている世代には厳しい事実だ。

もちろん各領域におけるプレゼンスや技術が全体として負けたというわけではない。いわゆるオールドエコノミーの多くで、日本の企業は今も変わらず強い。たとえばトヨタは前述のとおり3大自動車メーカーの中で相変わらず1位だ。しかし、企業価値ベースで国同士を比較すると完敗している。これは1章の話からわかるとおり、日本の企業は今もスケールゲームにいそしみ、新しい技術をテコにした刷新、産業の創出に出遅れていること、仮に取り組んでいたとしてもきちんと訴求され市場にうまく伝わっていないことを示している。

国として生み出す付加価値の総和[1]、すなわちGDPを見てみよう（図2－1）。世界的にアップトレンドの中、日本だけが伸ばせないという若干衝撃的な状態が25年ほど続いている。しかも、直近のトレンドが特によくない。まもなくドイツに並ばれかねない状況だ。人口が日本の3分の2で約8000万人しかいないドイツに並ばれるということは、生産性（人口一人あたりのGDP）が3分の2になるということだ。これは同じG7国としても由々しき状況ではないだろうか。

その結果、一人あたりのGDPのランキング（図2－2）は30位前後で（G7中6位）、1960年頃の水準に戻ってしまっている。30年前の1989年は4位だが、G7に入るような主要国の

1　付加価値は感覚的なものではなく計算できる値だ。その対象となる事業体が新たに生み出した価値のことを言う。企業の場合、総売上（総生産額）から他社への支払い（原材料費、燃料費、減価償却費など）を差し引いたものだ（売上から売上原価を差し引いた粗利益、粗利にかなり近い概念で、業界によってはほぼ一致する）

図2-1　世界トップ30ケ国のGDP推移(2015)

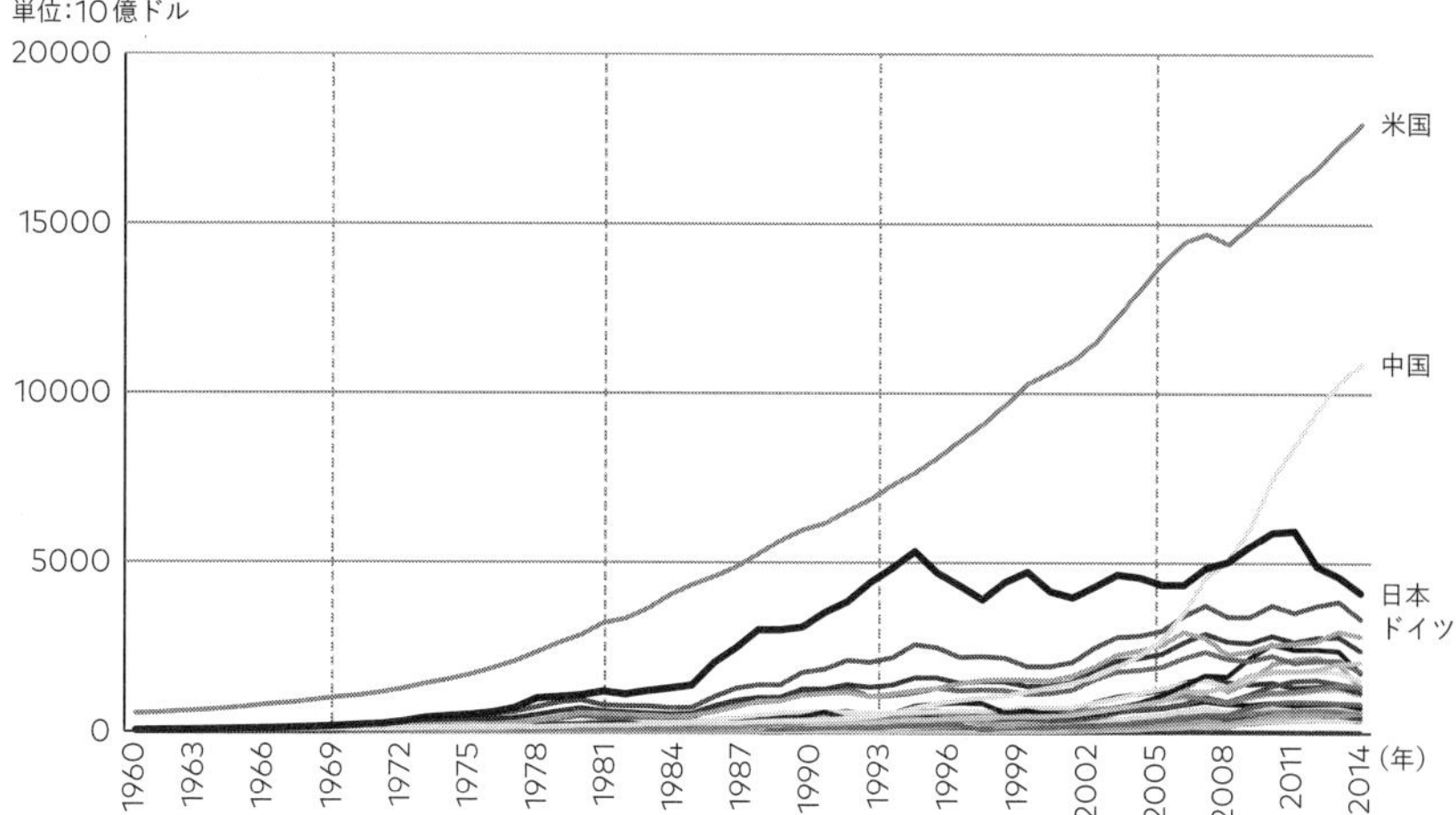

注:2015年のデータが未着の国は除外
GDP is at purchaser's prices
資料: World Bank national accounts data, and OECD National Accounts data files. より安宅和人作成

図2-2　各国一人あたりGDPランキング(2016)

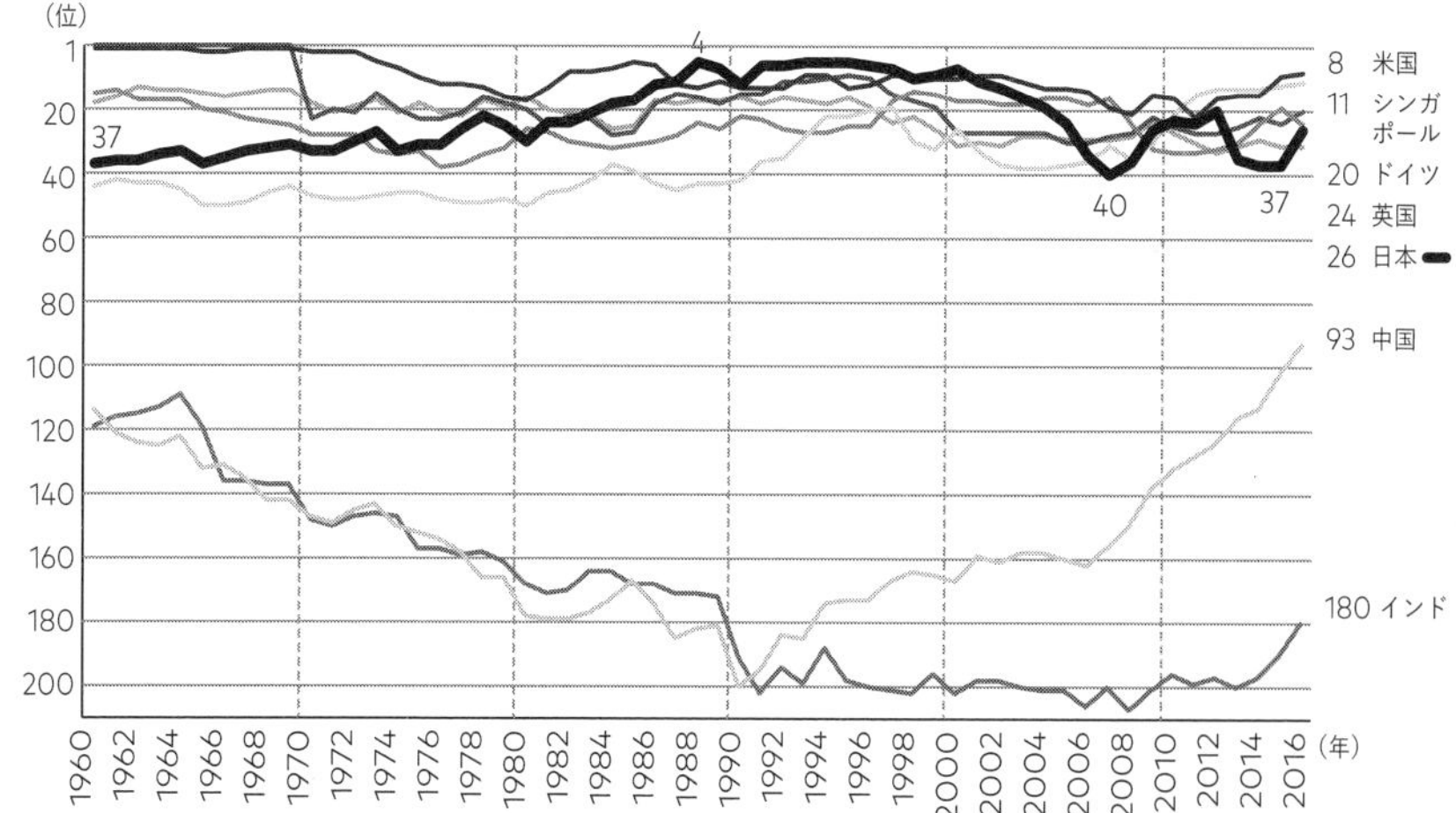

注:以下の国の2016年データが未着のため、日本の順位は26位より下がる可能性が高い
[2015年1位]リヒテンシュタイン[同4位]マン島[同16位]フェロー諸島[同28位]グリーンランド[同36位]ヴァージン諸島
[2013年6位]バミューダ諸島[2011年1位]モナコ
* 国内総生産 / 年央人口
資料: World Bank national accounts data, and OECD National Accounts data files. より安宅和人作成

中では1位であった（当時、上にはスイスとルクセンブルグ、スウェーデンがいた）のと比べると相対的な衰退は著しい。

順位ではなく、一人あたり生産性の実数で見てみるとさらにわかりやすい。長らくまったく伸ばせておらず、半ば一人負けと言っても過言ではない。よくバブル崩壊のせいかのように言われるが、それは誤りだ。バブル崩壊後、清算にかかったと思われる10年後の2000年代の頭でも、日本の相対的な地位はそれほど悪いわけではない。GDPが伸びないのは、人口の問題以前に生産性が伸ばせていないからなのだ。

問題はそこから世界的に一気に生産性が高まってきたこの15年余り、日本だけが大きく伸ばせなかったことだ。我が国は半ば一人負け、もしくはゲームが始まったことに気づいていないと言ってもよい状況にある（図2－3a／b）。

生産性に巨大な伸びしろ

さらに産業別に生産性を見てみよう。日本のフラッグシップと言ってもいい電機・情報通信機器、またクルマ（輸送用機械）といった産業でも、他の主要国と比べて1位ではない（図2－4）。

すべての産業をMECE[2]に、すなわちダブリもモレもなく調べた結果をまとめたものがその次の図2－5だ。日本が負けている部分をグレーでまとめている。これを見るとわかるとおり、ほとんどグレーか黒なのだ。特定の産業分野の問題ではないということがわかる。

2　Mutually Exclusive and Collectively Exhaustiveの略

図2-3a　世界トップ30ケ国一人あたり生産性の推移(2015)

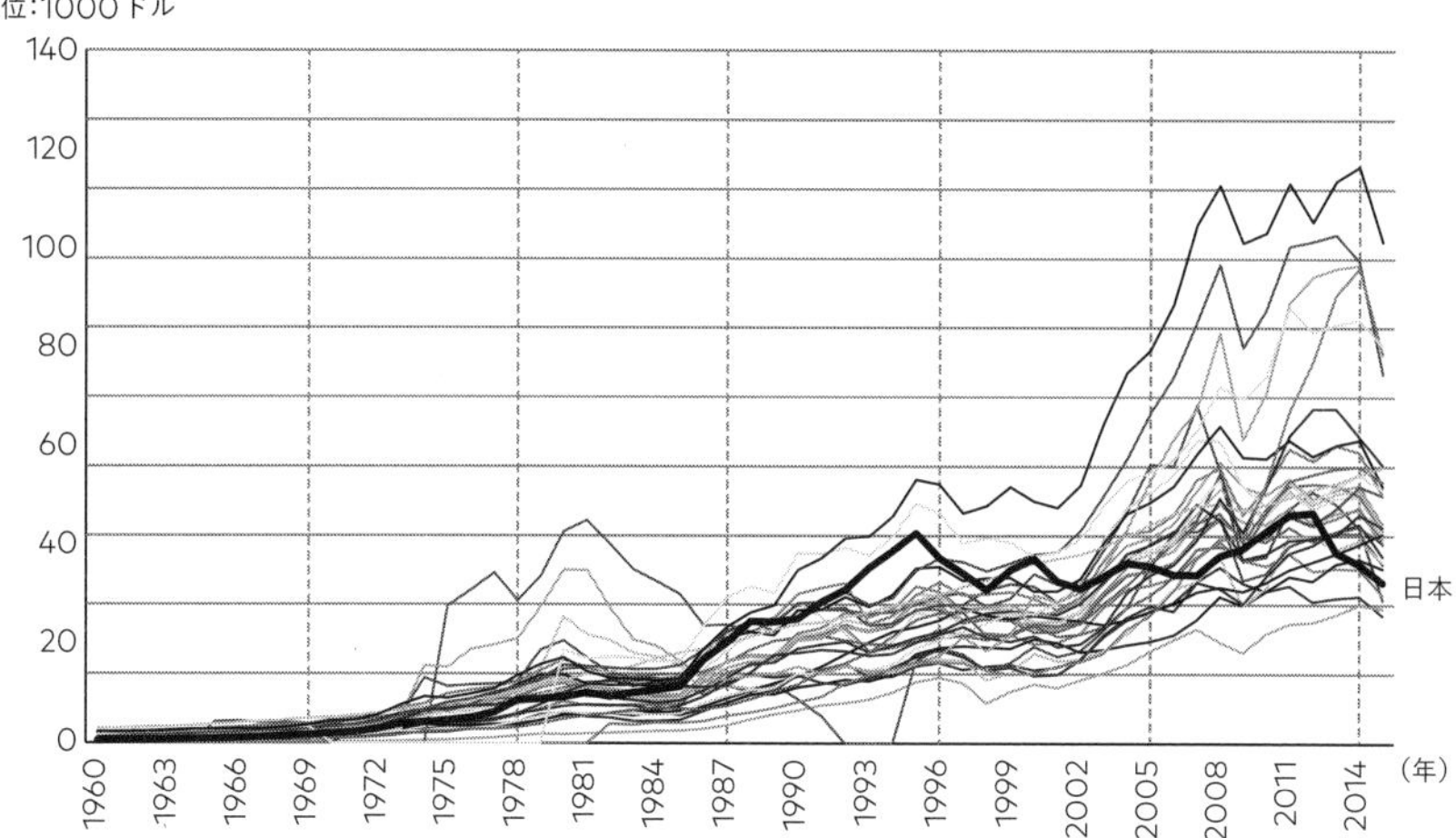

注:1人あたりGDPは、国内総生産を年央人口で割って算出。2015年のデータが未着の国は除外
資料: World Bank national accounts data, and OECD National Accounts data files. より安宅和人分析

図2-3b　G7における一人あたりのGDPの推移(1989-2019)

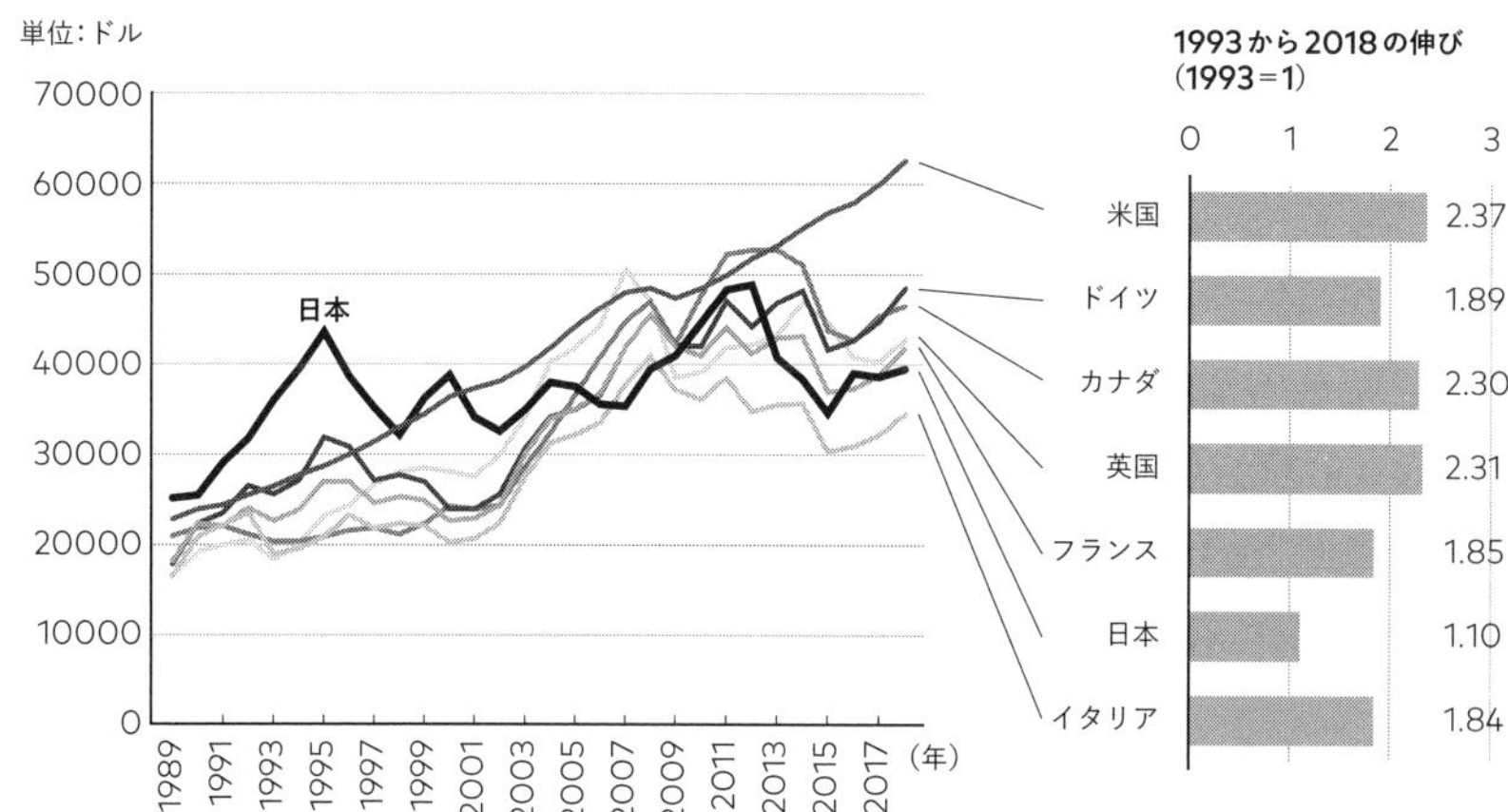

資料:World Bank national accounts data, and OECD National Accounts data files, https://data.worldbank.org/indicator/NY.GDP.PCAP.CDより安宅和人分析

図2-4　日本を1とした場合の産業別生産性

（1時間あたり付加価値；購買力平価換算；2015）

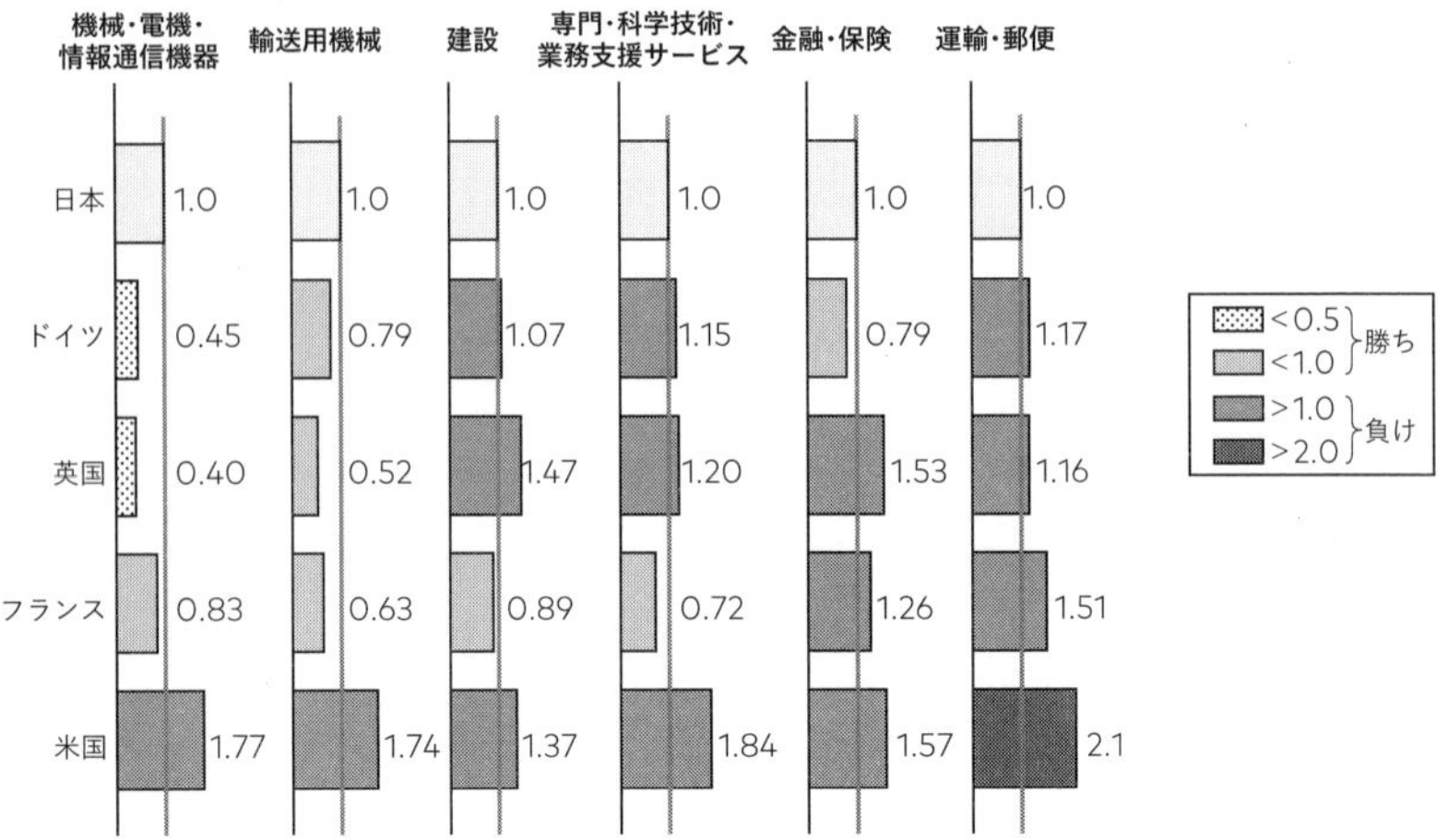

資料：滝澤美帆「産業別労働生産性水準の国際比較」（2018/4, 日本生産性本部 生産性総合研究センター）https://www.jpc-net.jp/study/sd7.pdfより安宅和人分析

図2-5　産業別労働生産性の全体観

（指数 日本＝1, PPP補正済み, 2015）

産業	独	英	仏	米	平均
機械・電機・情報通信機器	0.45	0.40	0.83	1.77	0.86
輸送用機械	0.79	0.52	0.63	1.74	0.92
一次金属・金属製品	1.03	0.75	1.13	1.17	1.02
化学	0.83	0.89	1.55	0.99	1.07
建設	1.07	1.47	0.89	1.37	1.20
専門・科学技術・業務支援サービス業	1.15	1.20	0.72	1.84	1.23
金融・保険	0.79	1.53	1.26	1.57	1.29
運輸・郵便	1.17	1.16	1.51	2.10	1.49
電機・ガス・水道	1.06	1.25	1.68	2.91	1.72
飲食・宿泊	1.75	1.11	2.42	2.58	1.96
その他のサービス	2.65	1.55	2.16	1.70	2.02
卸売・小売	3.10	1.62	2.54	3.17	2.61
その他製造業	2.52	3.09	2.85	2.05	2.63
食料品	2.39	2.58	2.75	3.03	2.69
情報・通信	2.77	4.35	3.11	2.64	3.22
石油・石炭	0.57	4.37	2.85	5.65	3.36
鉱業	4.39	7.69	1.99	12.66	6.68
農林水産	13.89	14.08	17.24	41.67	21.72
平均	2.35	2.76	2.67	5.03	

<1.0 勝っている
>1.0 負けている
>2.0 明らかに負け
>3.0 ボロ負け

資料：滝澤美帆「産業別労働生産性水準の国際比較」（2018/4, 日本生産性本部 生産性総合研究センター）https://www.jpc-net.jp/study/sd7.pdfより安宅和人分析

図2-6　日本を1とした場合の産業別生産性

（1時間あたり付加価値；購買力平価換算；2015）

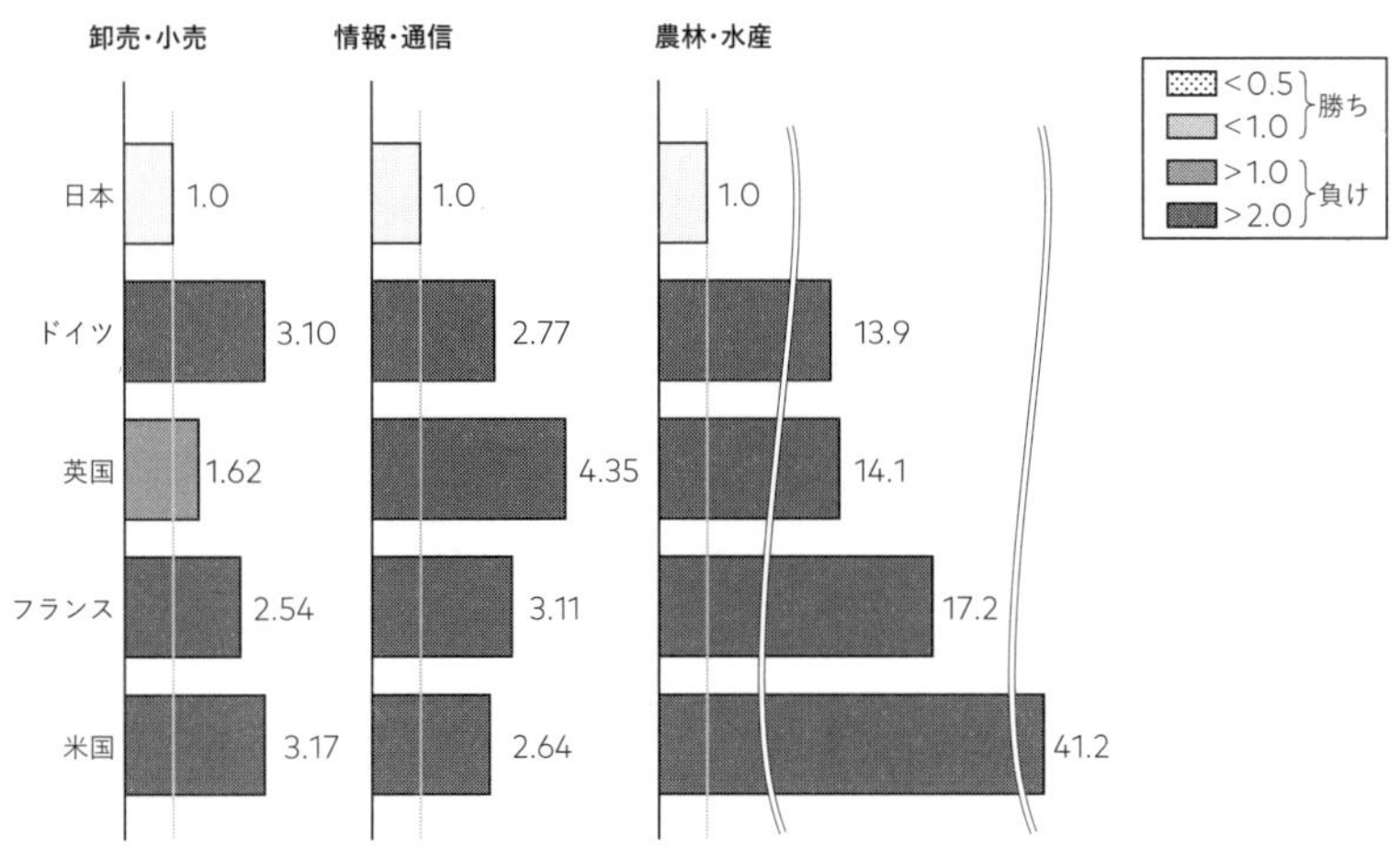

資料：滝澤美帆「産業別労働生産性水準の国際比較」（2018/4, 日本生産性本部 生産性総合研究センター）https://www.jpc-net.jp/study/sd7.pdfより安宅和人分析

他国の生産性は、日本と比べてコマース分野などは2倍以上、今極めて大切な情報通信分野も3倍前後、農林水産分野に至っては米国が40倍以上、人口密度で比較的近い[3]ドイツ、英国、フランスも10倍以上と極端な開きがある（図2－6）。万が一有事にでもなった場合、我々の国はどうなるのだろうかと心配してしまうほどの状況だ。

これらを見てわかるのは、日本の大半の産業はやるべきことをやっていないだけで、まだ着手できていない宿題がたくさんあるということだ。ものすごい競争を勝ち抜き1位にならなければいけないという話ではない。単にG7で仲良くやっている他の国に生産性で並べばいいだけなのだ。多くの分野で伸びしろは巨大だ。伸びしろだらけと言っていい。

3　6章で見るとおり米国は日本の約10分の1、欧州主要国は日本の3分の2～2分の1程度

ICTセクターだけの問題ではない

こういう議論をすると「日本はICT（Information and Communication Technology：情報通信技術）で負けたんだ」という声がずいぶんと上がる。確かにインターネット、モバイル、クラウドと世の中をこの20年変えてきたのはことごとくICTである。ここまで触れてきたとおり、確かにこれらの変化で日本が世界を刷新する中心にいられなかったのは事実だ。

念のため、日本と米国の600以上のGDPの項目をフェアに比較してみた。そこで見えてきたのは、ICTと呼ばれる産業セクターがGDPに占める割合は日米でほぼ同じという想定外の事実だった。図2－7を見ると日本のほうがむしろ高いかのように思われるかもしれないが、正直、この1％の差は誤差の範囲である。

さらに過去の経済成長の内訳を調べてみると、日本の経済成長の伸びはICTに大きく依存していることがわかる。ICTなしでは、バブル崩壊後の20年はほぼ経済成長がなかったと考えてもよいような状況だ（図2－8）。

同様のことを米国で見てみたのが図2－9だ。確かに牽引しているのはICTではあるが、建築・土木系を除くほぼあらゆる産業セクターが伸びていることがわかる。

この2つの比較からも、ICT分野以前に、先に指摘したとおり日本の大半の産業はやるべき

図2-7 産業別のGDP比率(2014)

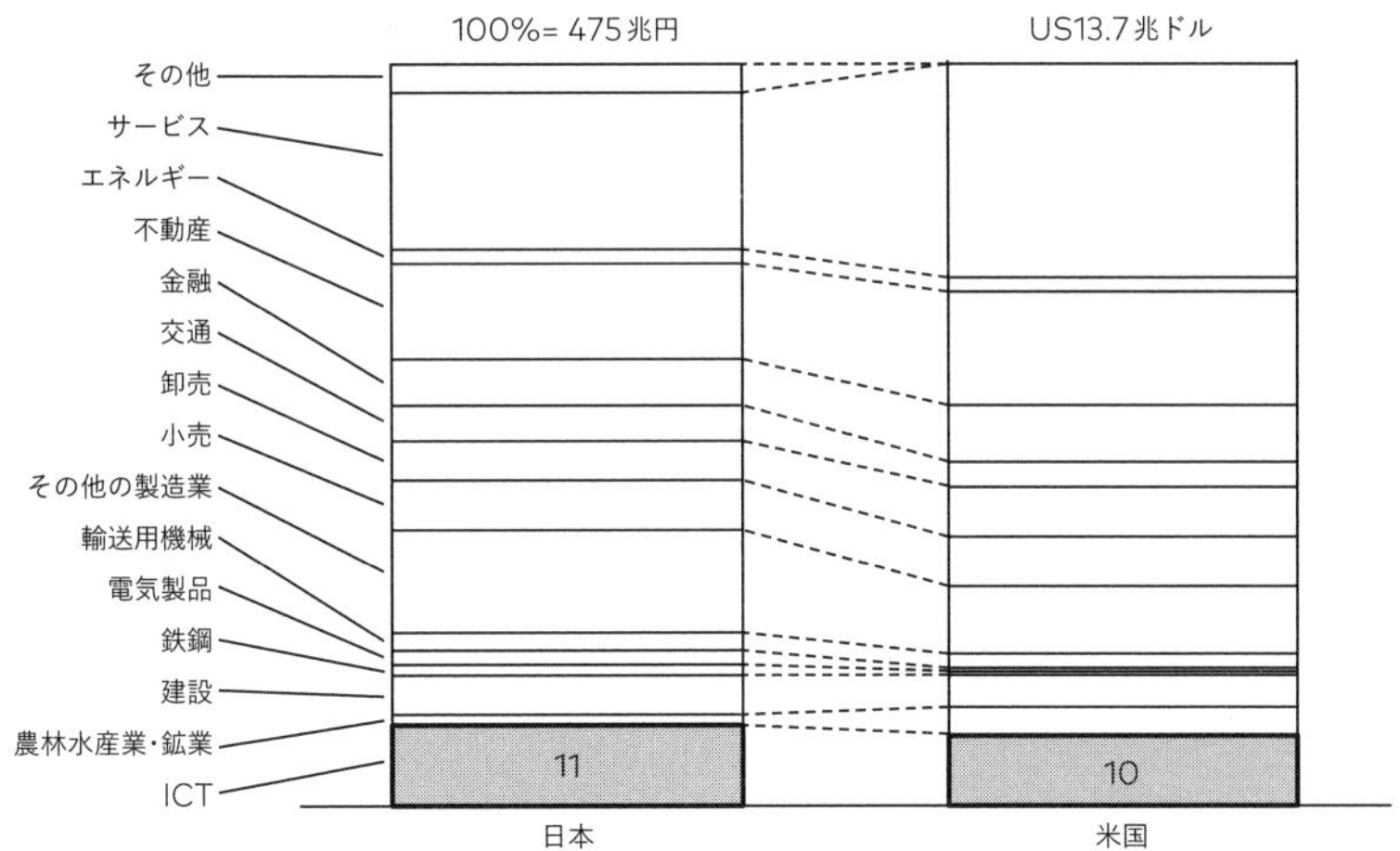

注: 民間産業における「実質」GDP
資料: JAPAN; 2016 White Paper, Information and Communications in Japan, USA; Bureau of Economic Analysisより安宅和人分析

図2-8 日本の産業別のGDP成長率(2014)

(単位:兆円)

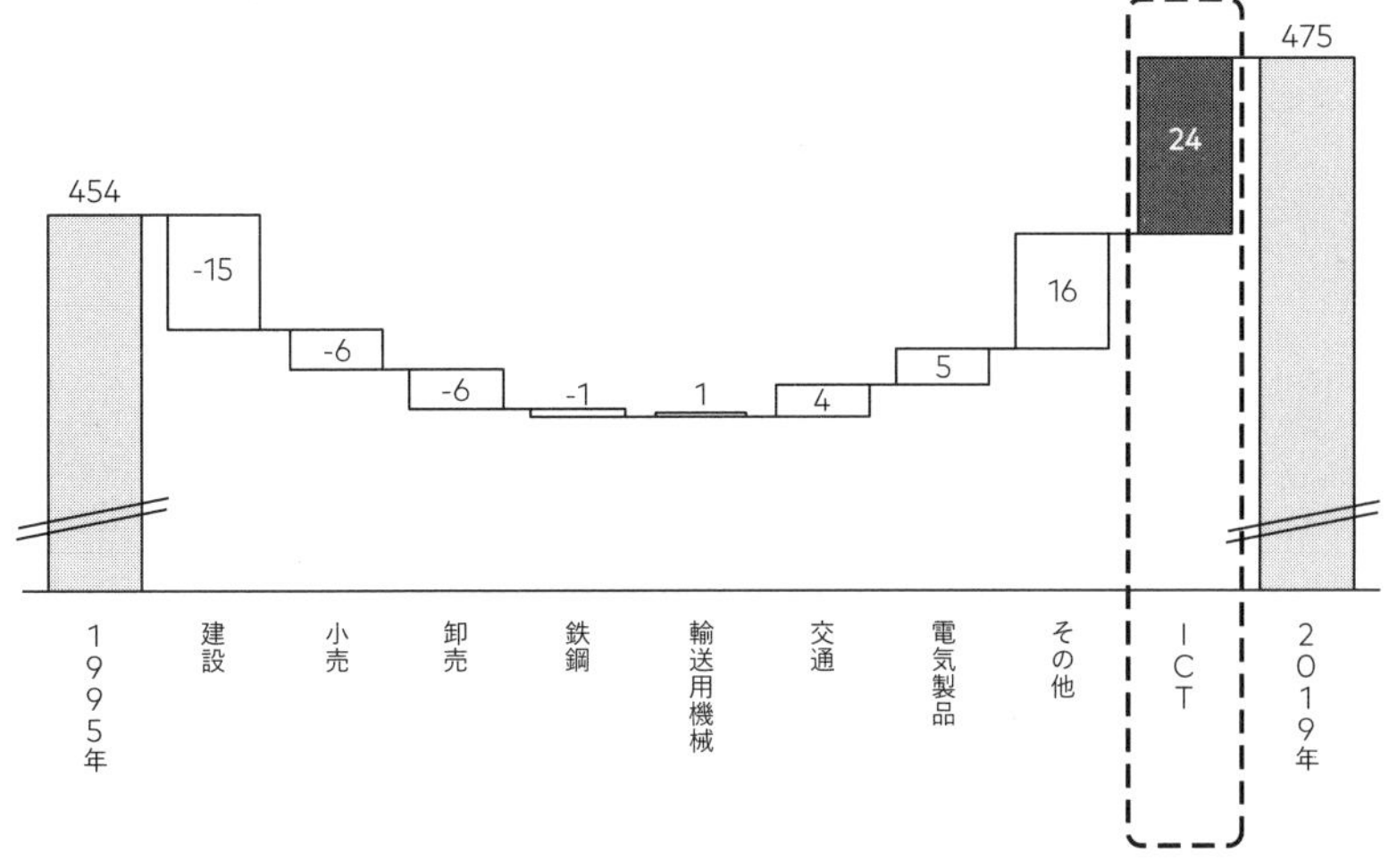

資料: GDP transition in real market sizes by sector in Japan (2016 White Paper, Information and Communications in Japan)より安宅和人分析

図2-9　米国の産業別のGDP成長率(2014)
(単位:10億ドル)

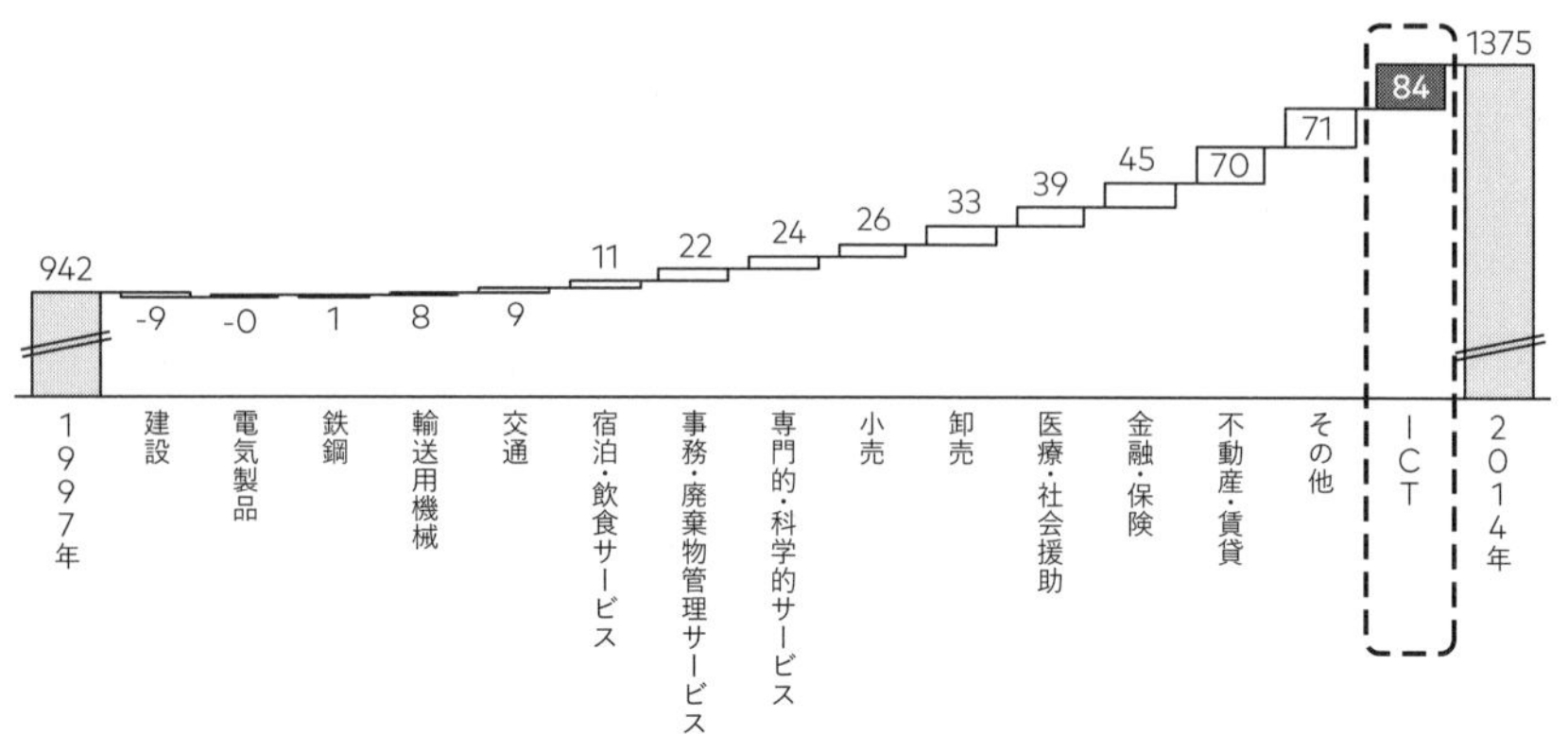

注:民間産業における「実質」GDP
資料:USA;Bureau of Economic Analysisより安宅和人分析

宿題をやっていないだけで、厖大な伸びしろがあることが確認できる。相撲の世界に、土俵には「金」が埋まっているという言葉があるが、まさにそうなのだ。

それぞれの産業をあるべき形に刷新すれば、それが富を生む。日本の生産性は、他の主要国に並ぶだけでピカピカになる。もう一度世界から虚心坦懐に学び、「当たり前」のことをやるべきときが来ているのではないだろうか。

図2-10　2人以上世帯の貯蓄状況の推移
（日本 1963-2017）

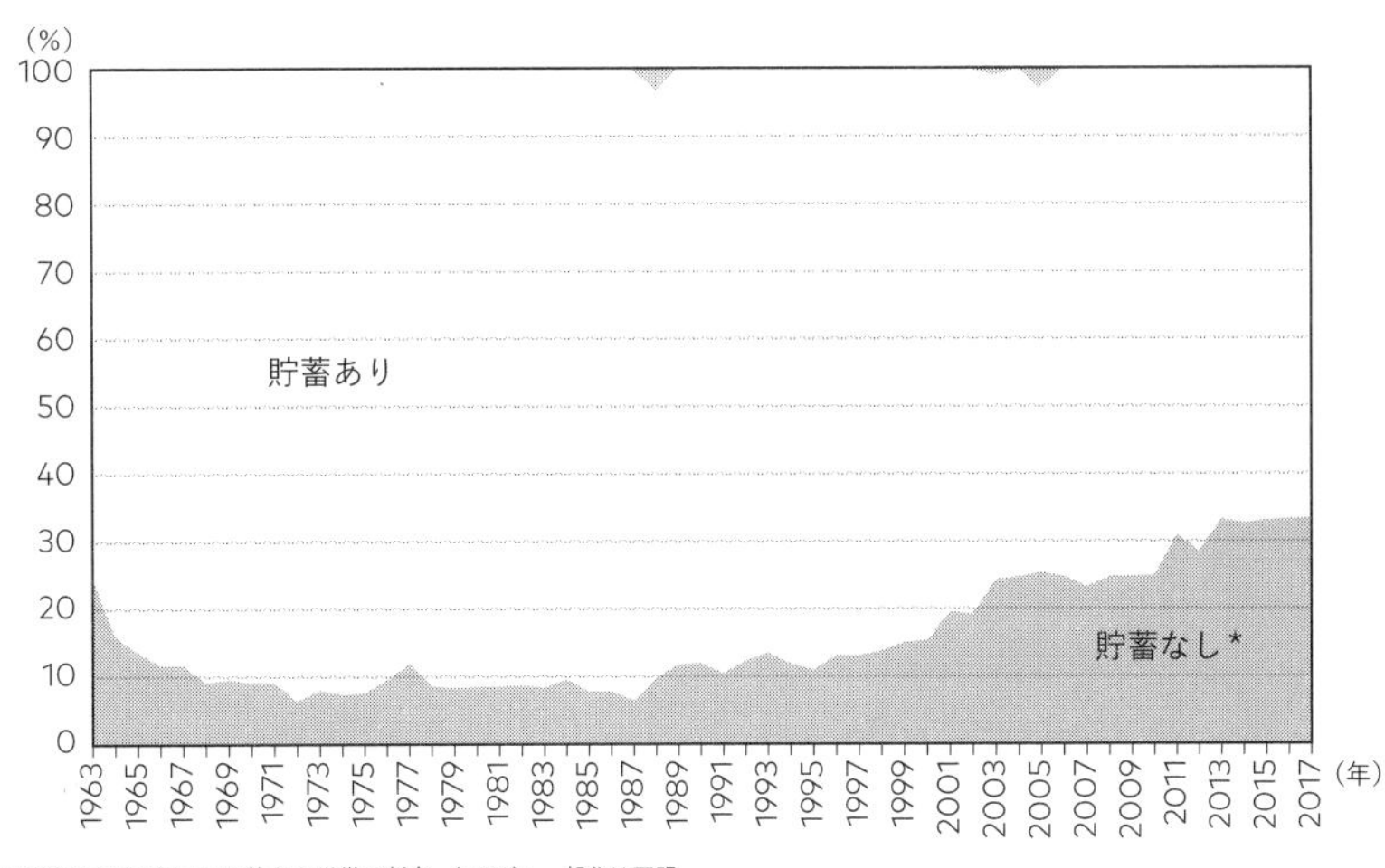

＊「金融資産の保有がない」と答えた世帯の割合。上のグレー部分は不明。
資料：金融広報中央委員会「家計の金融行動に関する世論調査」(https://www.shiruporuto.jp/public/data/movie/yoron/) より安宅和人作成

2　埋もれたままの3つの才能と情熱

なぜ、日本だけが「伸びしろだらけ」の状態に甘んじているのか。その1つの原因として、正面から議論されることが少ない、日本社会が持つ未開拓の3つの才能と情熱について触れておこう。1つ目については、最近、まったく別件を調べているときに出合ったデータを紹介したい（図2－10）。初めて見たときは、正直目を疑った。

若い才能の3割は発掘されるのを待っている

なんと2017年段階で単身を除く世帯のほぼ3世帯に1つ（31%）が貯蓄（金融資産）を持っていない。高度成長期（1954～1973）のど真ん中、いわば発展途上状態にあった半世紀以上前の19

図2-11　主要国最低賃金 推移
（年間最低賃金：2018 購買力平価ベース）

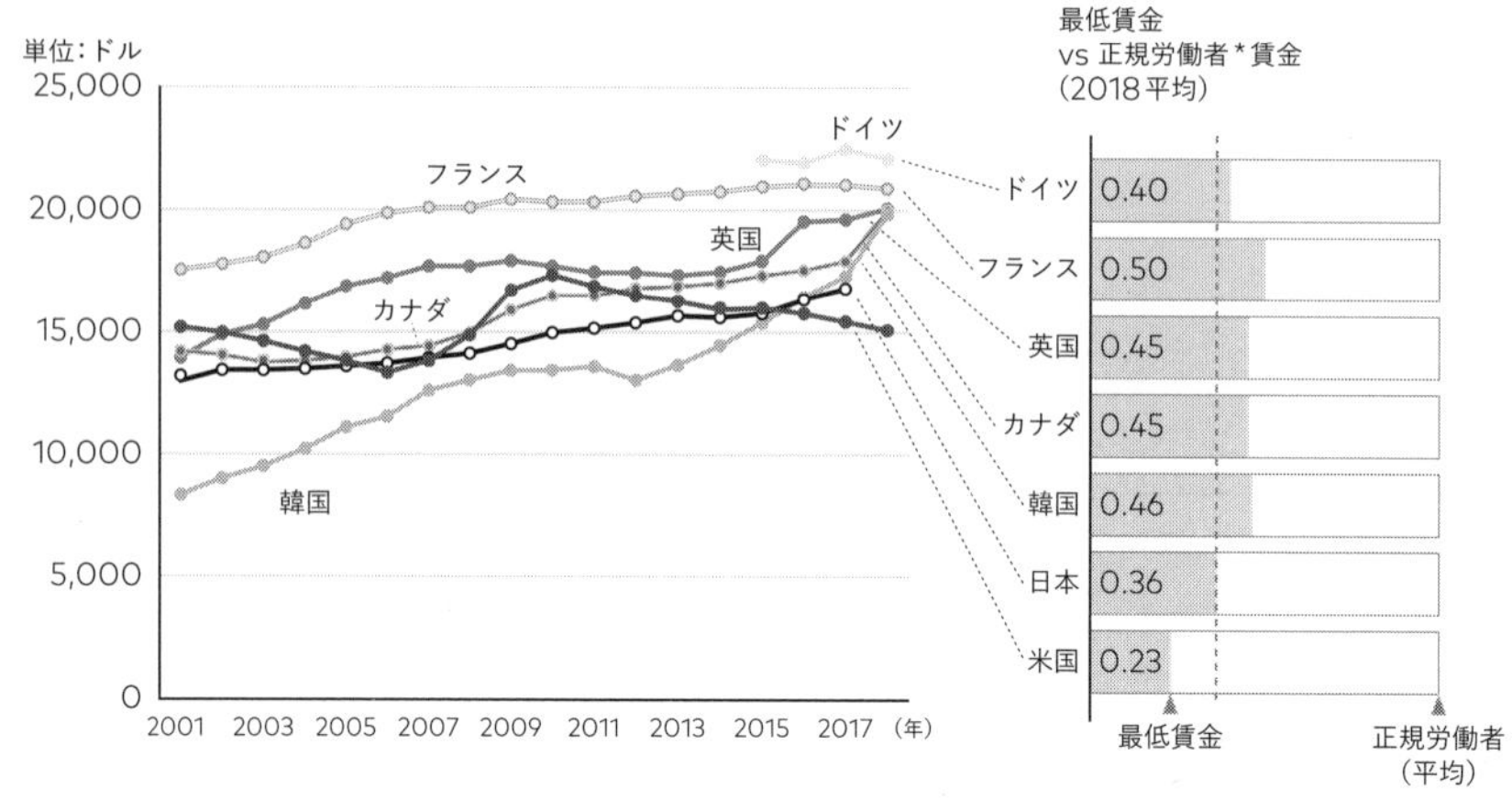

*full time worker
資料：OECD Real minimum wages - OECD.Stat (https://stats.oecd.org/Index.aspx?DataSetCode=RMW)
より安宅和人分析

63年の値（22%）よりも遥かに高い。おそらく1950年代の水準なのだ（家計の金融行動に関する世論調査［二人以上世帯調査］）。我々はある種、途上国あるいは中進国に戻ってしまったと言える。

約30年前、バブル最盛期の1980年代後半はずっと一桁%、1987年は3%という実質ゼロに近い水準だったところから見ると、この貧困層の拡大がいかに急激に起きてきたかがわかる。

仕事を持たない高齢者世帯が増えていることも大きな理由であるが[4]（次節で後述）、もう1つの大きな理由は最低賃金の低さだということは否み難い。購買力平価ベース[5]で見ると日本の年間最低賃金は韓国よりも低い。しかも正規労働者とのギャップが特に大きな国の1つだ（図2-11）。移民国家米国をのぞけばG7の中で見ても明らかに低い。[6]しかも最低賃

4　厚生労働省、『生活保護制度の現状について』、第1回社会保障審議会「生活困窮者自立支援及び生活保護部会」資料、平成29年5月11日、https://www.mhlw.go.jp/stf/shingi2/0000164409.html)

5　Purchasing Power Parity（PPP）：実際の物価水準により通貨間の価値を補正した値

6　OECDのデータにイタリアが入っていなかったため韓国を加えた

金付近に労働者の多くが張り付いている（２０１４年で13・４％）[7]。弱い人たちをさらに犠牲にすることで回る構図になっているのだ。

ここまでくると、単なる二極化と言って放っておけるレベルの問題ではない。なぜなら、これはすなわち「少なくとも３分の１近い才能と情熱が単なる環境要因によってきちんと発揮される機会なく埋もれている」可能性が高いということだからだ。

実際、難関大学の学生の親の所得水準は高く、これらの大学では地方出身者の割合が明らかに低い[8]。また、昨今、顕在化しつつある給食代が払えない子どもたちの問題には、このように明確な理由がある。

なお、仮にこのトレンドが続いたら、なんと２０３５年前後には貯蓄を持たない世帯が50％という見事な途上国（あるいは貧困国）状態に陥る。それはかなり残念な状況であることはもちろん、国力によって保たれている均衡の多く（国防、通貨価値、株や土地の価値、食料輸入他）も崩れていく可能性が高い。我々はなんとか次世代のために未来を変える必要がある。

具体的には、この状況に落ち込んでいる人たちを少しでも少なくすること、貧困の再生産、拡大のループを断ち切ることが必要だ。最低賃金の見直し（時間単価を例に取ると、毎年3％の向上ではなく、独仏英に並ぶ水準まで5年程度で上げるなど）だけでなく、働ける年齢の方々には（シニア層も含む）スキル刷新のためのトレーニング環境を整備し、やる気のある人からどんどんすくい上げていく。並行して大人への心の教育も行う必要があるだろう。やる気そのものがくじかれてしまっている可能性があるからだ。諦めたら負けだ。

また、周囲の環境に恵まれない子どもたちには学び、力をつける支援を初等、中等教育だけで

7　厚生労働省「平成29年賃金構造基本統計調査特別集計」：「賃金分布に関する資料（都道府県別、総合指数順）」：「最低賃金近傍の労働者の実態について（平成26年）」

8　２０１７年で東大生の家庭の主たる家計支持者の年収９５０万円以上は34・9％、東京出身が29・7％、関東圏32・9％、中部圏、近畿圏を合わせて55・4％（東京大学学生委員会 学生生活調査WG「２０１７年（第67回）学生生活実態調査報告書」による）

なく高等教育までサポートしていくべきだ。現実的なロールモデルすら見えていない可能性がある彼らに本や情報環境へのアクセスを担保する。その上で、これらの価値を愛を持って伝え、理解を育むことが肝要だ。また彼らにこそ心、気持ちの教育が必要だ。[9]

才能というのは確率的に生まれ、現れるものだ。Nature or Nurture（生まれか育ちか）という議論は生物学的にはあまり意味がない。生まれ（Nature）の違いの上に育ち（Nurture）があることは自明だからだ。

自分の遺伝子とその発現に多大な影響を受けない人も、自分の生まれてからの経験に多大な影響を受けない人もいない。「生まれ」と「育ち」は掛け算なのだ。また「生まれ」と言うと、親を見れば子がわかると言わんばかりの議論がすぐに出てくるが、言うまでもなくそんな単純な話ではない。アイザック・ニュートン（Isaac Newton）、アルベルト・アインシュタイン（Albert Einstein）やリチャード・ファインマン（Richard Feynman）などの天才たちが天才を親として生まれてきたのではなく、そして彼らの子息が同じような天才だったわけではないことからも、形質を丸ごと受け継ぐわけではないことは明らかだ。それぞれの親から受け継ぐのは、ランダムに半分選ばれた遺伝子セットに過ぎず、形質と才能は遺伝子の組み合わせと経験によって変わる。

この埋もれた才能と情熱を解き放つことのインパクトは大きい。若い才能の3割は発掘され、解き放たれるのを待っている。既存の議論であまりカバーされていない彼らを高等教育でどうすくい上げるかについてはリソース検討を行う5章でまた取り上げる。

〝不幸な人々は大地の力である〟　サン＝ジュスト[10]

9 戦後、必ずしも豊かではない環境で育った才能が、数多くの企業や産業を生み出してきた。同様の活力を呼び戻す必要があるが、あらゆる事業の戦略立案と同様に、流れに従属するしかない、長いものに巻かれるしかない、勝てる気がしない、という状態のままではどうしようもない。これまで以上の二極化が進むだけである

10 ハンナ・アレント『革命について』（ちくま書房 1995）第2章社会問題冒頭の引用

図2-12　国別男女別 労働時間内訳（分/日）

	男性 家事・育児*	男性 給与労働**	男性 計	女性 家事・育児*	女性 給与労働**	女性 計
ドイツ	150	290	440	242	205	447
カナダ	148	341	489	224	268	492
スペイン	146	236	382	289	167	456
米国	146	337	483	244	243	487
英国	140	309	449	249	216	465
フランス	135	235	370	224	175	399
イタリア	131	221	352	306	133	439
中国	91	390	481	234	291	525
インド	52	391	442	352	185	537
韓国	49	419	468	215	269	484
日本	41	452	493	224	272	496

*Unpaid work, ** Paid work or study
資料：OECD.Stat (https://stats.oecd.org/Index.aspx?datasetcode=TIME_USE#) のデータをもとに安宅和人分析（2019/8抽出）

女性の限りない伸びしろ

主要国の男女別労働時間の内訳を家事・育児（unpaid work）といわゆる給与労働（paid work）で分け、整理してみた（図2－12）。家事・育児系の時間（濃いグレー）を見てほしい。

僕自身も心が痛いが、日本人男性の家事・育児労働時間はなんと日に41分と、半ば高度成長期にある現在の中国の男性の半分以下。男女の役割分担がかなり明確なインド、韓国の男性よりも短いのだ。

ちなみに、日本人女性の家事・育児の時間は他の主要国と同レベルだ。言うなれば、日本の誇る家電が生み出した大きな余力はすべて男性の労働時間に回っている。

さらにこのデータの興味深い（という

資料2-1　ローマ時代から続く農村、イタリア・トスカーナ州ピエンツァ周辺の豊かな風景

著者撮影©Kaz Ataka

か頭が痛い）ところは日本人の給与労働時間の長さだ。とりわけ主要国の中で短いイタリアと比べると男性、女性共に倍以上の時間働いている。G7の中で見ればイタリアのほうが低い（といっても9掛け程度。図2－3b参照）と言う人がいるが、半分以下しか働いていないイタリアの人たちのほうが人生としてみれば豊かなのだ（資料2－1）。

日本の男性は前述のとおり、家事・育児関連を半ば放棄し、この余力で給与労働の多くを担っているわけだが、労働時間はイタリアの2倍、ドイツの1・5倍以上。これでは生産性が低いのは当然だ。非効率を人の苦痛で解決する職場なのだ。[11]

このような非効率な労働を続けていれば、家事・育児に使える時間などなくなるのは自明でもある。長時間頑張ることでこの生産量がようやく維持できるのだ、

11　極端な事例であるとは思うが、2001年頃まで官僚だった親しい友人（現在民間に転出して活躍）の話によると、当時の官僚組織では夜12時に国会用の質問を受け取り朝4時までに上げる。仮眠スペースで寝る、7時、8時に仕事を開始ということが常態化していたという。早く仮眠スペースに行くと弱いと言われ、遅く行くと休む場所がなかったとも聞く

と言う人や会社は根本的に何かを見直したほうがいい。それは家庭内手工業とか、農業機械がない時代の農作業の発想だ。

この明らかに解き放たれていない女性の時間（男性の家事時間との差の半分＝1日約90分）を仕事に回すことができれば、女性が価値を生み出すキャパシティ（容量）は3割以上増える。

男性は中国、インドのような中進国と比べても1日あたり60分以上も給与労働時間が長い。ドイツ、米国と比べると162分（3時間弱）、115分（約2時間）。すなわち明らかに労働しすぎ、言い換えると例外的に非効率なのだ。そもそも国名を伏せて、図2－12のどれが日本か当てられる人はそういないだろう。

10年以内にイタリア、フランスレベルを目指し、労働時間ドリブンではなく、アウトプットドリブンに個人も会社も思想転換し[12]、少なくとも日に90分ぐらいは家事・育児時間を吸収してしかるべきだ。よくあるオペレーション改善プロジェクトのストレッチゴール（意図的に背伸びした目標設定）のように数年で3分の1にしろというような話ではない。十分に現実的なターゲットだ。

また、リーダー層に女性が極端に少ないことも大きな課題だ。たとえば国立大学法人の学長86人中女性は4人（2019年10月1日現在）、経団連の会長・副会長19人中女性はゼロ（2019年7月1日現在）、国会議員に占める女性比率は10・1％とG20中最低でロシア（15・8％）、エジプト（14・9％）よりも遥かに低い（2019年3月7日現在）。ちなみに日本と人口が同規模であり外交的にも関係の深いメキシコ[13]は2018年国会における男女の均等（gender parity）を実現した。SDGsの目標5に「ジェンダーの平等を達成し、すべての女性と女児のエンパワーメントを図る」と掲

12　打刻管理も職場滞在時間そのものが価値となる職場以外は徐々に廃止に向かうべきだ

13　人口1・28億人（2019年11月1日現在）：1888年、日本にとってアジア以外の国と結んだ初となる平等条約を締結（日墨修好通商航海条約）

げられていることからもわかるとおり、女性がリーダー層において十分なプレゼンスを持っていないこと[14]が日本において女性があたかもセカンドクラス化している大きな原因であることは明らかだ。今の日本は一言で言えば「恥ずかしい国」なのだ[15]。

この背景にはトップ高等教育機関の学生に占める女性比率の低さという根深い問題がある。政府委員などで女性比率を上げることも大切だが、こちらが根本の原因だ。教育がリーダー層選出の基本システムになっている以上、まず同じ壇上に上がってもらう（qualify する）必要があるのだ。

ちなみに、米国では僕が留学中の20世紀末、歴史的な瞬間があった。全米最古の大学であるハーバード大学の学部生の入学者の半分以上が女性になったのだ。それ以来50％をずっと前後している。ここまで来れば米国におけるジェンダー平等の課題は時間の問題で解決するだろう。かたや大学としては日本最古の東京大学学部生の女性比率は2019年でも17・4％に過ぎない。1746年創立のプリンストン大学[16]と東大の女子学生比率の推移を比較してみると図2－13のようになる。

息を呑まないだろうか。コーネル大学をのぞき東部の名門アイビーリーグは教育の一環として寮生活をしていることもあり、1960年代まで女性を受け入れていなかった[17]。しかし、一旦、女子入学を許してからは（男女共学化 co-education と言う）わずか30年でほぼ半分の比率を達成している。今やアイビーリーグ8校の2019年新入生を見るとわずかに割れるダートマス（48・8％）以外は女子比率50％以上だ（図2－14）。

かたや20％の壁を超えることすらできていない[18]東京大学。米国アイビーリーグより20年以上早く、GHQ時代の昭和21年（1946年）に女子学生受け入れを正式に認め、70年以上が経つにも

14 英語でunder-represented と言うが、日本語に該当する適切な言葉がないことからもわかるとおり、この問題を考える素地を作ることから始めなければいけない

15 2019年10月にお会いした某国大使からは、「がっかりしたというより驚いた」とはっきり言われ、この異様な状況を強く指摘された

16 米国東部の名門校8校からなるアイビーリーグにおけるハーバード、イェールと並ぶ名門校。学部教育（undergraduate education）のランキングで全米1位になることも多い

17 はじめての女子の学部生受け入れはコーネル：1872、イェールとプリンストン：1969、ブラウン：1971、ダートマス1972、ハーバード：1977、コロンビア：1981（Quora "When did each of the Ivy League colleges start admitting women?" より）

図2-13　日米主要大学 女子学生比率 推移

（学部; プリンストン大学 vs. 東京大学）

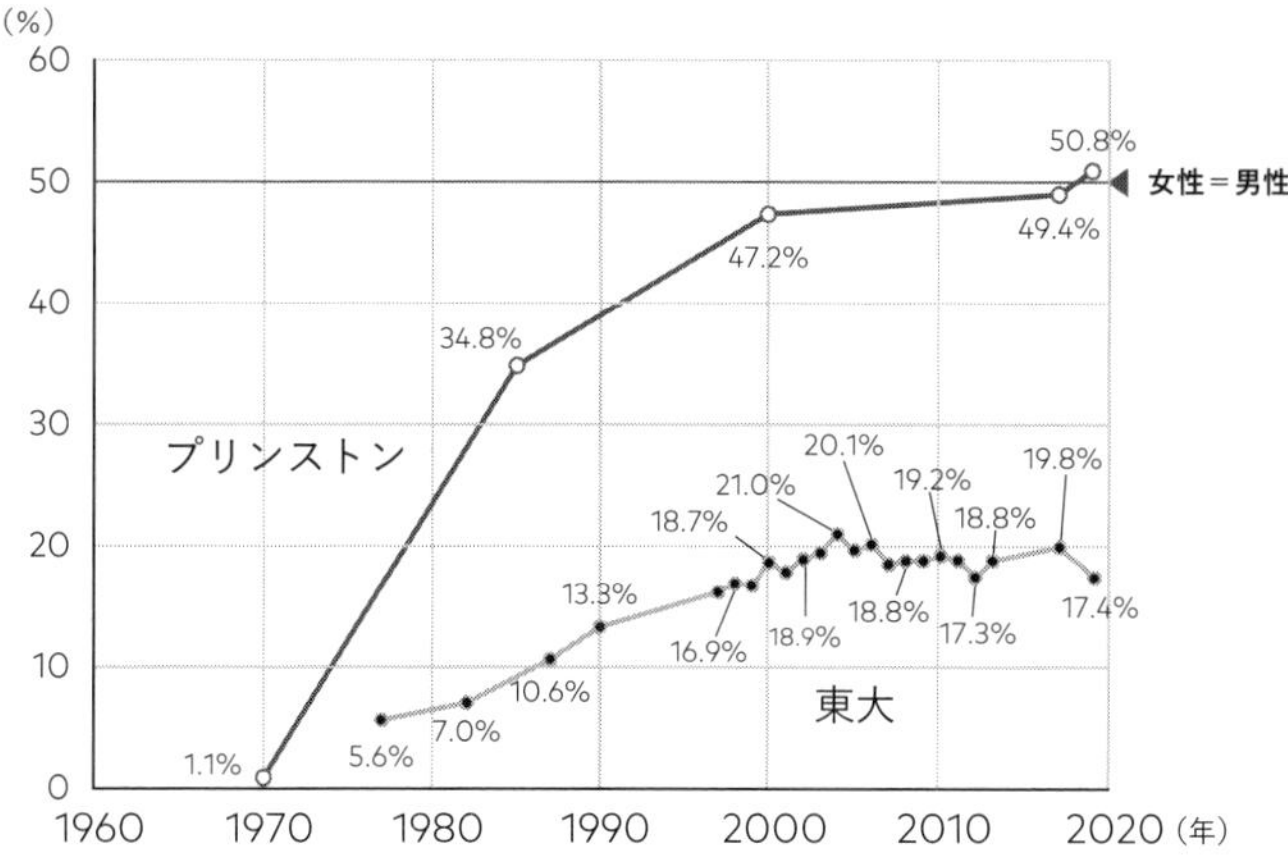

資 料：Princeton University's Admission Stats Reveal Mixed Progress, Engineering Boom (Town Topics/September 6, 2017); Princeton Admission Statistics Statistics for Applicants to the Class of 2023 (as of July 23, 2019)；各年『東京大学の概要』(https://www.u-tokyo.ac.jp/ja/about/overview/book_archive.html)；「東京大学男女共同参画基本計画」(2003)；東京大学 男女共同参画室『東京大学における男女共同参画の取組み』(厚生労働省 女性の活躍推進協議会 2013/01/21)をもとに安宅和人分析

図2-14　アイビーリーグ学部生の男女構成比

2019年秋の入学生

単位：%	女性		男性
ハーバード	50.7	0.7*	48.6
イェール	50.0	0.0	50.0
コロンビア	51.0	0.0	49.0
コーネル	55.0	0.0	45.0
ダートマス	48.8	0.4**	50.8
プリンストン	50.8	0.0	49.2
ペンシルバニア	53.0	0.0	47.0
ブラウン	52.5	0.0	47.5

開示しない0.5%, クィア／ノンバイナリー 0.2%; ** クィア／ノンバイナリー

資料：The Harvard Crimson Meet the class of 2023; Statista Distribution of students in the Ivy League Class of 2023 by gender; Yale News Class of 2023, Columbia undergraduate admissions class of 2023 profile; Cornell Class of 2023: A brief summary; Dartmouth Class Profile and Testing; Princeton Admission Statistics; Penn Statistics for the Admitted Class of 2023 より安宅和人作成

かかわらず大変残念な状況だ。[19]

このような主要大学での教育が社会のリーダー層を生み出すためにあること、日本だけが著しく逸脱している現状を鑑みると、他国同様、主たる大学は女性の入学許可比率（定員）に量的な目標設定を行い、段階的に50％に近づける努力を意図的に行うべきだ。[20]たとえば今から約20年後の２０４０年までに50％にすることを目指す。これができても米国の40年遅れだが、やらないよりも遥かにマシだ。

すべての人は女性から生まれる。この一番基本的な多様性の担保と解き放ちができないようであれば、現在世界的に進むＬＧＢＴＱ[21]の包摂による社会の活性化など夢のまた夢だ。これが単なる女性の権利運動論、是正措置だと思っている限り我々の未来は暗い。金太郎飴的な労働力ではなく、多様性が価値を生み出す時代、未来を生み出したいのであればジェンダー平等（gender parity）こそが最初に手を付けるべきポテンシャルの１つだ。

まずはよくある性別分類を、世界的に見れば半ば時代錯誤な「１男、２女」をやめ、世界標準どおり「１女、２男、３クィア（Ｑ）、４開示しない」の４択にする[22]とともに、各組織は「悔い改めました、オールドボーイズクラブを脱します」と宣言するところから始めてはどうだろうか。

65歳で「伐採」されるシニア層

３つ目に解き放たれていない才能と情熱としてあげられるのはシニア層だ。

土木系以外の方々は耳にしたことがないかもしれないが、国土交通省に〝i-Construction〟と

18 ここまでの話をデータを見つつ慶應ＳＦＣ安宅研の学生と議論したところ、「本当にショックです」「この事実を知ったら日本人男性と結婚したい女性はいなくなるのではないか」「早期にこの国を脱出することを真剣に検討します」という声が口々に出たことを付け加えておく。「これほど何もしていない国がこのぐらいの国力を持っているのだから、伸びしろは巨大なんだ」「未来を変えていきましょう」と、僕から伝えたことも残しておきたい

19 天野郁夫『帝国大学―近代日本のエリート育成装置』（中央公論新社、２０１７）、p.225

20 性別による積極的是正措置（affirmative action）を、世界各国で行われているように日本でも段階的に行うべきという提案だ。暫定的なターゲットを起き、もちろん想定を超えたとき（overshootしたとき）には受け入れ、そう

いうかなり大掛かりな国家的イニシアチブがある。これはICTの力によって日本の土木系の生産性を少なくとも2割上げることを目的に掲げた、全関連業界をあげた検討であり推進基盤だ。

企画委員の一人として関わっているが、この打診を受けた際、なぜこのような取り組みが急に始まったのかと聞いた。すると、340万人いる土木系の労働者が、これからの10年で120万人も減ってしまう、この解決を図らなければ、日本国の道路や港湾に橋梁(きょうりょう)を造ったり、メンテナンスを施すことができなくなってしまうからだという。その最大の理由が熟練労働者の引退だ。

リンダ・グラットン(Lynda Gratton)女史に「人生100年時代」と指摘されるまでもなく(『LIFE SHIFT』東洋経済新報社 2016)、日本は世界屈指の長寿国だ。厚生労働省の平成30年簡易生命表(2019年7月発表)によれば、男の平均寿命は81・25年、女の平均寿命は87・32年。また、あまり知られていないが、同表によると最頻死亡年齢(もっとも死ぬ人の多い年齢)は男性88歳、女性92歳と相当な高齢だ。つまり特別な大病がない限り、日本では男女問わず少なくとも80歳近くまで元気な人が多い[23](図2−15)。

一方、多くの職場の定年は65歳。つまり、もっとも経験値を積んだ熟練労働者(skilled worker)は能力と関係のない理由でいきなり退場させられる。まだ全然現役でやれる人、しかももっとも経験値の高い人が、まるで会社の澱(おり)のように扱われ、そして去るのだ。

確かに体力や仕事に対するモチベーションは人によっても違う。本人が選んで辞める、あるいは価値が生み出せないというのであればわかるが、そうではない。この定年という仕組みの不自然さは森の成り立ちを考えるとよくわかる。木によっては100年でも200年でも生きるだろう。逆に5年10年で枯れる木もあれば、アブラナやヒマワリのような一年生の草本もある。しか

でないときは是正する。ターゲットは進捗がよいときには前倒しする

21 性的マイノリティを包括した言葉。レズビアン(Lesbian)、ゲイ(Gay)、バイセクシュアル(Bisexual)、トランスジェンダー(Transgender)、クィア(Queer or Questioning)の頭文字。単にクィア(Queer)で性的マイノリティを総称する場合も増えている

22 おそらくこの分類表記順の問題すら日本人のほとんどが気づいていないと思われる。1873年創刊、ハーバード大学の学生新聞(日本の東京大学新聞に相当)であるThe Harvard Crimson紙の学生属性分類(https://features.thecrimson.com/2019/freshman-survey/makeup/)を参照

23 80歳段階で女性の81・5%、男性の63・8%が生存

図2-15　死亡年齢分布(2018)
亡くなる人の総数が10万人だとしたときの分布

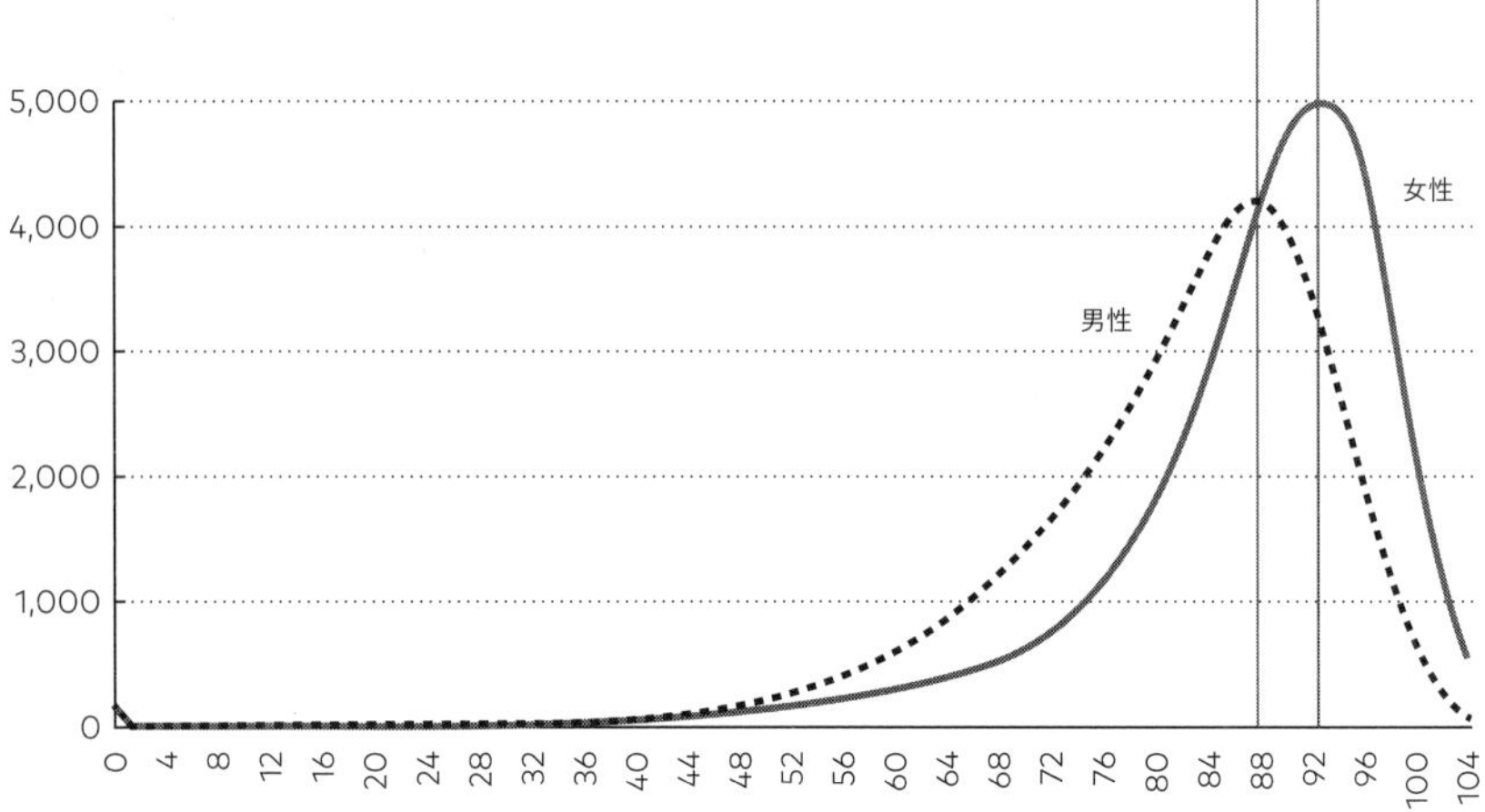

資料：厚生労働省　平成30年簡易生命表（2019年7月発表）より安宅和人作成

し、我が国の社会では65年で有無を言わさず、原則すべてを伐採されているということだ。

大半の人がもっとも生きがいを感じるのは自分が世の中の役に立っているときに違いない。それには仕事をする、つまり誰かや社会の役に立ってお金をもらう、というのが一番端的なわけだが、それを取り上げておいて豊かな老後を目指せというのは少々おかしい。

このシニア層の活躍には大いなるポテンシャルがある。経験値が加わり人として多様なだけでなく、仮に各年齢ごとの人数が同じだとしても、20〜65歳ではなく、20〜80歳まで範囲を広げるだけで、3割以上の（60／45＝1・33）、しかも経験豊かな労働力が増えるからだ。[24] このように大きな才能と情熱のかたまりを「強制」退場させてしまうのはあまりにももったいないことだ。

24　実際には年齢分布を踏まえるともっと増える

人間の社会もさまざまな木々や動物、虫などが入り混じった多様な天然林であるべきだ。強い大木は100歳でも120歳でも現役でいるべきである。その場合、そもそも毎日働く必要もなければ、同じ仕事をする必要もない。大木の陰で幼木も育つ。一方で無理の利かない人は若いときでも休み休み、場合によっては休養に入ることも必要だろう。また、十分働いた人で老後の蓄えも十分な人が引退されることは自由だ。

ちなみに15歳以上65歳未満の人の数を「生産年齢人口」と言うが、これは小泉進次郎氏がかねがね指摘しているとおり、かなりピンぼけした定義だ。15歳で働く人などほとんどいない上、定年で元の会社を辞めたとしても、65歳で完全に仕事をしなくなる人は少ないからだ。生きている限り価値を生み出せる社会にすることは、伸びしろも大きく、人道的にも正しい。

こういうことを言うと、経営者の方々からは「60歳、65歳の定年すら置けなくなると、余剰人員を吐き出すことができなくなる」と言われることがある。これは単に定年という仕組み以外で人を吐き出せない、生産性を上げるための基本的なマネジメントができていない、またこれまでの仕事でうまく価値を生み出せなくなった人たちのスキル再生ができないという、日本企業の組織運営課題を訴えているだけではないだろうか。これからは、

- 採用の際に年齢や性別を聞くことは禁止する
- 原則、労働時間ベースではなく、生み出す価値ベースで給与水準を決める（「店頭に立つ」ような「そこにいること」が直接価値になる仕事でも店頭での価値提供の度合いで給与水準を決める）

・週5日に縛られず、週1日2日の人や1日1～2時間という多様な仕事の仕方を受け入れる（同時に価値が生み出せない場合に職場にしがみつく権利についても放棄してもらう）
・入社直後だけでなく、担当や役割が変わるごとに、また本人の意欲があり道理にかなっている限り、十二分なトレーニングを行い、プロフェッショナルとして育成する
・価値を生み出しているか、意味のある変化を起こせているかどうかによってこまめにフィードバックし、育成を促す
・事業の進化、個人の成長・希望に伴い、ダイナミックに配置変更（ローテーション）する
・会社に縛り付けず、会社間もダイナミックに動くことを受け入れる（もちろん競業禁止規定などは大切）
・コミットしてもらっているミッションに影響がない範囲で副業を行うことを、現実的な範囲で認める
・生産性を下げる要因を徹底的にデータドリブンに検出、コントロールする（例：いわゆる最新鋭のインテリジェントビルであっても、多くの職場が、本来換気が必要な1000ppm以上のCO_2濃度に到達し生産性が低下している）

などを実現させれば、先の経営者が語るような心配の多くは本来なくなるはずだ。シニア層を解き放つことは、企業文化を世界の21世紀水準にアップデートしていく大きなチャンスになる。

日本は「人余りで、人不足」という奇妙な状況が続いている。「求人倍率」という言葉は人間が市場において交換可能な部品だという発想から来ているが、この指標自体がうまく機能していない。つまり、「どういう人が足りないか」という視点と「そういうことをやりたい人」のミス

図2-16 GDPに占める人材育成投資比率の国際比較(OJTを含まず)

資料:経済産業省「雇用関係によらない働き方」に関する研究会 報告書 平成29(2017)年3月 p.27
https://www.meti.go.jp/report/whitepaper/data/pdf/20170330001-2.pdf

マッチがこの数字では表れていないのだ。この改善には、時代に即したスキル育成が重要だ。

一方で、日本は経済規模に比して歴然と人材投資をしていないことが明らかになっている。2000年代を例に取るとG7内での標準的なレベルの7~8分の1に過ぎない(図2-16)。多くの経営者は日本の学校教育には期待していないと言いながら、自分も人材開発にリソースを投下していないのだ。おそらくここで浮いた費用が残業代になっているという悲しい現実が推測される。

最大のリソースである人に投資することなく、どうやって未来を生み出すのだろうか。シニア層に限らず、あらゆる世代、属性の人に対して、人の育成、再生にまとまった伸びしろがあることは確かだ。

図2-17　科学・技術分野における論文数推移
(2003-2016)

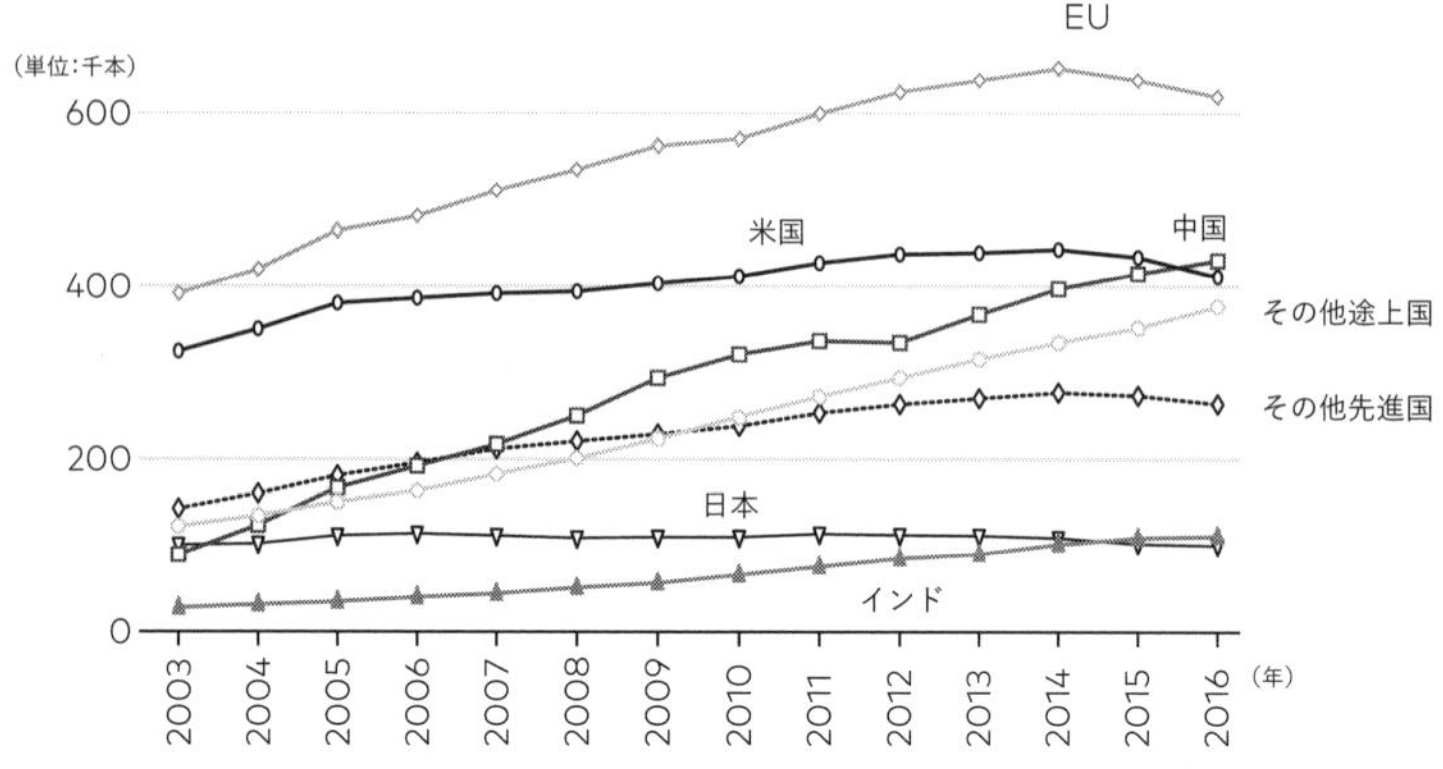

資料: NSF Science and Engineering Indicators 2018 ; National Science Foundation, National Center for Science and Engineering Statistics; SRI International; Science-Metrix; Elsevier, Scopus abstract and citation database (https://www.scopus.com/), accessed July 2017. For more information on the International Monetary Fund economic classification of countries, see https://www.imf.org/external/pubs/ft/weo/2016/01/weodata/groups.htm, accessed December 2016.

3 国力を支える科学技術の急激な衰退

次に産業のベースとなる科学そして技術分野におけるプレゼンスを見てみよう。科学そして技術分野は、言うまでもなくすべての産業における競争力のもとだ。製造業を例に取るとわかるが、コアの技術を自分で持たずベンダーに依存しているようでは勝つことは厳しい。

弱まる日本の大学のプレゼンス

２０１６年、中国は科学および技術関連の論文数で米国を抜き去り、世界一になった。図２－17の米国ＮＳＦ（National Science Foundation; 米国国立科学財団）発表のグラフを目を凝らして見ていただきたいのだが、この年、日本の論文数はインドにも抜き去られた。確かにインドの人口は多いが、日本はこれまで圧倒的な蓄積があったのに加え、ＧＤＰはインドの約2倍もあったのにである。世界の経済的な重心がシフトしていることはここにも表れているが、それでも説明できないレベルの凋落だ。

では論文のインパクトという視点でトップ10％と１％論文中のプレゼンスを見ると、主要国[25]中、日本は２００５年ぐらいまで米独に次ぐ3位であったが、今は6位で韓国に限りなく並ばれつつある[26]（図２－18）。

ちなみに韓国は人口が約５０００万と日本の約２・５分の１しかない。また少子化については韓国は日本よりも遥かに厳しい状況にあり、若手研究者の数が多いからという話では決してない。一人の女性が生涯に産む子どもの数である合計特殊出生率を見ると、少子化に苦しむ日本は２０１８年１・42だったが、同じ年、韓国は０・95という歴史的な低さを記録した。

結果、日本の大学のプレゼンスは10年余りで様変わりした。国家的なフラッグシップである東京大学、京都大学ですらシンガポールだけでなく中国や香港の大学にも負けている。２０１９年は、東大陥落後3年間アジアのトップであったシンガポール国立大学を清華大学が抜いたという意味で歴史的な年になった。

15年ほど前まで東京大学は、オックスブリッジ[27]、アイビーリーグ、ＭＩＴ（マサチューセッツ工科大学）、カリフォルニア工科大学、スタンフォードなど世界の超有名大学の次あたりに位置していたが、２０１９年夏現在、英国 Times Higher Education の世界大学ランキングでアジア6位、世界42位である（図２－19）。

25 日米独仏英中韓の７ヶ国

26 文部科学省 科学技術・学術政策研究所『科学技術指標２０１９』調べ。世界の論文生産への貢献度を見る分数カウント法による値

27 オックスフォードとケンブリッジ大学の総称

図2-18　主要国の論文数シェアの推移

全分野、分数カウント法、3年移動平均

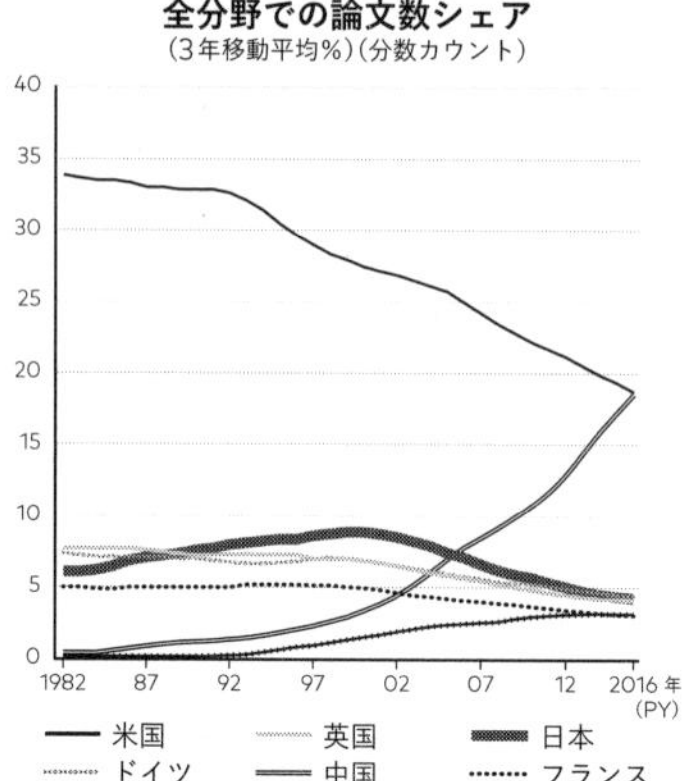

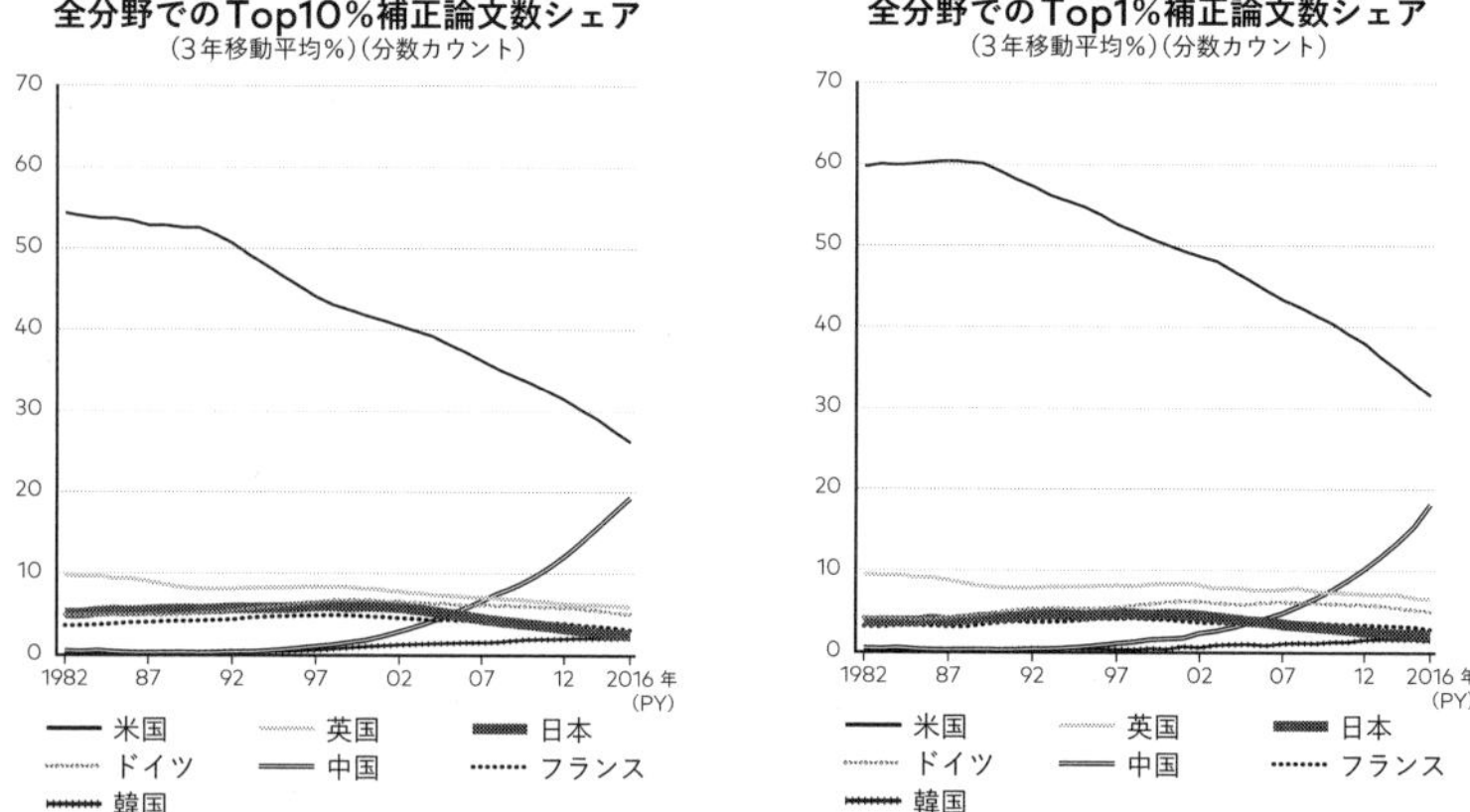

注:分析対象は、Article, Reviewである。年の集計は出版年(Publication year, PY)を用いた。全分野での論文数シェアの3年移動平均(2016年であればPY2015、PY2016、PY2017年の平均値)。分数カウント法である。被引用数は、2018年末の値を用いている

資料:クラリベイト・アナリティクス社　Web of Science XML(SCIE, 2018年末バージョン)を基に、科学技術・学術政策研究所が集計

図2-19　アジアトップ大学の世界ランキング推移(2004-2019)

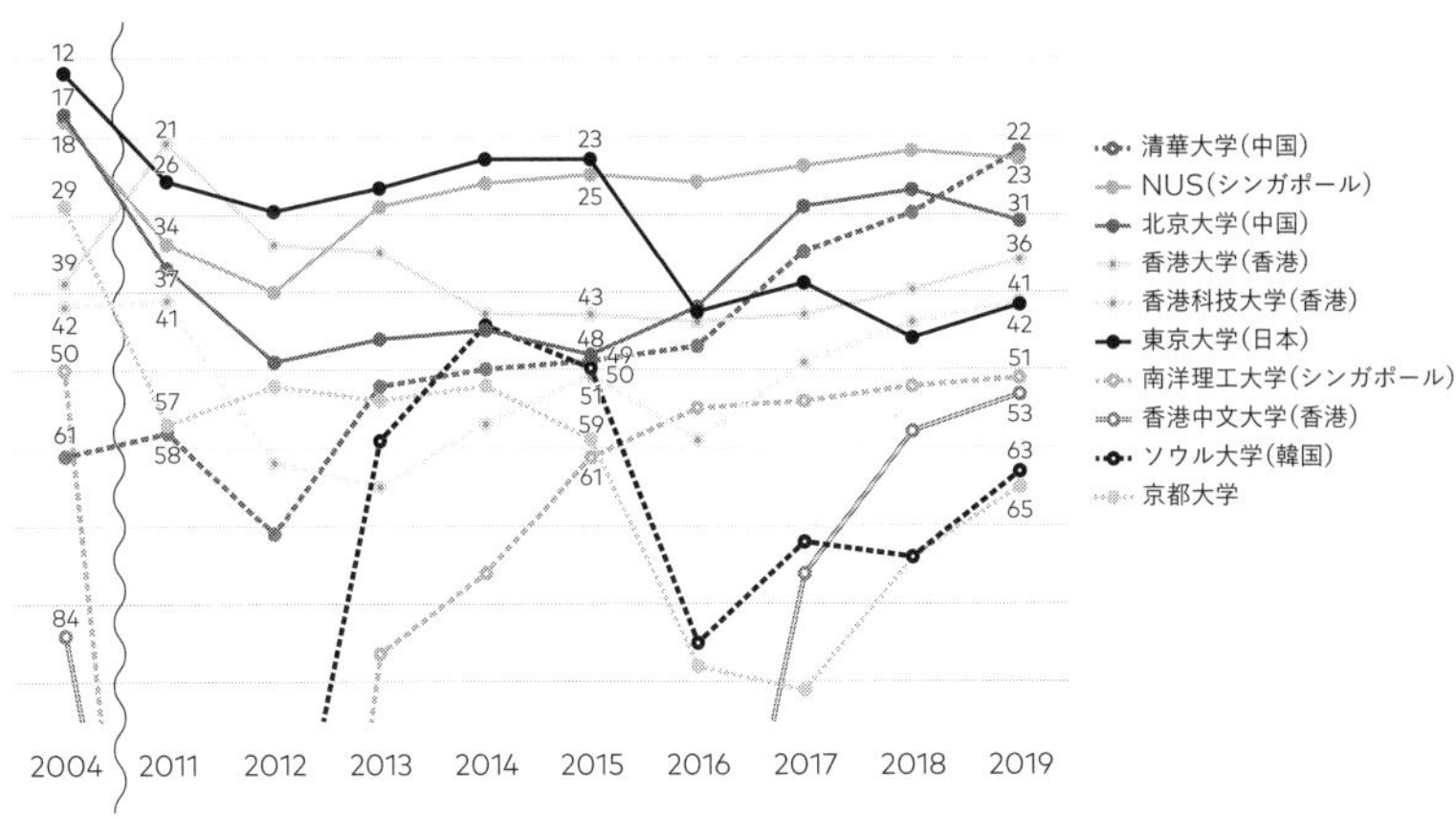

注:2004年は旧算出方法
資料:THE (Times Higher Education) World University Ranking より安宅和人作成

計算機科学分野で際立つ遅れ

分野別にも見てみよう。旧来の科学分野、たとえば物理では依然トップ10に東京大学（8位）が入っている。湯川秀樹博士に始まり日本から数多くのノーベル物理学賞を出してきただけのことはある。ちなみに物理分野トップ10のうち7校が米国の大学だ（図2－20a）。

しかし、今世の中を変えている分野でのプレゼンスは驚くほど低い。計算機科学を見るとトップ10どころか30、50にも1校も現れず、100校にも現れない（図2－20b）。なんとこの米国でもっとも有名な大学ランキングでは日本のトップの東大が135位、次点の東北大が180位という惨憺たる状況だ（2019年夏現在）。なおこのランキングでは1位が清華大学で、中国からトップ10に入って

図2-20a　物理分野における大学の世界ランキング
U.S. News & World report(2019/8/14)

順位	大学名	国
1	MIT	米国
2	スタンフォード大学	米国
3	カリフォルニア大学バークレー校（UCバークレー）	米国
4	ハーバード大学	米国
5	パリ サクレー大学	フランス
6	カリフォルニア工科大学	米国
7	シカゴ大学	米国
8	東京大学	日本
9	オックスフォード大学	英国
10	プリンストン大学	米国

米国7校
英国1校
フランス1校
日本1校

資料：U.S. News & World Report "Best Global Universities for Physics" https://www.usnews.com/education/best-global-universities/physics

図2-20b　計算機科学における大学の世界ランキング
U.S. News & World report(2019/8/14)

順位	大学名	国
1	清華大学	中国
2	南洋理工大学	シンガポール
3	テキサス大学オースティン校	米国
4	シンガポール国立大学	シンガポール
5	キング・アブドゥルアズィーズ大学	サウジアラビア
6	華中科技大学	中国
7	パリ サクレー大学	フランス
8	MIT	米国
9	浙江大学	中国
10	東南大学	中国

中国4校
米国2校
シンガポール2校
サウジアラビア1校
フランス1校

日本
東京大学→135位
東北大学→180位

資料：US News & World Report "Best Global Universities for Computer science" https://www.usnews.com/education/best-global-universities/computer-science

図2-21 領域別 日本の大学の世界ランキング

日本の大学で最高位の大学の順位；自然科学分野

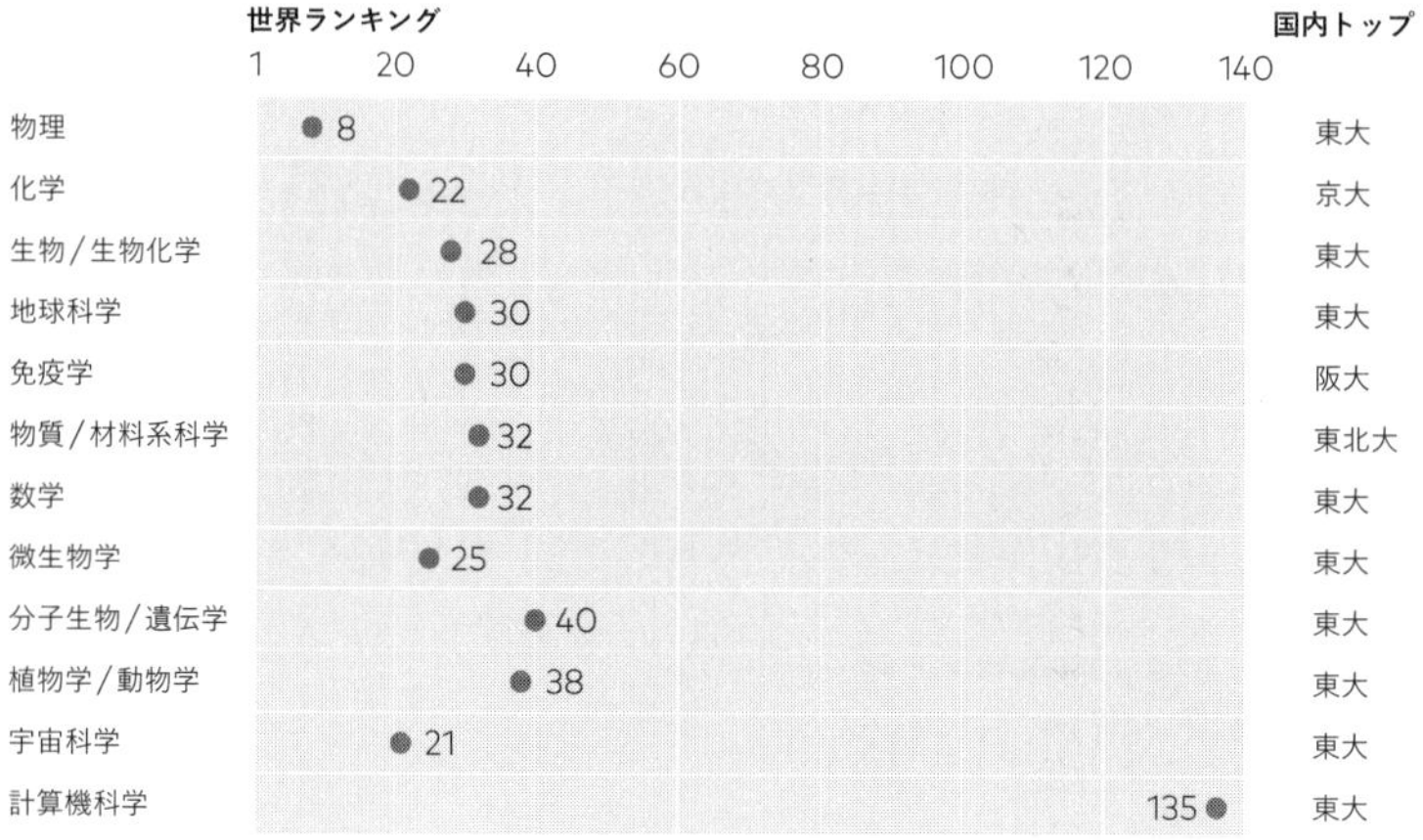

分野	世界ランキング	国内トップ
物理	8	東大
化学	22	京大
生物／生物化学	28	東大
地球科学	30	東大
免疫学	30	阪大
物質／材料系科学	32	東北大
数学	32	東大
微生物学	25	東大
分子生物／遺伝学	40	東大
植物学／動物学	38	東大
宇宙科学	21	東大
計算機科学	135	東大

資料: U.S. News & World Report “Best Global Universities” https://www.usnews.com/education/best-global-universities/ より安宅和人作成（2019/8/14現在）

いる数は4校。米国、シンガポールの2校ずつを大きく抜いてダントツだ。

同ランキングで他の分野を見ると、化学22位（京大）、生物／生物化学28位（東大）、免疫学30位（阪大）、物質・材料系科学32位（東北大）、数学32位（東大）、宇宙科学21位（東大）とまずまずのプレゼンスを持つ分野が大半だ（図2-21）。どれほど計算機科学における日本の力の入りようが低いか、他の分野のように才能とリソースが流れ込んでいないかがよくわかる。一言で言えば、「ちゃんとやろうよ」ということだ。

深層学習につながるもっともベースとなる取り組みは日本でかつて相当になされた上、今でもトップ研究者のレベルが低いわけではない。要は専門家層の厚さが足りないのだ。[28] グローバルにこの関連

28 この件については人材育成の項でさらに深掘りする

図2-22　機械学習系論文誌の採択数（深層学習関連）

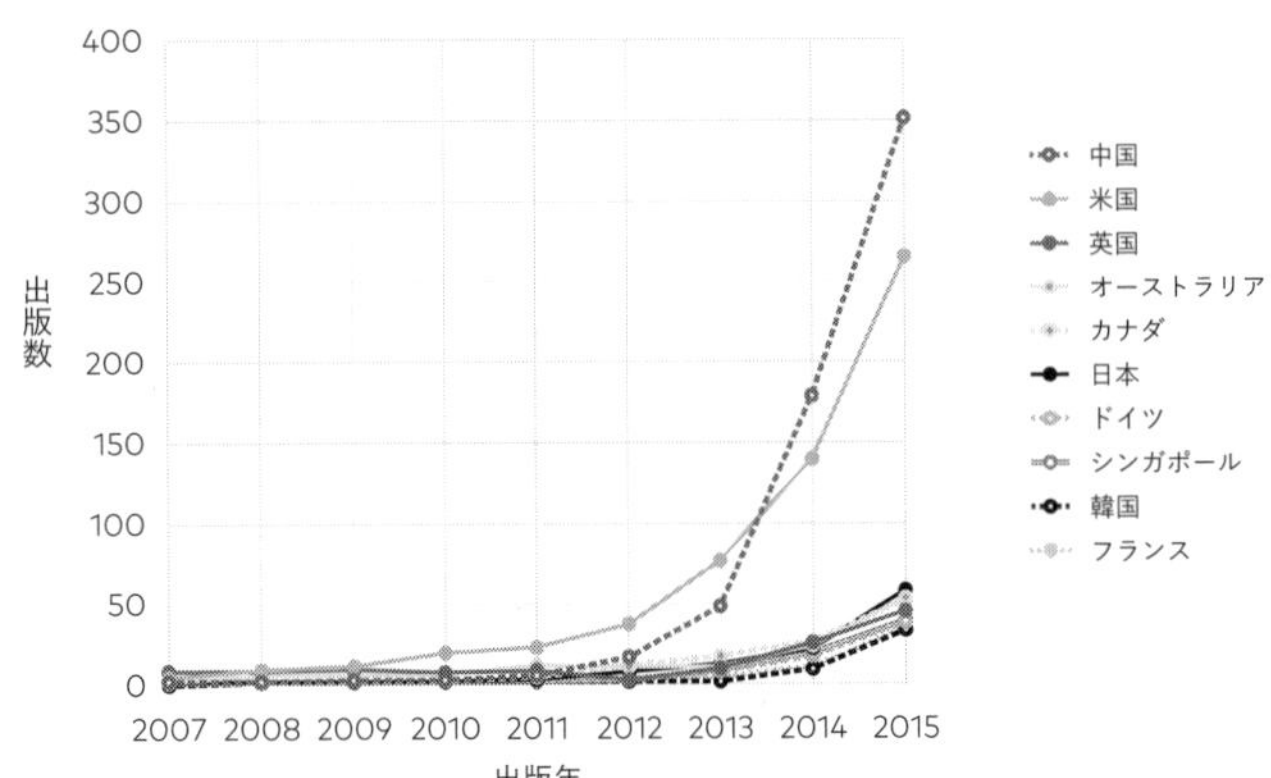

資料：National Science and Technology Council, Networking and Information Technology Research and Development Subcommittee (White House)
; THE NATIONAL ARTIFICIAL INTELLIGENCE RESEARCH AND DEVELOPMENT STRATEGIC PLAN (Oct. 2016)
https://www.nitrd.gov/pubs/national_ai_rd_strategic_plan.pdf

分野に一気に人が流れ込んできているときであるにもかかわらずだ（みんなが群がるようなことにはついていかないほうがいいというのは個人の生存戦略としては正しいが、前述のとおり、時代の必要要件のようになったことから目を背けるのは正しいこととは言い難い）。

実際、世の中を変えている革新的な技術の1つ、深層学習分野での論文数を見ると、中国が米国を抜き去り1位、米中が熾烈なトップ争いをする中、日本は突き放され、遥か下、他の主要国の中にいるというのが現状だ（図2-22）。ちなみにこれは2016年10月にホワイトハウスから出た「人工知能の研究及び開発の国家戦略」報告書の一部であり、中国が自ら喧伝しているような資料ではないことを付け加えておく。

図2-23　AI×データ戦争における3つの成功要件

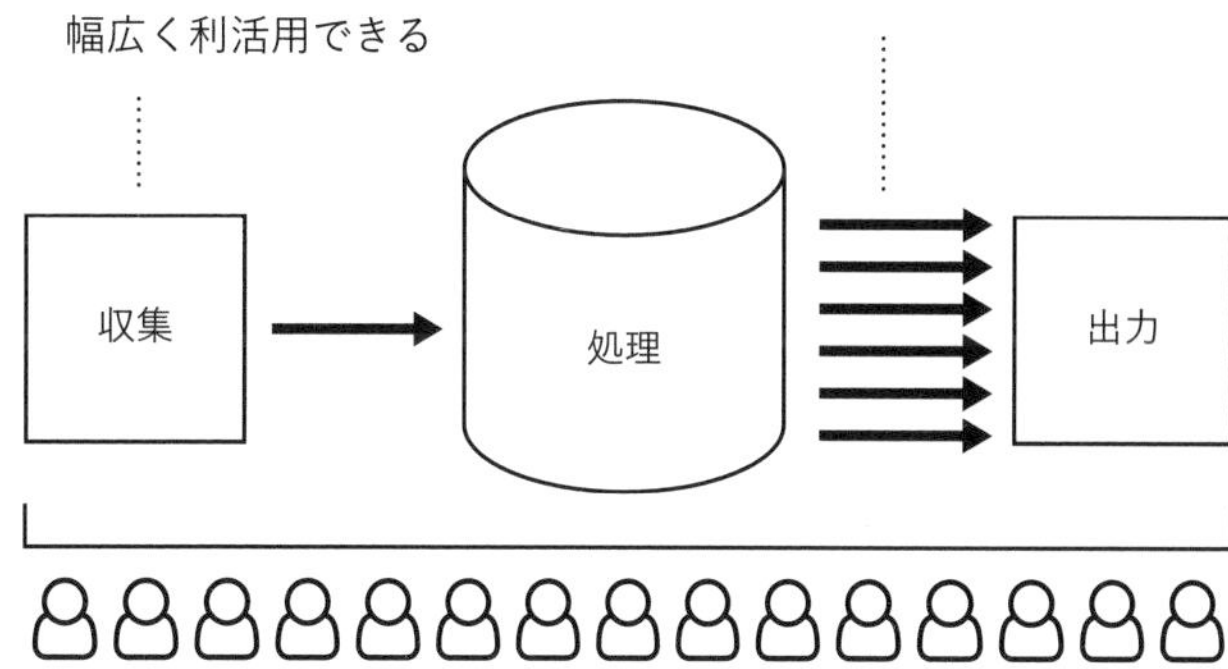

資料：安宅和人　産業構造審議会 新産業構造部会（第2回）発表資料（2015/10）より改変
http://www.meti.go.jp/committee/sankoushin/shin_sangyoukouzou/002_haifu.html

4 データ×AI世界で戦うには

なぜここまでデータ×AI分野で立ち遅れたのだろうか。この問いを2013年頃からさまざまなところで繰り返し尋ねられてきたが、僕の答えは一貫してシンプルだ。この世界には3つの押さえどころがあるが、そのいずれも押さえられていなかったからだ。

このデータ×AI世界でのKFS（Keys for Success：成功のカギ）は次の3つだ（図2－23）。

第一に、さまざまなところから多様なビッグデータが取れ、いろいろな用途に使えること。

第二に圧倒的なデータ処理力を持っていること。データ処理力とは技術でありコスト競争力だ。

第三にこれらの利活用の仕組みを作り、回す世界トップレベルの情報科学サイエンティスト、そしてデータエンジニアがいるということだ。

これは情報処理の全体フロー、データドリブン事業の基本サイクル（図1－5参照）を考えれば明らかだ。

データ量と空間づくりで土俵に立てていない

まずデータについて見てみよう。現在、もっとも大きなデータを生んでいる領域の1つが特にスマホ上のインターネットの世界であることは否み難い。ではこの領域を動かしている検索、コマース、ソーシャルでのデータはどういう状況かと見れば、残念ながらいずれの領域も日本のプレーヤーはグローバルにはデータ量で勝負になっていない。

検索領域の場合、筆者の働くヤフーは日本では最大級のインターネット事業会社ではあるが、一歩世界に目を向ければGoogleやBaiduは一桁多い10億人前後のユーザにサービスを提供している。コマースの場合、楽天は日本国内で極めて大きなプレーヤーであるが、同じくAmazon、Alibabaグループと比べればやはり一桁少ない。ソーシャルの場合、ＬＩＮＥは確かに国内ではデファクト的なプレーヤーではあるが、それでもWhatsApp、WeChatなどと比べれば一桁少ない[29]（図2－24）。

またこれら以外の領域でデータを利活用しようとすると、この国ではUber、Airbnbのような個人資産を活用するタイプのシェアリングビジネスはことごとく制限がかかっている。既存業態

29 もちろんコンソールゲーム機の世界のように日本がプラットフォームを大きく握っている領域はあるにはある

図2-24　各種サービスの月間利用者数

（単位：億人）

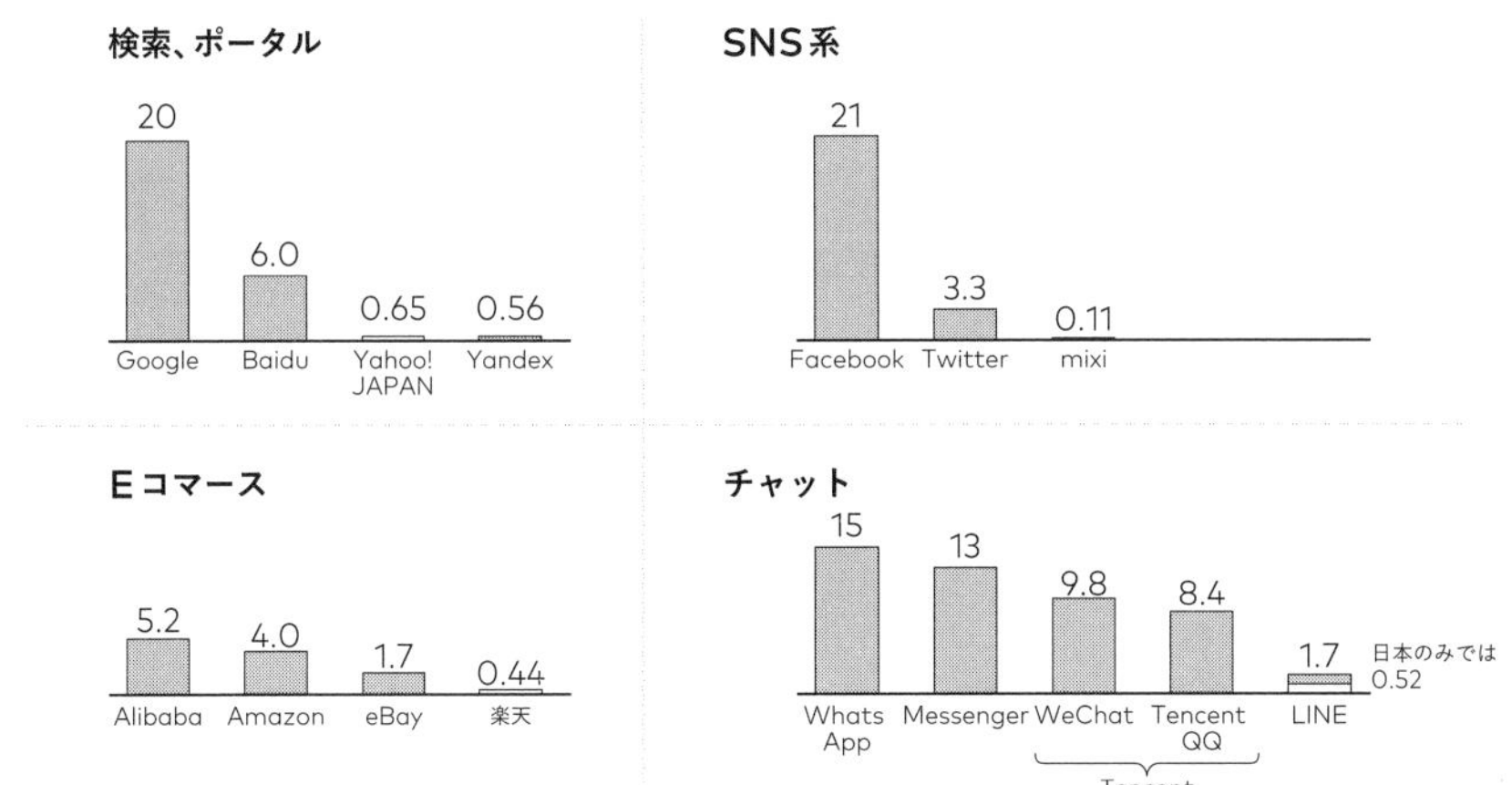

注：各種Web記事、日本の各サービス利用者数はYahoo! JAPAN調べ（2018年2月）
資料：安宅和人　産業構造審議会 新産業構造部会（第2回）発表資料（2015/10）より改変
http://www.meti.go.jp/committee/sankoushin/shin_sangyoukouzou/002_haifu.html

を保護する名目で、いまだに国外での圧倒的なユーザ支持が無視されている状況だ（2020年のオリンピックで海外旅行客の不満が激しく顕在化すると想定している人は少なくない）。

2015年あたりに米国の大学生の間でデファクトとなったvenmoという送金・割り勘サービスがあるが、このようなサービスも銀行業法の壁に遮（さえぎ）られ、ながらく突破する方法がなかった。このようにユーザ保護ではなく既存業態の保護行政のために、幅広くデータの力を解き放つことができない。

この2年余り世界的に注目を集める自動走行車だが、日本は世界でも指折りの生産国になると思われる。しかし、国内の道の多くがそもそも自動走行に対する準備ができていない。あまりにも狭く、かつ双方向通行可能な道が多く、向こうから来た運転手の顔色や雰囲気を見ながら、若干非合法だが人の家の敷地などに乗り上げながらバックしたりしないとすれ違えない。こういう作業は自動走行車がもっとも苦手とすることである。実際には、フリーズして立ち往生してしまう。

また同じく注目を集める飛行機型のドローンも、たとえば、国内でもっとも土地の価値が高い地域の1つの東京港区の場合、50階建ての横に平屋が建っているような状況で、極めて飛ばしにくい。あるビルの住人がドローンに過敏であったり、時間帯によって強いビル風が吹いたりすれば、単なる3Dデータのみならずかなり複雑な情報を取り込まない限り飛ばすことは不可能だ。パリのように100フィートルール[30]で作られたような街であればこのようなことは起きない。このように日本はそもそもAIに適した街づくりをしていないために、データ取り込みと保護規制が仮に問題なくなったとしても利活用の壁は高い。

データの処理力でも残念な状況

2つ目の処理力を見てみよう（図2－25）。データのコストというのは実際にはおおむね通信帯域コストと電気代である。すでに日本の産業用電気代は、ヤフーの実績値で米国より5～10倍も高い。さらに中国は米国よりも格段に安いと言われており、日本と数十倍のコスト差がある可能性が高い。だから厖大な情報処理が必要なビットコインのマイニングは大半が中国で行われるのだ。

30 高さを100フィートに制限する決まり。かつて銀座中央通りも同様の100尺ルールで規制してきたが、今は規制が緩和され乱れた状態になりつつある

図2-25　産業用電気代の比較
（円／キロワット時）

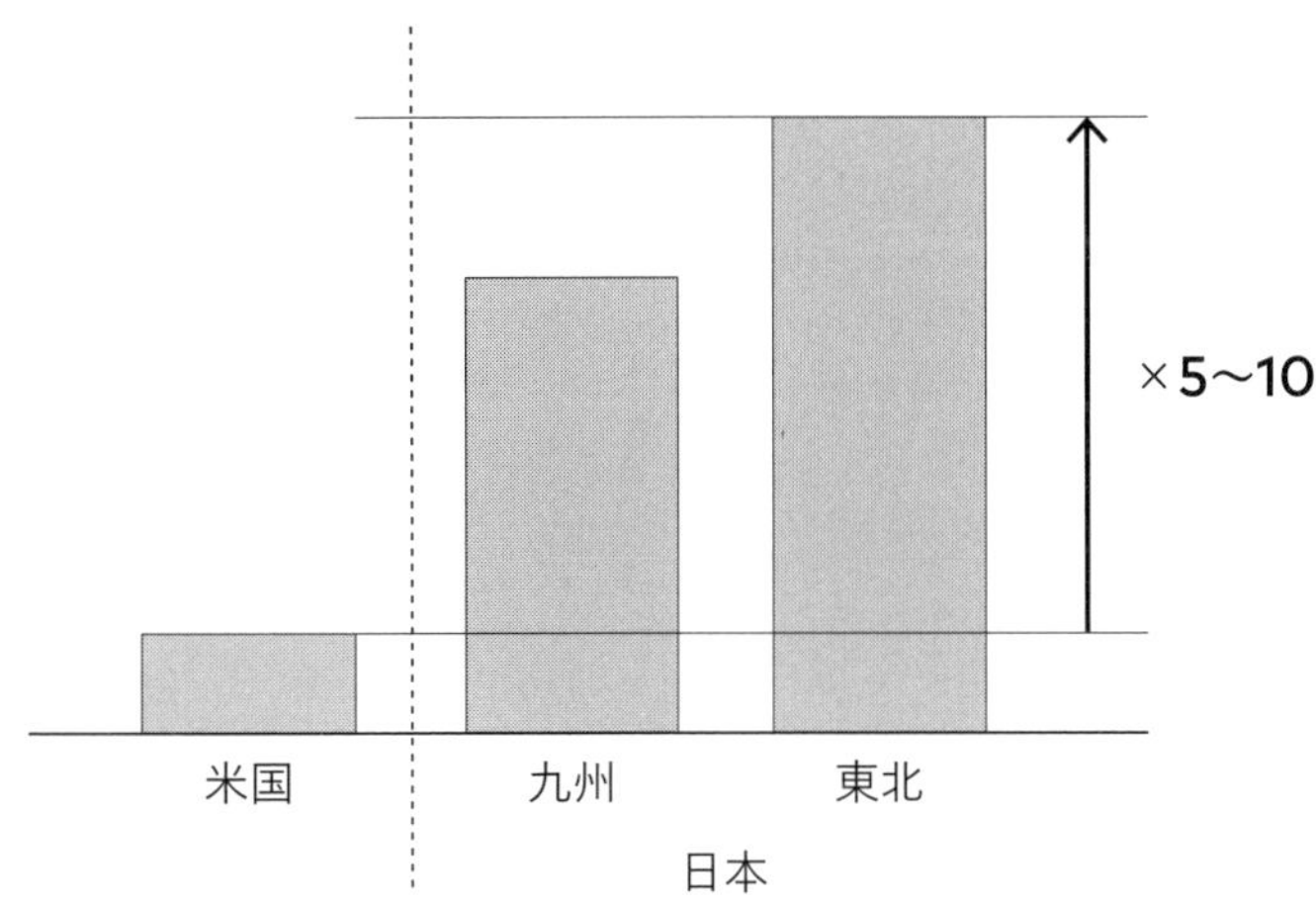

資料：IEA Energy Prices and Taxes（OECD為替レート使用）ヤフー実績値

そもそもビッグデータ系でグローバルに使われている技術プラットフォームは、海外発のものがほとんどで日本企業のプレゼンスは極めて低い。AWS（Amazon Web Services）、Microsoft Azure、GCP（Google Cloud Platform）のようなクラウド分散処理基盤はもとより、その基盤上で動くGoogle Analytics、Tableauのような解析系、Salesforceのようなサービスレベルのプラットフォーム（SaaS的な企業）までもそうだ。

いわゆるAI系についてもGCPにおけるTensorFlowなど米中のプラットフォームが1つ以上に頭が抜けてしまった状況にある。[31]

ということでKFSの2点目においても日本はグローバルに戦えるような商用の技術基盤がない上、データ処理を行うためのコスト競争力がないという状況で、

31　またこれはさらに上のレイヤーだが、これらのソリューションを適宜使いつつも、独自ソリューションを組み合わせてさらに深いデータ解析のクライアントサービスを行う企業となるとPalantirのような兆円規模の事業価値を持つプレーヤーがグローバルには現れて久しいが、日本からは一桁小さな企業しか生み出せていない

勝負になっていない。

エンジニア、専門家がそもそも足りていない

3つ目のKFS、データを回す人について見てみよう。「人ぐらいはいるだろう」と思われるかもしれないし、実際、ICTエンジニアは数だけ見ればある程度いるはいるのだが、米国の次ではない。中国、インドにも負けているのだ。ちなみに中国は2016〜17年にすでに米国に追いついたと見られている。

しかも人材の質に大いなる課題がある。大半がシステムインテグレーター（SIer）における古典的なプログラマー、コードを書く人（coder）といった人材であり、研究と開発のギャップを乗り越えられる人が少ない。すなわち、自然言語処理や機械学習などの研究・実験環境を、堅牢で大規模かつリアルタイムの本番環境につなげられる人材が足りていない。また、高速データ収集、分散環境、ロギング周りの仕組みを作れて、回せる人が極めて限定的という課題もある。言い換えれば、大量データを処理するデータエンジニアリングに熟達した人材も足りていない。

実際、ICT業界の海外の大手プラットフォーマーからは、「もっともデータ×AI人材が手に入らない国」「日本だけ基準を下げないと人が採れない」などと言われるようになって久しい。これを僕が初めてGAFAのとある本社シニアマネジメントに直接言われたのは2010年の頭、もう9年以上前の話だ。昨日、今日始まったわけではない国家的な課題なのだ。

図2-26　理工系の学生の数

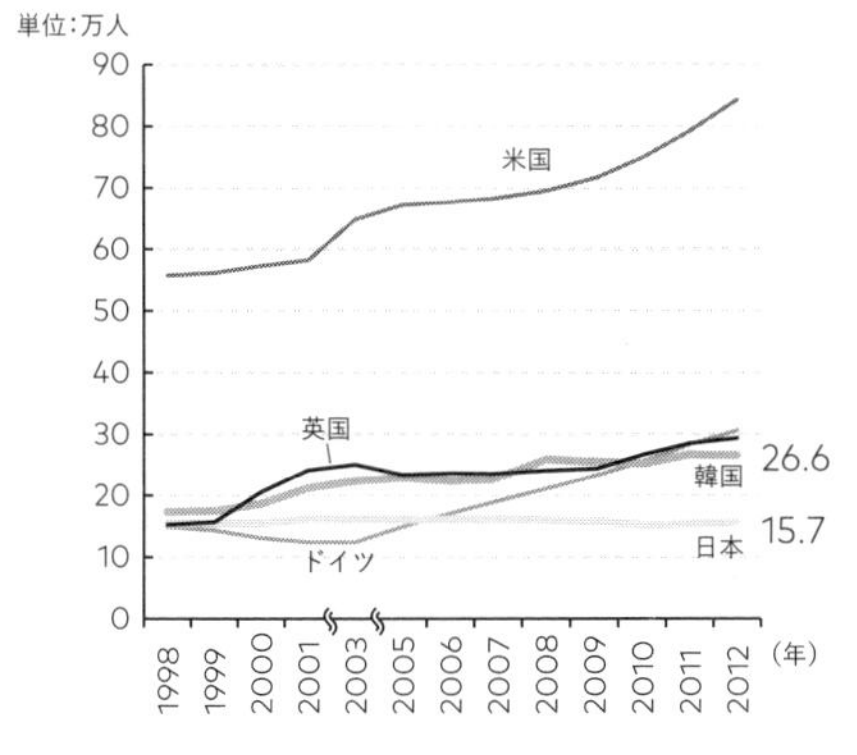

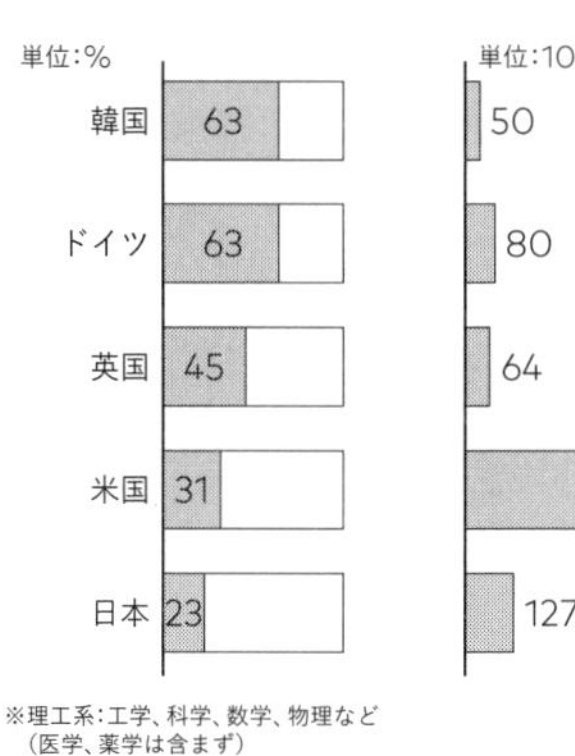

※理工系：工学、科学、数学、物理など（医学、薬学は含まず）

資料：OECD　Graduated by field of education (http://stats.oecd.org/Index.aspx?DatasetCode=RGRADSTY#) より安宅和人分析

理数素養のある学生の割合が少なすぎる

これらの大きな背景の1つは、日本では大学進学者のうち理工系（医学、薬学を除く）が2割強しかいないことにある。その結果、韓国と比べても年間10万人以上も大卒者で理工系の人の数が少ない（図2－26。残念ながら2012年までのデータまでしかない）。先に述べたとおり韓国は人口が日本の半分以下で、少子化が日本以上に進んでいる国だ。韓国やドイツは技術立国という意識が強いせいか、大卒の3分の2近くが理工系なのだ。日本とはほぼ真逆である。

これは文科系の学問が悪いと言っているわけではない。日本では、文科系進学者の多くが高校2年以降、理数系の訓練を受けていない。結果、ほぼほぼ理工系の学生だけしか理数素養を持たないことが問題なのだ。

情報科学は数理科学であり、数学の言葉で書かれている。学ぼうと思うのであれば、大学1～2年レベルの統計数理、線形代数、微積分の基礎素養が必要だ。これほど自然科学でのノーベル賞、数学のフィールズ賞で受賞者を生み出している日本から一人もノーベル経済学賞受賞者が出ていないことの背景の1つもここにあると思われる。この課題への対応は3、4章で議論する。

当然のことながら、深い分析的訓練を受けた大卒者も少ない。こちらについてはマッキンゼーが2008年のデータをもとに行った推計しかないが[32]、人口に占める割合を見ても、米国（8・1%）の3分の1（2・7%）、ポーランドやルーマニアのような数学大国（どちらも23%超）と比べると一桁少ない。

日本の若者たちは持つべき武器を持たずに戦場に出ている

昨今話題になっているデータサイエンスの大学教育課程も少ない。ビッグデータのハンドリング（データエンジニアリング）や、機械学習、自然言語処理など情報科学系の技（データサイエンス）を学んで、データドリブンに実際の課題を解決する力を育成するプログラムのことだ。

日本では2017年にようやく1つデータサイエンス学部が滋賀大[33]にでき、この1～2年横浜市大他で急速に立ち上がりつつある。一方、米国では同2017年にすでに500以上のデータサイエンスに関する学位取得プログラムが立ち上がり、すでに人材供給問題にはケリが付いたと言われている（図2－27）。

32 Manyika et al., "Big data: The next frontier for innovation, competition, and productivity", *McKinsey Digital*, May. 2011.

33 データサイエンス学部立ち上げ・運営に関する学長顧問の一人として筆者も関与

図2-27　データサイエンスに関する学位取得プログラム

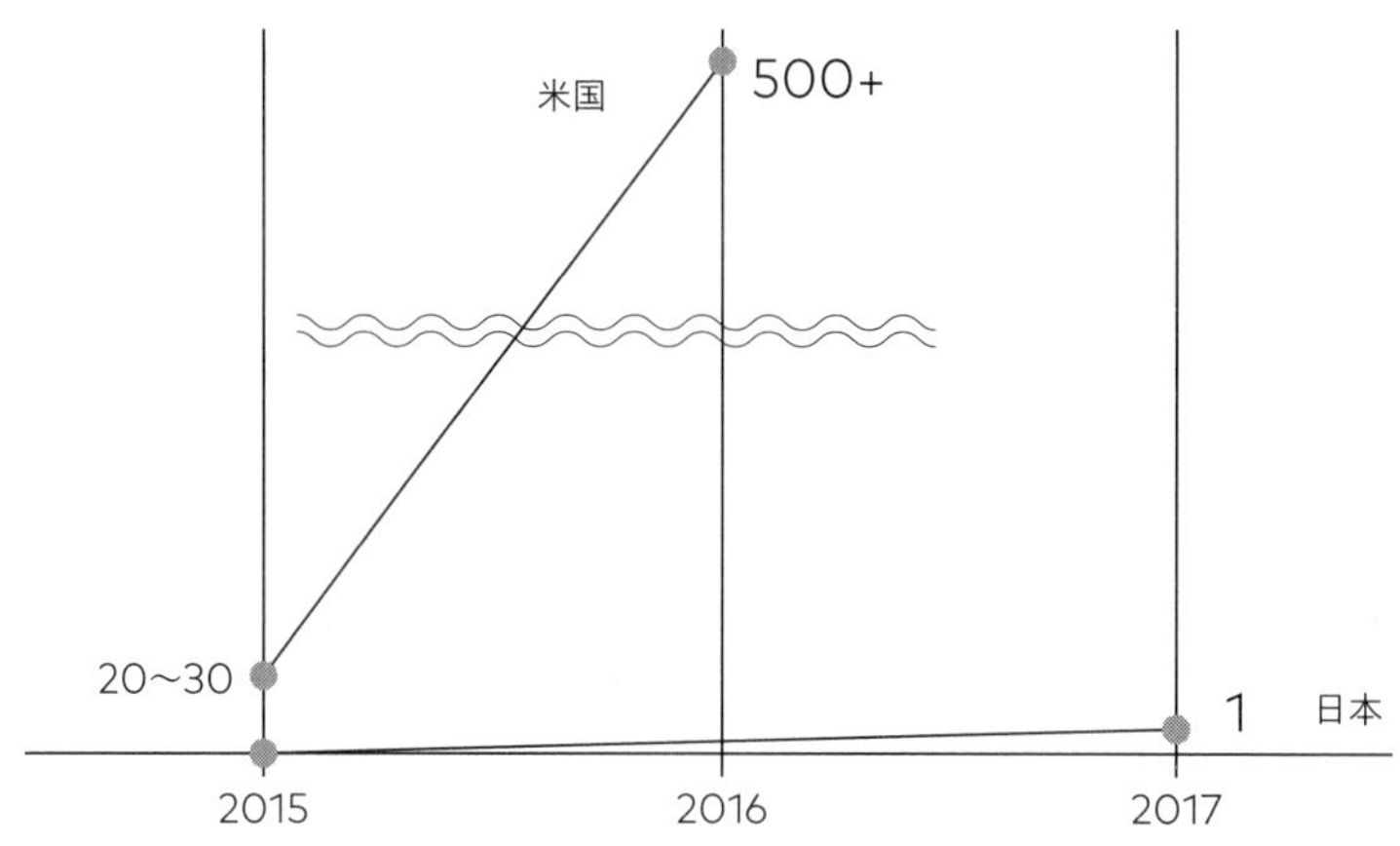

資料：TEDxTokyo 2016 "Shin Nihon" by Kaz Ataka (2016/10/22)

データエンジニアリングの基礎と言うべき計算機科学についても、米国のトップ大学では半ば学ぶことが当然になりつつある。ＭＩＴやスタンフォード大学では事実上ほぼ全員の学部生が、それ以外の主要大学でも半分以上の学生が主専攻もしくは副専攻で学んでいる。[34]これは複数専攻が可能な仕組みがあることが大きいが、かたや日本ではその対面に立つはずの東工大ですら情報理工系の定員は年間１００人ほどに過ぎない。

これらの結果、日本では理系の院卒を除けば、高等教育を受けたはずの人が基本的なサバイバルスキルを身につけていないまま新卒として世の中に出てくる状況になっている。一言で言うならば、「日本の若者たちは持つべき武器を持たずに戦場に出ていっている」のだ。彼らが一旦グローバルな世界に出れば、それ相応のレベルの学校でしっかりと訓練を

34　Daniela Rus (MIT CSAIL Professor) "Toward the Fourth Industrial Revolution" (経済産業省第9回 産業構造審議会 新産業構造部会 フォローアップ会議 2016年7月14日発表資料)

受けてきた同世代の人たちと向かい合うことになる。その準備もさせず、大きなハンデを持ったまま世に出しているということだ（図2－28）。

このままでは「ジャマおじ」だらけの社会に

サイエンス層・専門家層に至っては、そもそもいない上、どこにいるのかわからない。運良く見つかっても実社会での利用に関心のある人が少ない、というないないづくしだ。明らかに供給強化だけでは不十分であり、内向きのオタクではなく世界を変えようとするハッカーやギークが必要だ。

　米国や中国ではこういうテックギークたちがＭＢＡやロースクール出身の連中と一緒になって数多くの世の中を変えるスタートアップを生み出している。インターネットビジネスを初めて儲かるものにしたYahoo!のジェリー・ヤン（Jerry Yang）しかり、検索そしてGoogleを生み出したラリー・ペイジ（Larry Page）、セルゲイ・ブリンしかり。Facebookのマーク・ザッカーバーグ（Mark Zuckerberg）、Teslaのイーロン・マスク……彼らもみんなテックギークだ（資料2－2）。

　ヒト関連でもう１つ触れておきたいことがある。それはおそらく５００～１０００万人程度いると思われるミドル・マネジメント層の現状だ。この層の人達が現在かなりの実権を握っているわけだが、残念ながらそもそものチャンスと危機、現代の挑戦の幅と深さを理解していない人が大半だ。また、この層にこそビジネス課題とサイエンス、エンジニアリングをつなぐアーキテクト的な人材が必要だが、ほとんどの会社で枯渇している。

図2-28　我が国の新卒層の課題

課題	内容
基本的な問題解決能力の欠落	• 問題を定義できない • 結論を出すことができない
数字のハンドリングの基本が欠落	• 指数と実数の使い分けができない • 指数を指数で割ったりする
分析の基本ができていない	• 数字を並べることと分析の違いがわかっていない • 軸を立てるということの意味がわかっていない
基礎的な統計的素養がない	• 平均を鵜呑みにする • サンプリング、統計的な有意性の概念の欠落
情報処理、プログラミングについての基本的な理解がない	

→ 高等教育を受けたはずの人が基本的なサバイバルスキルを身につけていない

資料：安宅和人「データ時代に向けたビジネス課題とアカデミアに向けた期待」応用統計学セミナー 2015/5/23
http://www.applstat.gr.jp/seminar/ataka.pdf

資料2-2　シリコンバレーの創業者たち

ジェリー・ヤン（Yahoo!）

スタンフォード大
電気工学（PhD中退）

ラリー・ペイジ、
セルゲイ・ブリン（Google）

スタンフォード大
計算機科学（PhD中退）

アンディー・ルービン（Android）
（Andy Rubin）

ユーティカ大
計算機科学（BS）

マーク・ザッカーバーグ（Facebook）

ハーバード大
心理学＆計算機科学（BS）

イーロン・マスク（Tesla）

スタンフォード大
応用物理学（PhD中退）

資料：gettyimages

ちなみに経団連のＡＩ活用原則ＴＦ（報告書「ＡＩ活用戦略」２０１9年2月発表）の委員として検討した際の見立てでは、ほぼすべての企業にこのような人がいないという状況だ。

また、このような激変する時代に彼らが生き延び、未来の世代や事業のじゃまにならない人材であるためにはスキルを刷新しなければいけないが、身につける方法がわからない上、学ぶ場がない。このままでは、この方々が先に述べた既存業種を守るための規制をロビイングで山のように作り、日本のあらゆる産業の刷新を止め（少なくとも必死にやる必要はないという雰囲気を作り）、ＡＩネイティブな世代を引き上げることもなく、この国をさらに衰退につないでしまう。「ジャマおじ[34]」「ジャマおば」だらけの社会になってしまうということだ。

黒船来航時と同じ状況に

以上見てきたとおり、今の日本は、データ、利活用、処理力、人……いずれの視点でも勝負になっていない。データ×ＡＩの視点だけから言えば、半ば１８５３年の黒船来航時と同様の状況だ。資料２－３の手前真ん中には当時の旗本（今で言えば霞が関の局長のような方々）と思われるお侍さんが立って唖然と外国人が乗り込んでくる姿を見ているが、とても近い光景のように思えてならない。

10年ほど前、マッキンゼーの戦略研究グループで世界規模のスタディが行われた。対象は世界の主要企業３０００社以上。テーマは「事業の成長を決める本当の要因は何か」という話であった。選ばれた要素は４つ、戦略、実行力、リーダー、そして市場だった。

34 TEDxTokyoの代表であるPatrick Newell氏の発案による言葉。「ジャマなおじさん」の意味なのだが、実に的確に現状を言い当てている

資料2-3　黒船来航(1853年)

資料:gettyimages

この検討の結果は驚くべきものであった。「事業成長の7割以上が単一のファクター、市場によって説明できる」というものだったのだ。つまりどれほど優れた戦略があろうと、どれほど偉大なリーダーがいようと、そしてどれほど素晴らしい実行力があろうと、市場を間違えるとどうしようもないということだ。時代に逆行したことをすればどんな偉大な企業も沈んでしまうのだ。

逆に言えば、時代の潮流に乗ったことをやればほぼ確実に成長できる。これは前述した世界の企業価値ランキングを見ても理解していただけるだろう。孫正義氏がいつも言われているとおり「どこの山に登るか」を見極めることが本当に大事なのだ。

これほどデータ×AI化、テクノロジーとデザイン力をテコにした事業や領域の刷新という強い変化が世界的に起きている現在、この流れに乗らない手はない。自分たちはちゃんと大きなトレンドに反した動きをしていないだろうか、正しいスピードで仕掛けられているのだろうか。どのような検討をするにしても、国も事業も折りに触れこれらを確認することが重要だ。

生き残れるかどうかはイシューではない

本書の冒頭に掲げたテーマに立ち戻る。日本には未来はないのだろうか。もちろんある。国なのでそもそも滅びてしまうことは稀だ。

存在を問う意味ではなく、「手なりでこれからもある程度以上に豊かな国でいられ続けるのか」という問いについて言えば、ほぼＮＯであることは答えが出ている。ここまで見てきたとおりの現状で、このまま経済的な推進力を失ってしまえば、この国はそれほど遠くない未来に半ば中進国になることが見えているからだ。

したがって、我々が本当の意味で考えるべきなのは、このような受け身の問いではなく、僕らはどのようにすれば今の子どもたちやその子どもたち、また50年後、そして１００年後に対してよりまともな未来を残すことができるのか、というもっと積極的な問いだ。

5 日本に希望はないのか

産業革命における日本を振り返る

確かに今の日本はイケていない。技術革新や産業革新の新しい波は引き起こせず、乗ることすらできなかった。企業価値レベルでは中韓にも大敗。大学も負け、人も作れず、データ×ＡＩの視点での三大基本要素のいずれも勝負になっていない。近代になって以来、先の大戦の終戦前から敗戦直後を除けば、もっとも残念な20年だったと言ってもよい。そのため、もうやはり希望はないのかとこの何年か繰り返し聞かれるのだが、まったくそうではない、というのが僕の見解だ。

18世紀から始まるいわゆる産業革命をざっくり振り返ってみると、３つのフェーズに整理することができる（図２－29）。

第一のフェーズは、新しい技術やエネルギーがバラバラと出てきた時代。およそ１００年ほども続いている。電気の発見や蒸気機関などはこの時代の産物だ。

第二のフェーズは、この新しい技術が実用性を持つようになり、さまざまな世界に実装された段階だ。エンジンやモーターなども小さくなり、クルマやミシン、家電などが続々と生まれた。

第三のフェーズは、この新しく生まれてきた機械や産業がつながり合って、航空システムのようなより複雑な生態系（エコシステム）と言うべきものが次々と生まれた段階だ。土管（通信回線）、通信技術、端末がつながり合うインターネットもこの段階で生まれている。

この視点で振り返ると日本はどうだったたか。フェーズ１は……正直ほぼ何もやっていなかった（図２－30）。そもそも江戸時代の後半であり、まだ鎖国状態。９割かそれ以上の人が田畑を耕す

図2-29　**産業革命の3段階（大局観）**

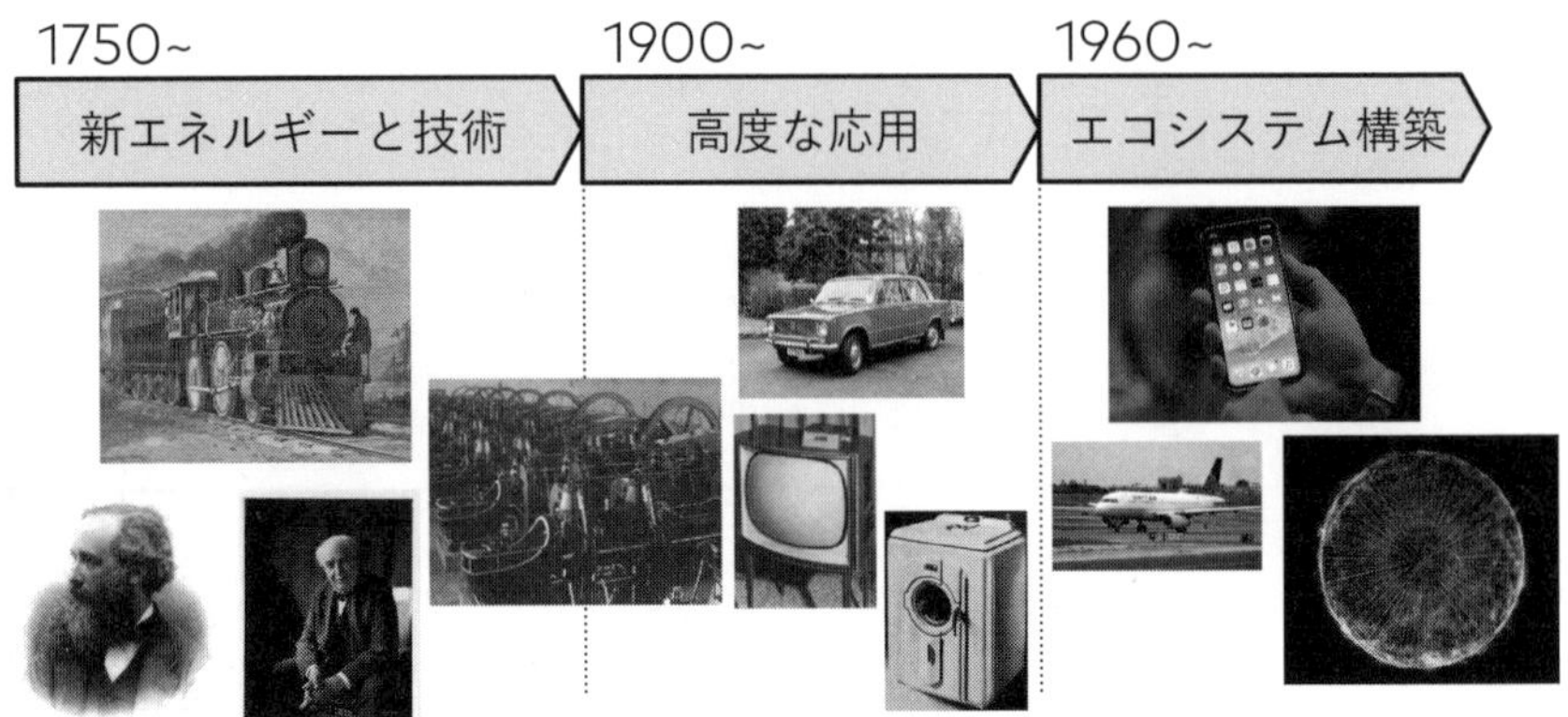

資料：安宅和人　経済産業省 産業構造審議会 新産業構造部会 第5回資料 (2016/1) を一部改変
http://www.meti.go.jp/committee/sankoushin/shin_sangyoukouzou/005_haifu.html
TEDxTokyo 2016 "Shin Nihon" by Kazuto Ataka (2016.10.22) https://www.youtube.com/watch?v=G6ypXVO_Fm0
gettyimages

図2-30　**日本は第二の波から参加**

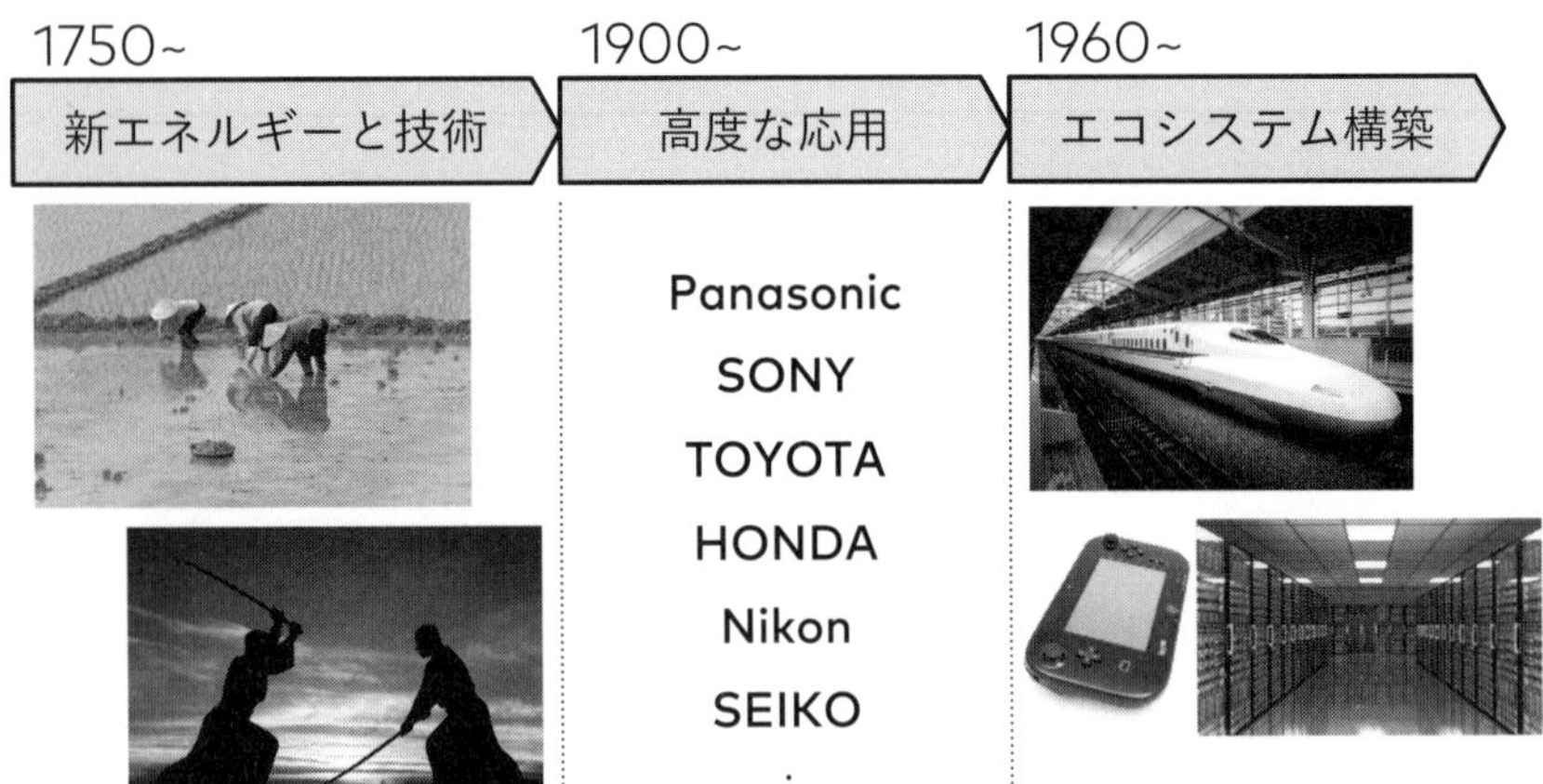

資料：安宅和人　経済産業省 産業構造審議会 新産業構造部会 第5回資料 (2016/1) を一部改変
http://www.meti.go.jp/committee/sankoushin/shin_sangyoukouzou/005_haifu.html
TEDxTokyo 2016 "Shin Nihon" by Kazuto Ataka (2016.10.22) https://www.youtube.com/watch?v=G6ypXVO_Fm0
istock

か漁業などで生計を立てていた。残りの人は腰に日本刀という武器をまとい、しまいに1853年には黒船がやってきて、罪のない外国人を切りつけたりしたこともあるという[35]、どうしようもない状態だった[36]。当時の日本には藩という会社に近いものがたくさんあり、結局最大の会社である幕府が賠償金の払い過ぎなどもあって[37]、半ば倒産。これが無血開城、江戸幕府の終わりの実情に近かったのではないだろうか。

明治になったのがまさに世界ではフェーズ2のはじめのあたり。文明開化で、一気に教育・郵便など基礎となるシステムの構築、近代軍隊や銀行の創設含め、富国強兵の名の下、あらゆる西洋文明の吸収と産業化にいそしんだ。そのあと、途中二度の大戦を経て、自動車、家電、カメラ、その他の新しいモノづくりや産業の構築ゲームでぶっちぎった。

さらに誰も見たことのない複雑な系である新幹線（車両、電送、土木、制御系、その他諸々を組み合わせてようやくできる）や、ファミコン、スパコン、ポータブルオーディオなどの系（エコシステム）の構築でさらに勝利した。

このように日本は歴史的に見てみると、フェーズ1をやったことがない。フェーズ2、フェーズ3の勝者なのだ。より古くはかつての先端思想、仏教も日本で生まれたのではないが、もっとも発展した国の1つとなった。25世紀たった今も、遺跡ではない本当に機能している寺院が多い。

35 1862年の生麦事件

36 なお佐賀藩だけは国防観点でフェーズ1に着手していたと思われるが、日本全体として未着手であったことは認めざるをえないだろう

37 事故、事件のたびに10万両単位：100億円相当を払っている

図2-31　データ×AI化における産業化の大局観

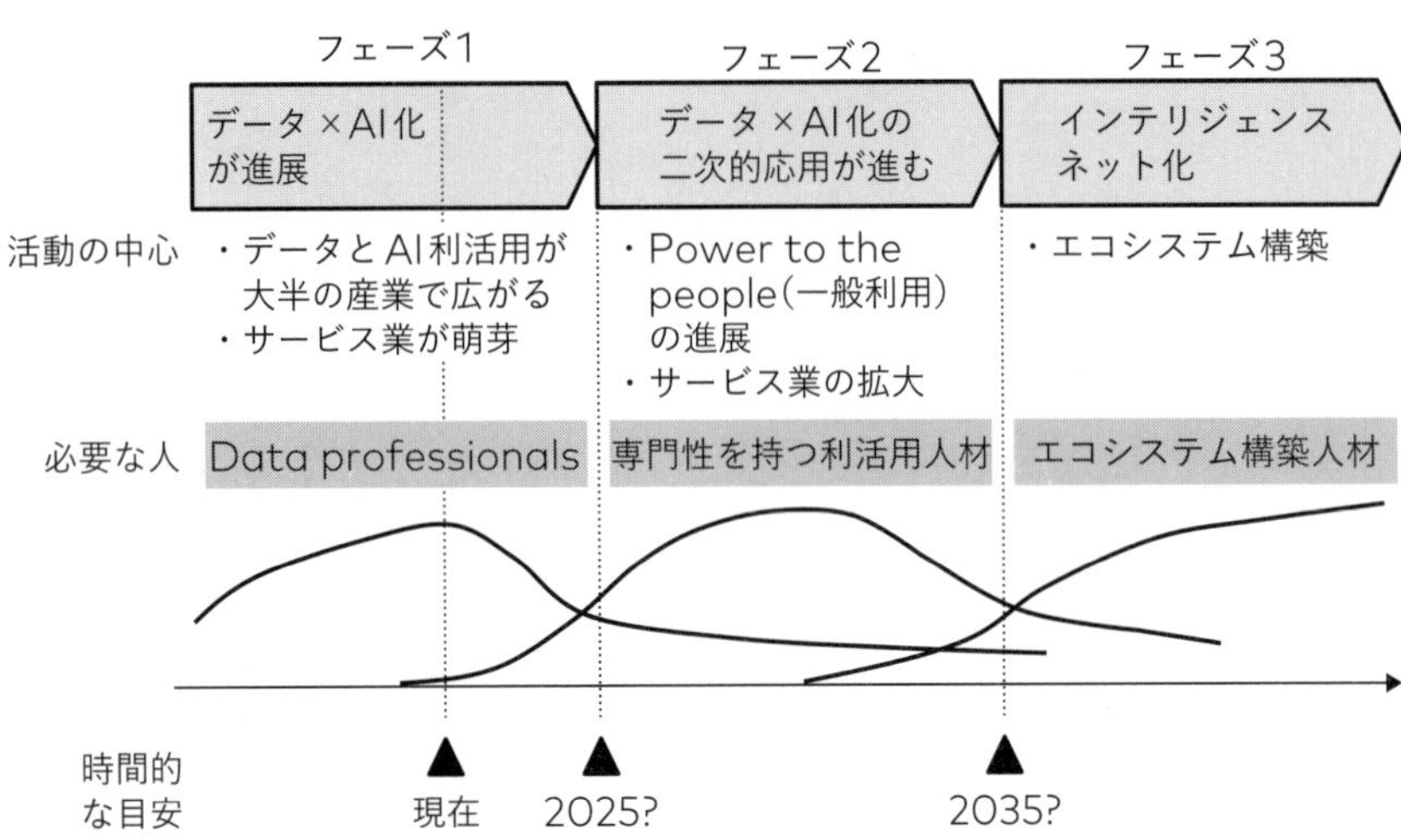

資料：安宅和人　経済産業省 産業構造審議会 新産業構造部会 第5回資料（2016/1）
http://www.meti.go.jp/committee/sankoushin/shin_sangyoukouzou/005_haifu.html

第二、第三の波で勝つ

今、確かにデータ×AI化の世界では日本は大幅に出遅れてしまった。そして、おそらくこの新しいゲームのフェーズ1はすでに終わりに近づいている。

データ×AIの力そのものに立脚したインターネット業界を見てみよう（図2-31）。Amazon創業から24年（創業1994年7月）、世界のインターネットエコノミーの最初の成功例といえる米国のYahoo! Incが生まれて24年（創業1995年3月）。日本のヤフー（創業1996年1月）や楽天（創業1997年2月）ですら生まれてすでに20年以上だ。これらの取り組みの中で生み出された大量なデータトラフィックをリアルタイムでさばくデータエンジニアリング技術は相当に広まり、自然言語処理技術や機械学習技術はもう空気のように使われている（オールドエコノミーを除く）。この中から深層学習のような新しい機械学習手法が生まれて大きな革新が生まれていることは前述のとおりだ。

急激にビッグデータが注目されはじめた２０１２〜13年頃は、講演に行っても機械学習や自然言語処理という言葉の意味から説明する必要があった。現在は一般の方ですら機械学習を飛ばして「ディープラーニングって聞いたことある？」と普通に口にし始めていることからして、フェーズ１が終わりに近づいていることを示している。

ではこれからどうなるかといえば、産業革命同様のフェーズ2、フェーズ3が来ることはほぼ間違いない。すなわちこれらフェーズ１で生み出された技術があらゆる分野、空間、機能に広まっていく。すべての空間、機能、サービスが半ば感覚を持ち、スマート化するようになる。何でもセンシングされるようになり、それに基づいていろいろなものが見えないところで最適化される。まさにフェーズ2だ。

何を言っているんだと思われるかもしれないが、今僕らの身の回りを見て産業革命、あるいはその元になっている科学革命の恩恵を受けていないものやサービスを発見することは困難だ。同じく、これからはあらゆる世界がデータ×ＡＩ化していく。

さらにこれらのスマート化されたものやサービスはことごとくつながり合っていく。この新しいエコシステムはリアル空間に重なり合い、インテリジェンスネット[38]と言うべきものがさまざまなレイヤや目的ごとに重なり合っていくだろう。リアルな空間ではないので何層でも重なり合うことが可能だ。

38 あえて訳すならば情報知性のネットワーク

図2-32　AI化には入口と出口がある

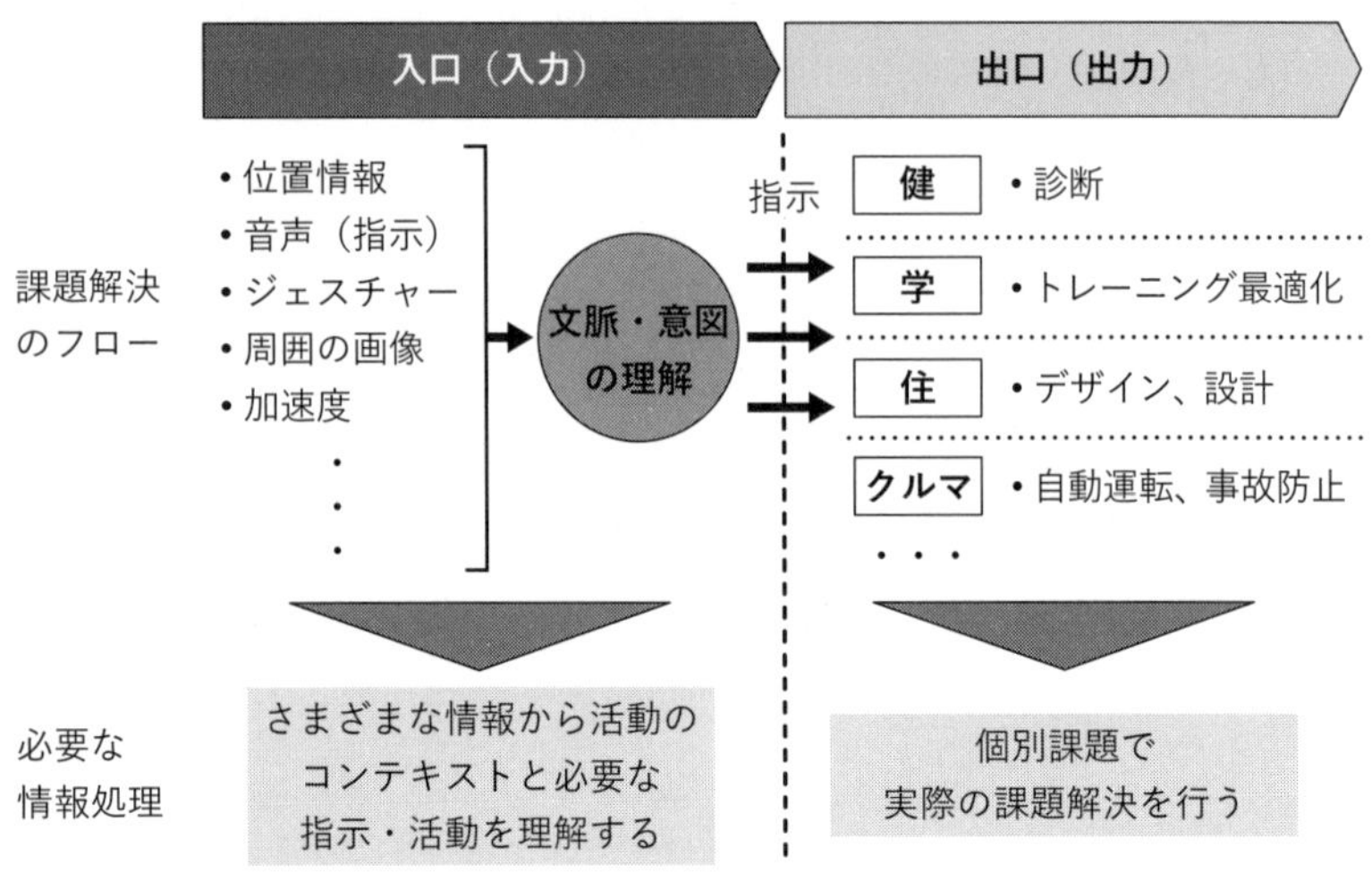

資料：安宅和人分析

あらゆるものや産業がつながり合う、といってもすべてのものにチップが埋め込まれるわけではない。食べ物などはいつまでもチップなどを基本含まないだろう。[39]

しかしその食もモニター可能になり、たとえば身体の内部の調子すらも可視化される。[40]

出口産業を持つ強みとチャンス

フェーズ2、フェーズ3を考える上で見逃せないのが、データ×AIの出口である。ごちゃまぜにされることが多く、あまり話されないことではあるがデータ×AIの話は入口系の話と出口系の話がある（図2－32）。

入口系というのは、外部から入ってくる基礎的な情報をどのように仕分けするか、識別するかという話だ。対象は音声

39　とはいえ、プリント可能な見えないバーコードのようなものを焼き付けること、分子的なタグ付けを行うことなどは十分あり得る

40　もちろんこれはあくまで現実的な未来の可能性の1つに過ぎず、本当のところ何が起きるかは、僕らがどのような未来を選ぶかによることは言うまでもない

であり、画像であり、言葉といったものだ。異常検出系などは基本的にここに含まれる。出口系というのはヘルスケア、住宅、教育、金融などといった実際の産業での用途、もしくはその構成要素としての調達、製造、物流、マーケティング、人事（HRM: Human Resource Management/PD: People Development）といった機能側の話だ。

確かに1章で触れたとおり不連続的なＡＩの発展が今起きていることは事実ではあるが、現在の変化は、ほとんどが入口側のテクノロジーの変化である。実際に僕らの身の回りでデータ×ＡＩ化している部分は、もともと取り扱う対象がデジタル情報であるデジタルマーケティング分野か決済領域に集中している。

ただ、産業は、それが生み出す付加価値から見てわかるとおり、9割方出口側に存在している（図2－7参照）。ここが一気にデジタル化、スマート化しようとしているのが我々の置かれている局面だ。応用のフェーズはこれから始まる。これがまさに前述のデータ×ＡＩ化のフェーズ2、フェーズ3だということは理解してもらえるだろう。

入口側の機能は業界横断的、すなわち水平的（horizontal）であるが、出口側は業界、もしくは機能に特化しているという意味で垂直的（vertical）と言える。垂直領域は深いドメイン知識（その領域に関する専門知識・知見）に基づく作り込みと、汎用性だけでないセミカスタム力がカギになる。日本の持ち味の1つである現場、顧客に寄り添う力が生きるときでもある。

また出口側で何らかのＡＩ的なソリューション（解決手段）を生み出そうとすると、ＡＩの定義式からわかるとおり、まさにその出口特有のデータが必要になる。この出口産業ということになると、日本はほぼすべてのオールドエコノミーをフルセットで、世界レベルで持つ数少ない国の

1つだ。英国、フランスですら領域による強弱がかなりあり、これほど出口系を押さえている国は米国、ドイツぐらいしか他にはない。これは主要大国の1つであることの強みだ。しかも、それぞれの領域で一度は世界を取ったもの、あるいは今でも相当のプレゼンスを持つ領域が多く、日本にはかなりのまとまったチャンスがある。どれほど技術力があったとしてもドメイン側のデータを手に入れることはそう簡単にはできないからだ。

昔を知らない若い人たち、日本人として自信を失いつつある方々にいくつか情報を共有しておこう。産業的にこの国が持っている技術的な強みはクルマ、家電、重電、ファインケミカル、ロボット、鉄、建築・土木だけではない。日本は計算機化（computerization）で世界の先頭を走った2つの国の1つであり、モバイルインターネットも日本から始まった。僕らはデータ×ＡＩにおいてまったく素養がないわけではない。むしろベースの経験値としては相当に高い国の1つだ。

出口領域としてはライフサイエンスとデータサイエンスの融合は急速に進みつつあるが、生命科学は日本は今でも世界のトップ3（米英日）の1つだ。確かにデザイナーベイビーのような倫理違反的な研究で中国が先行していることは事実だが、日本にも相当の研究と人材の厚みがある。2010年代だけでも山中伸弥先生（2012）、大村智先生（2015）、大隅良典先生（2016）、本庶佑先生（2018）と4人ものノーベル医学・生理学賞受賞者を生み出している。

またハードの世界においても、ナノスケールなものづくり、カーボンナノチューブ、原子レベルの撮像技術など日本は世界のトップレベルの基礎技術を持っている。国内に閉じてゲームをしても意味はないが、広がりも厚みも具体的な玉もそれなりにあるのだ。このとても面白く歴史的な局面で大胆に仕掛けていくべきだ。

6 まず目指すべきはAI-readyな社会

この数年、国と財界を挙げて取り組もうとしているSociety5.0は実はフェーズ2論そのものだ。詳しくはコンセプトの生みの親である中西宏明会長率いる経団連の資料[41]を見ていただければと思うが、狩猟社会、農耕社会、工業社会、情報社会と発展してきた人類が、今起きているデジタル革新の力と我々の妄想力をかけ合わせた向こうに未来、（価値）創造社会があるというのがSociety5.0の掲げる絵だ（図2－33）。

単にデジタル化を行うわけではなく、「我々の多様な想像力、妄想力をテコにこのデジタル革新の力で世の中をことごとく刷新し新しい価値を生み出すべき」ということをここでは掲げている。このデジタル革新×妄想力の部分には前述した未来の方程式（図1－14参照）に通ずる考え方が色濃く反映されている。

AI-ready化とは何か

妄想力豊かで多様な実験環境を持つこの国において、価値創造の前提となるデジタル革新をどのように行うべきなのか、これに対するこの検討メンバーの、そして僕の答えは「AI-ready化」だ。

２０１８年 内閣府「人間中心のＡＩ社会原則検討会議」、経団連「未来社会協創ＴＦ[42]」「ＡＩ

41 「Society 5.0 ―ともに創造する未来―」、経団連、http://www.keidanren.or.jp/policy/society5.0.html ２０１８年11月

42 中西会長直下でSociety 5.0の包括提言の検討を行ったタスクフォース。筆者はコアメンバーの一人として参画。座長は北野宏明ソニーコンピュータサイエンス研究所（ソニーＣＳＬ）社長兼所長

図2-33　Society5.0の前提"AI-ready化"

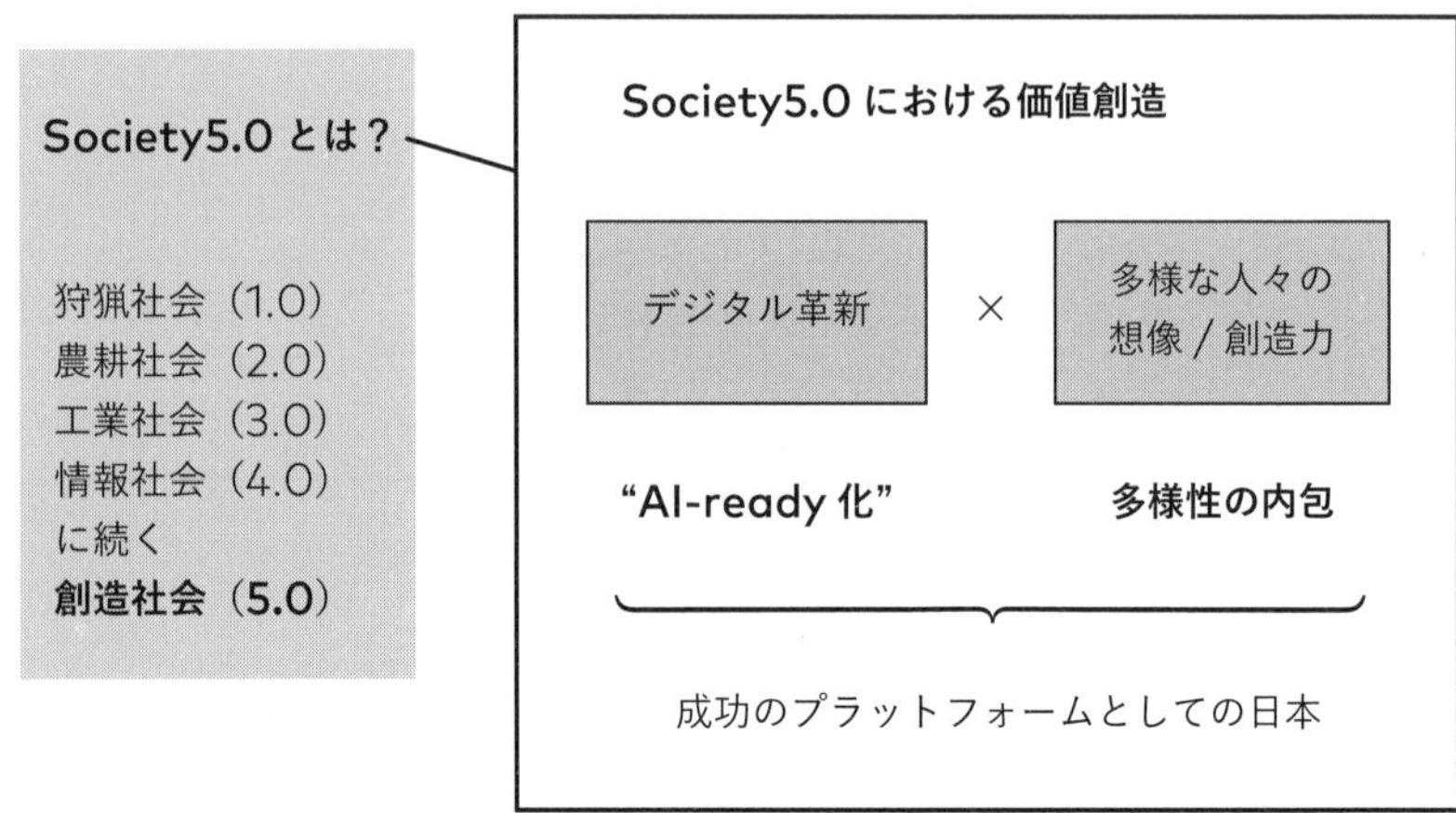

資料：経団連「Society 5.0 －ともに創造する未来－」より安宅和人作成（2018/11/13）http://www.keidanren.or.jp/policy/2018/095.html

活用原則TF」の集中検討が並行して行われた。なおここでAIと言っているものはすべて「データ×AI」の意味合いで使われている。いずれにも委員として参加したが、ここでわかってきたことはAI戦略などを語る以前の課題が極めて深刻であり、そここそがボトルネックになっているということだった。そのボトルネックさえ解決すれば、日本の底力からすると明るい未来は十分に描き得るという見立てだ。

　そのボトルネックの正体を簡単に言えば、企業を含むこの日本の社会は、そもそもAIなどを議論する、活用する用意ができていない、AI-ready[43]ではないということだった。当初の問題意識をまとめたものは「人間中心のAI社会原則検討会議」で投げ込ませていただいた試案[44]（2018年6月1日）に上がっているが、僕の理解では、AI-readyな状況にするた

43　こぼれ話だが、AI-readyという言葉は、この課題が赤裸々に見えてきたある経団連の会議に出席していた際、筆者が「AI-readyじゃないってことなんだナ」とつぶやいたところから始まった。座長の北野先生及び多くの委員の方々から賛同を受け、経団連の報告書だけでなく内閣府「人間中心のAI社会原則」含め埋め込まれた

44　安宅和人「"AI ready"とは何か？（試案）」内閣府人間中心のAI社会原則検討会議 第二回（2018年6月1日）資料3－3

めのポイントは10個ある。

(1)目的・目指す姿

ただ単に人間の仕事をキカイに置き換えるという想像力ゼロの利活用だけではなく、夢を実現するためにＡＩとデータの力を解き放とうとしているのか。自動化できるものは当然し、これまでは不可能だった新しいことを行い価値を生み出しているのか。リテラシーのベースとしてこのような志自体を持てているのか。

(2)扱える人材

必要な理数・データ素養を持つ人が限られ、トップレベルの研究開発能力を持つ大学や企業の専門家がいないと何もできない状況ではなく、理文を問わず高等教育を受けたすべての人が理数・データ素養を基礎教養として使うことができているか。最先端の研究を行う人の層も十分に厚い状態になっているのか。ちょっとしたチューニングは、中高生が新しい技術・家庭や工業科のクラスで学ぶレベルでできるのか。工業科、高専、専門学校などで多くの人が理数・データ素養を学び、町の電気屋さんのようにそこら中に応用エンジニアがいる状態なのか。

大半の会社にアーキテクト的な人材がいてベンダーに丸投げすることなく、事業の刷新、創造、運営の要を担っているのか（ここで求められるデータ×ＡＩリテラシーについては次章でさらに検討する）。

(3)対象となる分野、領域

既存のＩＣＴ的な業界だけではなく、すべての業界[45]がデータ×ＡＩ化し、あらゆるところで恩

45　「すべての業界」には霞が関、自治体、学校も当然含まれる

恵を受けているか。旧来のICTプレーヤーからしかデータやAIを使う試みが出てこないのではなく、データやAIを使う新しい試みが社会のあらゆるところから雨後の筍のように日々生まれているのか。

(4)作り込みのあり方

データやAIの力を使いたい人や会社が、何もかも自力で作ったり、特定のベンダーに丸投げしたりしなければならないのではなく、さまざまなAIをマッシュアップ的に使えると共に、コアエンジンについては各ステークホルダーが自分たちなりの磨き込みで競い合えているか。ある程度の技術的な知恵は、ブラックボックス化せずに共有され学び合う状況が生み出せているのか。

(5)データの利活用状況

人間の活動や環境、リアル空間がデータ化されていないのではなく、ウェブもリアル空間も含めてことごとくデータ化しているか、もしくはいつでもデータ化できる状況にあるのか。データを引き出すのに1ヶ月、データを統合するのに半年、データをクリーニングするのに1年かかったりするのではなく、大体のデータがリアルタイムに近い形で引き出せ、おおむねそのままつないで使うことができるのか。情報基盤がベンダー依存で疎結合的な利活用ができない状態ではなく、大量情報基盤がベンダーに依存しない形でスケーラブルに整備されているのか。

(6)市民/利害関係者のリテラシー

プライバシーについての無理解と市民の低リテラシーが邪魔をして利活用が進まないのではな

く、リテラシーが高い市民が大半で、プライバシー課題が整理され、個人が便益を受けつつ、データが提供される関係が成り立っているのか。

言語入力や受発注のレベルに至るまでデータが利活用されており、それがないともはや手間が爆増することを利用者も監督者側も理解できているのか。提供者側も正しく理解し、世の中に説明できているか。

自社で数千人月を投下してシステムを組み直せる大会社しか対応ができないかたちで進むのではなく、小さなスタートアップであっても現実的な着地ができる環境を生み出せるか。データにはプライバシー視点でさまざまなスペクトルがあること[46]を理解でき、仕分けできるか。それを市民、国・自治体、サービス提供者は理解できるか。データやＡＩはつなぎこまないと価値を生み出せないことを正しく理解できているか。

(7)データ処理力

米国の5倍以上の処理コストがかかるのではなく、世界的に見ても低廉にデータ処理できるか。大量データ処理やＡＩ技術を内製的に国の中に持てているか。大量データ処理、ＡＩ技術に関し、十分に高い独自技術を〝枯れた〟(十分に使いこなされた)状態で持てているのか。ユーザを守りつつ、ＡＰＩ含めつなぎこむ整備や安全な流通の土管を整備できているか。

(8)革新の主体と推進状況

ＡＩネイティブ層とミドル層以上が完全に分離して、ＡＩネイティブな会社と旧来の会社の2層に分かれてしまっているのではなく、ＡＩネイティブ層があらゆる分野の刷新の中心かつリー

46 レベル・度合いの異なる広がりがあること

ドになって分野、業界を超えた再編、革新が進んでいるのか。ミドル・シニア層が規制と既得権益を振り回す「ジャマおじ」になっているのではなく、信用を与え、人をつなぎ、資本を出す役割を担い、補完し合っているか。

ありがちな話として、大きな組織で新しいやり方を行うチームを1つだけ作るようなアプローチはおおむね機能しない。100年続くうなぎ屋のタレに継ぎ足すようなもので、何を入れてもいつもの味になってしまう。新しい酒は新しい革袋にということわざのとおり、新しい取り組みを行う部隊は一旦割ってしまい、建物どころか街も、マネジメントのあり方、評価、給与システムも変えてしまったほうが現実的だ。

(9)教育システム

オールドエコノミー中心、スケール重視時代の理文分離型かつ文系メインの人材育成モデルではなく、あらゆる分野が刷新される時代に即し、理文、専門にかかわらず理数・データ×ＡＩ、デザイン素養をベースに持つ境界・応用型の人材育成モデルになっているか。学部学科制で才能の選抜、育成を行うのではなく、専門分野を横断し、経験を柔軟にミックスすることが可能な人材育成システムとなっているか。

(10)社会全体としてのリソース投下

AI-ready な未来の可能性を信じず、社会福祉、これまでどおりの社会インフラ[47]投資ばかりに大半のリソースを割き続けるのではなく、未来を信じ、米中に対抗し得る国力に見合ったレベルで、十二分に AI-ready になるようリソースを投下し続けているか(5章参照)。

47 水道、電気、道、ガス、保安、ゴミ処理、公共施設など

以上だが、いかがだろうか。この革新期においては、新しい技術の利活用に対するマインドセットから、人づくり、人の活用、データ環境の整備、市民のリテラシー、データ処理能力に至るまで質的に刷新していくべきだということだ。このAI-ready化とSociety5.0が半ば当面の国の全体戦略と言ってもいいかもしれない。国・企業レベルで言えばとにもかくにもまずは正しい土地（市場）に上陸することが大切だ。

AI-ready化された企業とは

これを企業や組織側にどのように適用し、どのような状況を目指していくべきかの目安についても、経団連ＡＩ活用戦略の中のAI-ready化ガイドライン（２０１９年2月19日発表）で5段階に整理した（図２－34）。なお、このレベル感は次のような目安で見ていただきたい（文責は筆者）。

レベル1（AI-ready化以前）

製造、物流、販売など基本業務のためのシステム運用とデータマネジメントは行っているが、SIerだのみでＡＩ×データを使った事業の運営、刷新、創造については着手していない。

レベル2（先端的な旧来の大企業／初期のネット系スタートアップ）

外部の専門家の力を借りてＡＩ×データの利活用に着手しているが、取り組みは既存の人間の仕事（業務）をキカイに置き換えることが大半。

レベル3（中～大規模なインターネット企業の多く）

既存の業務の機械化にはめどが付き、今後の成長と事業刷新のための重要なレバーとしてＡＩ×データの利活用を開始。これに向け、まとまったリソースの再配分が行われている。

レベル4（Spotify, Toutiao他先端利活用企業）

ＡＩ×データの力を解き放つことで、コア事業においてこれまで不可能だった夢や課題解決を実現している。未来を信じ、AI-readyになるまでリソースを一過性でなく投下し続けている。

レベル5（Alibaba group, Alphabet, Amazonなど）

すべての事業、機能がデータ×ＡＩ化し、業界そのものの本質的な刷新（disruption）を常時仕掛け、変容を引き起こしている。国内外の競合に対抗し得るレベルでAI-ready化に向けリソースを投下できている。新しい試みがあらゆるところから雨後の筍のように日々生まれており、常に世界の最先端をリードし注目されている。

発表段階（２０１９年2月）では、日本の事業者は大企業も含めて大半がレベル１であるというのがこの検討チームの見立てだ。すでに1年が経とうとしているが、おそらくいまだに未着手の企業が多く、何か試みて負けたわけですらない。つまり、伸びしろに満ちている。

図2-34 “AI-ready化”ガイドライン

	経営・マネジメント層	専門家	従業員	システムレベル・データ
レベル5	AI-Powered企業として確立・影響力発揮	すべての事業・企業がAI×データ化し、業界そのものの本質的な刷新(disruption)を仕掛けている。		
	■AI×データを理解するCxOが全社、業界の刷新の中心を担う ■業界全体、他社との連携を推進	■全技術者が領域×AI知識を持つ ■AI×データ活用の技術、研究両面の最先端の人材、経験を持つ	■皆が理数・AI×データ素養を所持 ■社内外の専門家と共同で活用 ■ミドル層は資本、人脈で貢献	■リアル空間も含めすべてがデータ化、リアルタイム活用 ■協調領域では、個別領域のAI機能、API提供、共通PF化 ■競争領域では、独自機能のAI開発、サービス化
レベル4	AI-Ready化からAI-Powered化へ展開	AI×データによって企業価値を向上。コア事業における価値を生むドライバーとしてAIを活用。		
	■AI×データを理解し事業活用する人材を経営層に配置 ■AI-Readyになるまで投資継続	■AI×データ活用の技術開発、研究両面で最先端テーマの取組み開始	■過半が高いAIリテラシーを所持 ■データ・倫理課題を整理・遵守 ■AI×データによる業務刷新が推進	■業務システムと分析システムがシームレスに連携 ■大半の業務データがリアルタイムに近い形で分析可能
レベル3	AI-Ready化を進行	既存の業務フローのAI×データ化による自動化に目途がつく。戦略的なAI活用も開始する。		
	■経営戦略にAI活用を組み込み ■AIへの投資をコミットメント ■幹部社員へのAI教育を実施	■相当数のAI分析・実装要員を持つ ■独自のAI開発・事業展開が可能	■実務へのAI活用が徹底 ■そのための手順やツールも整備 ■社員へのAI教育を開始	■業務フロー、事業モデルがデータ化 ■業務系に加え分析系のデータ基盤も整備開始 ■領域特性に応じてAI化、RPA適用等を使い分け
レベル2	AI-Ready化の初期段階	AI活用についてスモールスタートで経験を積む。一部の簡易業務のAI化も専門家の力を借りつつ着手開始。		
	■AIの可能性を理解し方向性を発信 ■具体的な戦略化は未着手 ■データ・倫理課題は未整理	■少数がAI・データを理解 ■外部と協力し、既存技術を適用	■一部のAI基礎の理解 ■AI×データ素養を持つ社員も存在 ■AI人材の採用を開始	■一部業務でAI機能の本格適用を実施 ■一部データが分析・活用可能な形で取得可能に ■顧客行動、環境、リアル空間のデータ化は未着手
レベル1	AI-Ready化着手前	AIの方法論の議論が先行し、AI×データを活用した事業運営・刷新・創造は未着手。		
	■AIへの理解がない ■AIが業界や自社の企業経営に与える影響の認識も不十分	■システムは外部委託中心 ■IT部門はIT企業とのつなぎ役	■経験、勘、属人的対応が中心 ■課題も人員、工数をかけて対応 ■理文分離、文系中心の採用	■レガシーシステムが肥大化 ■データの収集、取り出し、統合に年単位の時間が必要 ■データの意味や示唆の理解も不十分

資料：AI-ready化ガイドライン（© 経団連 2019）

7 日本の本来の勝ち筋

この国は妄想では負けない

AI-ready化と共に多様な人々の想像力と創造力がSociety5.0を作り出す。ここで大切になるのが妄想力だ。1つ認識されていない日本の強みは、この国は3歳児ぐらいから、この妄想力を半ば英才教育している珍しい国だということだ。

攻殻機動隊しかり、鉄腕アトムしかり、はたまたドラえもんに出てくる「ほんやくコンニャク」、「お医者さんカバン」、「暗記パン」、「エラチューブ」しかり、これらはよく見ればフェーズ2、フェーズ3そのものだ。

意識しているしていないにかかわらず、世界でもこれほど妄想ドリブンな情操教育を行ってきた国は珍しい。自分はSFが好きでハリウッド映画もよく観るが、正直なところ、アイデアそのもので度肝を抜かれることは少ない。ほとんどのアイデアを子どもの頃、マンガやアニメ、あるいはその妄想力の上に立つ、数多くの本などを通じてすでに妄想し、頭の中に描いてきたからだ。我々は明らかに下駄を履いている。一番大変なアイデア創造について相当柔軟に培ってきたからだ。

人類はこれらを解き放つための新しいテクノロジーの多くを手に入れた。あとはやればいいのだ。躊躇（ちゅうちょ）なくやってみて、それから学び修正するというデータ×ＡＩ社会の基本サイクルをガンガンと回していくことが必要だ。

そこで思い起こされるのは、２０１６年の夏に観たとある印象的な映画のあるセリフだ。

「この国はスクラップ＆ビルドでのし上がってきた。今度も立ち上がれる」

これは、その映画『シン・ゴジラ（２０１６東宝）』に出てくる内閣官房長官代理のセリフなのだが、正にそのとおりだ。ここは明るくやり直すべきときだ。

こういう話をすると、日本は困難な局面をどうやってしのぎ、どうやって立ち上がってきたのか、という話になることが多い。僕の見立てでは、日本の本来の勝ち筋は次の４つにまとめられる。

すべてをご破算にして明るくやり直す

１つ目は綺麗サッパリすべてを水に流してやり直すというすがすがしさというか思い切りのよい気っ風だ。ゼロベースが板についている国と言える。

これほど日本的な場所はあまりないと思われる伊勢の神宮。ここでは20年ごとに式年遷宮、すなわちすべてを白木で作り直すという、世界の聖域の中でも類を見ないことが行われている。部分的なリノベーションではないのだ。なんと飛鳥時代から１３００年も続いているという。

明治維新のときもこれまでの地方分権システムを、まるでソロバンかのようにご破算にし、一気に中央集権モデルに変え作り直した。先の大戦で日本の主要都市がほとんど空襲で焼け野原になったあとも同様だ。ご破算にしてしまった以上、グチグチ言わない、やると決めたら徹底的にやりきるまでやるというのは日本のよさだ。

圧倒的なスピードで追いつき一気に変える

2つ目に、キャッチアップのスピードは日本らしさであり、日本の芸風といえる。参入は遅いが、何かやり始めるとあっという間にキャッチアップして世界のトップレベルまで行く力をこの国はさまざまな分野で繰り返し示してきた。

かつての最先端学問と言える仏教は、開祖の釈迦がいた紀元前5世紀前後から1000年以上も経って日本に伝来した。そんな中、8世紀の僧である空海（のちの弘法大師[48]）は留学先の唐にて2つに分かれた密教[49]の奥義伝授を共に数ヶ月で受けるという偉業を成し遂げ、一気に最先端の仏教哲学に到達した上、さらなる地平を切り開いた。

空海は「虚しく往きて実ちて帰る」という言葉を残したが、当時世界一の国である唐から、土木・建築まで含む、まさに密教以外の最新の文化体系を半ば丸ごと持ち帰り、日本は文化的に一気に追いついた。

湯川秀樹[50]は、1920年代に理論物理学が量子力学、相対性理論の誕生と共に劇的な発展を遂げてからさして時間も経っていない1934年の着想により、日本初、アジアで2人目（インド系を除く東アジアでは一人目）のノーベル物理学賞を1949年に受賞。しかも実験物理、宇宙物理などの分野以上に、蓄積と熟成、層の厚みが大きなアドバンテージになる理論物理分野でだ。

48　空海（弘法大師）

資料：Kobo Daishi (Taisanji Matsuyama), "Maculosae tegmine lyncis", Wikimedia, https://commons.wikimedia.org/wiki/File:Kobo_Daishi_(Taisanji_Matsuyama).jpg

49　広く民衆に向かって教えを説き、お経文に価値が体現されるとする顕教に対して、内密に教えが伝授され決して奥義は言葉にならないとされる教え。当時の最先端仏教、修行哲学の1つ（司馬遼太郎『空海の風景』［中央公論新社、1994］）、空海『秘蔵宝鑰』［KADOKAWA、2010］を参考に筆者まとめ）

戦後、ＱＣ（Quality Control：品質管理）という概念を輸入したあと、ＴＱＣ（Total QC）に刷新して世界トップレベルのものづくり精度を生み出したのも驚異的なキャッチアップであった。チェーンストア（Chain store）という概念を１９７０年代に輸入し（ジャスコ［現イオン］創業１９７０年、セブンイレブン第1号出店１９７４年）、そこから10年も経たずして本家を超えるレベルの仕組みに作り変えていったのも同様だ。これらの事例のように、ちょっと考えられない速度で追いつくというのは日本のお家芸だ。

また、さまざまな概念の受け皿である日本語はそもそも、漢字、仮名、カタカナ、アルファベット、アラビア数字、サンスクリット（梵字）……とどんな外来概念でも飲み込める言語体系と文化の柔軟性が際立っている。

この強みを活かし、何かを仕掛けるときは、キャッチアップしつつ、既存の仕組みの手直しではなく、作り直す、新たに創るつもりで進めていくことが大切だ。２００年継ぎ足してきたうなぎのタレみたいなところに新しい何かを入れても全部同じ味になってしまう。企業でやるときも、無理して同じ組織、同じ運用の仕組みで頑張ろうとせず、２つに割ってインサイダーアタッカー的に進めていくべきだ。

若い人を信じ、託し、応援する

３つ目に挙げたい日本の素晴らしさは、本当に困ってしまったときは若い才能を信じ、託す力だ。歴史のある組織に働く人はピンとこないかもしれないが、日本はこのやり方を何度となく適

50 湯川秀樹

資料：gettyimages

用してきた。

先の歴史的な江戸開城の際、幕府、新政府軍のそれぞれ代表に立ったのは勝海舟と西郷隆盛[51]だったが、会談初日（1868年3月13日）、勝は45歳になった翌日であり、西郷に至っては1月に40歳になってさして日も経っていないところだった。米国、欧州諸国に派遣された岩倉使節団[52]の特命全権大使・岩倉具視は出発時（1871年12月）46歳。同伴してその後近代日本を作り上げる大久保利通、木戸孝允、伊藤博文はそれぞれ、41歳、38歳、30歳に過ぎなかった。この国が西洋諸国に飲み込まれるかどうかの瀬戸際の局面で、驚異的に若い集団に未来を託したことがわかる。

またのちのソニーとなる東京通信工業（東通工）は1946年、終戦後の荒廃の中、井深大、盛田昭夫の30代、20代の青年2人によって立ち上げられたが、この2人を元宮内庁長官、元文部大臣などの大物シニア層が支えたことは知る人ぞ知る事実だ。[53]

このように本当に未知なる変化のときに、若い人の力と夢に託すのは日本の伝統だ。今日本は歴史的に若者が不足しており、若者の価値はさらに高まっている。若者がコモディティである時代は終わった。この伝統を活かすにはとてもよい瞬間だ。

不揃いな木を組み、強いものを作る

4つ目に挙げたいのは、欲しい物そのものがなくとも、不揃いの素材のよさを活かし、それを組み上げ、全体として美しいものを作り上げる力だ。

51 江戸開城

右・勝海舟（45歳）
左・西郷隆盛（40歳）
Maculosae tegmine lyncis, "Surrender of Edo Castle", *Wikimedia*, https://commons.wikimedia.org/wiki/File:Surrender_of_Edo_Castle_(Meiji_Memorial_Picture_Gallery).jpg

資料2-4　**不揃いの木で支えられる薬師寺の塔**

資料：663highland, “Yakushiji Nara”, *Wikimedia*, https://commons.wikimedia.org/wiki/File:Yakushiji_Nara06s3s4440.jpg

現代最高の宮大工の一人に小川三夫氏（1947－）がいる。法隆寺専属の宮大工・西岡常一氏（1908－1995）の唯一の内弟子であり、法輪寺三重塔、薬師寺金堂、薬師寺西塔（三重塔）の再建他で活躍。生前西岡氏は小川氏を評し「たった一人の弟子であるけれども、私の魂を受け継いでくれてると思います」と語られたほどの人だ。その小川氏がこう語る。

「薬師寺の東塔に入ったら、ほんま、不揃いな木ばっかりだ。それでも力強いんだな。あれも不揃いのよさや。外側はちゃんと整っているが、裏では不揃いが総持ちで支えているっていうのは、やはり最高のものだろうな[54]」

東京大学の藤本隆宏教授が指摘してきた日本のものづくりの強さ「すり合わせ」は千年以上続く伝統なのだ。鈴木大

52　岩倉使節団

左から木戸孝允（38歳）、山口尚芳（32歳）、岩倉具視（46歳）、伊藤博文（30歳）、大久保利通（41歳）

KI833x9~commonswiki, “Iwakura mission”, *Wikimedia*, https://commons.wikimedia.org/wiki/File:Iwakura_mission.jpg

53　森健二『ソニー 盛田昭夫』（ダイヤモンド社 2016）p.48

54　小川三夫・塩野米松『不揃いの木を組む』（文藝春秋、2012）

拙氏が喝破したとおり、日本人はアシンメトリーから美を生み出す世界的にまれな力を伝統的に持っている。[55] 禅もこの不揃いを組み合わせて美を生み出す日本の強さであり、バランス感覚が表れている。

この素材の癖や特徴を生かしながらも大きな何かを作り上げる能力は、当然ものづくり、空間づくりだけでなく、組織や事業の仕組みを生み出すときにも活かされる。エクレクティック（Eclectic）という言葉は日本語では「折衷主義の」と訳されることが多いが、インテリアや空間デザインの世界では古いものや新しいもの、異なるテイストのものを組み合わせて趣味のいい空間を作るかなり高度なスキルを表す形容詞として使われることが多い。この究極の組み合わせ力、それを活かした「総持ち」を作ることができるのは日本の素晴らしい強さだ。

いかがだろうか。以上の４つの日本の勝ち筋を考えれば、今の複合的なゲームに入る局面での日本のチャンスがかなりリアルに浮かぶのではないだろうか。

戦後の勝因に対する誤解

以上の日本の勝ち筋、強みを振り返ったところで一点考えてみてもらいたいことがある。よく霞が関や経済誌などで言われる、以下のような話だ。

- 丁寧さ、これまで培った技術が勝負
- 既存のものづくりを磨き込めば勝てる

55 鈴木大拙『禅と日本文化』（岩波新書　１９４０）

資料2-5　本田宗一郎氏（左）と伝説のエンジニア入交昭一郎氏（右）

資料：gettyimages

・日本で生まれる課題を解決すれば繁栄できる
・大企業を励ませば新しいゲームでも仕掛けられる
・シニアな経験者が腕まくりをすれば逆転できる

これらは当たり前のように、あたかも前提かのごとく議論されていることも多い。僕が問いたいのは、それらは本当なのか、ということだ。

入交昭一郎（いりまじり）氏（1940－）という方がいる。もともとは零戦などの飛行機に憧れ、東大の航空学科を出られたが、日本の航空産業の立ち上がりの悪さに航空機のエンジンを作ることを諦め、クルマの世界でもっとも速いF1に出るという夢を語るホンダ（本田技研工業）に1963年入社。ホンダはまだ事実上2輪車メーカーで4輪車を売るかどうかというタイミングだった。

4年後、齢27歳にしてホンダがF1に初参戦するときの最初のエンジンを開発。その後、1970年に生み出され、自動車の排気ガス規制法として当時世界一厳しく、クリアするのは不可能とまで言われたマスキー法[56]を世界で初めて満たすレシプロエンジンCVCC[57]を1972年に発表。そんな技術はきっとデタラメだろう、本物なら技術供与せよ、との圧力を受けFordに技術供与をしていたのも入交氏だ。

現在ホンダのトップエンジニアでも一生に1つかせいぜい2つ作るかどうかと言われるエンジンを、入交氏はホンダ在任中になんと20も開発された。まさに伝説のエンジニアだ。

その入交氏に話を聞いたところ、わかったことは「先に言われていることはほぼすべて、日本の戦後の発展の中で起きたこととは違う」ということだった。

ホンダからFordに技術供与していたとき、実験用にということで月に5~10台程度のクルマが送られてきていたという。そのクルマを前にした入交さんたちは、「一体いつになったら俺たちの国はこんなクルマを作れるようになるんだ」というものづくりの技術の差を痛感したという。それはホンダだけでなく、トヨタや日産も含めた話であって、日本のものづくり技術は明らかに10~15年は遅れていたというのが正直なところだったと。

そう、我々日本は、戦後の復興において、これまでの技術や、既存のものづくりの延長で勝ったのではないのだ。本当に起こったことは「どこよりも早い技術のdeploy[58]と革新のスピードで

56 米国上院議員エドムンド・マスキーの提案による1970年大気汚染防止法改正。「1975年以降に製造する自動車の排気ガス中の一酸化炭素（CO）、炭化水素（HC）の排出量を1970~1971年型の10分の1以下にする」「1976年以降に製造する自動車の排気ガス中の窒素酸化物（NOx）の排出量を1970~1971年型の10分の1以下にする」ことをそれぞれ義務付け、達成しない自動車は期限以降の販売を認めないという内容

57 CVCCを最初に搭載した「CIVIC CVCC」は米国自動車技術者協会（SAE）AUTOMOTIVE ENGINEERING誌から20世紀優秀技術車70年代版を受賞

58 展開、活用、配備を行うという意味。本来は軍事用語

の勝負」であり、「モノでは負けても技術革新でゲームを変える」ということだった。

また、ホンダの世界的なブランドはＣＶＣＣに代表されるような世界的な課題の解決から生み出されたのであって、日本だけの課題解決を目的にしていたわけではない。当時の日本は、四日市ぜんそくや、水俣病、イタイイタイ病など公害問題だらけの少し前の中国のような国だったのだ。そう、「国内に閉じず、世界的なスケールで何かをアップデートすることで富が生まれる」が本当のところ正しい。

「課題先進国」という言葉が広まって久しいが、これもかなり残念な表現だ。単に課題先進国であるだけでは残念な国というだけで意味がない。この言葉は本来異なる言葉、「課題解決先進国」であり、かつてマッキンゼーの日本支社長を務められた横山禎徳氏[59]が『アメリカと比べない日本』（ファーストプレス ２００６）で初めて使われた言葉だが、これがなぜか劣化コピーされて広まってしまった。

横山氏の指摘は、世界で最初に日本で顕在化する問題を、世界に先んじて自力で解決できるようになることが重大だというものだ。日本に閉じた課題を解いていてもしょうがないのだ。世界的な課題を先に手を付け課題解決先進国にならなければ意味がない。そういう意味で単に「日本で生まれる課題を解決すれば繁栄できる」というのは本来の意図とは大きくずれたリスクの高い発想だ。こぢんまりと日本独自の問題を解くぐらいであったらこの言葉など説かないほうがいい。

また最後の２つのポイント「巨大企業が産業を生み出す」「シニアな経験者が腕まくりをすれば勝てる」というのも起こったこととは大きく違う。実際には東通工（現ソニー）にしてもホンダ、

59 当時、東京大学プレジデンツ・カウンシル・メンバー

ワコールなどにしても「若い才能が挑戦するところから産業が生まれる」ことが繰り返されたのだ。

僕を含むミドル、マネジメント層は、いい歳をして坂本龍馬を目指すのではなく、こういう挑戦をサポートし、励まし、金を出し、必要な人をつなぐという、勝海舟的なロールを担うべきだ。[60]

なお、以上の話は、現在世界の企業価値ランキングのトップを占める米国の企業群がいずれも圧倒的なブランド力と技術的な優位を持っていたはずの米国の大企業群、AT&T、IBM、GEなどから生まれたわけではないという前述の話とも呼応する。

オールドエコノミー側の既存の大企業に革新の先頭や、未来を生み出す主力を担ってもらうという発想は捨てたほうがいい。彼らが集中すべきことは、まとまった経営リソースを活用することで刷新して生き延びることであり、不連続な変革の旗手になることではない。大企業頼みの発想を霞が関、大手町で繰り返し聞くのでここで釘を刺しておきたい。

既存の大企業は逆に、このように果敢に挑戦するスタートアップに対する御大尽、現代語的に言えばベンチャーキャピタル的な役割をより積極的に担うべきだ。戦前を振り返れば、三井物産の子会社であった豊田自動織機のそのまた子会社がトヨタ自動車工業（現トヨタ自動車）であり、古河電気工業と独ジーメンスの子会社であった富士電機（フジは2社の頭文字）の子会社が富士通だ。多くの大企業が数多くの投資家、インキュベータ的な役割を担ってきたことを思い起こすべきではないだろうか。大企業は時代に即した子会社を生み出すことによって生き長らえる。

このように日本で生まれた成功の方程式や、戦後の勝因は都合よく捻じ曲げられて喧伝されていることが多い。何事も鵜呑みにせず、自分の目で確かめたことを仕掛けていきたいものだ。

60　若者たちを補うという視点で見ると、ミドル・シニア層ならではの老獪なアドバイスや、若者に苦手な立ち回り方を陰ながら支援することも感謝されることが多い。チームの一員としてミドル・シニア層も一緒に戦うのであればいいが、ミドル・シニア層が若者をつねにレビューする（評価する）というモードでは若者たちはついてこない。昔の偉い人たちのスタイルは通用しないことは念頭に置いておきたい

もう一度ゲームチェンジを仕掛けよう

実際、戦後の日本の復興において輝かしい足跡を残した取り組みの多くは、まさに夢を描き、課題解決先進国として未来を形にする試みだった。

たとえば、光学機器。旧伝染病研究所である東京大学医科学研究所（東京都港区白金台）には創立者北里柴三郎（1853－1931）が使った顕微鏡が今も残るが、それらは見事にライツ社などドイツ製のものばかりだ。バルチック艦隊を駆逐した東郷平八郎連合艦隊司令長官の双眼鏡も独カールツァイス（Carl Zeiss）製であった。[61]

第二次世界大戦が終わるまで世界の企業でもっともPhD（博士号）取得者を抱えていた企業はカールツァイスであったと言われるが、このように光学は当時の最先端技術産業であり、独が圧倒的に強い領域だった。実際、ナチスドイツの敗戦後どこよりもはやくカールツァイスの研究者が集まる街、イエーナをソ連が押さえに行ったこと、米国が先んじてイエーナに入り技術者と家族の一部を拉致して帰ったことは知る人ぞ知る事実だ。

戦後も、独カールツァイス社（前述の事情により東西で分断）、独ライツ社の誇るコンタックス、ライカの両ブランドは燦然（さんぜん）と輝いていたが、極めて高価で1940年代は「ライカ1台あれば家が1軒建てられる」と言われるほどの存在でもあった。その1つの頂点が1954年に発売されたライカM3。圧倒的な精度とコンパクトさ、フォーカスの合わせやすさを誇るそのレンジファインダー技術は他の追随を許さないものとして世界を席巻する。ただ世界と言っても当時はプロと

61　司馬遼太郎『坂の上の雲』（文藝春秋2011）

好事家が市場のほとんどを占める時代であった。

当時コンタックス、ライカの互換機を作っていた日本のメーカーはこのような複雑なプリズム構成を前提とする写真機製造ゲームをやめることを密かに決め、カメラの民主化を図るべく、一眼レフカメラに勝負をかける。なお、ファインダーで見たままの映像を撮影する一眼レフカメラはレンジファインダー式に比べ、圧倒的にシンプルな構造で精度が狂いにくく、廉価に作り得る利点を持つ一方、当時、撮影時のブラックアウトや絞りで暗くなる問題などの深刻な欠点を抱えていた。

アサヒペンタックス（1957）、ニコンF（1959）の登場に伴い、これらの欠点は事実上無視し得るようになる。カメラは高画質でありながら、圧倒的にシンプルでメンテしやすく、しかも手に入りやすいものとなった。このゲームチェンジの結果は言うまでもない。ニコンFは誕生12年後の1971年、絶対の信頼性を要求されるアポロ15号にも搭載される。[62]

もはや世界の光学機器は、日本のメーカーがほとんどと言っていい状況になった。「シンプルで壊れにくい、高画質のカメラを多くの人の手に」、この思いがあらゆるデザインの工夫と共に、20世紀後半以降の写真の時代を生み出したのだ。

時計も日本が相当に強いプレゼンスを持つ分野であることに異論はないと思う。この分野は1970年代前半まではスイスを中心とする機械式時計が世界を席巻していた。しかし機械式時計はどうしても精度に限界があり、またメンテの頻度も高い上、極めて高価だという問題があった。水晶振動子を利用したクォーツ時計は存在はしていたものの、1964年の東京オリンピックの

62 後藤哲朗、「宇宙用ニコン・スペースカメラの開発」、『日本写真学会誌』、73巻2号、2010年、p65-69

際にセイコーが3キログラムの小型化にようやく成功し、大会公式時計として納品するというような状況で、超小型化と圧倒的な衝撃耐性の実現は並ならぬ壁だった。

ここに再びセイコーが1969年、世界初の市販クォーツ腕時計「アストロン」を生み出し、1970年代にさらに特許を開放した結果、未来が変わる。今やクォーツでない時計は趣味性の高い高級腕時計以外はほぼ存在しておらず、[63]「世界の誰もが軽快に正確な時を知ることができる」ようになったことはご存知のとおりだ。

オーディオビジュアル（AV）機器も同様だ。エジソンの発明した蓄音機に始まり、真空管ラジオ、ブラウン管、リールテープ、これらは日本で生まれたものではない。しかし、真空管の10万倍もの寿命を持つトランジスタの力を使い、持ち歩きやすさとデザインの洗練度を桁違いに上げたラジオを生み出し、トリニトロン管によって圧倒的に鮮明な画像を家庭に届け、カセットテープによって誰もが録音できる世界を作り出したのは日本だ。さらにビデオ機器と規格により誰もが録画でき、時間から解き放てる世界を、ウォークマンによって好きな音を持ち運べる世界を、CDによって音源の劣化しない世界を生み出し、ことごとく世界の刷新に成功した。これらの夢と革新の震源地であったソニーが「世界のSONY」と言われるゆえんである。

先程のクルマの領域もこの視点で考え直してみると興味深い。高速・安定を誇るドイツ車、大型・ハイパワーを誇る米国車が席巻していた時代、低公害・高耐久・コンパクトという、数学で言うところの「ねじれの位置[64]」と言ってもよい攻め口で日本車は世界の標準車の地位を築いた。ホンダのCVCCに始まる画期的な低燃費、低公害車が生まれなければ、そして日本車、日本車

63 電波時計やGPS時計はクォーツ時計の一種

64 どこまで近づいても決して交わらない

にインスパイアされたクルマが広まらなければ、温暖化問題は少なくとも5年は早く進行していただろう。

戦後だけではない。歴史を振り返ってみると、平安時代に発し、禅宗の教えと共鳴・融合する中で発展し、16世紀利休らの茶の湯の中で理論化した「侘び寂び」自体がまさに新しい価値観と世界観の創造であった。[65] 150年ほど前から行われた明治のご一新（明治維新）も同様だ。[66]

総じて言えるのは、このような刷新、0 to 1が価値創造の中心になる世界においては、単なる技術獲得だけではなく、夢を描く力、すなわち妄想力と、それを形にする力としての技術とデザイン力がカギだということだ。再びこのワイルドに未来を仕掛ける底力を発揮するときが来ている。

65 参考：岡倉天心『茶の本 The Book of Tea（対訳ニッポン双書）』（IBCパブリッシング、2008）；鈴木大拙『禅と日本文化』（岩波書店、1940）

66 参考：福沢諭吉『文明論之概略』（岩波書店、1995）、半藤一利・出口治明『明治維新とは何だったのか 世界史から考える』（祥伝社、2018）

3章

求められる人材とスキル

骨太でなければ、骨を鍛えてなければ、
ちっとも強くないんです。（略）
人のいいところだけ寄せ集めれば
強くなれるなんて、錯覚もはなはだしい。
そんなムシのいい話があるわけないでしょう。
──藤沢 秀行

藤沢秀行：囲碁棋士、史上最高齢タイトル記録保持者（67歳、第40期王座）（1925–2009）
『勝負の極北－なぜ戦いつづけるのか』藤沢秀行・米長邦雄著 クレスト社

1 ワイルドな局面で求められる人材とは

国のマネジメントとしてやるべきこと

ここまで見てきた日本の勝ち筋を実現するために、何を考えていったらいいのだろうか。

国であっても企業同様のマネジメント（＝経営）が必要なことは変わらない。マネジメントはP・F・ドラッカー（P・F Drucker）の生み出した概念で、「組織に成果をあげさせるための道具、機能、機関」のことを言う。ではマネジメントとは何をやっているのかといえば、結局のところ、

（0）あるべき姿を見極め、設定する
（1）いい仕事をする（顧客を生み出す、価値を提供する、低廉に回す、リスクを回避する他）
（2）いい人を採って、いい人を育て、維持する
（3）以上の実現のためにリソースを適切に配分し運用する

この4つだ。これにより、正に継続する事業体（going-concern）として国の舵取りをする。社会を生きながらえ、成長させ、次の世代に残す。そして少しでもステキな未来を生み出していくというのが全体としての組織マネジメントになる。

企業なり、プロフェッショナルなりの優れた価値を生み出すことが（1）の「いい仕事をする」ことにあたる。その前提として（0）意味のある価値創造の方向性を定める必要があるが、今日本全体として必要だと考えられる大きな方向性、つまりフェーズ2、フェーズ3に張るべきこと、

AI-ready 化が本質的に大切であることについてはここまで触れた。

では残された課題は何かといえば、(2) の人づくりと (3) のリソース配分になる。僕の見解ではこの2つの根本的な見直しがシン・ニホン実現に向けた真にヘソというべき課題だ。

なお、国や自治体の場合は、人づくりの前半部分「いい人を採る」のところは、企業と異なり、経済社会・世の中[1] (産官学) に人を送り出す教育そのものが当てはまる。担うのは学校だけではない。家庭もそうであり、コミュニティ全体が未来に向けいい人を育む責任がある。昨今のニュースを見ていると躾(しつけ)までをも学校に押し付ける傾向が見受けられ、この意識は日本では低いように思われる。残念なことではあるが、そこの意識改革から必要だろう。

「いい人を育てる」の部分は何よりも「いい仕事をする」ことが大切ではあるが[2]、スキル刷新も含まれる。

いずれにしても現在の社会の全体観を踏まえると、どのような人が求められているのか、それを踏まえるとどのような人づくりの変容が求められているのかを整理しておく必要があるだろう。まずこれについて本章と次章で考える。その上でリソース配分の現状の課題と、必要なリソース配分の見直しを続く5章で考えよう。

人材育成の2つの要件

このワイルドな局面で、僕らの社会ではどのような人が求められるのか？　どのように人づくり、調達をしていったらいいのだろうか？

1　一般生活の中では最大級のコミュニティ

2　価値ある仕事をせずに、人が本当に価値のある仕事をする（バリューを出す）とは何かを学ぶことはできない

ここまでのポイントを整理してみよう。

1. 多面的に不連続な局面……データ×AＩ、ものづくり、経済重心のシフト
2. すべての世界がデータ×AＩ化する
3. 変化は想定以上に速い
4. スケールよりも刷新、創造が重要……複素数平面化
5. 未来＝夢×技術×デザイン……技術だけではダメ
6. 才能と情熱の多くが解き放たれていない
7. 大半の産業分野で大きな伸びしろ
8. R&D的には片翼飛行状態……ハード系は強いがデータ×AＩ系は弱い
9. データ×AＩの3条件（データ、処理力、人材）で大敗
10. 第二、第三の波が勝負
11. まずAI-ready化が必要

以上を俯瞰してざっくりと言えば、人の視点では（1）この面白い時代局面で価値を生み出せる人と場を生み出す、（2）多面的な人材のAI-ready化がカギだと言える。

図3-1　価値創出の型と生み出す価値（イメージ）

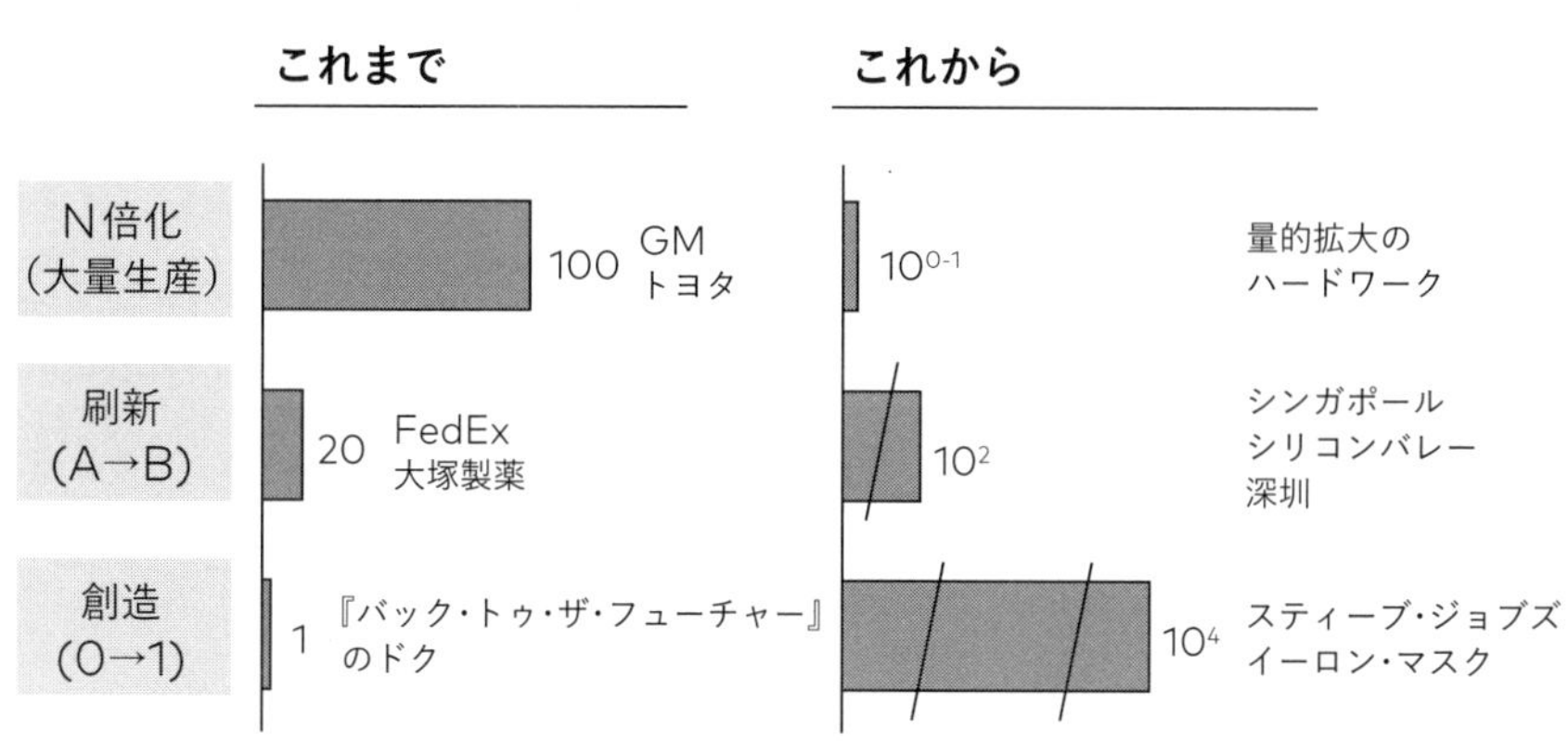

資料：安宅和人分析

2　普通ではない人の時代

価値創出の3つの型

第一条件のほうから考えてみよう。価値を生み出す方法はざっくりN倍化、刷新、そして創造の3つの型に整理することができる（図3－1）。

この複素数平面的なゲームに入る前の実数空間ゲームのときは、ご存知のとおりとにもかくにも「N倍化」、大量生産でボリュームを生み出すことが何よりも大きな価値の源泉だった。それがまさにトヨタやGM、GEなどが行ってきたゲームであり、トップに立つことはトップシェアを取るということと同義だった。

次に強かったのが「刷新」だ。何らかの分野を知恵を絞ってアップデートすることである。FedExによる物流革命や、大塚製薬が医薬用輸液をベースにポカリスエットを生み出した取り組みはこれに当たる。この実数軸の時代、日の目を見なかったのが今風に言えば0 to 1の「創造」だ。あの名作映画『バック・トゥ・ザ・フューチャー（原題：Back to the Future）』のドクを思い出してほしい。そう、この実数軸の時代において0 to 1をやろうとする人はSF映画の危ないキャラとなってしまっていたのだった。

それが今はどうかといえば、「N倍化」はすでにシェアを握りスケール（規模）をとってしまった大企業にとっては、長期的な人口調整局面において先細りのトレンドだ。

一方で「刷新」は今や「N倍化」よりも遥かに価値を生む力がある。シンガポールや深圳が進める新しい都市空間の再定義や、[3] Huaweiが先頭を走る5G革新などはこれに当たる。0 to 1の聖地のように言われるシリコンバレーで行われている大半の取り組みも実際にはこの刷新モデルが中心だ。そして、今の時代においてもっとも力強いのは0 to 1「創造」だ。妄想を形に変える力を持つコミュニティ、人、企業が、もっとも影響力が強く、その結果、富も握る。

〝世界の持続可能なエネルギーへの移行の加速（accelerate the world's transition to sustainable energy）〟を掲げ、単なる電気自動車ではなく、ネットワーク接続と絶え間ないアルゴリズム進化を前提とした「人が乗る走るスマホ」を初めて世に出したTeslaが、企業価値でGMを抜き去ったのは正にこれだ。iTunes、iPodに始まり、スマホ、App Storeという新しい系の構築により「人間とインターネット、そして計算機がリアルタイムでつながる世界」を生み出したAppleが2018年まで世界一の企業価値を誇ったのもこれだ。

価値創造においてこれまでとは真逆の世界が来ていることを直視しよう。量的拡大のハードワ

3　シンガポールでは各省のFuture Division*が協同して生み出す国の未来像を次々に打ち出し、たとえば世界に先んじてVirtual Singaporeの名のもとにデジタルツイン化**が進められている

*すべての省にあるという未来創造局と言うべき部門。全省のFuture divisionのトップは毎週首相のもとに集められ進捗を激ヅメされるという（数年前Ministry of Transportの当該部門トップから直接耳にした話）

**バーチャル空間にリアルな空間にある物体や建物などのデジタルな鏡像（twin ＝ 双子）を再現したもの

ークができるスケール型人材を生み出すことだけに注力してきた日本の人材育成モデルは、根底から刷新が求められている。そもそも生み出そうとしている人材の像、ゴール設定が間違っていたのだ。結果、現在、この日本の教育システムが生み出す最高の人材は、テレビ番組でクイズ王になる、教育評論家や予備校講師になるぐらいしかないという残念なことになってしまう。世界の同世代の若手リーダーが刻一刻と未来を変えていっているそのときに、だ。

異人の時代

このような「創造」「刷新」こそが大切な時代、ではどのような人が未来を作るカギとなる人材なのか。

これまでのゲームでは、とにかくみんなが走る競争で強い人が大切だった。また、個別領域での専門家がとても大切だった。何でも万遍なくできるスーパーマン的な人が期待されてもきた。

しかし、このような世界ではカギとなる人材像も本質的に変容する。これからは誰もが目指すことで一番になる人よりも、あまり多くの人が目指さない領域あるいはアイデアで何かを仕掛ける人が、圧倒的に重要になる。こういう世界が欲しい、イヤなものはイヤと言える人たちだ。1つの領域の専門家というよりも、夢を描き（＝ビジョンを描き）、複数の領域をつないで形にしていく力を持っている人が遥かに大切になる。

また、このように横断的に世界が刷新されていく局面においては、何もかもにおいて自分が詳しいということはあり得ない。むしろ、自分が仕掛けようとするどんな話題でも相談できる人、すごい人を知っている人が大切だ。同じ分野の人間とばかり付き合っていてはいけない。

図3-2　新しいゲームのカギを握る「異人」

Old Game		New Game
・みんなが走る競争で強い人（資格試験、有名会社入社ほか）	→	・あまり多くの人が目指さない領域のいくつかでヤバイ人
・科学、工学、法律、医学など個別領域の専門家	→	・夢を描き、複数の領域をつないで形にする人（課題×技術×デザイン）
・自分でなんでもできるすごい人	→	・どんな話題でもそれぞれ自分が頼れるすごい人を知っている人

資料：安宅和人分析

一言で言えば、これからの未来のカギになるのは普通の人とは明らかに違う「異人」だ（図3－2）。

当然「異人」は少ない。しかし、異人が大切だと思う社会でなければ、こういう人の多くは異物として排除されるか、秩序を乱す人として潰されてしまう。だから価値観の変容と彼らが生き延びることのできる空間が必要なのだ。またこういう人たちを尊重する価値観の人がある程度以上いて、閾値を超えないと変化は起きない。

まずは軍事教練の名残と思われる「気をつけ」「起立」「休め」「前ならえ」「組体操」、外国人に説明できないレベルの校則や決まり（例：髪型、髪色指定、給食の食べ残し禁止）の廃止から行うべきだ。

ほとんどの人は認識していないが、共産主義国家、独裁国家はともかく、G7、欧米諸国でこのような訓練や型紙化を初等・中等教育で普通に行っている国は他にはない。この悪気のない行動が大切な「異人」たちを排除する。「気をつけ」「前ならえ」の廃止からシン・ニホンは始まる。

明治維新もそうだったが、どんな社会でも変革は少数の人が起こし始める。先の大戦の敗戦後のように、全員がそうだと思うようになって一気に起きることはまずない。なので、新しいことを始める人は危ない人、あるいはおかしな人と言われがちだ。米国の思想的巨人、ヘンリー・デイヴィッド・ソロー（Henry David Thoreau）がかつて『ウォールデン 森の生活（Walden; Or, Life in the Woods)』（1854）の中で語ったとおり、彼らの聞いている音楽が多くの人には聞こえないからだ。

〝If a man does not keep pace with his companions, perhaps it is because he hears a different drummer.〟

（もしある人が他の人と歩調を合わせていないときがあったら、きっとその人は別の太鼓の音を聴いているんだ）

この視点で見ると人は大きく5つに分かれる。「起爆人種」、この起爆人種に感動し、インスピレーションを受け、一緒にこの動きに加わる「参画人種」。この動きを好ましく思っており、応援する気持ちはあるがどちらかと言えば見る側の「応援人種」。このような新しい動きには関心がない「無関心人種」。このような動きそのものが好ましくないと思っている「批判人種」だ。

起爆人種は実に希少であり、おそらく数百人に一人もいない。参画人種は1割程度、応援人種は2〜3割、無関心人種は4〜5割というのが現実的なところだろう。残りの1〜3割が批判人種ということになる。起爆、参画人種がこの異人系であり、起爆人種はハードコア異人と言うべき人たちだ。

起爆人種ではない人の多くが、少なくとも参画人種を目指すか、憧れるような社会でありたいものだ。批判人種は一見ジャマな人たちに見えるが、起爆、参画人種にとっては大切な仮想敵であり（この方々がいるのでエネルギーが湧く部分がある）、見落としがちな視点を与えてくれる人たちでもある。文字どおり「汝の敵を愛せよ」だ。過度に多くなく、破壊的（destructive）なアプローチではない、建設的（constructive）な投げ込み力を持ってもらえるのであれば社会としては歓迎だ。

狭き門より入れ

若い人のサバイバルについても1つ残しておこう。

僕の座右の銘の1つに「狭き門より入れ」という有名な聖書の語句がある。節全体を読むとすぐにわかるのだが、これはほとんどの日本人が誤解している言葉でもある。

「狭き門より、入れ。滅びにいたる門は大きく、その道は広い。そして、そこから入っていくものが多い。命にいたる門は狭く、その道は細い。そして、それを見出すものは少ない」

（マタイによる福音書第7章[4]）

4　日本国際ギデオン協会発行の訳文による

こんな話だ。

つまり、難しい試験（難関）を通れというような話ではなく、人が群がって流れていくような方向へは行くな、必ずしも人が気づいていないような自分の道に進め、という教えだ。異人化の教えは実は2000年前から存在していたのだ。

これは実に真実を突いている。人生設計、就職、仕事探しにおいて、とりわけ正しい。人が群がるところに行くということは、コモディティへの道、部品化への道を歩むということだ。人がすでに歩いた道を行くのだから、当然、先行者利益などない。その人の価値は「何者であるか」ではなく、「どの組織に属しているか」でほとんど判断されることになる。

少なくとも他人の判断に流されるのを避け、自分の目で見て肌で感じた判断を信じ、逆を張るべきだ。独自性、つまり同列の競争での優秀さではなく質的な違いこそが価値になる時代において、交換可能な部品になると実に厳しい道を歩むことになるからだ。


人生でもビジネスでも直接的な競争はできるだけ避けるのが正しい。実質的な無競争空間を生み出せるかどうかが、幸せへのカギだ。競争から解き放たれたとき、人も事業も自由になれる。そもそも同じ軸で勝負している段階で「異人」ではないことは明らかだ。それは単なる同じ軸上のズレに過ぎないからだ。他の人の判断軸に乗らない、ねじれの位置にあるような軸に飛び移るべきだ。

業界を問わず、とにかくみんなが目指すものを追っかけるのはやめたほうがいい。1つの軸で極めてレアな存在になることは厳しくても、2つ、3つの異なる軸で熱狂的に取り組めば、それぞれの軸でトップ30分の1（約3％）ぐらいの人にはなれるだろう。900分の1、2万7000

0分の1のレアさにはなれるということだ。

気のきいた人は、ぜひ思いがけない道を選んでほしいなと思う。そういう人たちが、異人となり、未来を創っていくのだから。

青年よ、未来は君らの非凡な選択にかかっている。

一点、補足しておきたいのは、「好きなことをやれ」は正しいけれど、ある意味では正しくないということだ。熱狂的にやるものは、あくまで自分らしくではあるが、他人と自分を異質化できるものであるべきだ。仕事とは他の人に評価される価値を生むことであり、その人の存在意義の視点で見れば、価値が生み出せることは好きか嫌いかよりも遥かに大切だからだ。たとえば、ゲームが好きだからただやるのは中毒に過ぎない。造り手の作った罠にかかっただけだ。人が作った問いに対して、すでに用意されている答えを出しているだけとも言える。ひたすら探求して、自ら新しく問いを生み出せるかという視点で領域を見たほうがいいだろう。

運・根・勘・チャーム

コミュニティ視点での話に戻そう。

もう一つ大切なのは「人としての魅力」の育成だ。ある程度の年齢に達した大人なら多くの人が知っているとおり、人間社会で成功するかどうか、面白いことを仕掛けられるかどうかのかなりの部分は、運[5]、根気、勘、そしてその人の魅力、すなわちチャーム（charm）だ。

5 ご縁も運の1つと考えられる

「異人」であろうとなかろうと、チャーミングでない人が、人として愛され、人から信頼を得、成功することは難しい。運すらチャームによって変わる。これがなければ何か仕掛けようと思っても、誰も助けてくれない。いざというときにさまざまな分野で頼れる人もつくれなくなる。いわゆる頭のよさ以上に大切な生命線の1つだ。

ではチャームはどこから来るかといえば、利発さ、知的な輝きも多少あるかもしれないが、大半のケースでは、

・明るさ、前向きさ
・心の強さ
・信じられる人であること、人を傷つけたり騙したりしないこと
・包容力、愛の深さ、心の優しさ
・その人らしさ、真正さ、独自性
・エネルギー、生命力（運気の強さ）
・リスクをとって前に進める提案力、実行・推進力
・建設的な発言
・協力し合う、助け合う人柄、耳を傾ける力
・ユーモア、茶目っ気
・素敵な裏表のない笑顔

といったところではないだろうか。

こういったものの大切さはいわゆる教科書での勉強の枠外だが、チャームこそが生きていく上において大切なものであることは、幼少期から育てられる側も、育てる側も認識すべきだ。チャームを身につけるとはどういうことかをそれぞれが考える、工夫する、素敵な人を称える、などをどんどんとやる。

自分のやりたいことを徹底的に追求するのはかまわない。だが、過剰に利己的だとどんなに勉強やスポーツができようと社会での存在価値を失うことは、小学校の高学年ぐらいまでに全員が体感的に深く理解すべきだ。

また、人としてのチャームに決定的に課題がある子どもたちには、学校だけでなく、家、コミュニティ全体でケアをし（強制はダメ）、ＯＢゾーン[6]を早期に脱してもらうような取り組みが必要なのではないかと思う。

子どもたちが育つ現場では、21世紀にふさわしく、読むと力が湧く行動・価値規範をぜひ持ちたいものだ。必要なのは、がんじがらめ、Don'tsだらけの校則などではない。どうあるべきか、理想を列挙したものが望ましい。

未来を仕掛ける担い手は若者

新たな問いを生み出す領域を発見し、人としてのチャームも備えたなら、世の中に目が覚めるような変化を仕掛けることは若者にも十分に可能だ。

実際に、世の中を刷新した人たちを歴史的に振り返ってみよう（図３－３）。

6　ゴルフ用語。ＯＢはOut of Bounds。プレーできるフェアウェイの外にあること

図3-3　革新を率いた若者たち

明治維新の思想的指導者（没年）1859

吉田松陰 29歳

初特許（創業）1868

トーマス・エジソン 21歳

電話の発明 1876

グラハム・ベル 29歳
（Graham Bell）

相対性理論 1905

アルバート・アインシュタイン 26歳

松下電器創業 1918

井植歳男（左）15歳
松下幸之助（右）23歳

東通工創業 1946

井深大（左）38歳*
盛田昭夫（右）25歳*

Apple創業 1976

スティーブ・ウォズニアック
（Steve Wozniak／左）25歳
スティーブ・ジョブズ（右）21歳

Google創業 1998

ラリー・ペイジ（左）25歳
セルゲイ・ブリン（右）25歳

*この写真は創業からかなり年数がたってからのもの
資料：安宅和人分析
写真提供：パナソニック（松下幸之助氏・井植歳男氏分）、gettyimages（他）

明治維新の思想的な指導者と言われ、のちの明治維新で重要な働きをする多くの若者に思想的影響を与えた吉田松陰はなんと29歳で獄中で憤死している。11歳にして藩主毛利慶親へ御前講義を行い、才能と能力を認められたほどの秀才であった。それにしても若い。今の我々の社会ではどれほど優秀でも11歳では中学受験準備をするかどうかという状況だ。

そこから10年も経たずして1868年発明王トーマス・エジソンが初特許を取得する。事実上の創業になるが21歳だ。8年後の1876年、アレクサンダー・グラハム・ベルが29歳で距離をリアルタイムで超える機械、「電話」を発明。今から140年以上も前にこのような怪しげな機械を持って立っている人がいれば、もう間違いなく異様なレベルと言える。この電話の発明が今のインターネットにつながるあらゆる通信の世界を切り開いた。この2人がそれぞれ作った代表的な会社が、現在でも世界最大の総合電機メーカーのGEであり、後に世界最大の会社となるAT&Tだ。[7]

20世紀に入ってまもない1905年、スイスのベルン特許局で働く一青年により、人類の自然(nature)と宇宙(universe)に対する理解を根底から変える偉業が達成される。光が周波数に比例するエネルギーを持つ粒子(光子)であることを光電効果の説明から疑いようもなく見出した光量子仮説、我々の空間と時間の概念を永遠に変えることになる特殊相対性理論の誕生だ。このとき、アルベルト・アインシュタイン26歳。このレベルになると宇宙人と言うべきかもしれない。

そこから10年あまりたった1918年3月、大阪の片隅でのちに世界の家電王となる松下幸之助が義弟である井植歳男と創業。幸之助23歳。井植氏に至ってはまだ15歳の少年だった。井植氏はのちに三洋電機も創業するので二度も世界規模の売上を誇る企業を立ち上げたということになる。幸之助氏は後に「経営の神様」と呼ばれた(同時代を生きた人であれば常識であるが、知らない世代のために書き残しておこう)。

28年後の1946年5月、戦後10ヶ月たたない東京日本橋にて東京通信工業、のちのソニーが産声をあげる。2人の創業者は井深大38歳、盛田昭夫25歳。先に述べたとおり、2人の才能と情熱が20世紀後半のAV機器における世界のイノベーションの中心となる。井深は学生時代から奇抜な発明で知られており、実質的にはエジソンとほぼ変わらない歳で価値を生み出し始めたと言える。

30年後の1976年4月、ついに後にソニーに並ぶほどのイノベーションを引き起こす企業が現れる。Apple Computer(現Apple)である。2人の創業者はともにスティーブ。ジョブズは21歳、

7 あまりの圧倒的な強さにより1980年代に激しく会社分割された

ウォズニアックは25歳であった。パーソナルコンピュータ、クラウド音楽サービス、iPod、スマホ……彼らの生み出したモノやサービスなしでもはや世界は動かないと言っても過言ではない。つい1〜2年前まで世界の時価総額No．1企業であったことは記憶に新しい。ジョブズは生涯ソニーへの憧れと尊敬を隠さなかった。

1998年9月、世界のすべての情報を整理するという、2300年近く前のアレクサンドリア図書館[8]でも望まなかった志を持つ企業、Googleが誕生する。創業者の2人、ラリー・ペイジとセルゲイ・ブリンは共に25歳、スタンフォードのPhD学生だった。なお、このプロジェクトが研究プロジェクトとして始まったのは1996年1月であり、この段階では共に22歳に過ぎなかった。「検索」が生まれる前と後というのはもはや情報取得の基本前提という意味でも、インターネットエコノミーの安定性という意味でも別物だ。

以上、これら世の中を本質的に刷新したと言える人たちを俯瞰してわかるのは、驚くほど若い人が多く、30代前半までに挑戦の開始が集中しているということだ。歳をとったら無理だと言っているわけではない。「ヤバい」未来を仕掛ける担い手として若者が本当に重要だということだ。

若者を主語にして考えれば、若さは才能であり、1日1日と目減りしていくリソースと考えるべきだ。僕らミドル、シニア層がこの若い人たちの挑戦を妨げることなくサポートしていくことが、どれほど大切なミッションかということもわかる。

たとえば、エジソン。彼は先生と馬が合わず、なんと小学校を3ヶ月で中退している。皆さんの周りに一人ぐらい小学校を中退したような人はいないだろうか。このような異様な才能、異人

8　プトレマイオス2世の治世中（前285年〜前246年）に作られたと推定されるエジプトのアレクサンドリアに設置されていた古典古代世界における最大かつもっとも重要な図書館。ヘレニズム時代の学問において中心的な役割を果たした（Wikipediaより著者抜粋編集）

図3-4　回す人と創る人

すでにできた社会を回す人
（各分野の中核人材）

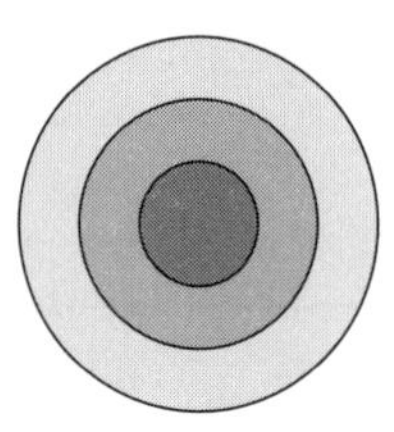

均等に万遍なく
できる人材

未来を変える人
（異人）

まったく枠には収まらないが
何かに突き抜けている人材

資料：内閣府 知的財産戦略ビジョンに関する専門調査会での安宅和人投げ込み 2018/11/16

をなんとかうまく育て上げられたところに人類の幸運がある。ある種、完全にアシンメトリック（totally asymmetric）[9]な、通常の軸に乗らない「いい意味でヤバい人材を一人でも多く生み出せるか」が大切だ（図3－4）。

すでにできた社会を回す人と未来をゼロから生み出す人はまったく違う。はじき出されたり、不遇によって見過ごされた才能と情熱を見出し、拾い上げ、チャンスを与えること、若くして殺さず、育てることが我々の未来を生み出す力を高める大きなカギとなる。いわゆる秀才だけで、あるいは経験を積んだ中高年層だけで未来を生み出せるという発想を捨てることが必要だ。

今の社会に必ずしも合わない人、他とは何か違うように感じ動ける人が、これからの時代の大きな価値創造の中心となる。

9　非対称的な

3 多面的な人材のAI-ready化

データ×ＡＩ視点での人材課題の第2条件、多面的な人材の AI-ready 化はどうだろうか。

よく言われる「ＡＩ vs. 人間」という議論はほとんど意味がない。

これまでもそうであったが、人間は生まれてきた技術は何もかも使い倒す生き物だ。火、車輪、ガラス、印刷、電気工学、半導体、合成化学、原子力、遺伝子・細胞工学……いずれを見ても明らかだ。こういった技術から生まれた炊飯器、洗濯機、鉄道、自動車、飛行機、耕運機、紡績機、自動織機、計算機などが、それまで多くの人類が膨大な時間を投下してきた労働を自動化した結果、何が起こったかを考えてほしい。これらのキカイと人が仕事を奪い合ったわけではない。むしろ、これらを使いこなせるかが大きな差を生んだ。つまり、ここからはデータやＡＩを使い倒せる人とそうではない人の戦いになる（図３－５）。

なぜなら自動化でき、精度が上がる活動は、経済的にとめることはできない上、そもそも楽をしたいというのは人間の本能だからだ。一度その分野にキカイが入り始めると、手作りのよさやキカイの生み出せない味わいをベースにしたプライシングを行えない限り、新しい技術を取り込まないという選択肢はなくなる。これを明確に見定め、舵を切った国の1つが中国だ。２０１８年から中等教育段階（中高）で深層学習、ＧＡＮ（敵対的生成ネットワーク）までの教育の導入をトップ40校を起点に開始している。[10]

10 岡部 豊「高校生でＡＩ技術を習得？ 教科書から見る中国のＳＴＥＭ教育事情」『EdTechZine』, 2019/2/22

図3-5　これから起きる本当の競争

よくある誤解	本当の姿		
AI vs. 人間	自分とその周りの経験だけから学び、AIやデータの力を使わない人 vs. 手に入る限りのあらゆるデータからコンピューティングパワーを利用して学び、その力を活用する人	▶	中国は中等教育段階で深層学習、GANまでの教育を2018年に導入開始

資料：安宅和人・矢野和男「生命に学び人に寄り添うAI」日立評論 2016年4月号
http://www.hitachihyoron.com/jp/pdf/2016/04/2016_04_00_talk.pdf
岡部豊 EdTechZine 2019/2/22 https://edtechzine.jp/article/detail/1807

データ×AIの力を解き放つ

ではこのデータ×AIの力を解き放つためにはどのようなスキルが必要なのだろうか。よく言われるのはまもなく初等教育からの導入が検討されているプログラミングスキルだ。本当だろうか。

筆者はこの5~6年データ×AI業界のコアなインサイダーの一人として関わってきたが[11]、その立場から見て、プログラミング、つまりコンピュータに指示する力に馴染むことは大切であるものの、プログラミングさえやっていればこの課題が解決するという発想は危ういと言わざるをえない。

図3－6[12]のデータサイエンティスト（DS）協会スキル定義委員会で取りまとめたデータ×AIの力を解き放つための

11　2013年当時、このビッグデータ時代における人材不足の深刻さを憂いデータサイエンティスト（DS）協会を立ち上げた人間の一人であり*、DSスキル標準を国のIPA（情報処理推進機構）の方々と共に整理してきた。この検討と並行し、情報・システム研究機構×統計数理研究所×文部科学省の「ビッグデータ利活用専門人材育成」の緊急検討を（2015年春）行ったメンバーでもあり**、また慶應義塾SFCでデータドリブンなものの考え方について教える立場でもある

*DS協会は草野隆史氏（ブレインパッド）、藤原洋氏（ブロードバンドタワー）、佐伯諭氏（電通）ら産業界の有志と共に、統計数理研究所（統数研）の樋口知之所長（現中央大）、丸山宏副所長（現PFN）、鷲尾隆阪大教授らのご指導のもとに設立。統数研は日本の統計数理研究のメッカである創立75周年を誇

図3-6　データ×AIの力を解き放つための3つのスキルセット

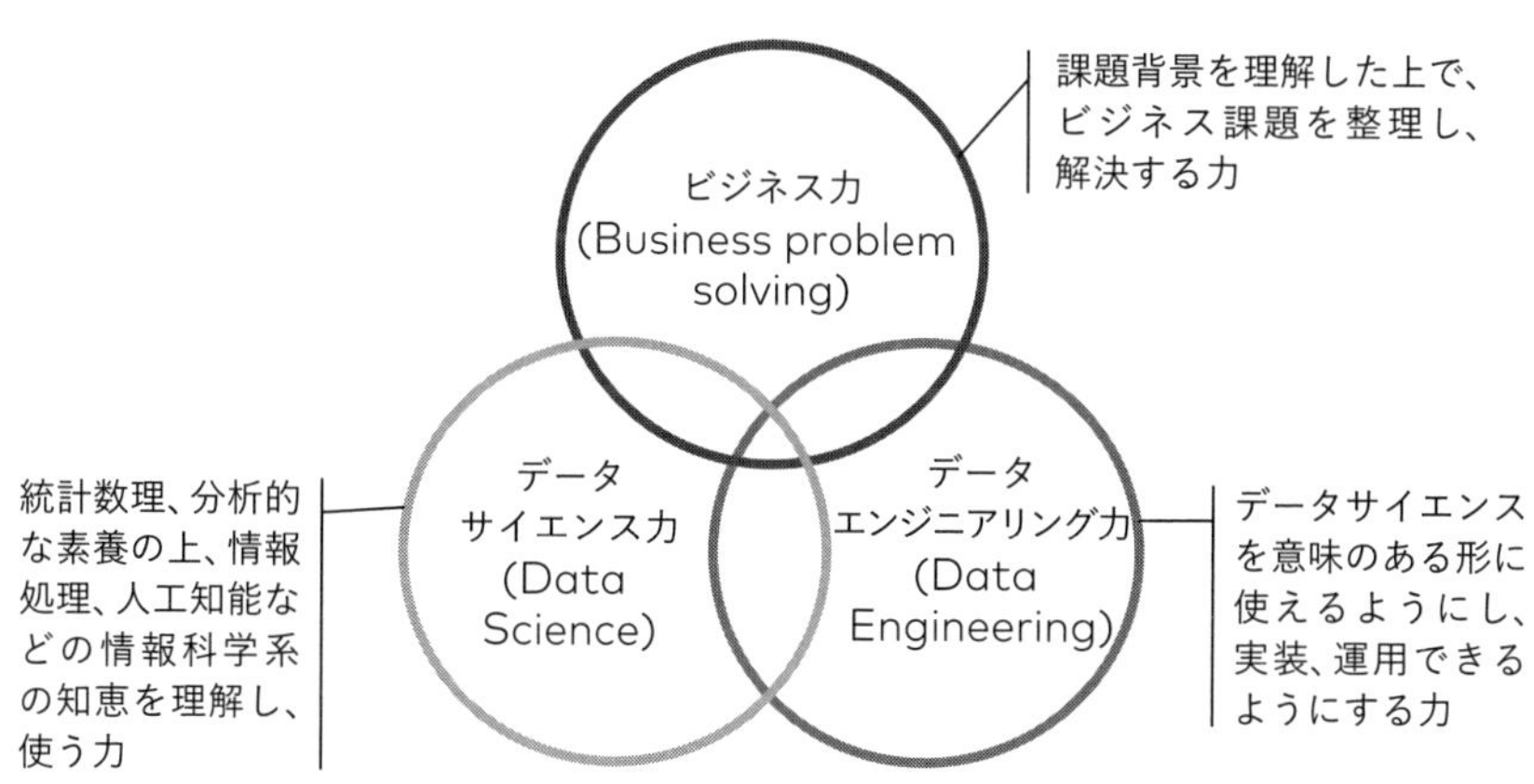

資料：データサイエンティスト協会プレスリリース（2014/12/10）http://www.datascientist.or.jp/news/2014/pdf/1210.pdf

スキルセットを見てほしい。統計数理・情報科学系のデータサイエンス力（以下サイエンス力）、これを計算機環境をうまく使い実装・運用するためのデータエンジニアリング力（以下エンジニアリング力）、深いドメイン知識を元に課題を整理し、サイエンス、エンジニアリングとつなげるビジネス力の3つが必要なのだが、プログラミングはこのエンジニアリング力の前提的要素に過ぎない。

計算機環境でまとまった規模のデータを扱おうとすると、普通のスプレッドシートや通常のBIツール[13]では動かない上、情報科学系の武器を活用できないため、どうしてもプログラミングという計算機に的確に指示を与え、さまざまにチューンするためのツール[14]と技が必要になる。したがってプログラミングスキルは確かにデータ×AI的な力を解き放つためには必須なのだが、もっとベースとして大

る国研。筆者はDS協会設立時より理事兼スキル定義委員長を務める。設立当時、日本屈指のデータホルダーであるヤフーにおいてCSO（Chief Strategy Officer）業務に加え、データ部隊を束ね、研究開発部門も統括する立場だった

＊＊本検討の報告書ではリテラシーレベル、専門層レベル、リーダー層レベルの三位一体的な人材育成の必要、リテラシーレベルでは大学での文理・専門を問わずデータサイエンスの基礎素養が必要であることを提唱。加えて、リーダー層レベルの育成のための大規模国家プロジェクトの必要性も訴えた。このインプットもあり翌2016年、文科省・総務省・経産省による100億×10年の人工知能技術戦略会議が始動した

12　スキル項目、タスク項目の詳細は深層学習、クラウド時代に即し大幅に見直し、刷新した「データサイエンティ

切なのはデータ×ＡＩ世界の全体観、分析とは何か、どのように価値を生み出すのかなどを肌感覚で理解しておくことだ。つまり、これらすべての基盤となるサイエンス力でありビジネス力だ。

そもそも何の解析をしようとしているのか、そもそもデータにどのような意味があるのか、これらを判断できない人がデータ×ＡＩ的な力を解き放つと言ってもやりようがない。そのためにはどうしてもサイエンス力、ビジネス力が必要だ。これらがないと指示を受けて実行するだけの技術者になってしまうからだ。

ドメイン的な知識、文脈の適切な理解に基づき、どのような課題をどの局面で解決すべきかを見極められなければ（いわゆるイシューの見極めと整理）、価値など生み出しようがない。また解くべき課題がわからない人はアウトプットの価値すら判断しようがない。これはほぼビジネス力だ。先入観に引っ張られず事象をありのままに受け止める力、論理的にものを考える力、いろいろな入り組んだ事象の中で異質性を見極める力、整理して人に伝える力などが複合的に絡んでいる。

またサイエンス力のベースになるのは統計数理と数学、特に線形代数、微積分の力だ。統計的にものを考える力がない人、統計的なセンスがない人がそもそもデータを適切に扱うことはできない。

たとえば「全体の分布を無視して、トラブル発生数だけを問題視する」「実数のみで管理し、平均を鵜呑みにする」「分布を見ずに平均を議論する」「N数が多い時にp値や普通の検定が機能しなくなることを考慮しない」[15]……などの話は一流企業の企画部門、国の省庁などのいわゆるエリート組織ですら実に多い。

スト スキルチェックリスト ver.3」および「２０１９年度版 データサイエンス領域タスクリスト」をご覧いただきたい（データサイエンティスト協会とＩＰＡより２０１９年10月30日に発表） https://www.datascientist.or.jp/common/docs/PR_skillcheck_ver3.00.pdf

13 ＢＩはBusiness Intelligenceの略。ツールとしてはTableauが代表例。直感的なＵＩによってデータ分析の可視化などを容易に行うことができる

14 直訳すれば道具。ＩＴ系の分野において何かをやろうとしたときに手助けになるソフトウェア、プログラミング環境、機能全般に用いられる

機械学習や自然言語処理などの情報科学的なツールの中身は線形代数、微積分などの言葉で書かれた数学的なモデルであり、これらの素養がないとそもそも自分がやろうとしている解析の中身や、適用しようとしているモデルの理解すらできないことになる。

　したがってまず身につけるべきは、虚心坦懐に現象を見る力、その上で分析的、論理的に物事を考え整理する力だ。また本物のデータ×ＡＩ使い（データプロフェッショナル）、データサイエンティストになりたいのであれば統計数理、数学的な素養こそまず身につけるべきだ。これらの素養や、手を動かして何かを作る場を犠牲にしてまで、プログラミングスキルを先に学ぶ意味はないとすら言える。

　また価値を出すという視点で見ると、この3つのスキル群はいずれも必要だ。第一に、どれが欠けても価値がうまく提供できない。ビジネス力がないと解決すべき問題が定義、整理できない。エンジニアリング力がないと、キカイに任せられず、量的な展開ができないため必要な変化を十分に起こせない。サイエンス力がないとそもそも知恵のあるアプローチがとれない（図3－7）。

　第二に、検討のフェーズによっても求められるコアスキルは変わる（図3－8）。

　ただ、いずれも高いレベルで持つことは厳しいため、実際のプロの現場においては、このどれかに軸足を持ち、3つの領域いずれもミニマムレベルは持った状態の人がチームを組むことによって補完し合うことが普通だということも申し添えておきたい。したがって、検討フェーズによってチーム構成がかなり変わることは普通だ。

15　ビッグデータ時代の到来に伴い、現在、科学者の中では「統計的有意性」の有効性についてかなりの疑義が提示され、たとえばp値のみで何らかの判断をすることは正しくないことはほぼコンセンサスとなりつつある（Amrhein et al., "Scientists rise up against statistical significance", *Nature*, 567, 305-307, 2019.）

図3-7　3つのスキルのうちどの1つが欠けてもダメ

ビジネス力がない

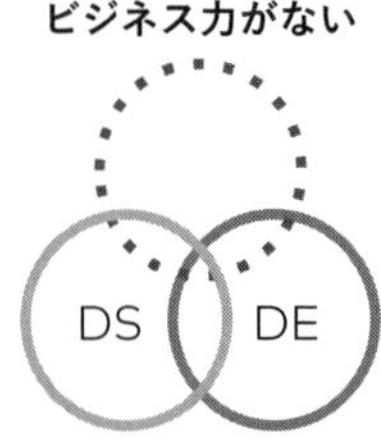

データスペシャリストではあるが、そもそも解決すべき問題が定義、整理できない

＞プロフェッショナルではない

データエンジニア力がない

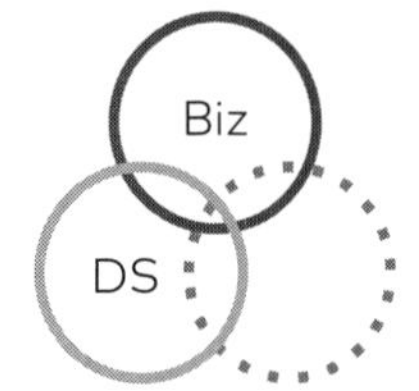

ビジネス課題もわかりそこでのサイエンスの利活用もわかるが実装できない

＞必要な変化を起こせない

データサイエンス力がない

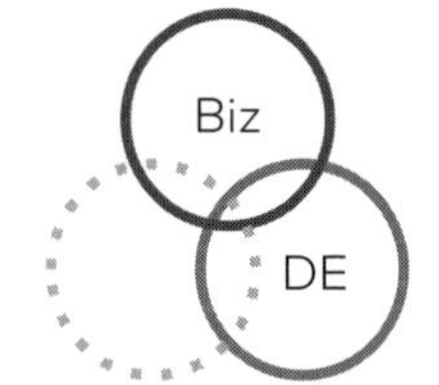

ビジネス課題の上で、実装を用意できるが、かなめとなるサイエンスの知恵が足りない

＞賢いやり方を提供できない

資料：データサイエンティスト協会 スキル定義委員会 討議

図3-8　課題解決の各段階で求められるスキル

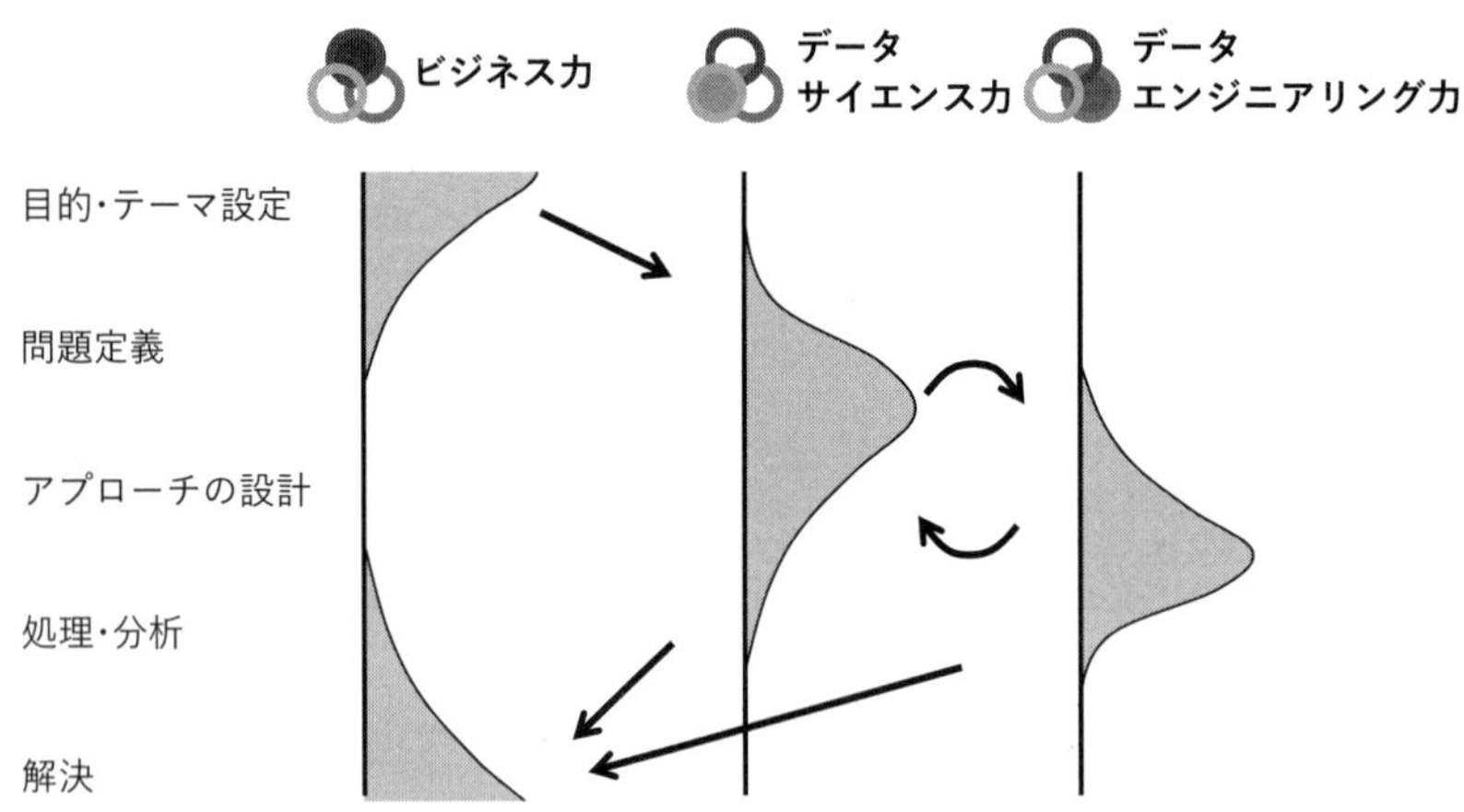

資料：データサイエンティスト協会プレスリリース（2014/12/10）http://www.datascientist.or.jp/news/2014/pdf/1210.pdf

自動化されても専門家は必要

一方、ＡＩそのものも含めて自動化する時代になるからデータ×ＡＩ的な素養を持つ人はいらなくなるのではないか、というような論を時たま耳にする。これは大いなる誤解だ。クルマがオートマ[16]になっても、運転者だけでなく、クルマを工場で作る人も、クルマ自体を設計する人、エンジンやトランスミッターのような主要部品を開発する人がいることも変わらない。給油・給電場所、整備工場は変わらず必要だ。

運転する側も、クルマの基本構造（シャシー、動力系、制御系他）、ギアとトランスミッション、ブレーキペダルとエンジンブレーキの構造的な原理と違いぐらいは理解していないと恐ろしくて運転などできない。

これと同じく、データ×ＡＩの世界においても、単なる自動モードでボタンを押すだけの人だけでは、自分たちがやりたい変化を引き起こすこともできなければ、事業や機能への実装もチューニングすらできない。仮にその場面でドンピシャのソリューション[17]が与えられたとしても、解決すべき課題や扱うデータ、少なくともそれを動かす前に自分が何をやっているのかの理解がなければ適切な取り扱いなどできない。しかも他の課題になったらソリューションの当たりをつける必要が出てくる。

多くの場合、データの準備も事前に相当量必要であり、その調整をする人だけでなく、全体のシステムを設計する人、組み立てる人のようなプロ[18]も変わらず相当量必要だ。自分では直せない

16　オートマティック（automatic）車・ＡＴ車のこと（クラッチを踏んでギアチェンジをする必要があるマニュアル車・ＭＴ車の対義語）

17　サービスやビジネスの運用において課題解決のために提供されるＩＣＴ的な課題解決の仕組み、システムのこと

18　のちほど議論するとおりデータサイエンティスト、データエンジニアを始めとしたさまざまなデータプロフェショナルが必要になる（４章参照）

かもしれないが、必要な手直しの話を聞けばおおむね大枠について理解できる程度が本来、最低欲しいレベルと言える。以上、プロ側としては当然のことではあるが、このあたり質問を受けることも多いため付け加えておきたい。

これからの社会を生き抜く基礎教養

ちょっと引いて考えよう。昨今話題になることが多い言葉にリベラルアーツがある。知識人の基礎教養という意味合いで使われることが多いが、この言葉の源流を調べたことがあるだろうか。リベラルアーツはもともとは古代ギリシアで生まれた概念で2000年以上の歴史がある。当時のギリシアは大量の奴隷（非自由民）と自由民で成り立っていた。奴隷と言っても人種が異なるわけではない。要はそれぞれの家で使われる側と使う側で分かれていたということだ。その環境において、使う側の自由民に求められていた基礎教養、基礎的なスキルこそがリベラルアーツ（直訳すると自由の技法）であった。

これがヨーロッパにおいて自由七科（seven liberal arts）として発展する。科学（science）的な四科（quadrivium）である音楽、算術、幾何学、天文学が5世紀に、9世紀になり人文学（humanities）的な文法学、論理学、修辞学の三学（trivium）が加わった。順番としては三学を基礎として学んだ上で、四科を学ぶ。

日本ではモノを書くことは国語、つまり文系の専門領域で、科学者やエンジニアには関係がないかのようなイメージがあるが、そこが根本的な誤解である。表現力と論理力はすべての学問の基礎だ。この基礎的な考え方、コミュニケーション能力を身につけた上で、サイエンスを学ぶ。

図3-9　リベラルアーツとSTEAM

リベラルアーツ（自由七科）

・自由民と非自由民（奴隷）に分けられていた古代ギリシアでの**「自由民として教養を高める教育」**

・ギリシャ・ローマ時代に理念的な源流を持ち、ヨーロッパの大学制度において中世以降、19世紀後半や20世紀まで**「人が持つ必要がある技芸（実践的な知識・学問）の基本」**

三学　・文法学
　・修辞学
　・論理学

四科　・算術
　・幾何（図表形の学問）
　・天文学
　・音楽

・本質的にSTEAM（artes mechanicaeと呼ばれたEを除く）
・古典、歴史などはそもそも含まれない

資料：Wikipediaなどを参考に安宅和人とりまとめ

僕は米国で脳神経科学分野のPhDを取得したが、そのトレーニングの際においても"Science is a writing business"（サイエンスは「モノを書く」ビジネスだ）と言われ記述・表現能力を徹底的に鍛えられた[19]。

なお、一般的に日本で教養と想定される、歴史、古典、芸術への造詣のようなものはこの自由七科には含まれていない（図3－9）。それらを学ぶ前のもっと基礎となる能力がリベラルアーツということだ[20]。これにも驚く日本人は多いだろう。

この本来の意味のリベラルアーツ、すなわち、人を使う側と人に使われる側という視点で、現代においてこれまでどのような能力がリーダー層に求められてきたのかと考えると、母国語（および世界語）でものを考え、人に伝えることができ、加えて問題を正しく見極め解決できる解決能力であると考えられる。世界語

19　参考：筆者ブログ「大学院教育で何が出来ると人が育ったと言えるのか」２００８／10／28

20　昨今話題になることが多いＳＴＥＡＭ教育の源流はこの伝統にある。ＳＴＥＡＭはScience, Technology, Engineering, Art, and Mathematics（科学、技術、工学、芸術、数学）の略。ＳＴＥＭにGeorgette Yakman女史がArtを付け加え"Science and Technology are interpreted through Engineering and the Arts, all based in elements of Mathematics"（科学と技術を工学と芸術を通じ解釈する……このいずれも数学の要素に基づいている）として提唱

図3-10　現代のリベラルアーツ

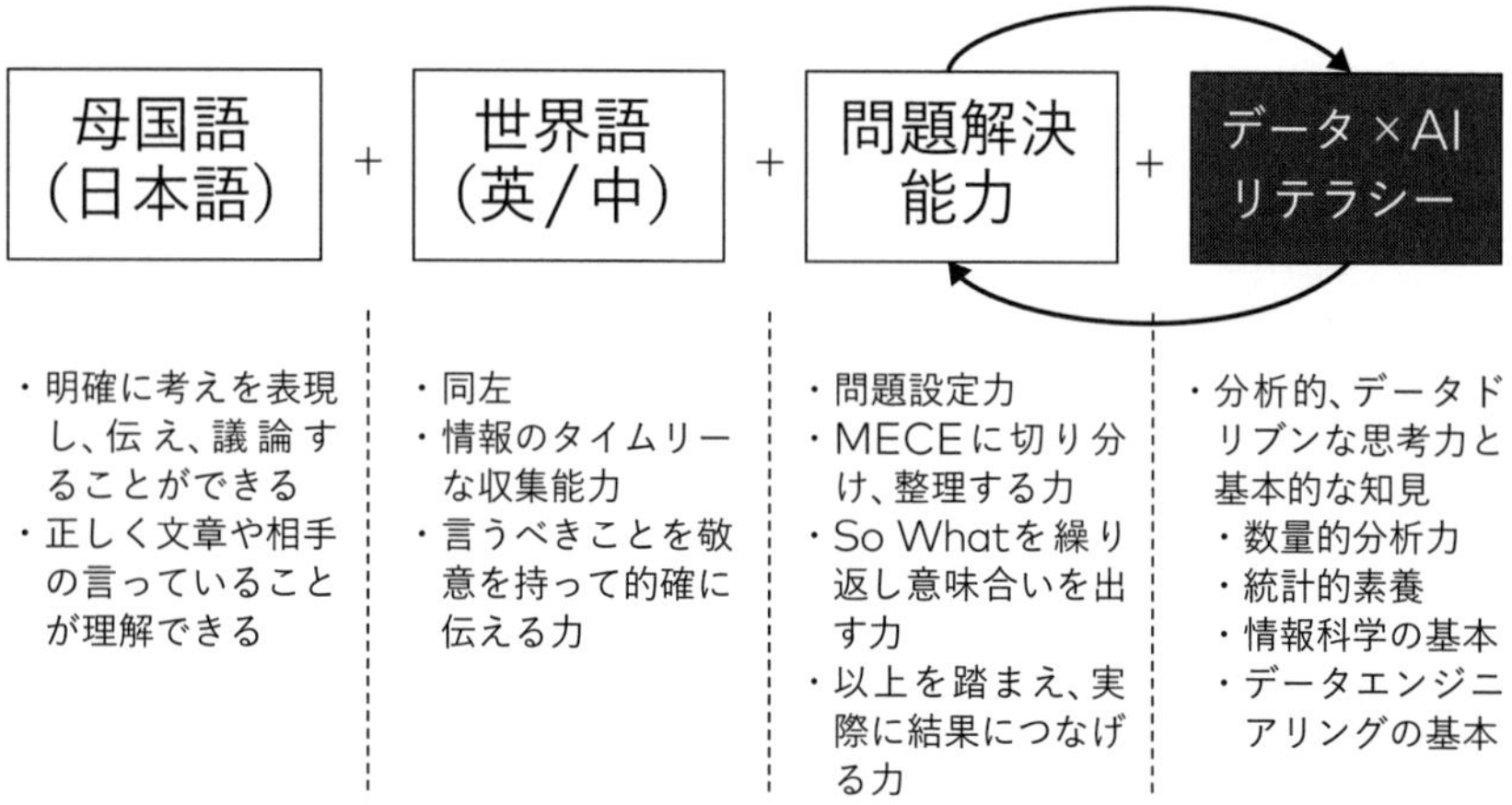

母国語（日本語）	＋ 世界語（英／中）	＋ 問題解決能力	＋ データ×AIリテラシー
・明確に考えを表現し、伝え、議論することができる ・正しく文章や相手の言っていることが理解できる	・同左 ・情報のタイムリーな収集能力 ・言うべきことを敬意を持って的確に伝える力	・問題設定力 ・MECEに切り分け、整理する力 ・So Whatを繰り返し意味合いを出す力 ・以上を踏まえ、実際に結果につなげる力	・分析的、データドリブンな思考力と基本的な知見 ・数量的分析力 ・統計的素養 ・情報科学の基本 ・データエンジニアリングの基本

資料：安宅和人「データ時代に向けたビジネス課題とアカデミアに向けた期待」応用統計学セミナー 2015/5/23
http://www.applstat.gr.jp/seminar/ataka.pdf

は今は英語、まもなく中国語が数世紀ぶりに加わる可能性が高い。

前述の時代文脈を踏まえると、この3つのスキルセットにデータ×AIの力を解き放つための基礎的な力、データ×AIリテラシーが加わるというのが僕の見解だ（図3－10）。時代に即して自らの能力を愚直に刷新できるかが問われている。

リテラシーレベルは中等教育、もしくは高等教育（大学学部）の最初の1、2年までに身につけることが望ましい。身につけると専門課程での自由度が桁違いに上がる上、一気にそれぞれの領域を刷新する入口の力を持つことになるのが第一の理由。分析的な思考力、データリテラシーを身につけるには若いほどよいのが第二の理由だ。実際には何歳でも学ぶことはできるが、空気のようにデータやAIを触れるようになろうと思うならば30代前半までに習得するのがオススメだ。

２０１５年春、前述の国のビッグデータ人材育成検討の際に「リテラシー層は結局何人いるんですか」と繰り返し文科省の方に聞かれた。

「いや、これはこれからの『読み書きソロバン』なので、高等教育を受けるような人は基本的に全員、少なくとも8割ぐらいの人は学んでおくべきです。信じられないかもしれませんが、フランス語や法律が専門の学生が、普通に形態素解析をして、その上で異なる国の文章などのデータもウェブから自力でプログラムを組み抽出してきて[21]、比較をした上で卒論を書くのが世界的に普通になる日が遠からず来るのです。本やウェブページだけで学んでいればいい時代は終わります。日本で育つ我々の子どもだけが時代遅れの教育を受けて、これ以上この社会が立ち遅れてもいいんですか。彼らの人生とこの社会の未来に責任を取れるんですか」と何度も押し返したことを鮮烈に覚えている。

まだ数十年の労働人生が残っている現在の30代、40代以上には生き残りをかけたスキルの刷新が迫られている。やらないよりはマシである。〝オワコン〟（終わった人）にならないためには、ＭＯＯＣ[22]、専門学校、大学などを活用しながら、リテラシーや人間力を鍛えていくことが望ましい。別にプロを目指すわけでないのであれば、元の訓練状況にもよるが週半日を半年〜1年もやれば相当のところまで十分行けるだろう。

こんなことを言うと、文系教育システムで育ってきた人の多くから戦慄の声が上がるかもしれないが、心配はない。エンジンの設計や自動車の製造方法がわからなくても運転技術やタイヤ交換、バッテリージャンプなど基礎的なトラブル対応は習得できる。データ解析やＡＩも同じだ。日本の数学力は中3までは世界トップレベルだ（図4－4参照）。素地としてはそれほど危惧することはない。受験問題を解くのではなく、数理素養を道具として学びつつ楽しくやっていくこと[23]

21 いわゆるウェブ・スクレイピング（web scraping）

22 Massive Open Online Coursesの略。ムークと読む。インターネット上で誰もが無料で受講できる大規模な教育プログラム。スタンフォード大学発のCoursera、ハーバード大学とＭＩＴが始めたedXなどが有名。英語圏を中心にすでに世界中の主要大学の多くが参画している

23 具体的にどのようなことをやっていけばいいのかは次章の考察を参照されたい

をオススメする。

知覚する力、生命力、人間力

仮に上に述べたデータ×ＡＩリテラシーを母国語、世界語、問題解決能力と共に持ったとする。そうすればもう特に問題ないのだろうか？

残念ながら答えは否だ。データ×ＡＩの力を解き放てば、情報の識別、予測、また目的が明確なことの実行系はことごとく自動化される（1章参照）。これは確かに偉大なことだが、これらの業務から解き放たれてなお、人間に残る役割がある。自分なりに見立て、それに基づき方向を定めたり、何をやるかを決めること、また問いを立て、さらに人を動かすことだ。[24]

たとえば、データ×ＡＩ時代が進むとこれまではまったく検出できなかった稀な異常値がどんどんと見つかってくるだろう。それを見て全体としてどう考えるか、新しい問いを立てられるかは明らかに僕らにかかっている。キカイはそういう事例をどんどんと吐き出すが、そこから先を考えることができないからだ。それを見立て、新たに問いを立て深い気づきを得られるかは、活動の目的や文脈、さまざまなことに照らし合わせて、何かを嗅ぎ分ける力（〝嗅覚〟）、統合して意味合いを考える力（洞察力）の有無にかかっている。

また、ほしい姿をデザインする際のベースになるのは、夢を描く力、妄想力、そして自分なりに見立てる力だ。さらに、キカイが出してくる指示をそのまま伝えても多くの人は動かない。まずは自分が腹落ちした上で、それぞれの人たちに、これまでの文脈、これからのビジョンも合わせて、受け手に合わせて説明し、腹落ちしてもらい、動かすのも僕らの大事な仕事になる（図3－11）。

24　1章で議論したヒューマンタッチが重要になるという話を参照

図3-11　データ×AIと共存する社会で求められる2つの力

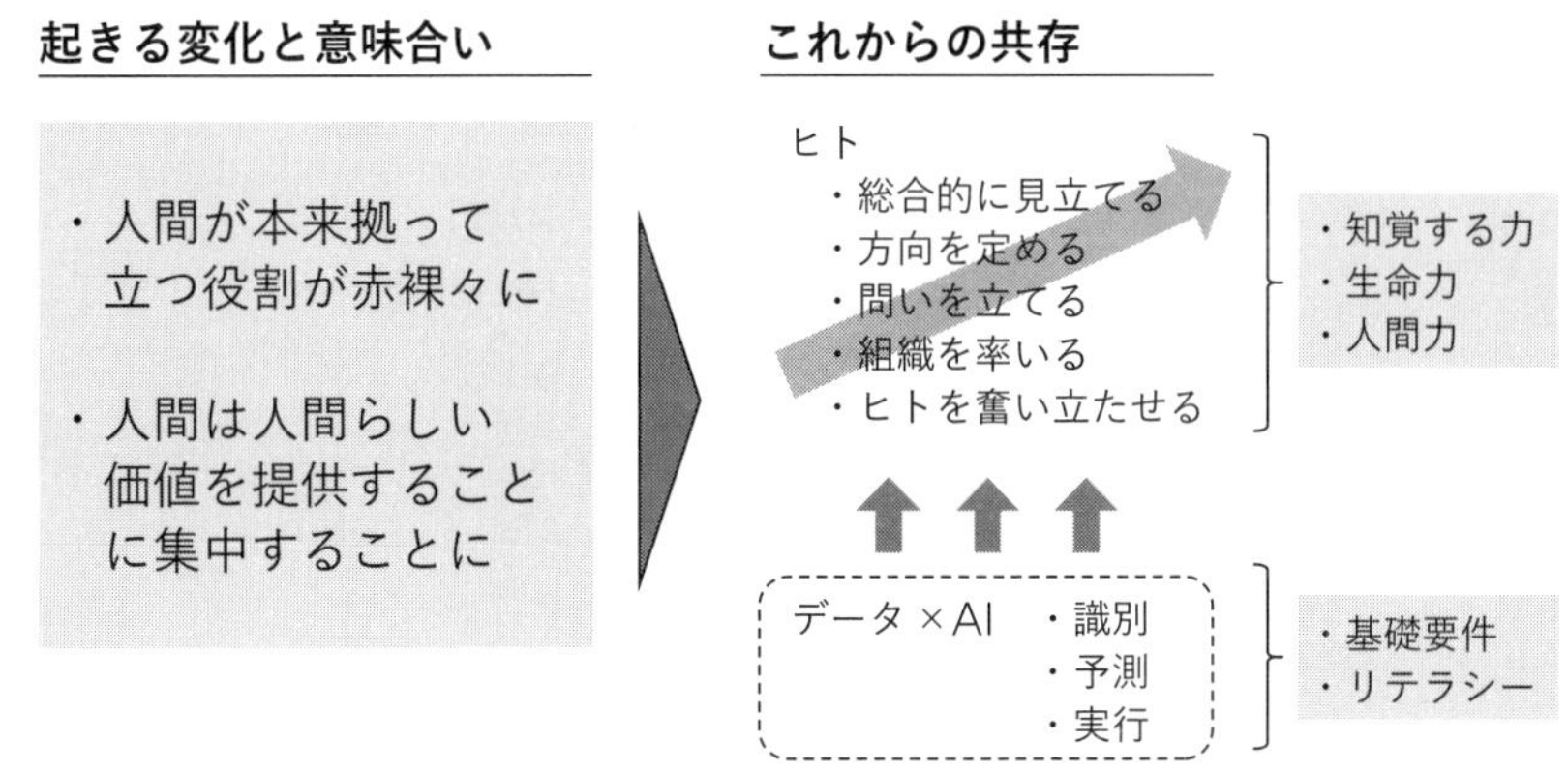

起きる変化と意味合い

・人間が本来拠って立つ役割が赤裸々に

・人間は人間らしい価値を提供することに集中することに

これからの共存

ヒト
・総合的に見立てる
・方向を定める
・問いを立てる
・組織を率いる
・ヒトを奮い立たせる

・知覚する力
・生命力
・人間力

データ×AI　・識別
・予測
・実行

・基礎要件
・リテラシー

資料：安宅和人「人工知能はビジネスをどう変えるか」DIAMOND ハーバード・ビジネス・レビュー（2015/11）
安宅和人「"シン・ニホン"AI×データ時代における日本の再生と人材育成」教育再生実行会議 技術革新ワーキング・グループ（第4回）配布資料（2018/11/27）
https://www.kantei.go.jp/jp/singi/kyouikusaisei/jikkoukaigi_wg/kakusin_wg4/siryou.html

昨今、時代の変化の激しさと日本の現状のために、データ×AIリテラシーのことばかりが強調されているが、上記の理由で、残念ながら片手落ちと言える。むしろその人なりに感じ、考える力がなければ、自分なりの妄想やデザインなどしようがなく、新しいタイプの非自由民、使われるだけの人になってしまう可能性すらある。映画『マトリックス[25]（原題：The Matrix）』3部作で描かれたデータジェネレーター（データ発電機）的な世界だ。そう、逆説的に聞こえるかもしれないが、実はデータやAIの力を解き放ったときに求められるのは、さまざまな価値やよさ、美しさを知覚する力であり、人としての生命力、人間力になる可能性が高い。一見異なる2つの力がサンドイッチ的に必要になる。キカイの強さを解き放ちつつ、人間の強さを活かす、そんな時代に突入しているのだ。

25　『マトリックス』は、ウォシャウスキー兄弟監督*による1999年に公開されたSF映画の傑作およびその続編。すべてがコンピュータ上の仮想現実化された社会に生きる人間の開放をテーマとしている
*ラリー・ウォシャウスキーおよびアンディ・ウォシャウスキー。性転換手術を受け現在はラナとリリーのウォシャウスキー姉妹

4 知性の核心は「知覚」

なぜ先のような話になるのかをもう少し深く考えてみよう。

知性とは何か

情報処理的な機能の視点から見ると神経細胞（neuron）は3つに分かれる。外部からの刺激を受け取るニューロン（input fiber）、神経と神経をつなぐニューロン（interneuron）、刺激を外部に出力するニューロン（principal neuron）だ[26]（図3－12）。情報処理の基本構造「入力→処理→出力」の流れは、コンピュータでも中枢神経系でも変わらない。この情報処理の全体観から言えることは「思考」とはこの「インプットとアウトプットをつなぐこと」であり、入力を出力につなぐ能力こそが「知性」であるということだ。

この情報処理には3段階ある。

入ってきた外部情報を統合してイミ[27]（意味）を理解する「川上」的な段階。

これをベースにモノを書いたり、作画、設計したりというアウトプットを行う「川下」的な段階。川上、川下情報が入り組んでいるときには川上的なイミをさらに統合して状況判断、美の評価などメタ的な情報を得る「川中」的な段階が発生する（図3－13）。

この俯瞰からわかることは、知性の核心は多くの人が知性だと思っている川下段階ではなく、川上、川中過程、すなわち「知覚」にあるということだ。実際、脳神経系の大半は知覚のために

26 Gordon M. Shepherd "The Synaptic Organization of the Brain" Oxford University Press, 2004 Introductionに出てくるThe Triad of Neuronal Elementsを参照

27 単に言葉で説明できるということを超え、実感を持ってその意味を理解できるという意味で「イミ」と表現する

図3-12　情報処理システムの３要素

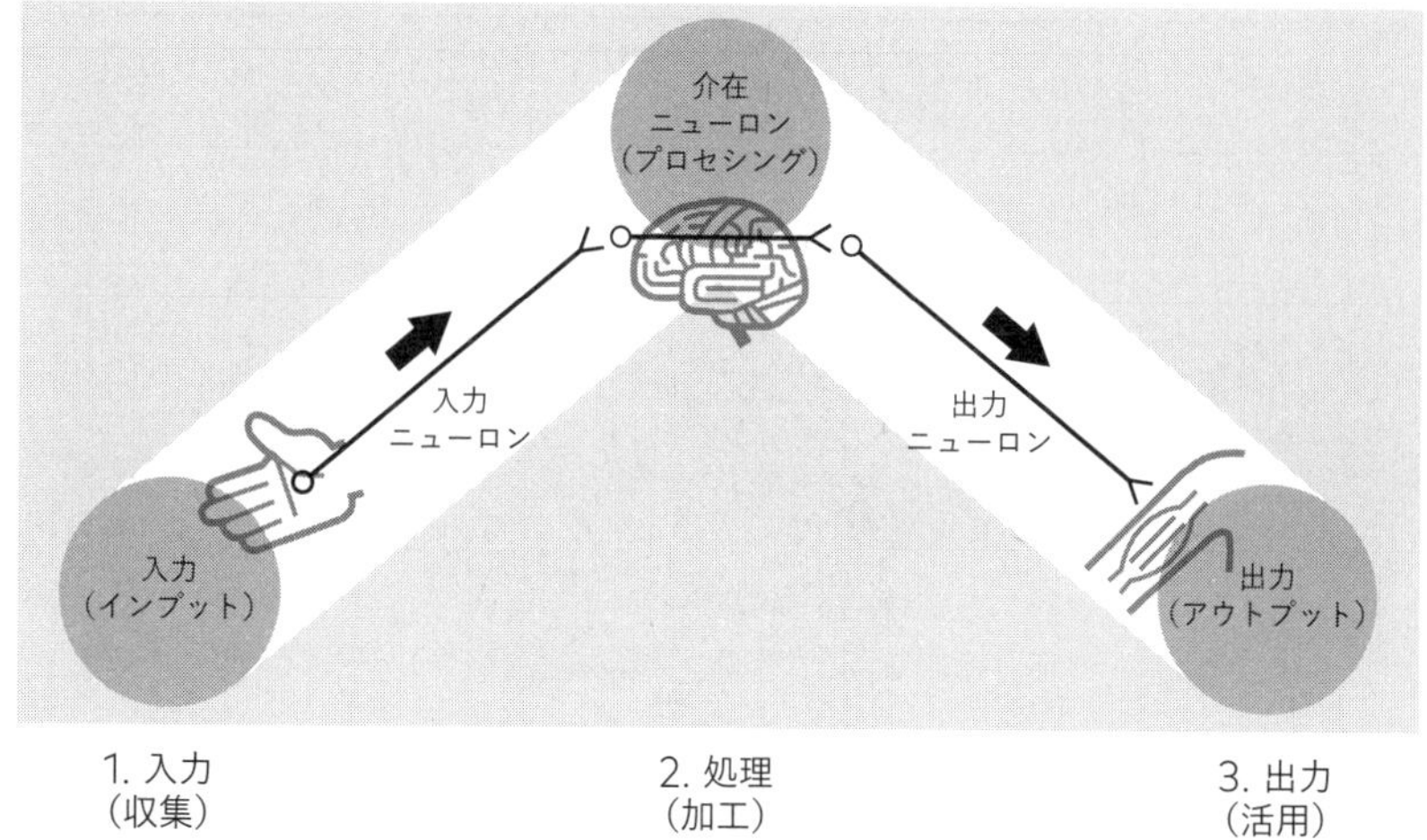

資料：安宅和人「ビッグデータvs. 行動観察データ：どちらが顧客インサイトを得られるのか」DIAMOND ハーバード・ビジネス・レビュー（2014/8）

図3-13　情報処理のバリューチェーン

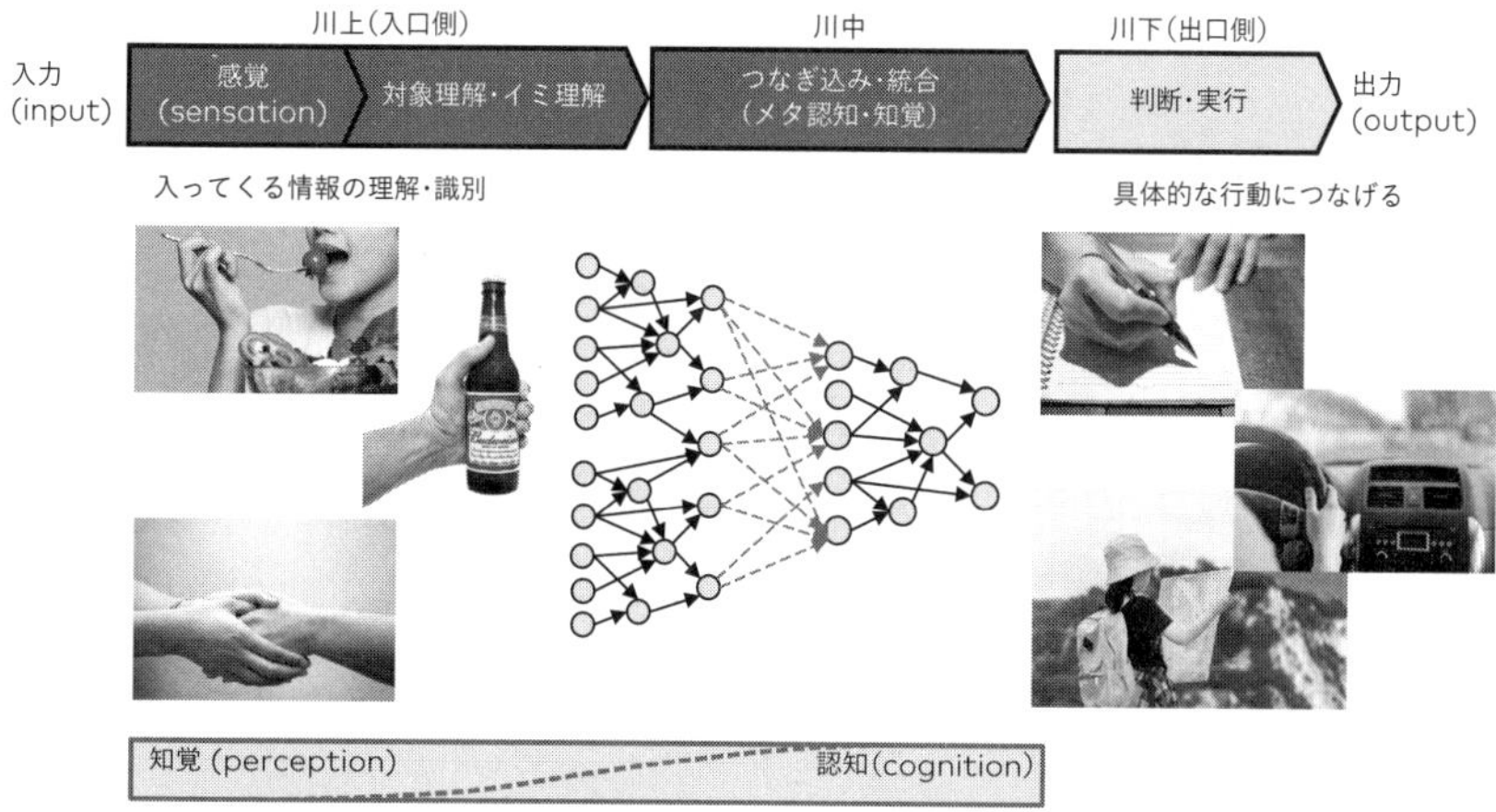

資料：安宅和人「知性の核心は知覚にある（perception represents intelligence」DIAMOND ハーバード・ビジネス・レビュー（2017/5）
istock

図3-14　知覚に必要なさまざまなモダリティ（認知属性）の統合

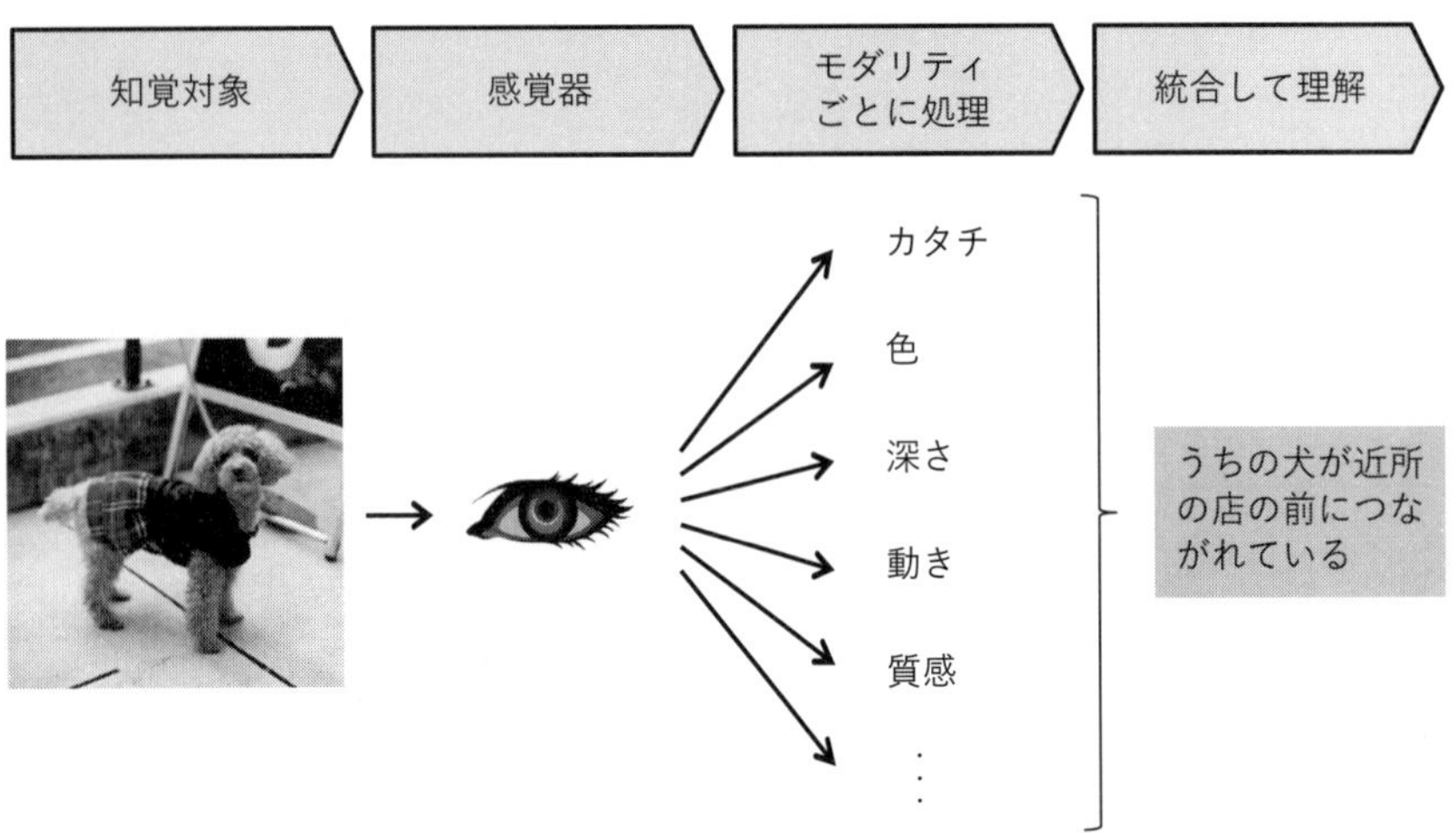

資料：安宅和人「知性の核心は知覚にある（perception represents intelligence）」DIAMOND ハーバード・ビジネス・レビュー（2017/5）

存在している。

「知覚」とは、端的に言えば、対象のイミを理解することである。人間に限らず中枢神経系を持つ生物は外部からの情報を統合し、イミを理解する。たとえば視覚情報から「自分の犬が近くにいる」こと1つを理解するためにも、我々の脳は形や奥行き、色や動きや状況といった情報を総合し、平行して処理を行い、これを瞬時に統合する（図3－14）。

実は、川上的な情報処理の最初の段階である「感覚」自体、イミ翻訳を行う「知覚」の一部である。たとえば「色」は物理的には存在せず、心の中にしか存在しない。異なる電磁波スペクトルを吸収する神経細胞からの入力が統合され脳で認識されたものが「色」だ。その他の感覚である肌触りや味覚なども同様に心にしか存在しない。食であれ衣であれ、これらの感覚がどれほどの価値を持つかは言うまでもない。知覚から感覚を剥ぎ取った言葉に「認知」という言葉があるが、以上からわかるとおり「感覚」自体が知覚過程の一部でありここでは区別しない。

「知覚」は単に情報を写し取るような行為ではない。それを象徴する、キヤノンの実験[28]がある。複数の写真家に同じ一人の男性をそれぞれ異なる背景を与えて撮影させるというものだ。ある写真家には「男性は億万長者である」と伝え、また別の写真家にはライフセーバー、あるいは漁師、はたまた刑務所出所者などと伝える。すると同じ人物を撮影しても生み出される写真はまったく異なるものになる。これが知覚の力だ。

この知覚のプロセスは多くの人が認識しているよりも遥かに入り組んでいる。たとえば我々が何気なく文章を読んで論理矛盾などを感じるのは実は驚くべき情報処理だ。文字を認識する、単語や文章を理解する、論理を把握する、さらに評価する、ということを一気にやっているのだ。

美的評価や状況把握もかなり入り組んだ知覚活動と言える。図3－15はあくまで例示的にまとめたものだが、参考までにご覧いただけたらと思う。Make sense[29]という言葉は途方もなく深い。

28 Canon Australia, "THE LAB: DECOY - A portrait session with a twist", YouTube, 3 Nov. 2015.

29 「意味が通る、筋が通る」という意味の言葉だがsense（感覚）が成立するというのが文字どおりの意味

図3-15　情報処理のバリューチェーンと知覚の広がり(例示)

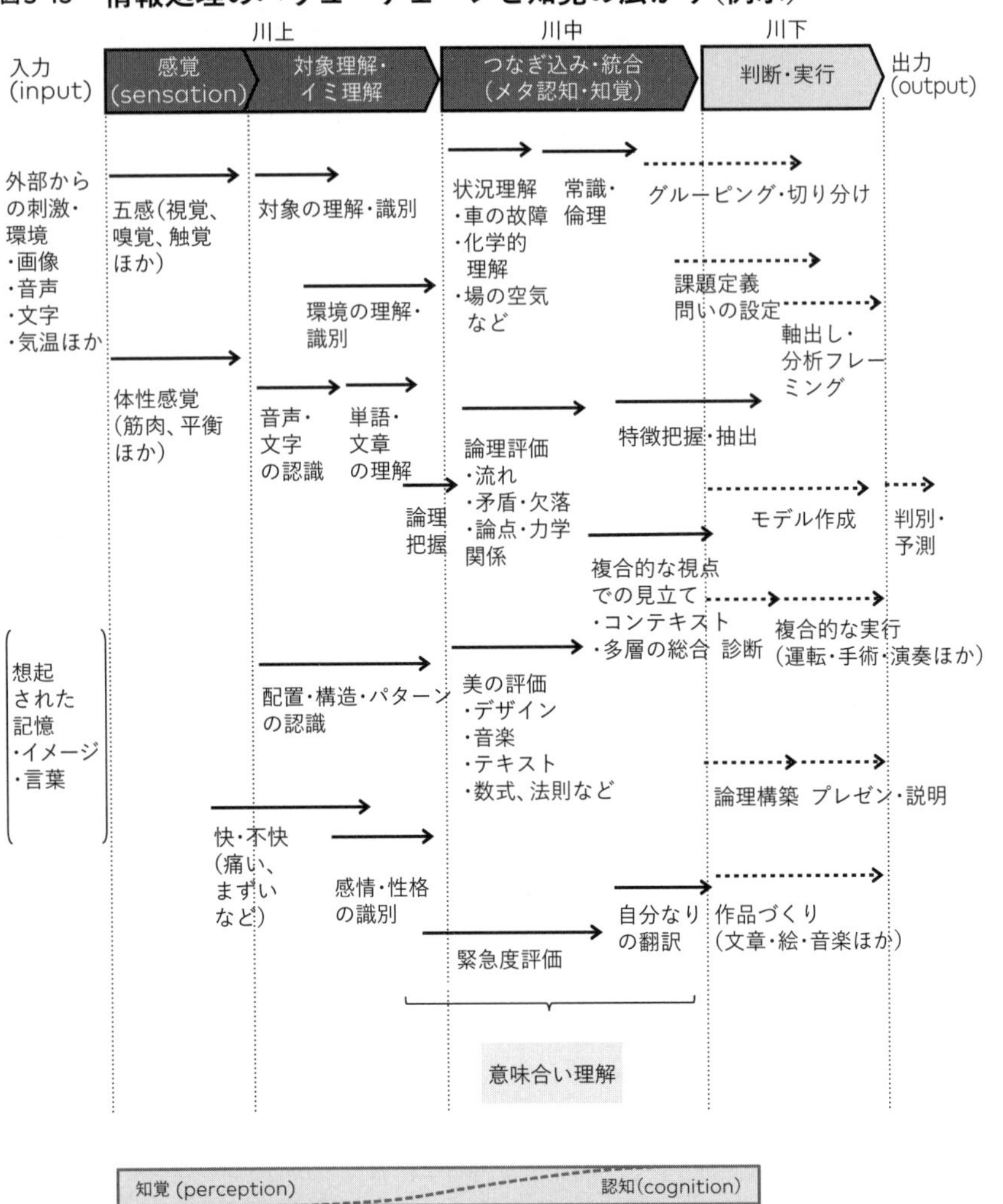

資料:安宅和人「知性の核心は知覚にある(perception represents intelligence)」DIAMOND ハーバード・ビジネス・レビュー(2017/5)

知覚は経験から生まれる

知覚は経験から生まれる。先天白内障の子どもは10歳までに手術しないと、色覚は正常で、他の知能的な課題が何もなくとも形の識別ができなくなる。生後3～4ヶ月まで真っ暗闇で育てられたサルは、成長しても丸や四角の簡単な形の区別ができない。先天的に視覚障害を持つ人に色を伝えることも不可能である。[30]

我々は意味を理解していないことは知覚できない。たとえば大半の人はアインシュタイン方程式（図3－20左参照）の美しさどころか意味すらわからない。一般相対性理論を理解できるだけの物理学、その基礎となる数学についての深い知見と訓練が欠けているからだ。

知覚を広げる「経験」には、日常生活や仕事、学習などで新しいものを見聞きする「知的経験」、人との付き合いや関係、文脈特有のアナロジーなどから学ぶ「人的経験」、それらの知的、人的な経験の深さの上で、多面的、重層的にものを見て、関係性を整理する「思索」の3つがある（図3－16a／b）。

ここで無視できないのが言葉の力だ。言葉は知覚体験を残し、抽象化したものであり、これを組み合わせることでさらに高度な知覚を実現している。

では知覚と知識はどのように関係して、アウトプットにつながるのか？

神経系の構造から言えるのは「理解」とは2つ以上の既知の知覚情報の重なり合いだということ

30 Kandel, Schwartz, Jessel "Essentials of neural science and behavior" *Appleton & Lange* 1995 (p.470)

図3-16a　知覚の全体観

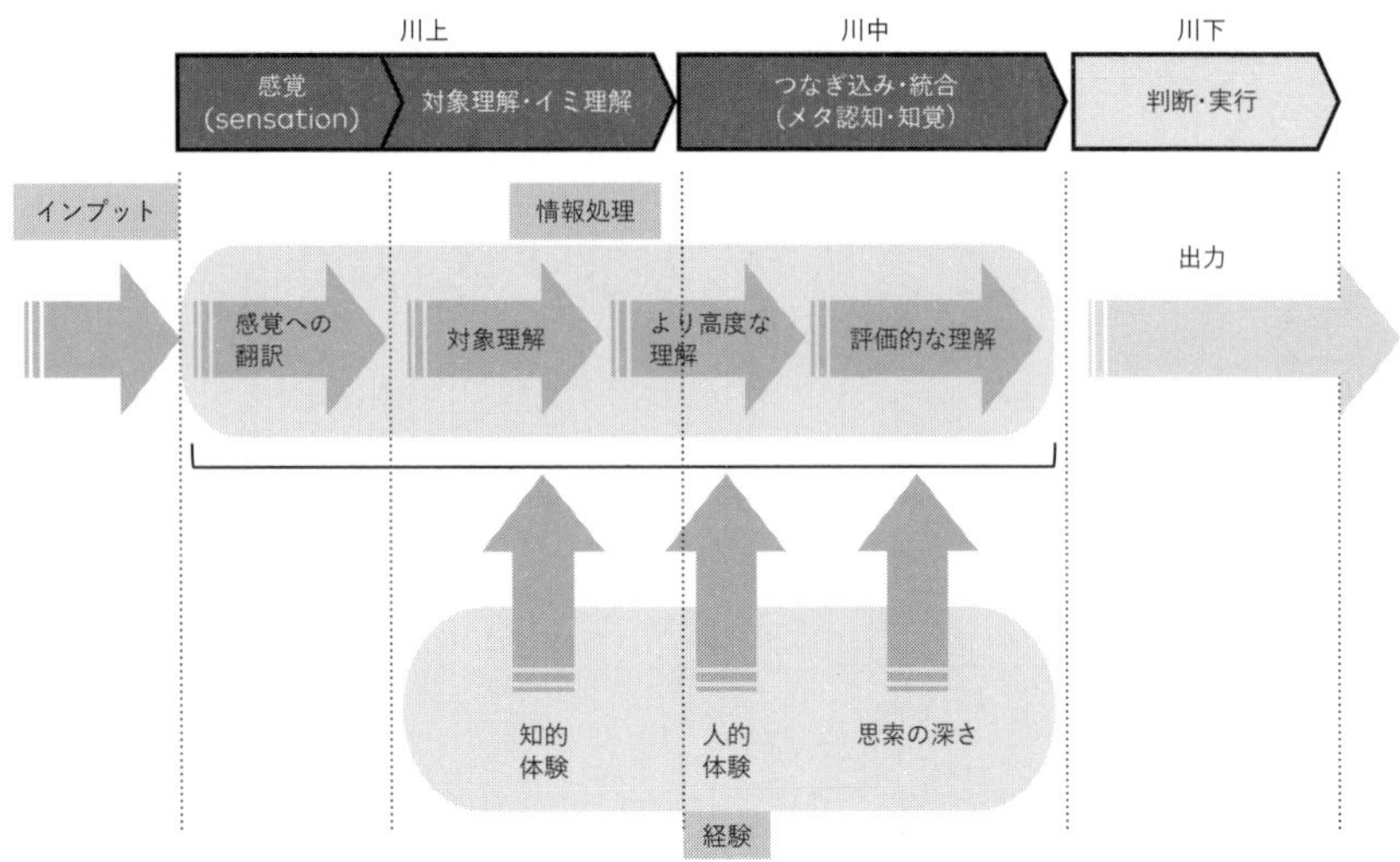

資料：安宅和人「知性の核心は知覚にある（perception represents intelligence）」DIAMOND ハーバード・ビジネス・レビュー（2017/5）

図3-16b　3つの経験（例示）

知的体験

- 新しい知的概念、体系の理解（例：化学結合、脳神経科学ほか）
- 新しいものを見たり体験する（例：お店、動物園、旅行ほか）
- 計算や解析で解き明かした体験、手間や快感
- 概念をグルーピングしたり、切り分けする経験

人的体験

- 人との付き合いからの気づき
- 人と人との関係、力学
- 文脈特有の意味合い、アナロジー
- 自分のいる空間からの学び
- 言語を通じてのやり取りの体験

思索

- 知的、人的な経験の深さの上で、多面的、重層的に物を見て、関係性を整理する
- 課題解決や人的な経験をさらに推敲してメタ的な理解を深める

資料：安宅和人「知性の核心は知覚にある（perception represents intelligence）」DIAMOND ハーバード・ビジネス・レビュー（2017/5）

とだ。情報のつながりを何度も想起することで起こるのが「学習」であり、これが「知識」のもととなる。「知覚」できないものは「知識」になりようがない。

そもそも、人は感覚段階で一人ひとりが同じように感じていない。さらに人の神経は1つとして同じ形をしていない上、同じようにはつながっていない。しかもこの異なる身体を通じて行われたこれまでの経験の内容と質が異なる。同じ経験をしても人によって異なる感じ方をするのは当然だ。

大野耐一氏（1912－1990：元トヨタ自動車工業 副社長）は米国の総合スーパーを見てトヨタ生産方式を着想したと言われている。氏の心の中で、大きな在庫を持たずに、10万種類を超えるSKU[31]を次々と入荷し売りさばくことと、クルマの生産の共通性に深い気づきがあったのだ。これこそ思索と意識が知覚の質を変え、アウトプットそのものを変容させている典型例だ。

集め過ぎと知り過ぎ

あるとき、この話を高校生を相手にしたセッションですると、では「なぜ知覚できる量が限られている若い人たちが新しいアイデアを出し変革を起こすことが多いのか」「なぜ多くのことを知覚できるはずのシニアな人たちが新しいことに気づいて始めることが少ないのか」という至極まっとうな質問を受けたことがある。知性と知覚の話をかなりの数の大人の前でしてきたが一度も受けたことのない質問だったので驚き、そして歓喜した。

これは、いわゆる「集め過ぎ」「知り過ぎ」の問題だ。情報を集めようとすると最初は軽快に知識量が増えていくが、あるところから急速に知識の増加が伸びなくなってくる（図3－17）。

31 stock keeping unit：主として小売における受発注管理の最小単位。同じ商品であっても色やパッケージサイズ、梱包数によって異なるSKUとなる

図3-17　**集め過ぎ**

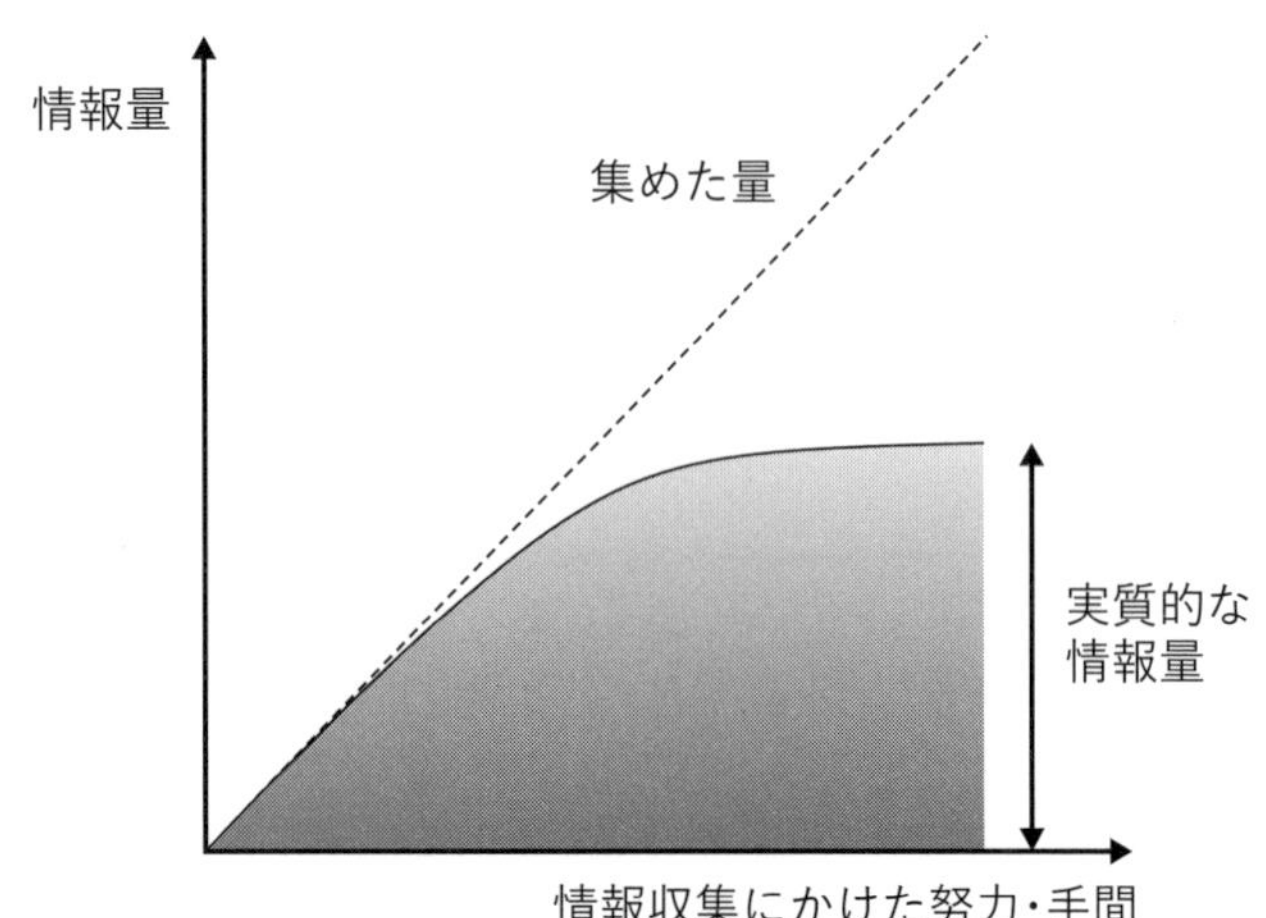

資料：安宅和人『イシューからはじめよ－「知的生産」のシンプルな本質』（英治出版 2010）

一定の量を超えると、新しく知覚する内容が少なくなってくるのだ。情報のロングテール性[32]から半ば仕方がないのであるが、この状態を「集め過ぎ」と言う。頻度の低いテール部分の学習は専門家になる過程においてはある程度必要なことであるが、投下する時間というリソース自体がもっとも希少な資源なのでＲＯＩ[33]視点は持っておいて損はない。この問題を、できれば若いうちに体感的に学習しておく価値は大きい。

さらに、得られる情報量を横軸に置き、「気づき」「アイデア」の量を縦軸に取るとどうなるか俯瞰し、考察したことがあるだろうか。これは僕らのようないわゆる知的生産を行う現場の仕事をやっている人たちに顕著に起きる現象なのだが、典型的にはこうなる。

32　ビッグデータ用語。情報の大半が頻繁に現れるものであり、多様な情報の大半がめったに現れないものであること。情報項目を横軸に起き、縦軸に発生頻度を起き、多い順に並べるとごく一部だけがかなりの頻度で現れ、急激に発生頻度が下がっていく。この頻度の低いものが非常に長く続く部分をロングテール（長い尻尾の意味）と言う。このテールはビッグデータの関係者でも理解していないのが普通であるほど極めて長い

33　Return on Investment：本来は投下した資本に対するリターン（通常は利益）の意味だが、ここでは時間投資効果という意味で使っている

1：最初はそもそもわからない、理解できないことだらけでアイデアも何も浮かびようがない
2：理解できることが急激に増え、それと共に無限の質問が浮かぶ
3：質問に対する解が得られたり、解と出合ったりするたびに「それってこういうことなのか」「もしかしてこういうことが言えるのではないか」「あの話とこの話はつながり合っているのではないか」「だとするとこういう話があり得るのではないか」などの新しいアイデア（気づき）がどんどん湧いてくる
4：大半のことが既知のことで説明できるようになってくると共に、新しいアイデアや気づきが生まれることはあまりなくなってくる

これが「知り過ぎ」だ（図3－18）。あるレベルを超えると、知識の増大はアイデアや気づきの増大に必ずしもつながらずむしろ負に働く。この集め過ぎ、知り過ぎが起きていない段階の比較的若い人から新しいアイデアが生まれ、そこから未来が創られるのは半ば必然と言える。

感性と知性の関係

知覚と経験について整理したところで、別物のように語られることが多い「感性」と「知性」の関係についても触れておきたい。

１９０６年にノーベル賞を受賞した近代神経科学の父ラモン・イ・カハール（Ramón y Cajal）（１８５２－１９３４）の脳神経系のデッサンは、いまだに多くの神経科学者が参照する。１００年前のものがなぜ参照されるかといえば、そのデッサンはただ神経を見て描いただけではなく、彼

図3-18　知り過ぎ

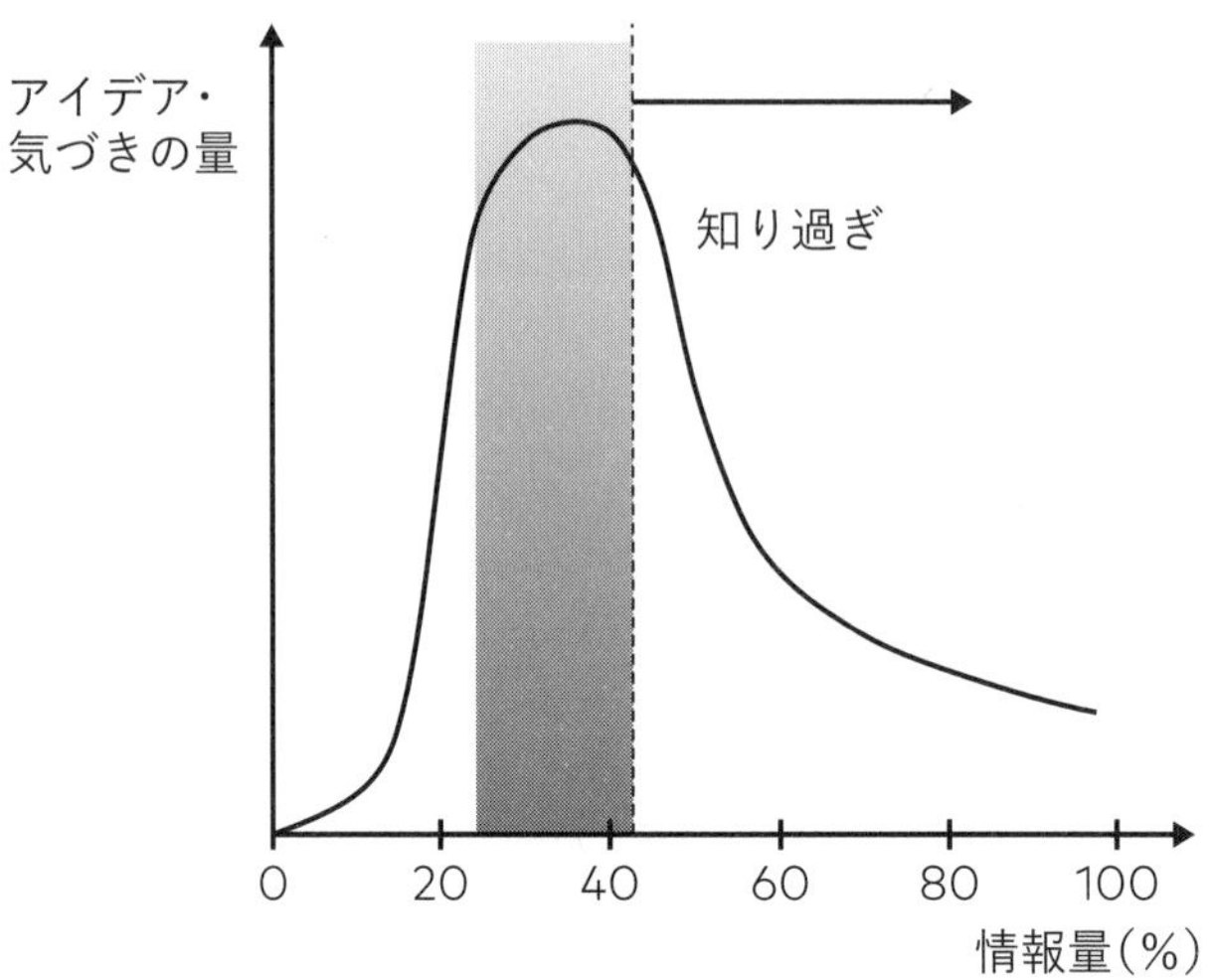

資料:安宅和人『イシューからはじめよ－「知的生産」のシンプルな本質』(英治出版、2010)

の深い構造的なインサイト（洞察）を表しているからだ。

あるいは同時代を生きた近代絵画の開祖の一人であるフィンセント・ファン・ゴッホ（Vincent van Gogh　1853－1890）は、心理的なインサイトを見事に絵として描いている。すぐれた科学者と芸術家はどちらも、自身の受け止めたエッセンスを見極め、本質を見抜く力において卓越している。洞察の方向性が異なるだけだ（図3－19）。サイエンスもアートもいずれも途方もなく複雑な知覚の総合力が求められる過程であり、まさに感性自体が知性であることの典型例と言える。

知的活動の具体的イメージ

インプットをアウトプットに変換する行為として、我々が知性を感じる典型的な活動をいくつか見てみよう。

図3-19　科学者と芸術家の視点の違い

科学者

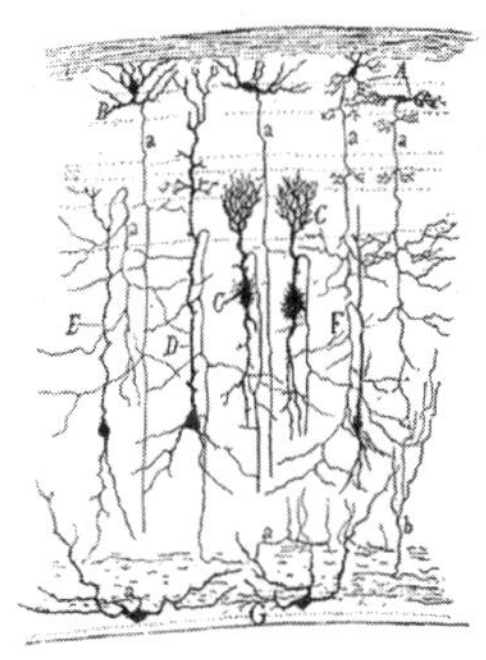

構造的な視点での洞察

"Structure of the nervous centers of the birds"
by Santiago Ramón y Cajal, 1905

芸術家

心的な特性の視点での洞察

"The Starry Night" by Vincent van Gogh, 1889

資料：安宅和人「知性の核心は知覚にある（perception represents intelligence）」DIAMOND ハーバード・ビジネス・レビュー（2017/5）
Feezil~commonswiki, "SparrowTectum",*Wikimedia*, https://commons.wikimedia.org/wiki/File:SparrowTectum.jpg
Dcoetzee, "Van Gogh - Starry Night - Google Art Project",*Wikimedia*, https://commons.wikimedia.org/wiki/File:Van_Gogh_-_Starry_Night_-_Google_Art_Project.jpg

（1）**知覚経験の抽象化**：たとえば数的な概念、音階、気持ち。素数という概念を使わずに素数について考えることや、歯がゆいという言葉を使わずに歯がゆさを考えることはほぼ不可能だ。言葉は知覚体験を残し、抽象化したものであると先に述べたが、これらの概念を生み出す力、言葉のない概念に言葉を与える力、コーディング（coding：暗号化）力は、人間が行う知的能力の典型的なものの1つと言える。

（2）**コンテキストに応じた意味判断**：簡単な言葉ほど、意味の文脈依存は極めて広がるケースが多い。たとえばhardという中1で習う英単語の意味は文脈によって次のような膨大な広がりがある。簡単に突き抜けることがない、(チーズのような固体が)押しても伸びない、(飲料において)アルコールの度数が高い、水の硬度が高い、(放射線などの)貫通力が強い、写真のコントラストが高い、通貨が金に兌換できる、(布が)ゴワゴワしている、(植物などが)病気に強い、(人間の)弱さがない、(契約などが)そう簡単に崩れることがない、そう簡単に変わらない、厳しい・耐えることができない、力強い、輪郭がはっきりしている、簡単に解決できない、簡単に分解できない、コテコテの科学者の……。これらを瞬時に把握して適切に使いこなすのは明らかに高度な知性を要求する活動だ。

（3）**言語的な思索**：分野によらず、人間が深く思索するためには言語の力が必須だ。「文章を書くことなしには思索を進めることはできません。書くから自分にもわかる」岡潔[34](数学者)

「私の言葉の限界は私の世界の限界だ(The limits of my language means the limits of my world.)」ルードヴィッヒ・ヴィトゲンシュタイン(Ludwig Wittgenstein　哲学者)

これらの代表的な知的精神(intellectual minds)の言葉からも、人間の知的活動が言語的思索と直結していることは明らかだ。

（4）**新しい知的理解の創造**：アインシュタイン方程式、ファインマン・ダイアグラム、オイラーの等式、これらはいずれも人類の誇る知的アウトプットの例であり、宇宙に潜む何らかの秘密を解き明かしたものでもある。こういったものを生み出すことこそが知性の持つ極限的な活動の1つであることは異論がないだろう(図3-20)。

34 小林秀雄・岡潔『人間の建設』(新潮社、2010)より

図3-20 新しい知的理解

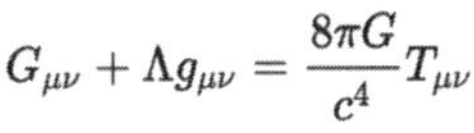

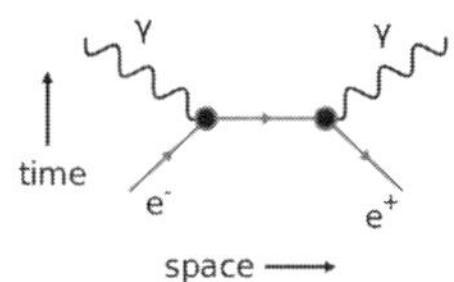

$$e^{i\pi}+1=0$$

資料：*Pixabay*,https://pixabay.com/en/albert-einstein-1921-portrait-1165151
Materialscientist, RichardFeynman-PaineMansionWoods1984 copyrightTamikoThiel bw,*Wikimedia*, https://commons.wikimedia.org/wiki/File:RichardFeynman-PaineMansionWoods1984_copyrightTamikoThiel_bw.jpg Soerfm, Leonhard Euler 2, *Wikimedia*, https://commons.wikimedia.org/wiki/File%3ALeonhard_Euler_2.jpg

（5）**課題を見極め解決する**：いわゆる問題解決、もしくは課題解決と言われる活動だ。知的生産と言われる活動の多くがこれだが、実際には後述（図6-19参照）のとおり大きく2通りある。課題の設定や、答えを出すためのアプローチを含めてまとまった知性を求められる活動であることは間違いない。これらの活動でもっとも問われるのは、問いに答えを出す以上に、適切な問い、解くべき課題（イシュー）を見出し、整理することだが、これは知的生産の核心の1つだ。[35]

（6）**質的な軸を整理する**：たとえば、飲料が提供するベネフィットを整理しようとすると相当の知的格闘が必要なことは明らかだ。よくよ

35 参考：安宅和人『イシューからはじめよ』（英治出版2010）

く考えると喉の渇きを癒やすような根源的なベネフィットと、味（スッキリ、甘いなど）、またイメージ的なベネフィット（未来的、ほっとするなど）は明らかにレイヤが異なる。この根源的なベネフィットの中にも相当の幅が存在する。分析と名のつく行為を行う際、これに類するさまざまな軸の整理を、僕らは日々あらゆる知的活動の中で行っている。身近ではあるが相当に奥深い知的活動の1つだ。

（7）**点と点をつないで考える**：Appleの創業者スティーブ・ジョブズは2005年、スタンフォード大学の学位授与者を世に送り出す場（Commencement）で歴史に残るスピーチを行った。そこで彼がConnecting Dot（点と点をつなぐ）として語ったのは、「大学を中退して潜り込んで聴いたカリグラフィー（スタイルのある美しい文字を書く技術）の授業の経験がなければMacintoshの美しいフォントは生まれなかった。経験がどこにどう生きるかわからない、それがいつかつながると信じて生きよ」という話だった。このようにまったく違うところで得た知識が他の場所で使える例だけでなく、バラバラに聞いた知見をつなぎ合わせて、普通には考えられていない意味合いを考えることは人間の知的な活動の根幹をなしている。

（8）**夢を描きカタチにする**：どのような世界、どのようなもの、どのような未来がほしいと思い、それを描き、カタチにするのか。これは人間にとってもっとも尊い知性の表れ、そして素晴らしい能力の1つであることは間違いない。この力が極めて大切な時代に突入していることは1章で議論したとおりだ。

（9）**異質な世界を組み合わせる**：物理と化学の専門家が遺伝学に参加することで分子生物学が生まれたように、異なる領域と異なる領域を掛け合わせることで生まれた世界は多い。iPodはこれまで分離した世界だったソフトウェア、PC、音楽デバイス、音源の世界をすべてつなぎ合わせることで生まれた。トヨタのプリウスに始まるハイブリッド車は内燃機関とモーターという異質の仕組みをつなぎ合わせることで生まれた。領域を超えてつなぎデザインすることは夢をカタチにするための1つの王道だ（1章後半参照）。

（10）**俯瞰して意味合いを出す**：『銃・病原菌・鉄[36]』（草思社 2000）で問われた「なぜ、アメリカ先住民は銃という武器を発明できなかったのか」についてのジャレド・ダイアモンド（Jared Diamond）氏の答えにしびれなかった人はそういないだろう。ユヴァル・ノア・ハラリ（Yuval Noah Harari）氏の『サピエンス全史』（河出書房新社 2016）を読んで、人間とは何かについてここまで深く洞察しうるのかと感嘆しなかった人も少ないはずだ。大きな視点から俯瞰し、深い意味合いを出すことは人間にとって最大の知的な行為の1つだ。

いかがだろうか。僕ら人間の持つ知性、および、知的活動の広さと奥深さを感じてもらえただろうか。

AIは生命の持つ知性とは根本的に異質

人間の持つ知性を理解した上でAI、機械知性（machine intelligence）[37]とは何かを見てみよう。

36 朝日新聞記事「ゼロ年代の50冊」2000年〜2009年に刊行された書籍の中から識者が選んだ本第1位に選定された（朝日新聞、平成22年4月4日朝刊）

37 通常、AI（artificial intelligence：直訳すると人工知能というより人工知性）と呼ばれることが多いが、AIは極めて広範な概念であり、なおかつさまざまな手垢がついているため、機械（machines）によって担われる知的情報処理に絞る意味でこのように表現する。日本ではあまり見ないが英語圏ではそれほど珍しくない言葉である

先の情報処理のバリューチェーンの中で言えば、画像や音声の認識、パターン認識など、何か1つでも、部分的にでも自動化したものが現在AIと呼ばれているものだ。驚かれるかもしれないが、すべてどころか複数を同時に行っているものすらそれほど存在しない[38]。いわんや先に挙げた典型的な知的活動、人間が知性を感じるような活動の大半についてはお手上げだ。

人間のプロを超える読唇や皮膚がんの診断、瞬時の翻訳、また注文前の出荷など、人間にはほぼ不可能なことがどんどんと実現されていることは事実だが、これらはすべて情報の「識別」、「予測」、暗黙知の取り込みによる「実行」の自動化のいずれか、もしくはその組み合わせに過ぎない。

我々の持つ知性とAIのもっとも本質的な違いの1つは、AI、機械知性はイミを実感のあるものとしては何も理解していないということだ。単に情報処理を自動化しているだけであり、何を行っているのかすら理解していない。つまりAIは、識別は見事にできても本質的に「知覚」していないのだ。しかも、キカイに我々と同じような身体がないこと、色や形のような基礎的なモダリティ（認知属性）のイミからの組み上げがないために、この課題が解決する見込みは立っていない[39]。かたや中枢神経系を持つ生命は人間に限らず、たとえ魚であっても見ている対象についてのイミはある程度理解している。

もう1つの本質的な違いは、AIには「意志」がないということだ。そのため何がどうあるべきか、どうでありたいと自律的に判断することができない。判断軸、価値観は人が与える必要がある。いずれ大半の処理過程は自動化するだろうが、それらの一つひとつが自動化することと、統合した意志を持つ生命が生まれることはまったく別だ。「意志」は、生命の本質である。単細

38 検索など複数のAIがつながり合うように（sequentialに）働き合うものはそれなりにある

39 人と同じように知覚すること

胞生物であり、神経系を持ちようのない大腸菌ですら化学走性（chemotaxis）と呼ばれる〝意志〟を持って危険物質から逃げ、食物に向かう。一方、世界最高の棋士たちを打ち破ったDeepMind社のAlpha Goが対局中に火事に遭っても、燃え尽きるまで碁を打ち続けるだけだ。

本物の課題解決にＡＩは無力

情報処理過程のほんの一部しか実現できていない上、意味理解を行う「知覚」ができず、「意志」がないという点で、ＡＩと我々が持っている知性は本質的に異なる。

我々の仕事の多くは課題を複合的に解決する知的生産だ。この視点で俯瞰すると、意志を持たず、人間のように知覚もできないＡＩはほとんどのステップに対応することができない、ボトルネックしかない状況にある（図3－21）。

課題解決を行う場合、まず、ありたい姿や目標を、意志に基づいて決める必要がある。そして現状を見立てて、解決すべき点（問題）を整理・分析し、具体的な策を関係者に伝える。

しかし、ＡＩはそもそも我々のように知覚することができないので現状の見立てや常識的な判断もできない上、前例が少ないと課題一つ評価できない。ヒラメキもなく、文脈がわからないので正しい問いも生み出せない。課題解決のキモの1つである枠組みのデザイン、課題の切り分けもできない。当然ながら相手を理解し、人を見て適切にコミュニケートする力もない。本物の課題解決においてＡＩはほとんど無力なのである。

また、我々の世界は前述のとおり、極めて言葉に依存している。しかも言葉は文脈で意味が変

図3-21　課題解決プロセスにおけるAIのボトルネック

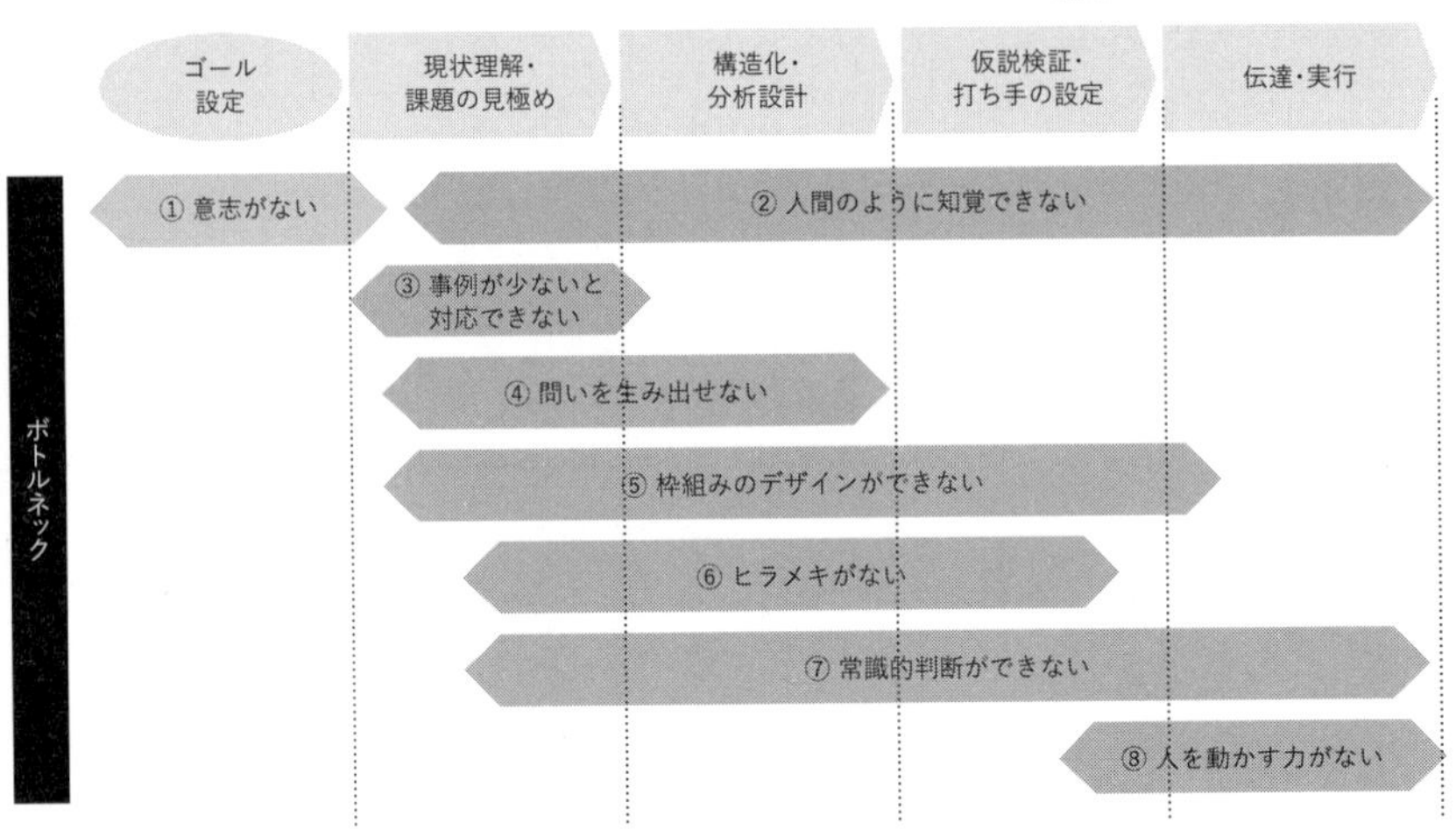

資料：安宅和人「人工知能はビジネスをどう変えるか」DIAMOND ハーバード・ビジネス・レビュー (2015/11)

わる。ＡＩを人間の有能なサポーターにするには、こうした言葉と意味の付与を行い、人間の概念体系をＡＩに教えられるかが勝負なのだが、今のところその見込みは立っていない。人間の知的生産は、そう容易にＡＩに置き換わるようなものではないのだ。我々を極めて強力にアシストするキカイが生まれたと考えるのが正しい。

ちなみに、ＡＩの発達で記憶や知的訓練はいらなくなるかと言えば、答えは「ＮＯ」だ。たとえばバレーボールのルールを知らないまま、試合の一部分を観戦したところで、どういう局面を迎えているのかを把握することはできない。

キカイのサポートがあることと、知識の必要性はまったく別だ。むしろ情報処理のスピードが増す分、各自が知覚できる領域は拡張し、そのために理解できることが望ましい領域も広がっていく可能性が高い。よく希望的観測と共に言われる「ＡＩがあれば知識は必要なくなる」という話と真逆だとも言える。

また、集め過ぎ、知り過ぎの項（図３－17、３－18）で議論した知識レベルの増大と知恵の湧きやすさの関連を考えれば、何か新しく知覚できる領域の数を増やす努力はアイデアを生み出すためにも必要であることがわかるだろう。それなりの領域で知見を持っておくことによって、新しく情報が入ってきたときに、異なる領域間に何らかのアナロジー（analogy：類似性）を見出しやすくなるということもある。

新しい領域に挑戦することによって、知覚できる領域が増えてくると共に、アイデアの枯渇を防ぐことができる。単なる論理的な思考だけで何か価値のあることを生み出すことは厳しい。新たに学び、知覚できる領域を一つひとつ増やしていくことが未来につながる。

ファーストハンドの経験が知覚を鍛える

ＡＩと人間の違いと、今後、人間に求められる能力などについて俯瞰してきた。今後、我々一人ひとりは知覚を深め、先に述べた「見立てて決めて伝える力」を高めることが不可避になることを理解していただけただろうか。

この自分なりの「知覚」を鍛えるためには２つのマインドセットが重要だ。１つはハンズオン（hands-on）[40]、ファーストハンド（firsthand）[41]の経験を大切にすることだ。伝聞から知覚を高めることは極めて困難である。「百聞は一見に如かず」なのだ。人から聞いたことを鵜呑みにしない。明らかに間違っていること以外は試してみる、手と足を動かし、頭も動かすことが大切である。

40 hands-on：実際の実行過程で直接的な経験をすること

41 firsthand：人からの伝聞ではなく、自分自身の観察、経験を通じて得られる、の意

人の感想は気にしないことだ。実際に自分がどう感じるか、どう考えるかを大切にしない人に自分なりの知覚を高めることはできない。カンナ(鉋)がけをしたことのない人には、カンナがけがどういう行為なのかは理解できない。スタンダール(Stendhal)の『恋愛論』を何度も読んで恋愛に憧れても、一度も恋愛に苦しまずにその意味を理解できることなどない。たとえ書籍であろうと、批評を読むのではなく、自分でその書籍自体を読むべきだ。また、本を繰り返し読むだけで何かを身につけようとしている人が失敗する最大の理由もこの実践の不在だ。

知覚を鍛えるために必要なもう1つのマインドセットは、言葉、数値になっていない世界が大半であることを受け入れることだ。情報のインプットが言葉や数字に偏っている人は多い。しかし、世の中の大半は数字にも言葉にもなっていない。仮に誰かにされているとしても、自分では数値化・言語化できていない部分にほとんどの情報があると受け入れられない人は、知覚できることも限定的になってしまう。言葉にならない世界が大半だと受け入れ、まずは感じることを幅広く受け止められるようにすることが大切だ。

以上のマインドセットを持った上で、具体的な事象に向かい合うコツは5つある。

①現象、対象を全体として受け止める訓練をする

全体として何が起こっているのか、個々の存在物を超えたパターンや特徴に注目する。そこでさらに共通する、連関するパターン、特徴的な動きの意味合いを考える。空間の美しさはどこから来ているのか？　苦痛を感じるのはなぜか？　空間の持つ雰囲気、空気はどこから来ているのか？　それらは何かを考える、などだ。

②現象、対象を構造的に見る訓練を行う

この複雑な現象の背後に一体どのようなルール（パターン）があるのかを探る意識を持ち、それぞれの階層構造を読み解くことも意識したい。パッと見て感じたことだけでなく、どのような要素があり、それぞれどのような性質を持ち、それぞれの要素はどのように関わり合っているのかを考える。この結果、普通には見えないものも同時に見えるようになっていくものだ。

先の空間の美しさを例に取れば、それはどこから感じるのか、そこにどのような要素があり、それぞれがどのように働き合っているのか、などだ。

③知覚した内容を表現する

自らが感じたこと、知覚したことをとにかく表現し、アウトプットすることも有効かつ重要だ。絵でも、数式でも、チャート（図表）でも、文章でも、形式は何でも構わない。表現することで、自分が何を知覚したのかが明確になる。それが次の経験における知覚能力を高めることにつながる。

これは多面的に重要だ。どのような形であれ、表現することなしに自分が何をわかったのかを理解することは自分でも難しいものだ。この結晶化過程が、知覚する力を高め、観察する力も高め、さらに名前のついていない事象に向かい合う力を高めてくれる。

④意図的に多面的に見る訓練をする

思いつく限りの視点やレイヤから見てみる。自分なりのモノの見方のある人、違う視点の人の

考えを聞いてみる。一段レベルが下、あるいは一段レベルが上の構造の視点で考えてみる、などである。

この訓練は、社会科学的な考察だけでなく、自然科学・工学的な考察も持てるとさらに有効だ。たとえば「使っている鉛筆の書き味がいいな」で終わることなく、芯の成分としての黒鉛と粘土の原料、調整、製造工程について考察する。黒鉛の特異的な滑りやすさを分子構造的に考える。さらに光沢の風合い、グリップやデザインまでを重ね考える、などだ。

⑤物事の意味合いを深く、何度も考える

経験したことや、感じたことの意味合い、「So what?」を何度も何度も考え、問いを深めることだ。それがどのような意味合いを持つのか、次のステップやその文脈、異なる文脈での意味合いを考え抜いた経験は、表面的な知覚を超える体験そのものとなり、深い知覚能力を鍛え上げる。

データ×AI的な力を解き放った上で、人間らしく、豊かな知覚を持ち、豊かな課題解決を行いたいなら、できるだけ多くファーストハンドな経験を積むべきである。そして、さまざまなことを直接感じ、考え抜く経験を幅広く持つべきだ。それがすべて次の経験の質を高め、自分なりの価値創造の地力を本質的に深めていくことになる。[42]

理解しようとする領域を狭めることは避けつつも、まずは1つでもいいから半ば変態的にこだわる領域を見つけることが、深い知覚を持つ領域を生み出す近道なのではないだろうか。

42 関連論文
安宅和人「知性の核心は知覚にある」DIAMONDハーバード・ビジネス・レビュー、2017/5
安宅和人「人工知能はビジネスをどう変えるか」DIAMONDハーバード・ビジネス・レビュー、2015/11

「スポンジ力」より「気づく力」

以上の視点で考えると、これまでの日本の教育選抜過程で重視されてきた学習内容、学習材料、能力のいずれもが深いレベルで刷新されるべきときが来ていることがわかる。

教育の受け手からすると、これまでは暗記した項目を増やすことが人より秀でるカギであり、そのために新しい概念や対象を引っかかりなく吸収する力、いわば「覚える力」が大切であった。教える側、そしてその人間を受け入れる社会を主語に取ると、意識するとしないとにかかわらず、この「覚える力」を圧倒的に重視してきた[43]ということだが、その時代は終わる。今まで生み出そうとしてきた能力の大半は、本来キカイのほうが得意な能力だ。

本当の意味で肉化された知識、知恵がなければその人なりの価値の創出が難しい時代に突入することを考えれば、肌感覚で価値を理解でき、操作できる領域を増やすこと、それを表現する力が極めて大切になることは自明だ。

計算機のように隙間なく微細な文言や差を覚えるよりも、このように生々しい質感を感じられる領域、大局的に理解できる領域、自分なりの言葉や表現にすることができる領域を増やすことが大切だということだ。したがってスポンジのように吸収するよりも、むしろ対象とのぶつかり合いを通じて、自分なりに肉化する力や気づく力が遥かに大切になる（図3－22）。

「気づき」と「新しい知識」は本質的に異なる。

43 教育者や学校、企業側は認めない人が多いだろうが、そういう人を選抜してきた以上、結果論的にはそうであると言わざるをえない

図3-22 知覚拡大のカギとなる知的訓練

	Not this		But this
学習内容	・暗記した項目を増やす(漢字、年号、複雑な式の実計算)		・皮膚感覚で価値を理解でき操作できる領域を増やす(科学的概念、数式など)
材料	・机上の理論、文章		・ナマの体験・苦労
チカラ	・新しい概念や対象を引っかかりなく吸収する力(覚える力)		・対象とのぶつかり合いを通じ自分なりに肉化する力(気づく力)

資料:安宅和人分析

大学のクラスで話をしたあと、「今日の気づきはなんですか」と僕はいつも聞いている。すると多くの学生は単に新しく知ったことを語るが、2〜3割程度の学生は自分としてハッとしたこと、新しい驚きを述べることができる。後者が、本当の意味での「気づき」だ。

「気づき」は自分の中にある何らかの知識や理解が、異なる何かとつながることだ。これは言ってみれば情報間の化学反応であり、知らなかったことを知ったというレベルの話ではない。

また気づきの量は人の成長そのものと言うこともできる。人の記憶は儚(はかな)い。特に学習能力が高い人ほど忘れるスピードも速いものだ。それが脳の可塑性[44](plasticity)そのものだからだ。人から聞いた話は基本忘れる。5年前に毎日会っていた友人の顔すら、その間会っていなければ正確には思い出せなくなるのが人間なのだ。

44 可塑性は形や機能が変わり得る性質があること。語源であるプラスチック(plastic)は形が変わり得るという形容詞であり、熱などで形が変わり得る樹脂製の物質についても使われる。ここで言及している脳神経系における可塑性は記憶や忘却など神経管の接続や機能が変わり得る力のこと。主として記憶、学習、その背後にあるダイナミックな機能、形態的な変化について使われることが多い(脳神経系の成長、障害などからの回復においても使われる)

しかし、新たに自ら気づいたことはそう簡単には忘れない。つまりその人の成長力は気づく力に真に依存している。この積み重ねがその人の本当の力になる。「スポンジ力」より自分なりに引っかかる力だ。机上の理論、文章だけでなく、生の体験・苦労を通じ、自分なりの気づきを促し、この気づく力そのものを育成していくような人材に脱皮させていく必要がある。また「スポンジ力」で育った世代も、このワイルドな時代において未来を一緒に創っていこうと思うのであれば、この力を今から育て、身につけていくことが大切だ。

4章

「未来を創る人」をどう育てるか

数学は必ず発見の前に
一度行き詰まるのです。
行き詰まるから発見するのです。
——岡 潔

岡潔：数学者、文化勲章受章者（1901–1978）
『人間の建設』小林秀雄・岡潔 著、新潮文庫

1 3層での人づくり

前章までの議論から、今まで僕らの社会が育成しようとしてきた人づくりとは本質的に異なる人づくりが重要になることは理解してもらえたと思う。

膨大なことを細部まで知っているであるとか、決まりを正しく理解し、そつなくちゃんとやる系の、本質的にマシンのほうが得意な力を鍛えることにはさして意味がない時代に僕らは突入している。これからの時代はむしろ、データ×ＡＩの持つ力を解き放てること、その上でその人なりに何をどのように感じ、判断し、自分の言葉で人に伝えられるかが大切だ。その基礎になるのは、生々しい知的、人的経験、その上での多面的かつ重層的な思索に基づく、その人なりに価値を感じる力、すなわち「知覚」の深さと豊かさだ。ある種の生命力であり、人間力といえる。

また、マシン的な能力が高いこれまでのエリート層とは大きく異なり、「異人」というべき人がカギになる。未来に向けて普通の人が目指さない新しい世界を描き、それをさまざまな技術、アートなど複数の領域をつないで形にすることができる人、どんな話題でもそのために相談できる人を知っている人だ。時代のパースペクティブを持ちつつ、未来を仕掛けられる人を何人生み出せるかが大切になるということだ。

本章ではどのようにこれらの人たちを生み出し、育てていくべきか考えてみよう。

最初に基礎素養的な部分について触れておきたい。

このＡＩ×データ時代においてワイルドに未来に向けて仕掛けていくためには、まずリテラシー層、専門家層、リーダー層の3層の人づくりが必要となるというのが僕の見解だ（図4－1）。

図4-1　AI×データ時代に向けた人材の増強イメージ

日本人の育成

リーダー層
- PhD学生
- ポスドク/若手教員

- あらゆる活動の芯棒となる人たちを育てる
- 適格*な人は一人前になるまで、生計を過度に気にすることなく研究や技術開発に打ち込めるようにPhD養成グラント導入。交付金・長期プロジェクトを増強

専門家層
- 理工系学生・院生
- 情報系+応用領域

- 変革していくにあたってもっとも中核となる層を生み出す
  ①　データ×AI分野そのものの専門家(情報科学・計算機科学、機械学習工学的な人材)
  ②　データ×AIの力を使いつつさまざまな領域を刷新していく専門家

リテラシー層
- 小中高
- 高専/学部

- 時代に即した基本的なリテラシーを身につける
  ①　母国語、世界語でモノを考え人とやり取りする力
  ②　課題を設定し解決する力
  ③　データ×AIの力を解き放つ基礎能力(ある程度の理数、デザイン素養は理文・専門を問わず必修化)
- 未来へのマインド、Exponentialな時代のモノの見方を育てる

+世界の才能を集める

①　留学、就労ビザ緩和

②　終身雇用を前提とした「若い人は低賃金、退職金もほぼ出ない」という仕組みを見直す

③　年齢、性別、言語、国籍などによる雇用差別を撤廃する

④　配偶者や子どもを連れてこれるような定住サポートを提供する(家族ビザ、就学、医療などの日常課題解決サポートほか)

+技術者・エンジニア層のスキル刷新
+ミドル・マネジメント層の再生
10～15年に一度は"サバティカル"的に半年～1年程度スキルを刷新する

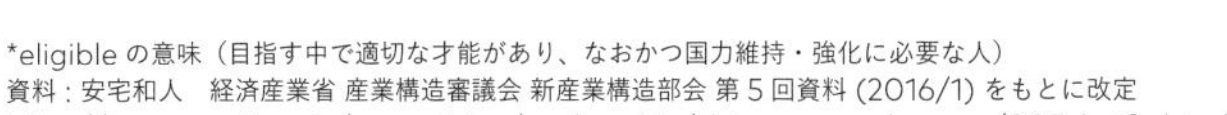

*eligible の意味(目指す中で適切な才能があり、なおかつ国力維持・強化に必要な人)
資料:安宅和人　経済産業省 産業構造審議会 新産業構造部会 第5回資料(2016/1)をもとに改定
http://www.meti.go.jp/committee/sankoushin/shin_sangyoukouzou/005_haifu.html

2015年春に行われた情報・システム研究機構×文部科学省「ビッグデータの利活用に係る専門人材育成に向けた産学官懇談会」で最初に投げ込み、その後、揉み込んできた考えだ。幸い、懇談会の報告書[1]に取り込まれ、現在、国の「AI戦略2019」[2]にまで受け継がれている。

（1）リテラシー層：これからの世代がこのワイルドな未来を生きていくために、時代に即した基本的なリテラシーを身につけることが期待される人たちだ。前述した基礎となるデータ×AIリテラシーを持った上で、未来へのマインド、Exponentialな時代のモノの見方を育てることがカギになる。

もちろん初等・中等教育からの見直しが必要だが、ぜひ身につけていただきたい対象の目安としては高等教育を受ける層だ。初等・中等教育まででカバーしきれない部分が出てくるため、大学で言えば教養課程までを含めてスキルの育成を図る必要があるだろう。また、学校の状況に応じてレベルはある程度柔軟に設定すべきだ。

これからの時代の基礎教養（「ベースリテラシー」）はリベラルアーツの項で触れたとおり（図3－10参照）、①母国語、世界語でモノを考え、人とやり取りする力であり、②課題を設定し解決する力に加え、③データ×AIの力を解き放つ基礎能力のことだ。したがって、多くの人がデータ×AIリテラシーを身につける前提として、ある程度の理数、デザイン素養は理文・専門を問わず必修化すること、すなわち理文融合が必要になる。[3]「未来へのマインドを育てる」というのは、若者たちが未来を仕掛ける中心的存在であることを踏まえ（図3－3参照）、前提としての「未来を生み出すとは何か」についての理解を育て、基礎的な素養を持つということだ。

1 『ビッグデータ利活用のための専門人材育成について』情報・システム研究機構、2015/7/30

2 ここではリテラシー教育、応用基礎教育、エキスパート教育、そのための研究開発体制の再構築とされている

3 林芳正文部科学大臣、鈴木寛大臣補佐官のもとで行われた「Society 5.0に向けた人材育成に係る大臣懇談会」での検討結果（2018年6月発表）でも明示的に「文理分断からの脱却」が掲げられた。筆者も数度討議に参画した。

（2）専門家層：世の中を変革していくにあたってもっとも中核となる層だ。リテラシー層の1割程度はこの層に到達することが望ましい。この層にある程度の厚みがなければ世の中を変えるのは厳しいからだ。困ったときに専門家が国内にいて相談しつつ解決できるというのと、海外まで行って外国人をお雇い的に連れてこなければ対応できないというのはかなり異なる。

明治の開国の歴史を振り返っても、日本がこれほど急速に国力をつけることができたのは、高度人材を内製化できたことが大きい。実際、高等教育機関（大学）を設立して10年足らずで、大半の専門分野を、外国語素養を前提としつつも母国語で教えられるようになったという[4]。具体的な人材像としては、①データ×AI分野そのものの専門家（情報科学・計算機科学、機械学習工学的な人材）、②データ×AIの力を使いつつさまざまな領域を刷新していく専門家、のそれぞれのタイプの人を育成していく必要がある。

（3）リーダー層：あらゆる活動の芯棒となる人たちだ。数としては専門家層の1割もいるだろうかというレベルだ[5]。ノーベル賞やオリンピックを考えればわかるとおり、そのリーダー層のレベルの高さが国の強さそのものになる。また、ここの層がある程度いるかいないかで専門家層の生まれやすさ、産業が生まれる力も大きく変わる。

ただ、このような人たちを生み出すためには2つの条件がある。

1つ目は、人材の裾野の広さだ。才能は半ば確率であり、層がある程度厚くないと通常そう簡単には生まれないからだ。先に述べたリテラシー層、専門家層の育成が実はカギとなる。

2つ目は彼らが育ちやすい環境をきちんと準備するということだ。歴史的に振り返れば、リーダー層の多くは、一過性ではない長期的な課題解決プロジェクト（例：10年スパンの国家的なイニシア

4 天野郁夫『大学の誕生』（中央公論新社、2009）上巻p.98、pp.50-55; 下巻pp.13-14; 天野郁夫『帝国大学』（中央公論新社、2017）pp.149-151.

5 PhD取得者の数と大学、国研などのポジション数を考えると約1割程度がアカデミアに残ると考えられるが、その比率に近い。だからといって大学に残る人が必ずしもこのリーダー層というわけではないことに留意が必要

チブ）の取り組みに参加したり、才能の開花する30代半ばぐらいまでの時期に生計そのものを過度に気にすることなく研究や技術開発に打ち込むことから生まれてきた。研究グラント[6]申請ばかりやっていて研究がまともにできない、ミニマムな研究環境すら整えられない、という状況ではリーダー層は育たない。

すでにある2つの巨大アセット

以上3層の人材育成は、国家数十年の計としてはすべてためらわずにやるべきで、言われてみればそのとおりと思われる人も多いだろう。この当たり前のことをしっかりとやる必要がある。ただ、これを今決断して奇跡的にすぐやることになったとしても[7]、初等・中等教育からの人の育成には10〜15年かかるのが実情だ。しかし、本書の冒頭から見てきたとおり、世の中の変化のスピードは速い。この10〜15年でスマホが生まれ、世の中の前提も、カギとなる技術も変わったことからもわかるように、最速のペースで人を育ててもこの国の再生には間に合わないのも事実だ。

つまり通常の教育システムで若者を育成するだけでは、日本はこの荒波を乗り越えることができない可能性が高い。ではどうしたらいいのか。これについては2つの巨大なリソースの再活用がカギであるというのが僕の見立てだ。第一に技術者・エンジニア層であり、第二にミドル・マネジメント層だ。

技術者・エンジニア層は割合としては少数ではあるが、実数としては相当量存在している。

6 国などの審査を経て獲得する競争的研究資金のこと。単にグラントと呼ばれることが多い

7 データ人材の検討が2015年春に始まり、理文を問わずデータサイエンス素養を身につける方針が決まるのに3年程度かかり、全大学展開のアプローチ検討が始まるのが2019年秋（4年強）なので実際には5年はかかる可能性が高い

ICTエンジニアだけ見ても米国の3分の1程度（約100万人）はいると考えられ、それ以外の分野を含めれば少なくともその倍にはなるだろう。この層は現代日本のさまざまな偉大な取り組みを支え、生み出してきた人たちであり、当然ながら数理素養も他の方々に比べ格段に高い。アタマも柔軟な方々が多く、たまたま日本のオールドエコノミー側の中核的な産業が不調のために不遇をかこっている方々も多い。

この方々の才能と情熱を解き放つというのが1つだ。ICTエンジニア側の方々は、データ×AI分野そのものの専門家を目指してもらい、他の分野の技術者の方々にはことごとく、その深いドメイン知識を活かしつつ、デジタル素養を持つ人材へと生まれ変わってもらうのだ。きっとこの層から、データ×AIスキルを持ったデータプロフェッショナル（data professional）、そしてアーキテクト的に生まれ変わる人は相当数生み出せると思う。

第二のミドル・マネジメント層についてはこのままでは「ジャマおじ」「ジャマおば」化するという話を先に述べたが、冷静に考えれば、先に挙げた技術者・エンジニア層と並んで、ここにこの世代の中でもっとも教育・知的レベルの高い人たちが集まっていることも事実だ。また人口調整局面が続くため、人口構成が逆台形的な状態は当面続く。つまり若者たちが我々の未来にとってもっともクリティカル（必要不可欠かつ重大）な存在であることは事実である一方、ミドル・マネジメント世代が活性化しないことにはステキな未来など来ない。

幸い、我々日本人の最頻死亡年齢はすでに90歳前後まで上がっており（図2－15参照）、80歳過ぎぐらいまでピンピンしている人も多い。このままいけば100歳まで生きるのは当たり前の時代になるだろう。この方々の才能と情熱を再度解き放つのだ。

この兼業、副業時代において、労働は別に毎日である必要も、フルタイムである必要もない。日に数時間、週１～２日でも、生み出す価値さえあれば十分だ。同世代のリーダー層が元気になれば、大きなインスピレーションの源になることは間違いなく、知恵も共有され、該当世代全体が活性化する可能性も高い。

ガリガリにコードを書くデータ×ＡＩ系のエンジニアになることはなくとも、この層に多いはずの分析に強い方々がデータアナリティクス的な強みを持ち、現在の業務をどんどんデジタル化していく変革担当（〝トランスフォーマー〟）として活躍することは、うまく彼らに役割を与える指導者さえいれば十分可能だろう。また、深いドメイン知識と、人を励まし育てるスキルを掛け合わせることで、人によってはその仕組みをつくるアーキテクト的な役割を担うであろう。そうでなくとも未来を生み出す若い層から学び、認め、前述のとおり励まし、そして人をつなぐ、またリソース（資金ほか）を当てるという「勝海舟」的な役割は十分に果たし得る。この人たちが、育ってくる若い人たちに順次バトンを渡していく。

スキル再生をシステム化する

この２つの層のスキル再生（skill renewal）には、相当強力かつシステム化された仕組みと、何らかのトリック（うまいやり方）が必要となる。

対象となる人の数が１００万人単位と膨大なことが１つ目（潜在的には５００万人以上の可能性がある）、また今は教える人が少なすぎるということが２つ目、このスキル再生は目先だけでなく長期的な課題であることが３つ目の理由だ。

教師不足の中での大量のスキル再生は、①MOOC[8]と反転学習（flipped classroom）を組み合わせた仕組み（本章で後述）、②学ぶ側が教える側に回るカスケード的な展開の2つがおそらくカギになる（当然、教える側の課題として、より高頻度のスキル刷新が必要な先生たちも、早期にこの再生システムに入ってもらう必要がある。理数系、技術・芸術系、言語系、社会科学系のいずれにおいても、強制せずに、課題意識の高い人からどんどん入ってもらうのが現実的だろう）。

ではこのようなスキル再生を大規模に行える場はどこかといえば、おそらく高校、専門学校、高専（高等専門学校）、大学などの学校システムをおいて他にない。ここにこれまでの一方向的な方式ではない学びのアプローチを埋め込んでいく。

②の「学ぶ側が教える側に回るカスケード的な展開」というのはまずは少数に対して教え、その教えた人たちのうちの何割かがさらに教える側に回る、この繰り返しで教えることのできる人の数を、サイクルを回すごとに数倍に増やしていくということだ。教えることによって初めてわかることも多く、人の育成という意味でも価値がある。

これは大きな組織での行動変革推進の際に時折行われるアプローチであるが、[9]いきなりドミノのように倒す（＝一気にスキル刷新する）ことができない以上、現実解であるだろう。現実的にスキル刷新の必要性を感じている人は今の段階では少なく、徐々に、しかし指数関数的に（つまり、はじめはゆっくりだが、どこかから数としては急激に。図1－1を参照）希望者が増えていくはずだ。この流れに応じて社会全体として教える力を育てていく。教える側としてのライセンス問題が発生する可能性があるが、ここは現実的かつ柔軟に対応するべきかと思う。

8 日本でもJMOOC（ジェイムーク：日本オープンオンライン教育推進協議会）が2013年に立ち上がり、公認の場としてgaccoなどがあり、慶應義塾SFCもSFC Global Campusという形で相当量の講座を公開している

9 教育界の方々はあまり耳にされないと思うが、このような大きな組織変革スキルこそがコミュニティ、社会（これらも組織）全体のアップデートに求められる。それほど数が多いわけではないがプロはいるので彼らの知恵をうまく活用することが有効なのではないかと思う

このスキル再生が、目先の非連続性を乗り越えるだけでなく、長期的な目線での課題解決でもあるのは、技術革新および社会の変化のスピードが極めて速いこと、若い層の数が限られる時代が続くこと、なおかつ我々の長寿化が進んでいることの3つの理由からだ。

変化のスピードについて言えば、ここまで読んでもらえれば自明のとおり、現在、指数関数的な変化が続いている。しかし、我々の知覚は直線的な理解をしがちであり、この本能的な知覚の限界を超えるようなトレーニングがある程度必要なことは自明だ。

20年前（20世紀末）と日米の立ち位置は逆転し、当時、ほとんど脅威とされていなかった中国が数世紀ぶりに世界経済の頂点に再び立とうとしている。富を生み出す前提も変わった。十数年前（2007年）に生まれたスマホが人間とキカイ、バーチャル空間の融合した世界を生み出した。単に技術的なスキルを教えるだけでなく、むしろこのような多面的な変化の総括と意味合いについてもしっかり共有し考えることが、特にすでに働いている技術者・エンジニア層やミドル・マネジメント層[10]に対しては重要だ。

これらを総合すると、誰もが少なくとも10〜15年に一度は〝サバティカル〟的に半年〜1年程度スキルを刷新する社会が望ましい。サバティカルというのは、特にアカデミアでよく行われる「使途に制限なく、長期で職場を離れることができる制度」で、単なる休暇と言うより、外部機関での長期研究、執筆などに使われることが通常だ。正にこれを世界に先んじて、人材再生の仕組みとして日本で入れてはどうだろうか。

以上ができるようになれば一生にわたって自らを刷新できる仕組みが埋め込まれた社会となる。

10 さまざまなことに関して見識が深く、意味や意義付けの腹落ちをしていただくことで一気に力が湧きやすい方々

教えられる学生にとっても、教える側にとってもきっと素晴らしい効果があるだろう。最終的には高校、高専、専門学校、大学の教育キャパシティのかなりの部分がこのスキル再生の場になるのではないかと思われる。若い人の育成と、すでに働いている人のスキル再生が活動の両輪になる。

海外からの「輸血」で時間を買う

基本は以上の3層＋2のアプローチで人の多くが足りるはずだが、問題は、これでも時間的に間に合わない可能性が高いということだ。特にハイエンドのデータ×ＡＩ系のサイエンティストやデータエンジニアは、日本にはいないことはないが、経済規模、対応すべき業種・会社の広がりの広大さに比べ層が薄い。

当座をしのぐために必要な打ち手は明確だ。外部からの人材輸血、つまり海外から教えられる人、サポートしてくれる人に来てもらうことだ。「えっ、海外からわざわざ呼んでやってもらうのか」と思われる人も多いかもしれないが、歴史を振り返ればこんなことばかりだ。[11]

そもそも文字は、かつて文字を持たなかった日本に、大陸から渡来人が持ち込んだ。また、飛鳥・奈良時代においては当時の最先端思想と言うべき仏教の取り込みと普及のために国力のかなりの割合が使われていたことは、奈良の大仏[12]を見れば明らかだ。

実は日本の仏教は、かつて仏法における三宝、すなわち「仏法僧」、「仏（悟りを開いた人、釈迦如来）」、「法（仏教の教え、経典）」、「僧（教えを受け修業をする人たち）」のうち「仏」「法」はあるが本

11　詳細は割愛するが、日本だけでなく世界的にもこれが基本だ

12　正式名称は東大寺盧舎那仏坐像。聖武天皇の発願で天平17年（745年）に制作が開始され、天平勝宝4年（752年）に開眼供養会（魂入れの儀式）が行われた。国宝（Wikipediaによる）

物の意味での僧がいないという状況にあった。本物の意味での僧がいないというのは、本来10人の僧（サンガ団）によって初めて僧として認められるのであるが、日本にはサンガ団を形成するだけの僧がいなかった。本物の仏教国ではなかったのだ。

そこにいわば仏教界のマイケル・ジャクソン[13]（Michael Jackson）と言うべき鑑真和尚が5度の渡航の失敗にもめげず、21人の弟子とともにこの国にお越しになったときから、真の仏教国、つまり当時の価値観で言えば本物の文明国としての歴史が始まっている。[14]

明治の開国のときも同様だ。

- 建築学　ジョサイア・コンドル（Josiah Conder）英
- 医学　エルヴィン・フォン・ベルツ（Erwin von Bälz）独
- 法律　グイド・フルベッキ（Guido Verbeck）蘭
- 外交　シャルル・ド・モンブラン（Charles de Montblanc）仏
- 軍事　クレメンス・ウィルヘルム・ヤコブ・メッケル（Klemens Wilhelm Jacob Meckel）独
- 哲学　アーネスト・フェノロサ（Ernest Fenollosa）米
- 生物学　エドワード・S・モース（Edward Sylveste Morse）米
- 農学　ウイリアム・スミス・クラーク（William Smith Clark）米
- 工学　ヘンリー・ダイアー（Henry Dyer）英
- 紙幣印刷　エドアルド・キヨッソーネ（Edoardo Chiossone）伊
- 鉄道　エドモンド・モレル（Edmund Morel）英
- 水道　ヘンリー・S・パーマー（Henry Spencer Palmer）英

13　King of Popsと言われた20世紀後半を代表するスーパースター。代表作Thriller（1982）はこれまで6600万枚を売り上げた人類史上もっとも売れたアルバム（the best selling album of all time）である。Wikipedia, Thriller (album) より

14　参考：佐々木閑／大栗博司『真理の探求』（幻冬舎 2016）pp.110-111

図4-2　教える人が足りなければ連れてくるのが基本

仏教の導入時
（8世紀、奈良時代）

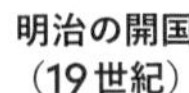
明治の開国
（19世紀）

終戦後
（1945~）

コンドル建築学

メッケル軍事学

ベルツ医学

エドワーズ・デミング
（Edwards Deming）

仏教の三宝（仏法僧）を持ち
世界に認められる国家になる

産業革命に追いつき
富国強兵を成し遂げる

生産性の視点を導入し
焼け跡から立ち直る

資料：ReijiYamashina, "Ganjin wajyo portrait" ,*Wikimedia*, https://commons.wikimedia.org/ wiki/ File: Gan jin_wajyo _por trait.JPG
MChew, "Josiah-Conder-Portrait-1" ,*Wikimedia*, https://commons.wikimedia.org/wiki/ File:Josiah- Conder-Portrait-1.jpg
MichaelSchoenitzer," Jacob Clemens Meckel" ,*Wikimedia*, https://commons.wikimedia.org/wiki/ File:Jacob _Clemens_Meckel.jpg MChew, "Erwin Baelz" ,*Wikimedia*, https://commons.wikimedia.org/wiki/File:Erwin_Baelz.jpg
Shika ryouse shomei, "W. Edwards Deming" ,*Wikimedia*, https://commons.wikimedia.org/ wiki/File:W._ Edwards_Deming.jpg, 安宅和人分析

などさまざまな分野の相当な数のお雇い外国人を主要国から連れてくることによって、この近代日本が作り上げられたことは周知のとおりだ（図4－2）。日露戦争の旅順での激戦において決定的な貢献を果たした児玉源太郎（当時、満州軍総参謀長）はメッケルの愛弟子だった。また、重要文化財として残る東京駅丸の内駅舎、日本銀行本店の設計者であり、日本建築学の祖と言うべき辰野金吾がコンドルの愛弟子であったことはよく知られている。

先の大戦で敗戦したときも同様だ。進駐軍（GHQ）が長期にわたって存在していた[15]ので当然といえば当然だが、QC（Quality Control）的な発想、オペレーションズリサーチ（OR）、原子力発電技術などはいずれも海外からの知恵を形にしたものだ。QCの世界で今でもデミング賞[16]

15　1945年10月2日～1952年4月28日の約6年半

16　米国の品質管理の専門家であるW・エドワーズ・デミング(W.Edwards Deming)博士の業績を記念して1951年に創設された総合品質管理の進歩に功績のあった民間の団体および個人に授与されている経営分野の賞(Wikipediaより筆者作成)

が相当の権威を持つことは、多くの人がご存知のとおりだ。

実際、すでに多くのインターネット、データ×ＡＩ的な企業ではかなりの数のエンジニアが外国人だ。これらの才能を呼び寄せることができると、時間を買うことができる。しかも、日本は安全であり、食のレベルも高く、人の優しさも魅力的であり、シンパとなってくれる可能性がそれなり以上にある。もちろん日本に定着してくれることが理想だが、仮にそれが無理だとしても、何年かいてもらい、大きな変革の起動をサポートしてもらえるだけでも大変にありがたい。

たとえばインドのエンジニアリングスクールの最高峰のＩＩＴ（Indian Institute of Technology: インド工科大学）23校[17]の卒業生の多くが向かう米国の代わりの１つの選択肢に日本がなるだけで未来は大きく変わる。

彼ら海外の才能に来てもらうにあたっては、才能ベースの留学、就労ビザ緩和だけでなく、①既存の大企業でありがちな終身雇用を前提としたような「若い人は低賃金、退職金もほぼ出ない」という仕組みを見直す、②年齢、性別に加えて、言語、国籍などによる雇用差別を建前だけでなく真に撤廃する、また、③本人だけでなく配偶者や子どもも一緒に暮らせる定住サポートを提供する（家族ビザ、就学、医療などの日常課題解決サポートほか）ことなどが必要となる。人材システム刷新の好機として大学ほか教育システム、国、また企業レベルにおいても十分に実践をトライする価値がある。今後、世界語として少なくとも英語か中国語が必要になる時代において、その教育をサポートする見えないインフラとしても機能するだろう。

17　学校数が多く感じられるかもしれないが、年間出生数が２０００万人を超える国において１学年各校数百〜千数百人ほどであることを考えると極めて狭き門である。――ＩＩＴに入るために必要なJoint Entrance Examination（ＪＥＥ）- Advancedの合格率は２０１７年データで０・92％（一次試験 JEE-Main受験者１２０万人から22万人が選ばれ、さらに１・１万人まで絞られる）であり、世界でもっとも難しい大学入試試験の１つとして知られる。受けられるのは25歳以下、最大で２年連続２回まで。ここからさらにキャンパス選びの競争があり、昔からの名門校は軽く３００倍を超える倍率になる

2 国語と数学の力を再構築する

以上の必要な人材育成のかたまりが見えたところで、具体的なスキル育成にどのような変革が必要なのかを考えてみよう。

「空気を読む国語」から「三学」に

初等・中等教育においてはデータ×AIリテラシー教育をただ強化すればいいのだろうか。残念ながら否だ。データ×AIリテラシー以前の能力として、分析的に物事を捉え、筋道だてて考えを整理し、それを人に伝える力の養成が必須だからだ。これがきちんとできていなければ、分析的なスキルなど身につけようがない。

しかし正直に言えば、現在、日本では職場でこの伝える力から鍛え直さなければならないという事態が日常化している。ビジネスの現場にいてチームをまとめる立場の人で、後輩の文章を徹底的に朱入れした経験がない人はいないであろうし、そのほとんどの人も若かったときは同様の訓練を受けたはずだ。つまり、高等教育が終わった段階でも大半の人がリベラルアーツ教育の基礎となる三学（文法学、論理学、修辞学）を身につけていないのだ（図3－9参照）。

ではその三学を学ぶべき場はどこかといえば、この国においては国語の授業が圧倒的にメインになることは言うまでもない。一部、数学が担っている部分もあるにはあるが、あくまで補完的な立ち位置だ。しかし、我が国の国語（日本語／母国語）教育では、あえて不完全に書かれた「小

図4-3　思考、表現の武器としての国語の刷新

Not this		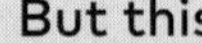But this
・小説、随筆の書き手の理解、言いたいことの推測	→	・分析的、構造的に文章や話を理解し課題を洗い出す（理解・解題）
・感想文。感じたことの書き連ね。建設性のない批判	→	・論理的かつ建設的にモノを考え、組み上げる（構成）
・複雑な敬語。ソフトで角の立たない表現。古文・漢文	→	・明確かつ力強く考えを口頭及び文章で伝える（表現・伝達）
“慮り・空気を読む”		“思考・コミュニケーション”

資料：安宅和人「“シン・ニホン” AI× データ時代における日本の再生と人材育成」 教育再生実行会議 技術革新ワーキング・グループ（第４回）配布資料 (2018/11/27) https://www.kantei.go.jp/jp/singi/kyouikusaisei/jikkoukaigi_wg/kakusin_wg4/siryou.html

説、随筆の書き手の理解、言いたいことの推測」にかなりのエネルギーが割かれ、「分析的、構造的に文章や話を理解し、課題を洗い出す」という理解・解題能力の育成は明らかに後回しとなっている。

また、表現においても感想文という名の、「感じたことの書き連ね、建設性のない批判」が中心に行われ、「論理的かつ建設的にモノを考え、思考を組み上げる」構成能力の育成は決して明示的に行われない。また、「複雑な敬語、ソフトで角の立たない表現、古文・漢文」は必修として学ばせられるが、「明確かつ力強く自分の考えを口頭及び文章で伝える」表現・伝達能力を学ぶことはない（図４－３）。つまり、日本における母国語教育とは、慮り、空気を読む能力、社会に出たときに丸く角が立たず生きる力を鍛える場であり、本来的な意味の基礎となるコミュニケーションスキル・思考能力を鍛える場になっていない。

そのため、『考える技術・書く技術』[18]、『ロジカル・シンキング』[19]のような本を通じて多くの人が社会に出てから独学をせざるをえない状況にある。日本では、教師層も含めてほぼすべての人が、体系的かつ徹底的に論理的な思考や表現をする訓練を受けたことがないのだ。

結果、明晰で誰にでもわかる文章が書けることが教育者層の証明となっている米国、欧州と異なり、この国では難解で、相当頭脳内で補完を行わないと理解できない文章を書く能力が、あたかも高い教育を受けた人たちの特徴のように思われ、負の再生産が起きている。大変に不幸なことだ。

このような状態でデータサイエンスを教える多くの先生方の苦労を考えてみてほしい。この国では高等教育の教員が、他の国では考えなくてよいこと（当然の前提と考えてよいこと）まで教えなければいけないのだ。これは教えられる側（学生）にとってもかなりの負担であり、まったくwin-win（双方よし）とは言い難い状況にある。大学が、本来的にはこれらの能力があることを前提とした上での教育・研究機関であることを考えれば、これらの能力開発は初等・中等教育で行われるべきことは明らかだ。幸い国語教育のコマ数は極めて多く、世界レベルの教育への刷新を行う気があればいくらでもできるはずだ。[20]

数学が好きで得意な子を育てる

分析的な思考力、表現力の次に必要なのは、数理的基礎力だ。高等教育に行く前に、十分な数

18　バーバラ・ミント（ダイヤモンド社 1995）

19　照屋華子、岡田恵子（東洋経済新報社 2001）

20　事情は異なるが、かつて学問のほとんどが欧米からの輸入であったために旧制中学（中等教育5年間）レベルの準備では最高学府（旧制の大学教育：3年間）に必要な語学力を持つことが困難だったこともあり、旧制高等学校（3年間）や大学予科（2年間）が前期高等教育機関的に作られていた。このようなブリッジ的な教育フェーズを入れるというよりは、初等・中等教育の国語教育の刷新で対応できないかという話だ

理素養と、何よりそれに自信をつけさせる初等・中等教育（小中高）にしなければいけない。

数学はすべての科学の基礎言語と言うべきものだ。ＳＴＥＡＭ教育提唱者のGeorgette Yakman女史は科学・技術・工学・芸術はすべて数学の要素に基づいているといみじくも語っているが、欧州ではギリシア・ローマ時代から音楽が数理的なサイエンスの1つとして教えられてきたこともこれと呼応している（図3－9参照）。また、新しく読み書きソロバンレベルの素養に加わる情報科学は、数学の言葉で書かれている。[21]

したがって、大学入学前にある程度の基礎的な数理・統計素養が身についていることが望ましい。具体的には以下の領域を高校で学んでおきたい。

２０１９年現在の高校での対応科目はカッコ内に示し（n/aは対応科目がないことを示す）、数Ⅱ＋Bまでで学ぶ部分を太字にしている。

- **統計数理の基礎となる分布、ばらつき、確率的な概念**（数Ⅰ、数B）
- **三角関数、指数関数ほか代表的な関数**（数Ⅱ）
- 二次曲線（数Ⅲ）
- **数列**（数B、数Ⅲ）
- **空間座標**（数B）、複素数平面（数Ⅲ）、極座標的な概念（数Ⅲ）
- **線形代数の基礎となるベクトル**（数B）、行列（n/a）、**内積**・外積（数B・n/a）
- 極限（数Ⅲ）、**微分・積分の基礎概念**（数Ⅱ）とその図形的な意味（数Ⅲ）

21 主として統計数理、線形代数、微積分

22 文部科学省 平成27年度公立高等学校における教育課程の編成・実施状況調査（悉皆調査）

23 平成31（２０１９）年度のセンター試験受験者 54・6万人中、数学Ⅱ＋B受験者

このように数Ⅱ＋Bまで履修していればなんとかなる部分が多い。しかし公立高校普通科の場合、数学Ⅱは92・5％、数学Bは74・1％の生徒が履修しているが、数学B履修者の中でも、情報科学の基礎である「確率分布と統計的な推測」を学ぶ人は12・4％しかいない。[22] センター試験受験者数からも数Ⅱ＋Bが普通に使えるレベルまで身につけている人は普通科の生徒の2割強程度、学年全体の16％程度と推定される。[23] さらに数Ⅲまで取らないと、微積の基礎である極限も、微積の図形的な意味合いも学ばない。少なくとも1980年代まで理文を問わず学んだ行列は今日では理系ですら高校では学ばない。現在、データの世界では、万、億単位のパラメーター（変数）を扱うために、道具としての行列（あるいはその延長としてのテンソル）が情報科学（特に深層学習）で酷使されていることを考えると、少々リスクの高い状況と言える。

また、以上の状況を踏まえ大学で数Ⅱ＋Bを教えようとすると、高校の範囲であるため表立って大学の科目として立てられないという壁が存在するのも、多くの人に知られざる留意点だ。つまり、高校でカバーできないとすると、大学に入ったあと、本来的には学生は自力で学ぶしかない。大学側も別の科目の建て付けをして教えるか、高校数学を教えることはタテマエどおり断念し、学生が自力で身につけるのを祈るしかない、という苦痛に満たされた状況になる。

さらに注目したいのは、中等教育段階前半である中学2年生を見ると数学のレベルは国際評価システムTIMSS 2015（最新版）[24] 参加43ヶ国の中でも屈指（トップ5）と極めて高い一方で、数学を「とても好き」だと答える学生の割合は9％と、ほぼ最低レベルにある、という驚くべき事実だ（図4－4）。「技」を身につけさせることに関しては大成功しているのかもしれないが、「やる気にさせる」という意味ではとても成功しているとは言い難い。教育というものがその人

は34・9万人（大学入試センター資料より）であり、中央値より上の人数は17・45万人。一方この受験者の大半を占める平成28年度高校入学者数は110・95万人。このうち普通科は3学年計で73・1％であり、およそ81・1万人と推計される（文部科学省 学校基本調査 平成30年度結果の概要より）。17・45万人／81・1万人＝21・5％、17・45万人／110・95万人＝15・7％

24 TIMSS（Trends in International Mathematics and Science Study; 国際数学・理科教育動向調査）。IEA（International Association for the Evaluation of Educational Achievement; 国際教育到達度評価学会）が4年に一度実施。OECDが実施するPISA（Programme for International Student Assessment）と双璧をなす。現在2019版を実施中

図4-4　数学のスコアと数学を学ぶことが好きな度合いの国別比較

TIMSS 2015 : Mathematics 8th grade（中学２年相当）

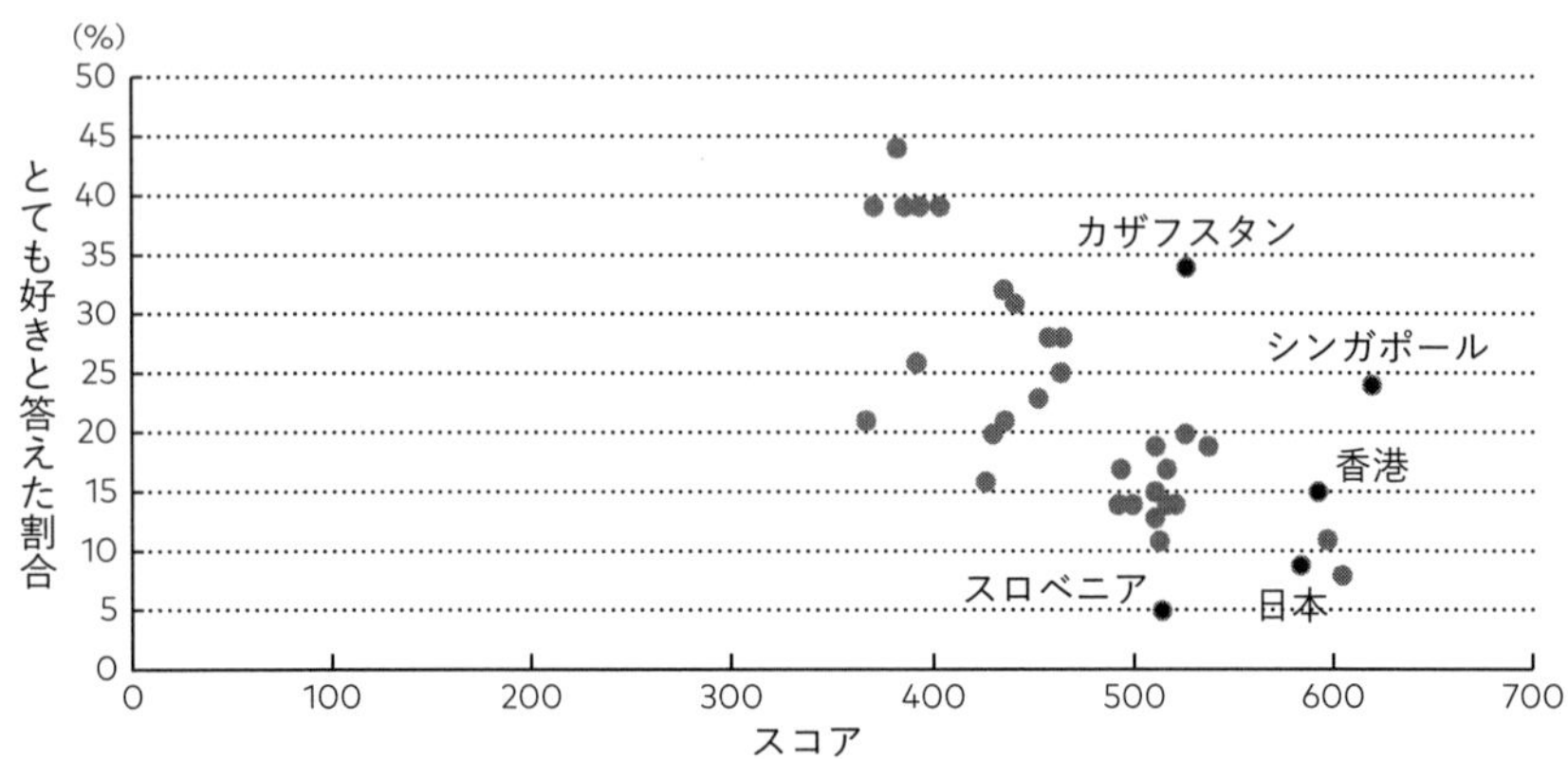

資料：「舞田敏彦「数学の『できない子』を強制的に生み出す日本の教育」Newsweek 日本版 2016/6/21 を参考に、TIMSS2015 データ、Student〜Engagement より安宅和人作成
Students Like Learning Mathematics Grade 8
http://timss2015.org/timss-2015/mathematics/student-engagement-and-attitudes/students-like-learning-mathematics/ Mathematics Student Achievement Grade 8

一人ひとりの才能を引き出し、未来に向けての自信と心構えを身につけさせるためにあることを考えると、むしろ大失敗しているとさえ言える。

確かに国別のスコアと好きな度合いにはかなり明確な負の相関がある（相関係数R=−0.68）。これほど嫌いになるぐらいなら、むしろここまで勉強などしないほうがいいとすら思えてくるが、参加国中1位のスコアを誇り、しかも同じ東アジア人種がメインのシンガポールでは24％が「とても好き」と答えていることを考えると、どうもそういうことだけではない。[25] 明らかに教え方の問題が大きいのだ。

大学の定員以上に、この毛嫌い感が日本人における理工系の学生の極端な少なさの原因の1つであることは否み難く、数学を楽しく武器となるように教えられるかどうかが国力増進のテコとなること

25　スコアで日本を上回り、なおかつ「とても好き」と答えた学生の割合が日本よりも多いシンガポールと香港はトップ大学のランキングにおいても近年日本を凌駕している（図2-19）

26　大学でのデータサイエン

は間違いない。

以上を踏まえると、大学に進学する学生にはたとえ入試を課さなくとも、理文・専門を問わず、数Ⅱ＋Bまでの履修を終えるようにさせておくこと、行列も基礎的な概念は学んでおくこと、何より数学が楽しいと肌で感じているような状況を実現すべきだ。大学や社会で実際に利用する際には計算はキカイがやるので、必要なのはこれらを「道具」として使えること、数学に対する恐怖心を持たないことだ。

ツールとしての数学、その意味合い・価値を学ぶことができると大幅に状況は改善する。ただ、現実的なことを言えば、このような方針が決定され、全面的に導入、展開されるには少なくとも5年以上の時間がかかる可能性が高い。[26] この項などを参考に、なんとか若い人や教育関係者たちには自衛し、生き延びてもらえればと思う。

ス教育の理文を問わない展開が決定され、行列教育が戻ることが方針として決まったという大きな進捗はあるが、筆者らがDS協会設立から、データ×AIリテラシーの重要性について訴えはじめてすでに6年以上が経過した。大学のデータサイエンス教育プログラムの認定制度の議論は２０１９年秋から内閣府、文部科学省にて開始した。*この間に、前述のとおり２０１８年から中国では進学校を中心に数学力を前提に、すでに深層学習、GANまでの教育が開始され、どんどん差が広まっている

＊僕自身、内閣府 数理・データサイエンス・AI教育プログラム認定制度検討会 副座長、文部科学省／情報・システム研究機構 数理・データサイエンス教育モデルカリキュラムの全国展開に関する特別委員会委員として、なんらかの現実解を打ち込めればと思っている

3　未来を仕掛ける人を育てる6つのポイント

時代に即した形で教育を刷新していく上での、分析的に考え、構造化し人に伝える力、そして統計数理、線形代数、微積分を中心とした数学の力の重要性についてはご理解いただけたと思う。ただ、これらの変更だけでは前述のヤバい[27]未来を仕掛ける人を育てるには何か足りないことも明らかだ。特に重要だと考えられる6つの育成ポイントを掲げておきたい。

27　「ゾクゾクするほど素晴らしい」の意

①意思、自分らしさ、憧れ

現在の初等教育は、漢字の書き取り、計算ドリルに相当量のリソースを投下している。宿題といえば今でもこれが定番という学校が多いのではないだろうか。しかし、これらは今やキカイがほぼすべてやるのが当たり前のことだ。大人でも自分や職場の名前以外の漢字を自分で書く機会はもはや少なく、計算などおそらく買い物ですらしない。分析や研究を日々行う人でも、桁をざっくり見積もれる力は大切だが、それ以上はスマホやPCがあれば十分だ。

加えて、3章で触れたとおり、日本では軍事教練かのような「気をつけ!」「前ならえ!」、そして制服と過度の校則の強制が日常的に行われている。給食を食べられないなら食べきるまで座らせるという、一般社会でやればパワハラそのものであることを行っている学校や教師もいまだに相当数存在するという。[28] つまり、日本の初等・中等教育は、意識するとしないとにかかわらず、総じて〝マシン（機械）〟として子どもを育成している。

結果、これからの時代においてもっとも大切な「意思」「自分らしさ」「憧れ」のない子どもが

28　学校の給食　過剰な〝完食指導〟（NHKニュース「おはよう日本」2019年5月22日）

普通になっており、高校・大学の大半はこれらもっとも重要な要素があるかの確認なしに入学できる。すなわち、自由人になるための基礎素養が根本から欠落していて当然という由々しき状態だ。言い換えれば、現在、高校・大学の多くは、未来を生み出すためにもっとも大切なこうした力がない人が望ましいと考えているも同然だ。[29] これでは未来の方程式の第1項「夢」など持ちようがない。[30]

まず「その人なりの心のベクトル」を育てることが教育の最大命題の1つであることを強く認識し、その視点で教育課程のすべてを刷新、再構成すべきだ。教師自体もこの社会の仕組みによって意識せずに〝マシン〟として育てられ、前述のような価値観を無意識に叩き込まれていることを認識し、アンラーン（unlearn ＝ 意識的に脱学習）することが必要となる。

その上で、以下の4つを推進する。

第一に、何を教えるにしても作業内容ではなく意味、目的を主として教える。一方でマシンにアシストされるのが当然の活動のスキル育成（ドリル的なもの）の割合を、世界の先端事例を参考に大胆に削り、21世紀らしくマシンを活用する技を前提に育成する。

たとえば、法律をただ守るべき絶対的なものと教えるのではなく、町なり国なりのコミュニティを普通に回そうとすると何らかの共通のルールが必要であること、強制力を持つ決めごとを法律と呼んでいるに過ぎないこと、もちろんコミュニティ参加者の意思で必要に応じて変更させる必要があることから教えるということだ。実際にルールなしでやると何が起きるか、どのぐらいルールを決める必要があるかを、事例をもとにグループでシミュレーションするなどすれば気づきは深いだろう。

29 僕が教員を務める慶應義塾ＳＦＣは、国内におけるＡＯ入試の発祥の地であり、逆にこういうものを強く持った人をなんとか選べないかと常に試みている

30 この抑制のはけ口として漫画、アニメ文化が発展したのかもしれないが、これらで描かれてきた数多くのＳＦ的な創造物が現実になっている今、文化創造のもっとも強いドライバーがサブカル[*]扱いされているのはどうなのだろうか

＊ サブカルチャー。学問、文学、美術、音楽、演劇などのハイカルチャー（メインカルチャー）の対立概念

あるいは数学の三角関数を例に取ると、ただ三角比の定義と公式を教えるのではなく、波動、周期性のある現象の数量的、定量的なハンドリングをしようとすると三角比に基づく三角関数が必要になることを教え、実際に何かの現象を扱ってみる。難問を解くより適用することで道具としての価値を実感させる。このやり方であれば今よりも遥かに多くの概念を中等教育までに道具として教えることが可能になる。

第二にスポンジのように引っかかりなく吸収することよりも、体験する、ものを読む中でその人なりに感じること、引っかかることを優先し、そこから生まれる気持ちを育てる。前述のとおりこれこそがその人なりの「知覚」を育むベースとなるものだが、我が国では何かを見てどう感じるか、その人なりに何を「気づく」かということが、大半の教育で後回しになっている。そこで成功した人たちが上がってくるのだから、時代に逆行した「自分なりに引っかかりを感じない人」が期せずして選ばれやすい社会になっているとも言える。

第三にさまざまな近代・現代に偉業を成し遂げた人の、過度に偶像化されていない話に触れ、考えさせる。僕が教鞭をとる慶應ＳＦＣの学生だけでなく、首都圏周辺の主要大学の学生と接して少々驚くのは、

- 歴史的な人物の多くをそもそも知らない
- 知っていても遠く感じている
- 当然、歴史上の一つひとつの課題や文脈も知らない
- 自分たちとさして歳が違わない人たちが偉大な行為の多くを成しとげたことも知らない

・その一人ひとりが我々と同じように、いいところもあるが悪いところもある生身の人間であったことを認識していない

学生が大半だということだ。あまりにももったいない。

彼らのフレッシュな知性と若さ、突破力がないとできないことが多くあること、そして彼らには十分その力があること、また彼らの若さこそが毎日目減りしている希少な資源であることを早期に気づかせるべきだ。

社会に生き、若者が未来を創っていくために、人間の物語を理解しておくことは大切だ。一つひとつの偉業は観念論的なものではなく、すべてリアルな課題を乗り越えることによって達成されたことであり、その実感と重さを想像することはきっと未来において彼らが何かを仕掛けるための大きな力になる。

ちなみに大学教養レベルの自然科学系の教科書一つとっても、米国ではそのあたりの試行錯誤が生々しく描かれている大変に分厚いものが多い。一方、日本は結論だけの薄っぺらいものが多い。これはおそらく高校時代から始まっている問題だと考えられる。腰を据えた教材の見直しも必須だろう。

なお、若者の皆さんには自分の持っている若さが、お金でも名声でも手に入れられないもっとも貴重な資源であることを忘れないでほしい。しかもその資源は、毎日なくなっていることを噛み締めながら、それをどう活かすかを考えて生きてほしい。

学校、仕事、または目先の研究という単一の畑から、人生で必要なもののすべてを刈り取ることはできない。時間的にも日に8時間、週5日、40時間の労働は、1週間、168時間の24%に過ぎない。残りの4分の3をどのように使うかで人生は決まる。本を読み、映画も観るべきだ。

友人や恋人、家族との時間も大切だ。さらに新たな分野や土地での経験や留学など自分の深い幅を広げる試みも、若いときでないとペイしないことが多い。未来は皆さんの日々の時間の使い方の延長線上にある。

第四に明らかに「その人らしい知覚と深み」の育成を阻害している仕組みを取り除く。前述したとおり少なくとも公立の通常学校（小中高）では制服、校則、不必要なルール、世界常識から乖離した軍事教練系の号令は原則廃止する。民法、刑法とその下にある社会の基本精神、「一人ひとりが大切な人であり尊重し、やさしくすること」「人に迷惑をかけたり、傷つけたりしないこと」で基本的に十分であり、髪の毛がどうだなど、自分らしさに関わることを過度にコントロールしようとすることはやめる。

そもそもSociety5.0の式どおり、多様性から価値が生まれる現代に（図2－33参照）、天然で髪の毛が赤くて巻毛の子どもが入ってきたら、1980年代初頭に多くの中学校でされていたように、その子に「黒に染めてストレートパーマをかけろ」とでも言うのだろうか。本来、教師にそのような権利はなく[31]生徒に「一人ひとりが違うこと（多様性）」「マナーと尊敬を受ける行動」の大切さを深く感じ、考えさせた上で、あくまで社会のバランス（時と流れ、場面と共に変わる）の中で判断していくべきだ。また、特にリーダー層については、米国の主要大学、名門ボーディングスクール（中等教育を行う全寮制の寄宿学校）と同様に人柄と志を見て入学許可（admission）を与えることが必要なのではないかと思う。心のない人に率いられる社会というのは目も当てられないからだ。

31 むしろ一人ひとりの生まれ持った違いを認めないどころか踏みにじる、教師本来の役割を踏まえればもっともやってはいけないことの1つと言える

②皮膚感を持って価値を生み出すことを理解する

仕事とは何か、何を行うことが世の中で価値を生み出すことなのか。これについて答えられる人は少ない。戦前のように尋常小学校を出てすぐ世の中に出る時代ではないものの、何をやることに意味があるのかは、少なくとも中等教育の前半（中学）あたりでまず落ちついて考えておくべきだ。

ちなみに「仕事とは何か？」ということを、学生だけでなく社会人も含め、これまでずいぶん多くの人に聞いてきた。すると、お金をもらうこととか、時間を売ること、人の役に立つことなどの答えが返ってくることが多い。では失職して失業保険をもらうことや年金をもらうことは仕事なのか、成果報酬の人は仕事をしていないのか、人に親切をすることは仕事なのか、と聞けばさすがに誰もが違うとわかる。でも、何かと問われると答えられないケースが大半だ。仕事や価値を生み出すことの本質を、社会人ですら多くの人は考えたことがないのだ。

実は「仕事」の定義については、社会科ではなく、中3か高1ぐらいの理科で基本的に全員が習う。そう、

仕事＝力×距離

（英語では force × displacement）

だ。単なる努力、試み自体には意味がなく自己満足、浪費に過ぎない。生み出す変化がなければ

ばゼロ、完遂されない仕事は意味の持ちようがないということだ。実際、Wikipediaの仕事（物理学）の項を見ると、「荷運び業者がある荷物を抱えて荷物の位置も含め、静止している」というのは、「（荷物に対して）仕事をしているとはいえない」という神妙な例が出てくる。

なお、同じく古典力学的には「力」の大きさは「質量 × 加速度」で計算できる。すなわち生み出す仕事の大きさは、「どれだけ大きな存在に対して、どれだけ勢いよく、どれだけの変化（距離）を引き起こしたか」だ。現実世界における仕事の定義として考えても十分に味わい深い。

そういう視点から、いろいろな仕事がどのような変化を生み出しているのかを考察させ、自分はどういう変化を生み出したいのか、そのためにはどういう技なり力がいると思うのかについて、遅くとも義務教育が終わる15歳までに一度は考えさせておくべきだ。それが、この人類史上において大変にワイルドで興味深い局面で、彼らが意味のある未来を生み出す起点になる。

この理解の上で、付加価値（この総和がＧＤＰ）、利益、企業価値を生み出すことの大切さを教えると共に、どのようにそれが生み出され社会を動かしているのかを体感的に理解しておけば、彼らが世に出たときにこれまでよりもずっと力を持ちやすいだろう。

③サイエンスの面白さと意味への理解を深める

未来＝夢×技術×デザインの「技術（technology）」の前提となる素養をどのように高めるかという話をしたい。

分析的、構造的にものを考える力に加え、統計的・数学的な素養を持ち、かつデータ×ＡＩ素養を持ったとしても、これだけでは何ができるのか正直なところ見当がつかないことが多いだろう。ではこれらに加え、テクノロジーに関する素養として何を持っておくべきかといえば、自然科学全般、すなわちサイエンスについてのある程度の知見だ。サイエンスは人類が持っている課題解決能力の根源の1つであり、多くのエンジニアリング（工学）的な技法の前提でもある。

ちなみに、高等教育の現場で、実際にいろいろなデータを学生に渡して、パターンを発見してもらうと彼らから感嘆の声が上がる。そこで「これがサイエンスなんだ」と言うと、キョトンとする。

ガリレオの時代から今に至るまで、自然からパターンを見出すことがサイエンスの根源であることは変わらない。しかし、このことがこの国では教養層の多くにすら理解されていない。彼らの多くが、サイエンスを学ぶとは自然科学で発見されたルールと事実を覚えて、それを物理や化学の問題に適用することだ、と勘違いしている。

もちろん太い、重要な概念を理解しておくことは大切である。ルールを適用してみないと概念を理解できないことが多いのも事実だ。一方、正直、個別の物性や動植物の細かな分類などは、Wikipediaや理科年表、専門図鑑や教科書などを見ればすむことであり（実際、科学者もそうしている）、やみくもに覚える必要はない。

それよりも遥かに大切なのは、

- サイエンスとは何か
- 各分野はどのように広がり、関わり合っているのか
- 各分野での主たる問いはどのようなものなのか
- 各分野でコアとなる考えにはどのようなものがあるのか

・各分野がどのような関係性にあり、棲み分けられているのか
・個別の太い概念の背景にはどのような意味合いがあるのか[32]
・個々の領域が人間にとってどのような意味があるのか
を理解することだ。身の回りから何かを観察したり、データを取り、そこからパターンを見出すような教育はぜひ入れる価値がある。

また、今後問題となることが明らかな地球と人類の持続可能性の深刻さをしっかりと理解しておくことは、これからの世代にとって特にクリティカルだ（6章を参照）。たとえば、国連ＩＰＣＣの分析[33]によると地球温暖化をソフト・ランディング（軟着陸）させるには、２０４０年までにCO_2の排出量を総和としてゼロにしないといけない。人間が生み出すCO_2量を人間のCO_2吸収力（例：植林による炭素固定）の範囲内に収めなければならないということだ。若者こそがこの時代のど真ん中を生きるのだから、臭いものに蓋をしてはいけない。今の世界の最新情報を元に、議論し、考えることが大切だ。また、この課題は若者に背負わせてはいけない。現在の経済活動の主体である大人も共に学び、深く意味合いを考え、10年後、20年後のために行動を変え、仕掛けていくべきだ。

以上を踏まえ、大学の基礎教養終了までに、カバーしておくと望ましいと考えられるサイエンス（自然科学）の広がりをたたき台的に掲げておこう。いずれも難しい問題を解ける必要はまったくないが、おそらく太字にした部分ぐらいまでの広がりについてある程度馴染んでいると、将来、夢を解決するためのテクノロジーを学ぼうと思うときに、大きな足がかりになるだろう。

32 動植物の分類を例に取ると、むしろ進化的にどのように意味があるのか、どのようなことが起こって今に至ると考えられているのか、それはなぜそう思われているのか、何が残っている課題なのか、など

33 ＩＰＣＣとは国連の気候変動に関する政府間パネル（Intergovernmental Panel on Climate Change）。*IPCC Special Report*, "Global Warming of 1.5 °C", https://www.ipcc.ch/sr15/

・サイエンスの本質と広がり、棲み分け
・サイエンスとテクノロジー（技術・工学）との関係
・古典力学、質量、エネルギー
・放射、熱、波動（光、音）
・電磁力学、電磁波（基本的な利活用もセットに）
・量子力学（半導体での利活用も合わせて）
・重力と空間、宇宙
・**化学基礎と物性**
・**有機化学**（生命科学、食品科学とセットに）
・**分子細胞生物学**（発生学の基礎も含めて）
・**環境及び生態学**（熱、土壌といったサステナビリティ課題もセットに）
・**情報理論と応用の基礎**（ネットワーク、クラウドも）

④夢×技術×デザイン視点で未来を創る教育を刷新する

あらゆる文化は「手」によってつくられる。真の創造は最終的には「手」によってなされる。「手」を忘れることは文化の原点を忘れ、人間性を見失うことである。このプロジェクトは「手」を通じて「新しい生活のあり様」を提案し、「文化」の本質的な復権を願って企てられたものである。

これは東急ハンズが生まれる際に作られた企画書の中の一文である。[34]

初等・中等教育における「デザイン」力の育成は、これまで図画工作（小学）、中等教育では技術・家庭（中学）、美術（中学）、芸術（高校）の授業で主として担われてきた。学習指導要領（平成29年版）はそれぞれの目標を以下のように定めている。

図画工作：表現及び鑑賞の活動を通して、感性を働かせながら、つくりだす喜びを味わうようにするとともに、造形的な創造活動の基礎的な能力を培い、豊かな情操を養う。

技術・家庭：生活に必要な基礎的な知識と技術の習得を通して、生活と技術とのかかわりについて理解を深め、進んで生活を工夫し創造する能力と実践的な態度を育てる。

美術：表現及び鑑賞の幅広い活動を通して、美術の創造活動の喜びを味わい美術を愛好する心情を育てるとともに、感性を豊かにし、美術の基礎的な能力を伸ばし、美術文化についての理解を深め、豊かな情操を養う。

芸術：芸術の幅広い活動を通して、生涯にわたり芸術を愛好する心情を育てるとともに、感性を高め、芸術の諸能力を伸ばし、芸術文化についての理解を深め、豊かな情操を養う。

いずれもよく考えられた目標であるが、実際のトレーニング内容がデータ×ＡＩ時代に即し十

34 浜野総合研究所「Tokyu Creative Life Store イメージ構想計画書」東急ハンズ企画書 1976より

分アップデートできているかといえば、残念ながらまだまだだ。

造形、いわゆる意匠デザインにつながるデザイン素養、商品やサービス設計、モデル設計といった部分はおそらく大学からでも十分間に合う。現在でも日本の工業デザインの水準は相当に高く、この部分の人材育成がそれほどおかしいわけではない。冒頭の「手」の大事さをよく噛み締めて教育をしてきたからだろう。これは誇るべきことであり、これからも守るべき教育文化だ。ハードの商品力も高く、今でもプラットフォームを握るゲーム市場を見ればわかるとおり、新しい事業モデルを作ることが苦手なわけでもない。

では何が課題なのか。5つある。

第一に日本の教育の誇る「手を使う」部分が、徐々に弱まっているように見受けられることだ。一歩世の中に出れば「生み出すこと」こそが価値であるにもかかわらず、実際にその機会は少ない。技術・表現系の教科の存在を、あたかもその免罪符にしているようにすら見える。

課題に接し、対象や土を触り、触る対象の声に耳を澄ませ、ほしい姿を手で描き、モノを作る、これがハンズの設立書にあるとおり、人間の知性の原点であり、文化と力の原点だ。これはデジタル時代であろうとなかろうと変わらない。英語教育の導入、デジタル化の流れはわかるが、これらの手を使うことをないがしろにしてもいいことは何もない。これらを18歳になって大学に入ってから鍛えてももう大きくは伸びない。

リアルとデジタルをかけ合わせ、新しくすべてを刷新していく時代においてはこの大切さはますます増していく。デジタルネイティブな彼らに対して、図工、技術、芸術系だけでなくあらゆる科目でこれまで以上に手を使うことを大切にしていくべきだ。それがハードとデジタルを融合させる彼らの力を生み出していく素地になる。

授業時間で完結する必要はまったくない。授業時間は月~金6時間、土曜4時間の計34時間とすると、すべてを足しても1週間の20%にすぎない。手を使う喜び、手から学ぶ喜びを、彼らの日々の中でほんの少し着火するだけで十分だ。

第二にデータ×ＡＩ（前提となるインターネット、その延長にあるロボティクスも含む）が世の中を変えていく大きな力であるにもかかわらず、たとえ大学教養レベルであっても、それらを学ぶ理由付けが十分に行われていない。これがなければやる気も妄想も生まれようがない。

これらの技術がどのように世の中を変えているのかという実例を多く見せ、実感を持ってもらうことが必要だ。データ×ＡＩ系の技術はさまざまなサービスに埋め込まれつつあるが、それを実感することは難しい。それをあえて表に出すのだ。具体的なドメイン領域とデータ×ＡＩをつなげるということだ。ここでの驚きと喜びが未来につながる。どのようにその技術が生きるか、あるいは、こういうすごいものを作り出すにはどういう技術があったほうがいいかをちゃんと見せることで、その技術の学びに魂がこもり、彼らの妄想力にスイッチが入る。

第三に、データ×ＡＩ技術を道具として学ぶのは高等教育（大学）を受ける人のさらに一部しかいない上、必ずしもリアリティを持って教えられていない。この解決のためにはとにかく使って価値と力を実感してもらうことが大切だ。百聞どころか、万聞すら一見に如かずだからだ。理想的には、何か夢を実現する「道具」としてデータ×ＡＩを馴染ませる部分を小中から入れ、本物のデータ×ＡＩネイティブを育てるべきだ。

若い世代は、ユーザとしてはこれらの技術を空気のように使っていても、作る側、提供する側、直す側の視点を持っていない。何ができて何ができないのかは理屈で学ぶよりもやったほうが早い。その後で気づきをシェアし合うべきだ。

ここまで来た上で、簡単に理屈を教える。この方法でやれば中国のように中等教育段階で深層学習やＧＡＮまで教えることはそれほど無理がなくなるはずだ。そしてもっと深く理解したい、もっといろいろなところで使いたいと思うのならどんどん学んでみましょうと伝える。ＭＯＯＣ、その他の自主学習やファブ[35]的にさまざまなことができる場も案内するといいのではないだろうか。

第四に、もっとも大切な夢を描く部分の養成が足りていない。

現在の技術・家庭は、道具を使うことを学ぶ場としては素晴らしいが、これまでにない新しいものを作るところが弱い。図工と美術は心の表現によりすぎていて目的に沿った具体化・設計（デザイン）の訓練に欠けている。表現の技術も大切だが、未来を生み出す視点で見ると、両面をつなぐ経験が必要になってくる。

取り組み案はいくつか後述するが、相当の広がりがあり得る。技術的なリアリティを持った上で、どんどん実際に検討し、作ってみる。失敗してもかまわない。さらに、それに基づく夢を相互にシェアし合い、プランを再度揉み直してみる。それを何度か繰り返せば、さらに明るく力強い夢（妄想力）が生み出されやすくなるだろう。

35　ファブというのは、デジタル時代のＤＩＹコーナーのような場所で、古典的な電動糸鋸などだけでなく、３ＤでＣＧを作ることができるマシン、３Ｄプリンターや、レーザーカッター、木材を切るルーターや、基礎的な電機、電子部品などがあって自由に使える場所だ。ＭＩＴのメディアラボや慶應ＳＦＣにある空間をイメージしてもらえればと思う

第五に、作ったり検討する対象が絵やモノがほとんどで、風景、景観（ランドスケープ）に対する視点が十分に持ち込めていない。

日本の多くの街の風景は地方都市ですら貧しい。弥生時代以降だけでも2000年近くの歴史を持つ国でありながら、大半の街は見た目には歴史と文化的な深みを喪失している状況で、ぱっと見て区別することすら厳しい。京都を除くほぼすべての主要都市が先の大戦で破壊され[36]、そのまま戦後の復興期、高度成長期の中で、グランドデザインがないまま、多くの建物が立ち、道が敷かれたからだ。

6章で議論するが、これから都市は全世界的にコモディティ化し、それ以外の空間の価値が大切になってくる可能性が高い。また、そのコモディティ化する流れにある都市では、ただ単にテクノロジー化するゲームは終わり、環境的に持続可能で、次々と建て替えなくとも味わいのある空間を作れるかどうかが大切になる[37]。

時代観への意識を高め、未来への想像力を高める、すなわち「自分たちの未来の空間をどうやって作るかを考える」ことはこれからの世代にとっての価値創出そのものだ。幸いデジタルツイン[38]化の展開も急速に進んでおり、物理空間とデジタル世界との相性も急激に上がりつつある。この視点をしっかりと取り込むことは、この持続可能性が問われる21世紀初頭の初等・中等教育革新の大きな一歩になるのではないだろうか。

36 以下の4つの理由から京都は原爆投下の第一目標であった。（1）まだ爆撃を受けていない日本の主要な100万都市である、（2）三方が山に囲まれており爆発効果を高める地理的な条件、（3）京都師団があり空襲のないこの地に軍需関係工場が集まっている、（4）京都が1000年の都であり、日本における知的・文化的中心であるゆえの日本人に対する心理的なショックの大きさ。しかし、スティムソン陸軍長官が日本国民に修復不可能なほどの心理的傷を与えてはならないと、戦時にあって戦後の友好関係再建を視界に入れる広い観点からトルーマン大統領に訴え、同意を得たことで京都は奇跡的に無傷で残ったという（五百旗頭真『日米戦争と戦後日本』講談社 2005、pp.147-149から筆者抜粋、とりまとめ）

37 東京大学生産技術研究所馬郡文平氏によると日本のCO_2

⑤道具としての世界語を身につける

現在の学生は、もっとも優秀な層を見ても、（自衛せずに）日本の教育をきっちりと受けるだけでは、道具としての世界語（現在は英語）の力を持たないまま世の中に出てくることが普通だ。実際、米国留学の基礎要件であるＴＯＥＦＬの母国語別の２０１７年スコアを見ると、日本語（を母国語として話す人）は71点と主要言語中最低[39]。目的別の平均スコアも開示されているが高校入学目的レベルが71・8点なのでそれよりも低い。ＥＦ英語能力指数[40]で見ると２０１９年の日本の順位はなんと53位と、十分に教育環境が整っているとは言い難いベトナム、パキスタン並だ。

議論できたり、教育レベルの言葉を書く道具になっていない上、特に理系は嫌がってやらない人が意外と多い。これでは、外国人顧客がかなりの割合を占めるようになり、世界語が日常的に不可欠になるこれからの時代には不適切だ。リーダー層にとっては、すでに最新情報は英語と中国語がメインになりつつあり、自動翻訳がどれほど発達しても交渉のときには理解し、喋れる必要があることを考えると、よりいっそう重要になる[41]。

この状況の改善に向けては現在のように「読む聞く」というインプット側を主目標にするのではなく、海外で留学生が強いられるように「書いて話す」というアウトプット側のスキル育成をトレーニングの主目標に置くべきだ。インプット側からのみのアプローチは、多くの日本人の現在の語学力を見たらわかるとおり機能しない。また、本屋の英語コーナーに行くと日常会話に対する関心が高いことに気づくが、どちらかと言えば、言いたいことをソリッドに伝える力こそを

排出量年間13億トン中、40％が建築分野（建築・補修が9％、運用31％）だという

38 Digital Twin：現実の建物や環境をバーチャル空間（コンピュータ内に描かれる仮想空間）の中に構築し、リアルタイムでデータを取り込んだもの。動作だけでなく空間上のシミュレーションが可能。モノ、エンジン、ビル、発電所、街など幅広い対象に展開が進んでいる

39 １９８０年代までは英語力の低さで、日本語と並んで有名だったフランス語が85点、イタリア語が91点。近隣の韓国語は84点、中国語79点。４年制大学志望者平均が78・５点、ビジネス系を除く大学院入学志望者平均が86・２点、ビジネス系大学院は86・３点。なおこれは合格者平均ではない（ETS "Test and Score Data Summary for TOEFL iBT® Tests" January 2017–December 2017 Test Data より）

養成すべきだ。そうすることで母国語（日本語）の表現力も格段に上がる。それさえできるのであれば、日常会話はなんとでもなるというのが正直なところだ。

また、現在、中等教育で中国語はほぼ一切教育されていないが、これはすでに経済規模で米国に並びつつあり、あと10年以内に数世紀ぶりに世界のトップに戻る可能性が高い中国市場に対する備えとしては、少々リスクが高い。これからの世代は米中市場の間を橋渡ししながら食べていくことになるからだ。少なくとも教養層[42]の三人に一人ぐらいは中国語で読み、話せる力があってしかるべきであるし、大学に行く層の半分程度は中国語の漢字ぐらいは読めたほうがいいのではないか。せっかく漢字を学ぶのであるからせめて簡体文字も一緒に（書けなくてもよいので）読めるように教えてしまってはどうだろうか。

⑥アントレプレナーシップの素養

先に見たとおり、新しい未来を生み出す人は、昔も今も若い人たちが中心だ。しかも20代前半に何かを開始するケースが多い。しかるに、

- イノベーションとは何か
- ビジネス課題の広がりと解き方
- 事業をどのように作るか
- 収益（売上）と利益の違い

40 EF English Proficiency Index：ＴＯＥＦＬのように受験目的が比較的揃っている試験ではなく、世界中で受けたい人が自発的に受けたスコアを束ねたものであり信頼性は低い参考値。Very high/High/Moderate/Low/Very lowの5レベルで日本は4番目のLow（低い）の一国

41 世界語については、２０１９年現在、正直いる人といらない人がいる。ただ、筆者の個人的な見立てでは日本語だけでしか仕事ができない人と、日本語に加えて英語ででも問題なく仕事ができる人は、同じような高等教育を受けていても、市場価値に現在倍近い開きがある。知見も視野も相当に異なる

42 さまざまな組織のリーダーとなる層。各学年の１割程度のイメージ

・そこでの押さえどころは何か
・事業を率いるためのマインド

という、いわゆるアントレプレナーシップ素養（事業を生み出すための基礎素養）は、日本では通常大学を出てビジネススクールに行かないと学ぶことがない。

これでは明らかに遅く、希望者だけでも高校、大学教養ぐらいまでの間にある程度学べる環境を作っておくべきだ。基本的な概念を学ぶと共に、時折、実際に事業を起こした人と接し、肌感覚からでも学ぶのが望ましい。簡単な馴染みがあるかどうかだけでも、将来的に何をどういうふうに当たったらよいかを掴む大きな助けになるからだ。

具体的な作り込みに向けては、ゼロからスクラッチで考える必要はなく、米国西海岸の主要大学、UCバークレー[43]やスタンフォード[44]などで提供されているプログラムなどを参考に、実験的に行いながらどんどん進化させていくのが現実的なアプローチだろう。

43 The Sutardja Center for Entrepreneurship & Technology
アントレプレナーシップと技術イノベーションを学ぶUC Berkeley内の機関

44 Stanford Innovation and Entrepreneurship Certificate and Courses

4　初等・中等教育刷新に向けた課題

ここまで初等・中等教育で学ぶべきものを網羅してきたが、カバーしきれなかった、実際に進めていくにあたっての重要課題についても触れておきたい。

リアルな体験としての「データ×AIの価値」

すでに述べてきたとおり、データ×AIの価値と力は、知識として身につけるものではなく、実感してもらうことが大切だ。具体的なテーマについていくつかのアイデアを挙げてみたい。

第一は「データ利活用[45]」そのものだ。リアル空間を知ったり、よくするためにデータの力と面白さを実感してもらう。身の回りからデータを取り、それを使ってなんらかのパターンを見出す訓練を導入し、共にサイエンスとは何かを生々しく理解することを促進する。幸い、センサーは安く[46]、たとえば自分たちの学校や街の混雑のパターンだとか、自分たちや先生の歩き方の癖のタイプ分けができるだけでかなり盛り上がるだろう。この延長でこれらの特徴をキカイに学習させるAIの話をすればいいのではないかと思う。その機械学習的な実践があるとさらに素晴らしいがこれは、時間とマシン、先生というリソースのキャパシティ次第だろう。

第二に「ソフトウェアづくり」。ネット上で動く何か簡単なツール、ゲームなどをウェブ上で、もしくはアプリとして作る。グループワークでいい。インターネットとプログラミングを使いつつ、「なんだ、計算機ってこうやって指示をかけると動くんだ」ということを理解してもらう。これだけでもきっと十分面白い。すでにある程度できる子には好きに駆け抜けてもらえばいい。

45　リアルな世界でもデータが使えることの実例はヤフービッグデータレポート(https://about.yahoo.co.jp/info/bigdata/)で相当量取り上げ、拙著『ビッグデータ探偵団』(講談社 2019)でもいろいろまとめた

46　データ取得から関わることで学べることも多い。公的なオープンデータや協力してもらう地元の会社のデータを使ってもいいと思うが、解読と利活用に必要なドメイン知識の視点から、教育に適しているかどうかは都度判断が必要だ

さらにGoogle Analyticsなどでデータを取れるようにして、そのアクセスデータを見て利用を競ったり、楽しみながら考えるのも面白い。

第三に「ものづくり」。リアルかつ身近な物体でデータ×AIが使えることを実感できると素晴らしい[47]。過度のドメイン知識を要求しないものが望ましく、たとえばスモークで満たしたお化け屋敷のような空間に、音楽に合わせてビームを走らせ操作するのでも、ドローンをみんなで作らせて飛ばす距離を競うのでもいい。とにかく楽しめることをやってもらうことが大切だ。今までにないタイプの武器を人類は手にしたことを実感してもらう。

第四に「空間づくり」。実際に住んでいる町、地域、あるいは県全体でもいいのでグランドデザインを考えてもらう。データ×AIに始まり、その他もろもろのあらゆるテクノロジーを使えると仮定したとき、どのような空間が生み出されるべきかを考えてもらう。町に限らず海と海辺、川とその周辺、山あいの空間などでもよい。ドローンから撮った画像、映像を活用したりし、はじめは手で絵を描いたり、粘土をこねたりし、色付けし、3DCG (computer graphics) なども使い模型化する。その中で、その空間にほしい基礎となる機能を、1つ2つデジタル機器も使い何かしら作ってみる。

いずれにしても、データ×AIの世界はとかくコンピュータだけに閉じた世界になりがちなので、できる限りリアルな、具体的な試みとしてやることが大切だ。

そのための工夫として、いくつかの初等中等教育が共同で使えるようなファブがあり、そこで放課後や週末にさまざまな試みができることが望ましい (昼間は各校の授業に使えばいい)。数としては小5～中3の子どもたち1000人に最低一ヶ所ぐらいは必要ではないかと思う[48]。

47 ビッグ・アイデア×テクノロジーを評価するACC TOKYO CREATIVE AWARDSクリエイティブイノベーション部門のこれまでの入賞作品の多くがこれに該当するので実験アイデアの参考になる

48 3Dプリンターも中機種で十分であり、材料の樹脂自体もそれほど高いものではない。ある程度以上使いたい場合は、ファブか近くの店に置いてもらって原価で買ってもらえばいい

意識の高い自治体から始めることになると思うが、ファブが近くにある校区のほうが人気は上がる可能性が高く、この結果、自治体間、あるいは学校間の誘致競争が起きるだろう。これが新たな好循環を引き起こす。予算が限られている中、「過度の平等」のため何も起きないことだけは避けるべきだ（多少遠い場合は市町村の共有財産にしていけばいい）。空き時間は近くのスタートアップや事業者、高校生、大学生などに開放すれば有効利用はいくらでもできる。子どもの減少に伴い、廃校も増えている中、場所探しには困らないだろう。

このように技術・家庭を組み替え、データ・AI実技を使ってモノやサービスを作る教育を中等教育段階までである程度やっておけば、彼らの心のAI-ready度は急激に上がるだろう。

プログラムを刷新するメカニズム

ここまで一人ひとりのスキル再生の仕組みについて述べたが、教育指導要領と教科書の見直しも情報系、デザイン系、理数系は3〜4年に一度は行うべきだ。深層学習が初めて目に見える大きな効果を生み出したのが2012年であるにもかかわらず、2019年段階で世の中がここまで影響を受けたこと、教育の場というのは一人ひとりが世の中に行く前の準備を行うところであることを考えれば当然と言える。

ちなみにデータサイエンティスト協会と情報処理推進機構（IPA）が共同で作っているスキルチェックリストとタスクリスト[49]は2年に一度見直している。担当するスキル定義委員会の委員長を務める立場として正直なことを言えば、この更新は相当にしんどいことではあり（通常業務の後なので夜遅くまでの作業になりがち）、実戦の現場に立つ20名前後のスキル定義委員の献身的な活動

49 2015 (ver.1), 2017 (ver.2), 2019 (ver.3)。IPAと共同で作っているタスクリストも同様。2017 (ver.1), 2019 (ver.3)

がなければ不可能だ。ただ、あまりにも世の中の変化が激しいので、委員の誰もがこの更新を避けることはできないと考えているのも事実だ。この2つのリストが多くの方々に意味のある(relevantな)ものであり続けるために、そしてこの世の中が真にデータドリブンな社会になるために必要なことと信じて行っているのだが、同じことはある程度は教育指導要領や教科書にも言えるのではないのだろうか。[50]

「全員同じ教育」をやめる

現在、デジタルサービス、デジタルマーケティングの現場では人どころか場面、文脈単位で適切な情報提供を行うことが通常になっている。だからこそクエリワード[51]を適当に検索窓に入れても、質問者の気持ちを読み込み、適切な答えを返すことができる。

一方、このような時代において、現在の教育は相変わらず1対nの教育が中心だ。これはテクノロジーによってもっと抜本的に刷新されるべきであり、各自の理解のスピードとつまずくポイントに合わせてチューニングしていくのが21世紀の教育と言えるだろう。

実際、米国の主要なMOOCのいくつかでは、オンラインに参加する一人ひとりの理解度を解析して、それぞれの人に最適化したプログラムを提供する[52]仕組みが背後に実装されるようになり、すでに数年になる。日本も一気に刷新するべきときが来ていると思うがいかがだろうか。

そもそも才能はそれぞれに違うのが当然であり、こだわることもつまずくところも異なる。それが未来の価値創造の芽となるわけだが、それを一人ひとりケアすることが本来、情熱と才能を解き放つ上で大きな力になるであろうことは間違いない。

50 もちろん、より普遍的で時代性に左右されにくい内容なので頻度はその半分ぐらい(前述のとおり3〜4年に一度)でいいようには思う

51 検索の際に調べる言葉。ウェブや画像検索画面だけでなくコマースなどのサイト内検索の際に使う言葉も同様にクエリワード(query words)と言う

52 たとえば間違う問いや問いの組み合わせごとに教育プログラムがダイナミックに変わる

反転学習の導入

これは教える人が不足している中での対応のあり方だ。ここまで述べたことの必要性は多くの人に理解してもらえると思うが、特に情報科学系は適切な教育を行える教師は当面少ない状況が続く。またすでに働いている層に対してスキル刷新を行うための先生も足りない状況が続く。

現実解としてはおそらく反転学習以外の答えがないケースが、それなりにあるだろう。反転学習というのは、これまでのように授業で学んで、あとで宿題を通じて復習するのと逆のアプローチだ。MOOCなどオンラインで事前に学んで、これまで宿題とされていたような内容をクラスルームの中で教師が直接教える。生徒からの疑問、質問などに答えたり、個別の指導を与えたり、生徒同士が共に取り組んで考える。

これまでの教育形態とはかなり異質ではあるが、徐々に実験も進んでいる。幸い日本は光回線、4Gまでの通信環境の整備は世界でも指折りの状況だ。教える適切な人が個別の学校にいなくとも、MOOCと反転学習を導入すれば相当の刷新が可能になる。すべてではなくとも、必要な部分から環境を整えていくのが現実解ではないだろうか。

なお、初等・中等教育で実践するにあたっては、子どもが家や図書室、学童、公民館などで学ぶためのなんらかの端末とインターネット接続環境が必要になる。この整備も同時に行う必要があるだろう。ここも含めて教育CDO（Chief Digital Officer）のような役割の人が基礎自治体（市町村）もしくは県単位で必要になると思われる。これこそ未来への投資として踏ん張るべきと考えるがいかがだろうか。

5 専門家層・リーダー層の育成

人材育成検討の最後に、専門家層についても補足しておこう。あらゆる活動の芯棒となるリーダー層も、専門家層の裾野の広さから生まれる。

まず指摘しておきたいのは、フェーズ2、フェーズ3を切り開いていくためには、これまでとは似て非なるデータプロフェッショナルを生み出していく必要があるということだ。

求められるのは基礎研究にしか関心がない人ではなく、「時代の変化から生まれるリアルな課題解決にエキサイトする人」であり、統計だけの専門家、あるいは単なるデータの専門家ではなく、「統計的な素養を持った上で、情報科学的な知恵と技を課題解決に使う人」だ。またエンジニア的な視点で言えば、ただ仕様書に基づきコードを書くSE（システムエンジニア）、プログラマーではなく、「課題を俯瞰し、柔軟にビッグデータ処理を実験環境から本番環境まで実現する人」が我々が必要とする人材だ（図4－5）。

具体的には、本章冒頭で述べたとおり、①データ×AI分野そのものの専門家（情報科学・計算機科学的な人材）、②データ×AIの力を使いつつ、さまざまな領域を刷新していく専門家のそれぞれのタイプの人が必要だ。それぞれについて見ていこう。

PhDレベルの専門家の層を厚くする

①データ×AI分野そのものの専門家は、情報科学・計算機科学の体系的な訓練を受けた人材だ（その広がりは後述）。そもそも学部時代に主専攻（major）として学んでもらい、さらに大学院レ

図4-5　これから求められるデータプロフェッショナル

Not this		But this
・基礎研究にしか関心がない人		・時代の変化から生まれるリアルな課題解決にエキサイトする人
・統計だけの専門家 ・単なるデータの専門家		・統計的素養を持った上で情報科学的な知恵と技を上の課題解決に使う人
・ただ仕様書に基づきcodingをするSE、プログラマー	➡	・課題を俯瞰し柔軟にビッグデータ処理を実験環境から本番環境まで実現できる人

資料：安宅和人「データ時代に向けたビジネス課題とアカデミアに向けた期待」応用統計学セミナー 2015/5/23
http://www.applstat.gr.jp/seminar/ataka.pdf

ベルの専門性を持ってもらうことが望ましい。

日本の場合、前述のとおり、そもそも学部時代にこれらの専門素養を身につける場所が少なすぎる問題がある。ただ、この問題については前述のとおり「数理・データサイエンス・AI教育」の検討がまとまり、実行・展開が進むにつれ、急速に改善されるだろう。

むしろ問題は大学院以上の訓練を受けた人、とりわけPhDレベル、すなわち自ら研究開発を推進できるような人材の厚みが足りなくなる可能性が高いことだ。データ×AI分野の基礎研究において、PhDを持つほどの体系的な訓練を受けていない人材が、地平を切り開く存在（その先のリーダー層）になることは極めて難しい。しかし、2018年度を見てみると、年間1100人と日本の博士号の

7％以上を生み出す東京大学でも、情報理工、学際情報、数理科学で79名。同772人、次の規模を誇る京都大学でも情報学は29名、データ×AI分野を牽引する2つの国立研究所（国研）、国立情報学研究所（NII）、統計数理研究所（統数研）で人材を育成する総合研究大学院大学（総研大）でも複合科学分野は19名に過ぎない。

なお、この大学院以上の訓練を受けた人（advanced degree holder）、PhDの少なさはデータ×AI関連だけでなくさまざまな専門分野での日本の競争力に直結した課題でもある。テック系、シリコンバレー系のスタートアップCEOの多くがPhDホルダー（GEのジャック・ウェルチ、Intelのアンディ・グローブなど）、もしくはPhDプログラムの中途退学者であることに気づかれた人は多いだろう。海外のインターネット、データ×AI系の企業においてはCTOはPhDなのが普通だが、日本ではまだ例外的だ。

この関連で1つ思い出す話がある。数年前OECDのある教育系のカンファレンスに呼ばれ、リスボンで話をする機会があった。そこで出会ったOECDの事務系スタッフ（官僚）は、国籍は当然バラバラながらどの人もPhDだったのだ。少々驚き尋ねてみると、現在OECDに入ってくるのは半分かそれ以上がPhDであり、修士を持たない人はいないという。日本の官庁（事務系）では逆にPhDがほぼゼロ[53]、修士すら少数派なのと対象的だ。[54] さらに別機会にOECDの某局長と何時間か議論した際には、大きな経済国かつ出資国である日本人スタッフをもっと取りたいが、適格（eligible）な人が見つからなくて採れないと直接言われた。

多面的に驚きの話ばかりだったのだが、これは当然のことながらIQの問題ではなく、大学院レベルの教育を受けて、さらに英語で仕事ができる人が少なすぎるということを示している。悲

53　2018年度文部科学省内定者 事務系22人中0人。技術系14人中3人

54　2019年度国家公務員総合職採用状況 院卒者率34・5％（244人／706人）

しいことだ。日本の国力、プレゼンスに直結した話なのだ。

2015年春、国の高度ビッグデータ人材育成検討の議論をしていた際に、文部科学省の方に「データ×AI的な素養のある人を育てたら、既存の大企業はその人たちを評価し、採ってくれるのか、出口が問題なのではないか」と言われた。そのとき僕が答えたのは、「自分のいるようなデータ×AIで回っているような企業であればもちろん採る。十分サプライ（人材供給）があるのであれば、むしろそういう人しかいらないぐらいだ。既存の大企業が採ってくれるのかは重要ではない。そういう訓練を受けていない人は世界を切り開く企業には入社できない[55]、もしくは世界を切り開くような人になるのがかなり困難になる。これまでどおりの古典的な大企業、時代の変化に対応しない企業にしか入れない人しか育てなくていいのだろうか」ということだった。未来を切り開く人材、今起きている変化に対応できる人が育成できていないという議論をしているときに、なんという質問なのかと思ったことを強く覚えている。

経団連のAI戦略検討に関わった者の肌感覚として、現在、多くの主要企業の方々にこういう高度な訓練を受けたPhD人材（少なくとも修士以上の人材）がほしいのか、ということを聞いても「よくわからない」と返ってくるのが実情だ。なぜなら、そもそもそれらの企業のほとんどがAI-ready度で言えばレベル1のオールドエコノミー側であり時代の刷新ゲームにまだ過酷にさらされていないことが1つ。また、そもそも経営層の大半が上級学位[56]（advanced degree）を持っていないためにその必要性を切実に理解していないことがもう1つの大きな理由だ。鈴木寛 東京大学／慶應義塾大学教授（元文部科学副大臣・大臣補佐官）によると米国の人事部長は75％が上級学位

55 たとえば、当時でも米Facebookはたとえ会計の人であっても基礎的なエンジニアリングスキルがない人は入社できないことで有名だった

56 PhD、MBAなど学士よりも上位の学位

を持っているが、日本では上場企業の経営者ですら上級学位を持つ人は5%もいないという。57

修士と博士のカニバリという深刻な課題

ではなぜPhDをこれだけの数しか生み出せないのかといえば、おそらくその最大の理由は日本における大学院教育のほとんどがterminal degree（プログラムの終了時にもらう学位）をとる修士課程であることだ。しかも、この修士がないと博士課程に入れない。結果、大学院に入る学生の大半が、PhDを目指すことなく修士を持って世の中に出ていく。この結果、基本、大学院入学段階「だけ」を見ると基本博士と同じスペックの人間が、確かに訓練不足ではあるものの、途中でより安く院卒として労働市場に出てしまう。これを企業がパクっと食べるように採用する。「修士と博士が、市場で食い合う」という他の国ではそうそうあり得ない悪夢のようなことが起こっているのだ。

これが米国の研究大学の一般的な学術分野（Arts and Science）であれば、PhDプログラムしか存在していないケースが大半であり、状況は大きく異なる。Master（修士）というのは大学院（PhDプログラム）を途中でやめるか、学部のときに頑張った人が学士と共に同時に取るケースであることが多い。なお、これは情報科学、計算機科学に閉じた問題ではない。つまり、国内外で「院卒」という言葉の意味がかなり違うのだ。

MBAはどうなのかと思われるかもしれないが、米国では大学院システム（post-graduate education）は通常の大学院（graduate school）と専門職大学院（professional school）で明確に分かれている。専門職大学院というのは典型的には医学大学院（Medical school：取得学位はMD）、法科大学院（Law school：同JD）で、高度な職業訓練を行う学校だ。経営大学院（Business school）もこちらに入る。

日本の場合、大学に入った段階で多くはいきなり専門職についてのトレーニング（法学、医学、建築など）に入ってしまうのでこの辺がわかりにくくなっている。一方米国では、いわゆる通常の大学院（Graduate school）は、基本的に大学の教員×研究者の免状としてのPhD授与者を育成するための学校であり、一般的な学問分野（Arts and Science）の専門教育と大学教員としての訓練を行う場所になっている。修士課程を経ず学士課程終了後、すぐにPhDプログラムに入る。

PhDをとった人のうち、わずかの人数しか大学の教員にならないことは世界中どこでも同じだが、[58] 日本では労働市場が、せっかくここまで訓練を受けた人の価値を認めず、彼らが路頭に迷うという驚くべき事態が生まれることが、この傾向にさらに拍車をかける。たとえば米国の大学の各種部門やプログラムの事務方ヘッドにはかなりの数のPhDがいるが、日本では大学のスタッフがヘッドですら博士号取得者であることは稀だ。

この状況の根本的改善には非専門職大学院（通常のgraduate school）における修士課程の廃止しかおそらく答えがない。もちろん米国同様学士取得後そのまま博士課程に入ってもらい、途中で去る場合、所定の条件を満たせば修士を与えて出せばいい（米国のPhDプログラムの場合、正規の入学者が1年以上在籍し、ちゃんと単位を取っていれば修士をもらえるケースが多い）。

おそらく、そしてほぼ明らかに、PhDを生み出せないもう1つ大きな理由は経済的なサポート（financial aid）の仕組みが基本欠落していることだが、この問題についてはさらにリソース検討

58 日本では今ひとつ認識されておらず、問題視している人が多いが、毎年PhDが授与される数と大学の教員が補充される数の比からどんな国でも同様であることは明らかだ（大学の先生の補充分だけだとするならばPhDの定員は10分の1程度にせざるをえないだろう）

図4-6　ビッグデータ利活用に必要な専門人材の広がり（例示）

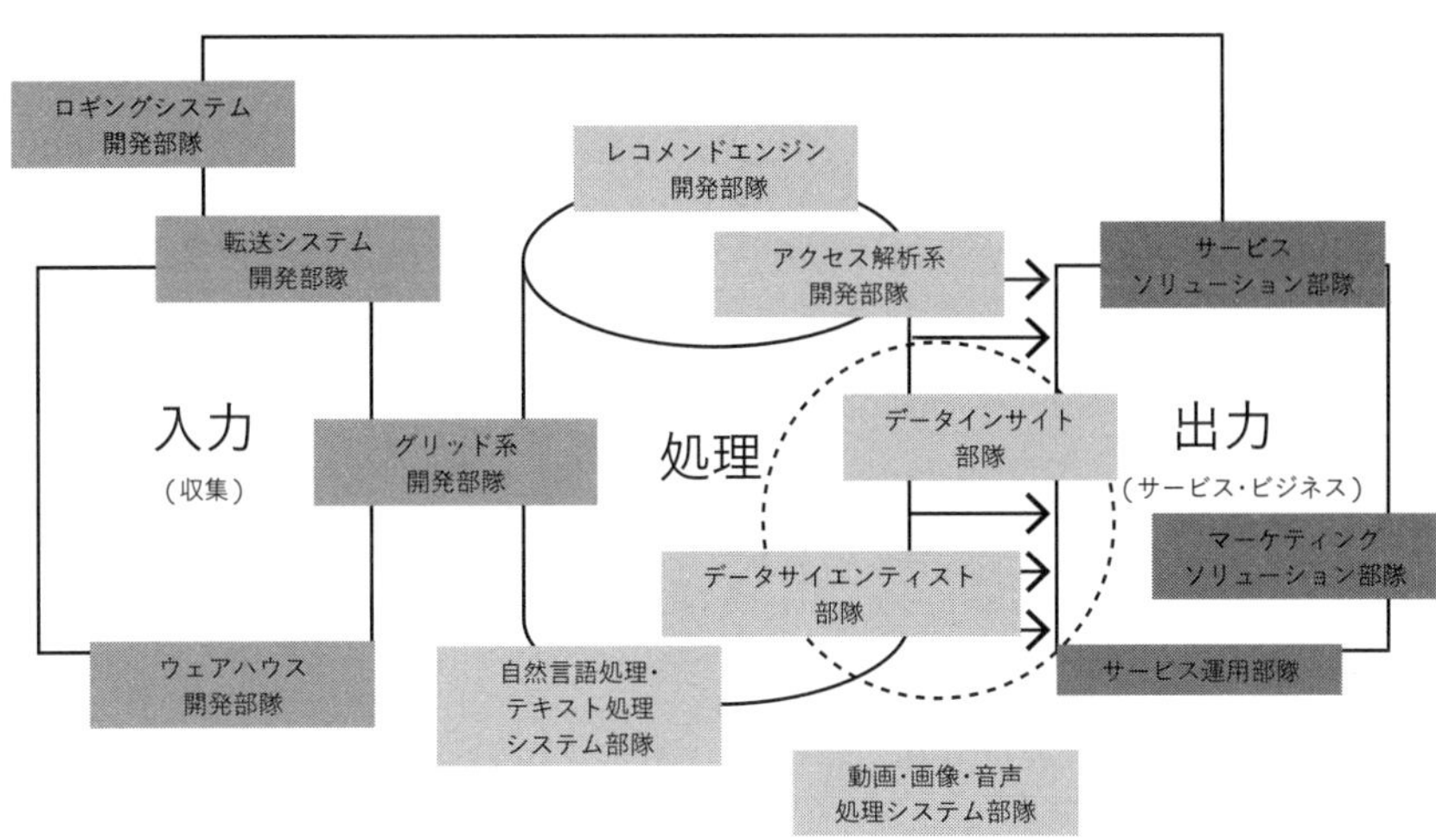

資料：安宅和人 言語処理学会第21回年次大会（NLP2015）招待講演「Yahoo! JAPANにおけるビッグデータの活用とその舞台裏」（2015/3/17）

の項（5章）で触れたい。

データサイエンティスト以外の多様なビッグデータ人材

またデータプロフェッショナルとしていわゆるデータサイエンティストさえいればいいのではないかと思われるかもしれないが、社会を本当にAI-readyにしたいのであれば、答えは否だ。

実際には図4－6を見ればわかるとおり、まずデータの利活用基盤を構築する人間、メンテする人間が相当量必要だ（入力の部分）。ヘビーなトラフィック（単位時間に膨大な情報が流れることをこのように言う）をさばこうとすると普通とはまったく異なる転送システムが必要だ。またどのような情報をログとして残すのか、それをどのような形にして残すのか、ということにも相当の知恵が必要となる。実際の利用者側のニーズと将来の展望を踏まえつつログを取るシステム（ロガー）の構築には、本物のプロがいる。

次に、1つのサーバーではとてもさばけない情報量を扱うため、分散処理基盤を開発し、メンテする人間も必要だ。計算機は数をN倍に増やしてもN倍のスピードが出るわけではない。先端的な環境では既存のソリューションに特別なチューニングをすることにより、千、万単位のサーバーをつなぐことが実際に行われている。

ある程度まではAWS[59]、GCP[60]などのクラウド基盤を用いて事業を立ち上げるのが2019年現在のスタートアップの王道だが、多くの場合、ある量を超えたときに自社でサーバーを持つことを検討する日が来る。また、金融業界のように、そもそも外部のクラウドに情報を置くこと自体がスコープ（許容範囲）外の業界もある。

また大切なデータをどのように保管するのかというデータウェアハウス[61]を設計・メンテする人、ここから分析的な用途のための必要データを使い勝手のよい形に切り出して、目的別のデータベース（データマート）を設計・メンテする専門家も必要だ。

これらの入力、情報収集系の業務は、通常のデータサイエンティスト業務を逸脱しており、通常専門家の力が必要だ。これらのスキルを要求される職場は長年ヤフーなど本物のビッグデータを自力で扱う会社に限られていた（今でもかなり限定的）ため、現在日本にもっともいない人たちの群でもある。シリコンバレーでも長らくかなりの人材の争奪戦が起きている。

59 Amazon Web Service。Amazonの提供するクラウド計算環境。クラウドサービスの走りであり世界最大シェアを誇る

60 Google Cloud Platform。Googleの提供するクラウド計算環境

61 直訳するとデータ格納倉庫。基幹系から必要データを収集し、目的別に統合・再構成し、時系列的に蓄積したデータベース

1つ留意点があるとすると、これらの人たちはいわゆる情報システム部門の人たちとは相当違うということだ。情シス系の人たちは通常、NTTデータ、日立、富士通などのシステムインテグレーター（SIer）の対面に立つ人であり、担当は基盤構築と運用だ。また会社の通常業務[62]の基盤となる基幹系の構築・運用と、このようなデータ利活用のためのバリューチェーンの構築・運用は異なるレイヤの話で、必要な技も違う。

新しい成長エンジンの要（かなめ）となるChief Data Officer, Chief Digital Officer（CDO）と言うべき人材が必要な時代が来たということだ。

次にデータ処理系の専門家集団になる（図4－6の「処理」の部分）。広義のデータサイエンティスト、データアナリストがここに該当する。画像、映像はもちろん、言語も音声も（これらは初めから数字なわけではないいわゆる非構造化データ）データとして扱うにはいずれも大変にディープな領域で、それぞれに専門家が存在する。たとえば、言語処理だったら「言語処理ニスト」と言うべき人たちがいる。この方々のおかげで我々の言語入力も正しく理解され、画像のタグ付けや分類なども可能になる。彼らはデータサイエンティストというよりサイエンティストと呼ばれているケースが多い。

また、レコメンドエンジン（直訳すると推奨エンジン）を作るプロ集団が別途存在する。現在のデータドリブンな世界を効率化しているかなりの部分がレコメンドエンジンだ。言葉の入力の際に補助をしてくれる部分もこれ、コマースサイトや地図上でモノや場所を探している際に適切なサジェストを行うのもこれ、あるいはヤフーニュースやSNSのタイムライン、Spotifyなどの音楽

62 なお、ここで「通常業務」と言っているのはたとえば、商品開発、製造、調達、POS、受発注、販売、物流・配送、店舗／店頭在庫管理などだ

サービスなどで自分に合わないものが流れず（どんな人も言葉にしづらい好き嫌いが存在する）、関心に近いものが主として流れるというのもこれだ。広告配信における場面や人と広告クリエイティブのマッチングすらある種のレコメンドと言える。

Twitterやヤフーニュースなどのタイムラインの場合は、絶え間なく流れ込んでくるコンテンツをリアルタイムで識別し、数千万人、数億人に対し人、場面、文脈ごとにさばくという曲芸のようなことが行われている。既存のアクセス解析系のツールでは役に立たないケースも多く、これを作り込む人たちも存在する。

データサイエンティストは研究者ではない

では、通常の意味でのデータサイエンティストとはどんな人だろうか。それは、こういうプロ集団の中で、彼ら個別領域のプロと共働しつつも、「データサイエンス力、データエンジニアリング力をベースにデータから価値を創出し、ビジネス課題に答えを出すプロフェッショナル」[63]のことだ（図3－6参照）。ここで言う「ビジネス」とは、社会に役に立つ意味のある活動全般を指している。情報を活用する出口と入口側をつなぐハブのような存在であり、ソリューションがある程度揃ってきた現段階で不足が顕在化している。

大量データをさばいてそこから事業的なインサイト（洞察）を出すデータインサイトの専門家も存在するが、この面々も広義のデータサイエンティストと言える。

深層学習や機械学習の専門家ももちろん必要だが（実際に、データ×AIを活用するビジネスの現場でもこのそれぞれの最先端を追求する特化型のサイエンティストが存在）、これらのライブラリー[64]をただ触れる

63　DS協会プレスリリース（2014年12月10日）からの引用

64　プログラミング言語において、よく利用すると思われる関数や機能、データなどをまとめたファイル。他のプログラムになんらかの機能を提供するコードの集まりであり、汎用性の高い複数のプログラムを再利用可能な形でひとまとまりにしたもの。ソフトウエアの開発メーカーなどから提供されることが多い。（Wikipedia「ライブラリ」、およびコトバンク：ASCII.jpデジタル用語辞典「ライブラリー」から筆者編集）

図4-7　データサイエンティスト業務のタスクの全体像

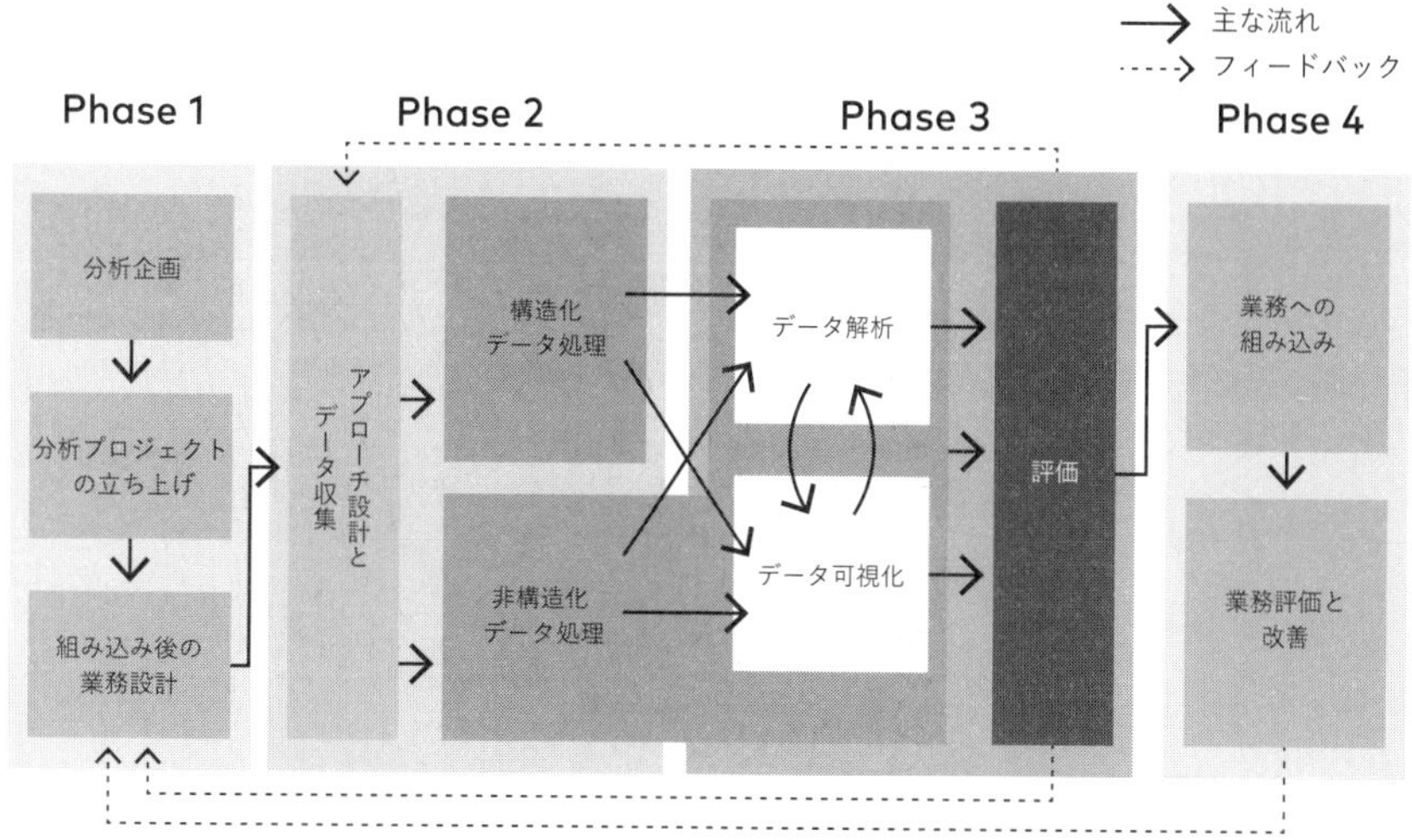

資料：データサイエンティスト協会スキル定義委員会、IPA（2019）

人がデータサイエンティストなのだという誤解が多いのも大きな問題だ。

そもそも、ドメイン知識も領域インサイトもないところで価値が生まれるわけもなく、さらに言えば、図4－7のタスクの全体像[65]を見てもらえればわかるとおり、それは本当に業務の一部に過ぎない。いわんや基本的な分析力がない、統計数理的な素養がない状況で、単に既存のライブラリーにデータを流し込んでしまうというのは論外だ。

プロフェッショナルというのは単なるスペシャリスト、エキスパートと異なり、クライアントに対してきっちりとバリューを提供することにコミットする人だ。混迷を極めた現場に行き、状況を診断した上でプロジェクトのスコーピングができることはもちろん、データを探してくること、つなぎこむこと、構造化、非構

65　データサイエンティスト協会とIPAでとりまとめ発表（2017年4月にver.1。この図表は2019年10月に発表のver.2）

造化データの下準備（よく前工程という）をすること、という極めて手がかかる作業も通常データサイエンティストの仕事だ。その上で、ただ単にデータに詳しいだけでは生み出せないインサイトを出し、正しい倫理観を持って仕組みの全体を設計し、業務への実装までサポートできて初めて本物のデータサイエンティストと言える。

もちろん巨大なスケールでの実装にはプロのデータエンジニアが必要だ。とはいうものの、個別データの専門のプロ、サイエンティストが重要な役割をなすことが多いと述べた非構造化データ（音声、映像など）についても、大きな実装を伴わない課題解決レベルであればデータサイエンティスト自身が当然対応する必要がある。古来、人間社会のもっとも価値のあるデータの大半はテキストデータであるため、特に自然言語処理の基本能力はあらゆる領域でほとんど必須だ。データサイエンティストは入口、出口をつなぐ半ばハブ的な存在だからだ。

出口、顧客に向かい合う図表４－６の「出力」の領域の人たちはデータサイエンティストと言うより、データ利活用のスキルを活用しつつ価値を生み出すマーケティング・ソリューション、サービス・ソリューションの専門家の方々だ。ここがまた数で言えばもっとも不足しており、この能力を持たない多くのメンバーにしわ寄せがきてハードワークが発生するケースが多いが、リテラシー層の拡大ができれば多くは解決するはずだ。

高等教育における部門とプログラムの分離

②の「データ×ＡＩの力を使いつつ、さまざまな領域を刷新していく専門家」について考えて

みよう。前述の基礎レイヤの人たち①の層の厚みが大切であることはもちろんなのだが（そうしなければ深い課題が発生した際に相談する相手がいなくなる上、基礎技術開発は常に海外の力に頼ることになる）、特定領域の知識を深く持ちながらデータ×ＡＩそしてデザイン素養を持つ人間をどれだけ生み出せるかが我々の未来に直結する。たとえば、すでにある種の皮膚がん[66]や肺ガン[67]の画像診断においては深層学習を活用したＡＩの性能は世界最高峰の医師の診断能力を上回りつつある。この革新は医学の専門性（ドメイン知識）とデータ×ＡＩの専門性を掛け合わせることによって生まれたものだ。このように、フェーズ2、フェーズ3を実際の現場で仕掛ける人たちはむしろこちらの人たちになる。つまり、境界・応用領域にこそ人材が必要とすら言える。

教育システム側としては、データ×ＡＩを副専攻（minor）として学ぶ、もしくは他の専門領域と複数専攻（double major, triple major など）で学ぶことによってこれらの人を育成することになる。もちろんドメイン知識は大学で学ぶとは限らないので、何らかのドメイン知識を持つような人が専門教育を受ける場合もこれに当てはまる。

このことを考えると、高等教育において育成プログラムと教員の所属する各部門を分離することと、米国の大学のようにマトリックス化することは必須になる（図４-８）。簡単に言えば、明治・大正から続く日本の大学システムは、部門（学部・学科）に、教員（教授ほか）も予算も学生も張り付いている[68]。だからこそ、学士取得を目指す学生（undergraduate、いわゆる「大学生」）のことをこの国では「学部」生（学部に属している学生の意味）と呼ぶのだと考えられる。

たとえば数学を学ぶ学生は数学科の学生になるしかなく、仮に法律を学ぶ学生が数学を学ぼう

66 Esteva et al. "Dermatologist-level classification of skin cancer with deep neural networks" *Nature* 542, 115-118(2017)doi:10.1038/nature21056

67 Ardia,D. et al., "End-to-end lung cancer screening with three-dimensional deep learning on low-dose chest computed tomography" *Nature Medicine* 25, 954-961(2019)

68 講座制導入は井上毅文相時代の明治26年 帝国大学令改正とともに行われた。講座制と予算のひも付きが行われたのは定額制予算が廃止された大正15年に教員定員と予算の積算基準とされたことから始まる。天野郁夫『大学の誕生』（中央公論新社 ２００９）上巻pp.202-205; 天野郁夫『帝国大学』（中央公論新社 ２０１７）pp.198-199, pp.164-165

図4-8　**大学における部門とプログラムの分離が必須**

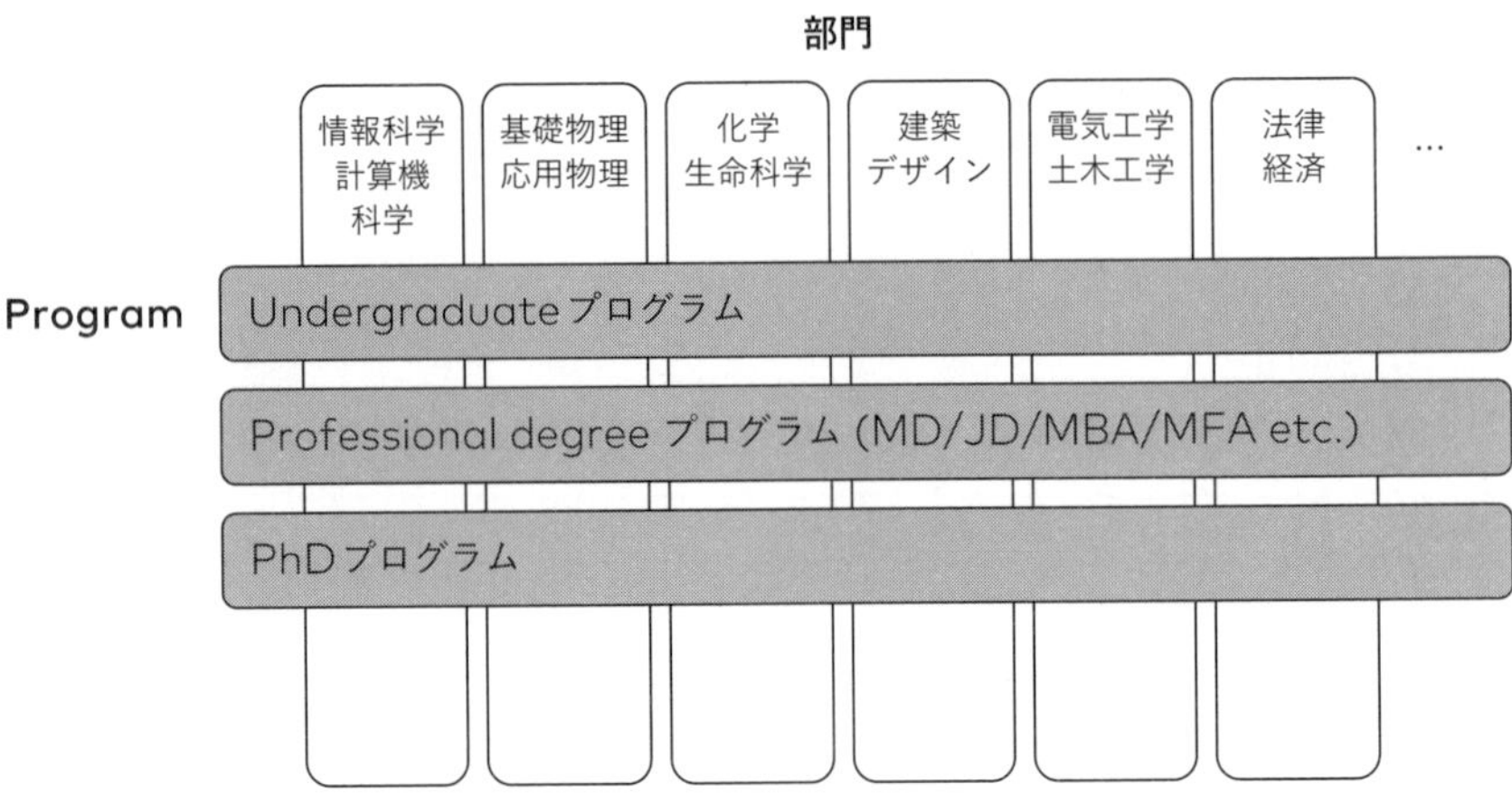

資料：安宅和人分析

としたら再度学士入学的に入り直さなければ、数学を体系的に学べない。これがいわゆる講座制だ。このやり方では、境界・応用領域型の人材として育てようと思うと、学ぶ側にも教える側にも膨大なムダが生じ、実際、そのような道を歩む人は少ない。社会も、そのような大切な希少人材を煙たがる傾向があるという負の循環がさらに働く。

専門性の高い人が集まらなければ研究を効率的かつ効果的に行えないのは事実であり、部門（school や department）に教員と部門運営にまつわる予算が張り付いているのは当然だ。しかし、学生も部門で抱え込む仕組みは、変化に対する柔軟性に欠ける。

なぜ米国で法律と数学、物理と経済というような複数専攻の学生が普通にいるのかといえば、どのような専門を学ぶか

69　スクールは学位を与える教育単位だがその下に部門（Department）を抱える。学部教育（undergraduate education）、大学院教育（arts and science）は通常それぞれが1つのスクール。学部のような専門分野の切り口は存在しない。専門職大学院のそれぞれも通常異なるスクール

ということを一切聞くことなく、学部生ではなくundergraduateとして受け入れ、所定の条件を満たすと○○専攻として卒業できるからだ。この仕組みがあるので、前述のように（2章参照）、米国のトップ大学はundergraduateの過半数が計算機科学を学ぶということができるのだ。日本の大学システムとは根底から異なることがわかるだろう。

この問題は大学院（graduate program）でも続く。米国の大学院も確かにschool毎に学生を採っているケースも多いように見えるかもしれないが、それは大半の場合、professional school（専門職大学院）の話だ。Graduate schoolと言われるものはＰｈＤを育成するプログラムの総称であり、その下に学問分野・テーマ（academic discipline）ごとのＰｈＤプログラムが数多く（専門の数だけ）存在する。

教員は複数のプログラムから大学院生を採ることができ、特定のプログラムから見れば、たとえばこのプログラムには3つのスクール[69]に所属する16の部門[70]からファカルティ（教員）が37人参加しているというようになる。この育成プログラムごとに入学審査（admission）を行い、学生を育成するための予算を組む。もちろんプログラムごとに統括（例：Director of Graduate Study in Neuroscience）の教員と事務方がいる。

日本もこのように学部（この呼称も学士課程のように名前を変えたほうがいいと思う）、大学院共に、部門と教育プログラムを分離することを真剣に検討するべきときが来ている。すべてが部門に張り付いた状況で、これからの社会が必要とする応用・境界領域の人材を育成することは厳しく、変化に対する柔軟性も欠けるからだ。

70 Department（Dept.）の訳。数学、物理、経済学、心理学など専門分野ごとに存在し、ファカルティが所属（加えて複数の教育プログラムに参加しているケースも多い）。比較的近くに研究室が集まっていることが多い。領域としては、日本の学科よりも専門分野の広がりが通常広い（たとえば心理学部門の下にBehavioral Neuroscience/行動神経科学とClinical Psychology/臨床心理学の大きな異なる研究グループが存在していたりする）が、日本の学部のように学位を与える単位ではないまた、新しい学問分野は多くの場合、境界領域から生まれることは歴史から明らかであり（たとえば、前述の物理学者と化学者が遺伝学に入ってくることで発展した分子生物学）、今後の創発を加速する視点でもこのような取り組みを真剣に検討すべきだ。このためには講座制による予算組みシステムからの開放が必要になるが、幸か不幸か日本の大学の場合、経済的な支援システムが乏しいので、予算組みに過度にとらわれず一気に変えることは十分可能であると考えるがいかがだろうか。

5章

未来に賭けられる国に

——リソース配分を変える

あきらめたらもういけない。
出来る、と思ったら出来るのです。
——西堀 栄三郎

西堀栄三郎：登山家・技術者、第一次南極越冬隊長（1903–1989）
『石橋を叩けば渡れない』西堀栄三郎著、日本生産性本部

1 圧倒的に足りない科学技術予算

2017年1月20日、ドナルド・トランプ（Donald Trump）氏がアメリカ合衆国大統領に就任した。そこまで米国の科学コミュニティはかなり熱狂的にバラク・オバマ（Barack Obama）大統領シンパであり、その後継としてのヒラリー・クリントン（Hillary Clinton）国務長官をサポートしている人が多数だったので、相当の戦慄が走った。この調子でいけば膨大な研究費削減が行われるのではないか、と恐れたのだ。

しかし実際に起こったことは真逆であった。トランプ大統領になり、最初にフルの予算見直しを行った2018年度の科学および技術予算は、歴史的な増額だった（図5－1）。科学コミュニティが胸をなでおろしたことは言うまでもない。

おそらくだがMake America Great Again（米国を再び偉大な国へ）を掲げて大統領になったトランプ氏は、米国の科学技術予算が中国のそれにPPP（購買力平価）[1]ベースですでに抜かれており、名目ですら中国に並ばれつつあることを見て、躊躇なく上げることを決断したのではないか。結果的には、あれだけ科学・技術に理解のあったオバマ大統領と比べてもまったく遜色ないほどの増額だった。

また、伝え聞くところでは、トランプ政権になってから、この連邦政府に税金を納めるぐらいならということなのか、大学及び研究機関への寄付は増えているそうだ。結果的にはトランプ政権バンザイの状況であり、科学コミュニティからの批判は沈静化している。

一方で、中国は人工知能開発に3年で1000億人民元（約1・6兆円）投入する、次世代移動

1 実際の物価水準により通貨間の価値を補正した値

図5-1　米国の歴史的なR&D予算の増大
FY2018

Trump, Congress approve largest U.S. research spending increase in a decade
by Science News Staff | Mar.23, 2018.8:30AM

部門	2018予算	vs. 2017
NIH	370億ドル	+30億ドル
NSF	78億ドル	+2億9500万ドル
DoE office of science	63億ドル	+8億6800万ドル
NASA	207億ドル	+11億ドル
NOAA*	59億ドル	+2億3400万ドル
NIST**	12億ドル	+2億4700万ドル
Geological survey	11億ドル	+6300万ドル
農水省研究	12億ドル	+3300万ドル
EPA***	81億ドル	n/a

* National Oceanic and Atmospheric Administration, ** National Institute of Standards and Technology
***Environmental Protection Agency
資料：http://www.sciencemag.org/news/2018/03/updated-us-spending-deal-contains-largest-research-spending-increase-decade より安宅和人作成

通信（5G）に5兆円投資する、というようなニュースが、トランプ大統領が就任した2017年になってから相次いで流れた。

米国は米国で、予算をただ幅広く増やすだけでなく、オバマ政権末の2016年に人工知能関連の白書を相次いでホワイトハウス（大統領府）から出し、さらに一気に巻きを入れようとしている。このように、1章で述べた技術的な不連続点の中で、明らかに米中の科学・技術への投資競争が加速している。

国力に見合ったR&D投資ができていない

本章では目指す未来に向けたリソース配分を論じていくが、では日本のR&D投資はどうか。なんと2017年まで長期にわたって微減傾向で、2018年に少し持ち直したが、あくまで10数年前の水準に戻ったかどうかという状況だ（図5－2）。名目ベースで中国に並ばれ抜き去られたのはなんと2008年。中国のそこからの伸長は著しい。米中以外の主要国も伸ばしている国が多く、2014年には人口が3分の2のドイツに並ばれ、韓国も急激に日本に近づきつつある。2016年のGDP比を見ると日米は3・8倍、日中は2・3倍だが[2]、科学技術予算を見ればそれぞれ4・7倍、3・7倍だ。一言で言えば、歴史的な技術革新期でありながら、日本は国力に見合ったR&D[3]へのリソース投下ができていないのだ。

日本だけが、加速する技術革新ゲームに参加していないと言ってもよい。このままでは米中と科学・技術面で戦うことは遠からず非現実的になる。

なのに意図的に政府のどこかがかさ上げした発表まで行って、科学技術予算が増えたように見せかけているという大変頭の痛い話もある（図5－3）。これは対外的な見栄なのか、はたまた日本の市民に対する数字のお化粧なのか、担当者の上層部への忖度なのかよくわからないが、こんなことをいくらしても未来はよくならない。

きちんと国全体のマネジメント（経営）を行おうと思うのであれば、世界の中の日本として、真実を直視すべきことは言うまでもない。あらゆる戦略は目指すべき姿の正しい見極めと現実の正しい理解から始まる。戦略立案とは、構造的に世の中を見立て、そこでの勝ち筋を見極め、これを具体的な実行プランに落とし込むことだからだ。WhatとHowをつなげて初めて戦略と言えるが、その立脚点は常に正しい現状の理解だ。

文部科学省の課長級[4]以上の方々（幹部）とこの2～3年お話をしていると、日本は科学技術の研究開発分野を絞らなければ無理なのではないか、国立大学の数を削らなければもう無理なので

2　World Bankデータによると2016年のGDPは日本4・927、米国18・707、中国11・138（単位は兆ドル：現在の米ドルベース：2019年11月18日抽出）

3　単なる研究予算だけの話ではなく、高度人材開発費用を含む

4　霞が関における課長は一般大企業の課長とはまったく異なる。特定産業分野や機能に関する責任者（例：文科省初等中等教育局 教育課程課長）。大会社を含め、関わる組織のトップに普通に話に行ける立場である

図5-2 科学技術予算（名目：各年の平均的為替相場換算）

単位：10億円

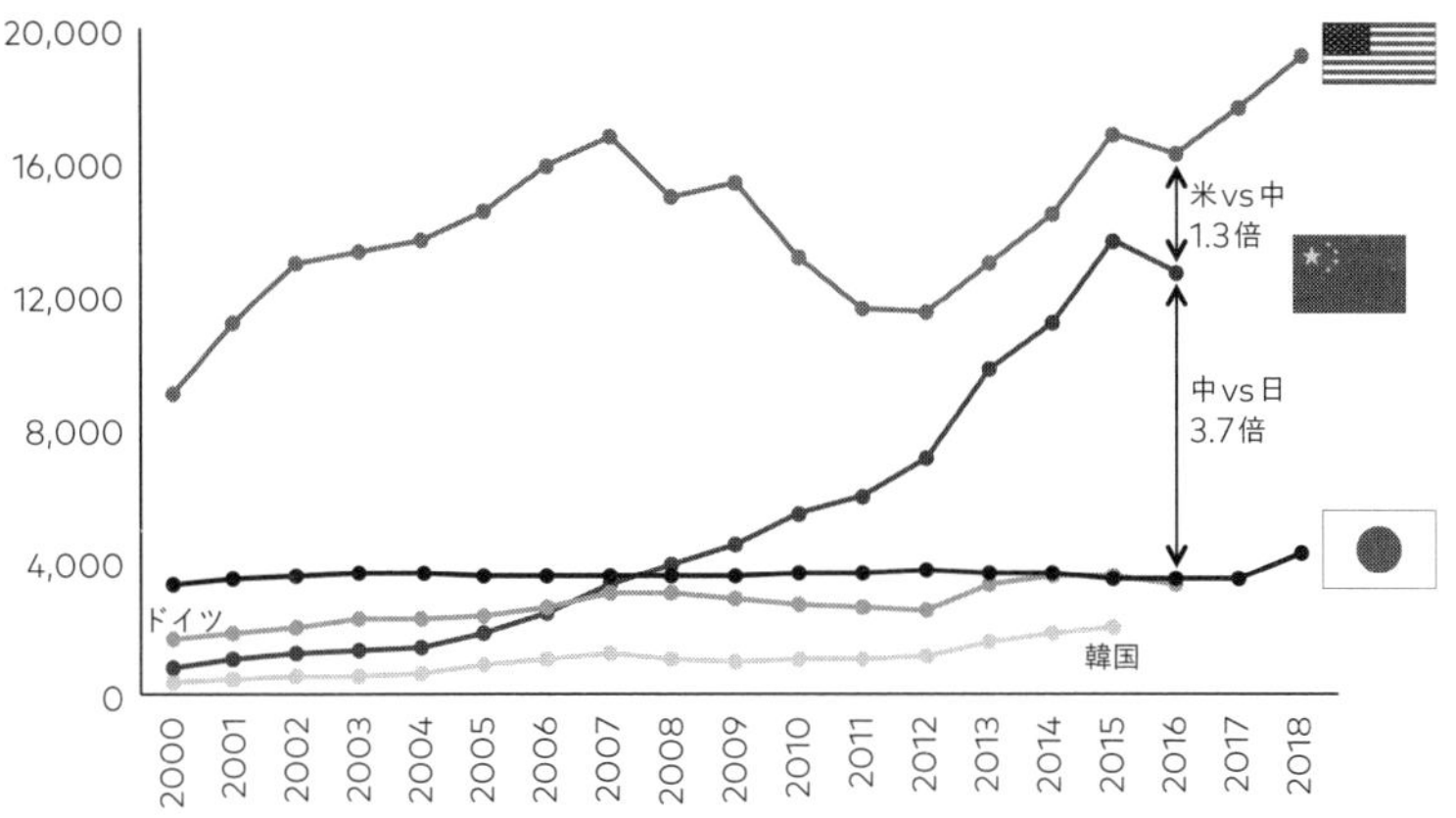

資料：
・文部科学省 科学技術・学術政策研究所、「科学技術指標2017」
・全国科技经费投入统计公报　http://www.stats.gov.cn/tjsj/zxfb/201710/t20171009_1540386.html
・Science　http://www.sciencemag.org/news/2018/03/updated-us-spending-deal-contains-largest-research-spending-increase-decadeより安宅和人作成

図5-3 意図的に歪曲された発表

科学技術予算、初の4兆円超え…ただし「かさ上げ」分あり

毎日新聞 2019年1月29日 22時27分（最終更新 1月29日 22時28分）

経済一般 ＞ 最新の経済ニュース ＞ 速報 ＞ 経済 ＞ 科学・技術 ＞ サイエンス ＞ 政治プレミアタイムライン ＞

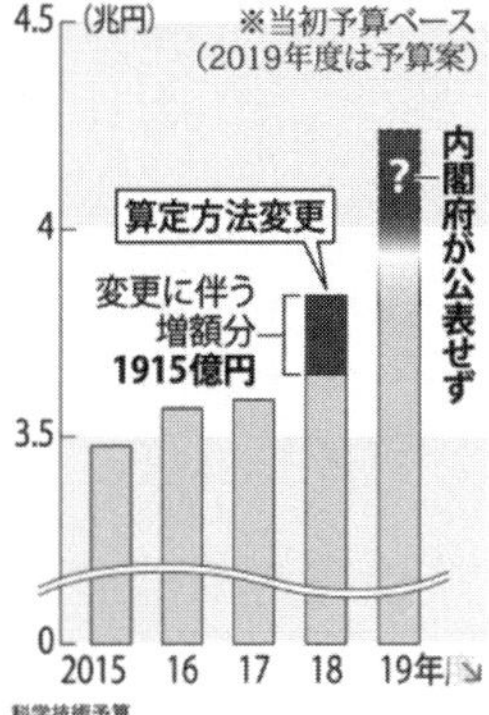

内閣府は29日、2019年度当初予算案における科学技術予算が対前年度比10.4％増の4兆2377億円になり、当初予算ベースで初めて4兆円を超えたと発表した。ただ、内閣府は18年度分から集計方法を変えて事実上の予算額の「かさ上げ」をしているが、今回からかさ上げ分を公表しないことにした。過去との比較ができず、データの信頼性が問われることになる。

資料：毎日新聞 2019年1月29日

はないかという言葉が日常的に出てくる。やはり文部科学行政に充てられている原資が足りていないという意識が顕在化していることはほぼ間違いない。

ちなみに戦後人口は約1・8倍に増えたが、研究大学の数は大学院大学を除くと、さして増えていない。80年代以降確かに大学の数はかなり増えたが、[5]それらの多くは地方に根ざした私立大と県や市が設立した大学だ。

また削減や縮小の対象になりがちな地方の旧来の国公立大学（主として国立大）は、各地方でのR＆Dそのものを支える大切な拠点であり知的集積地だ。貧困層が広がり、地元以外に進学させる余力のない家庭が急増する中（図2－10参照）、地方における才能の大切な受け皿（人材育成の場）でもある。地方においても身近に相談できる相手がいることの重要性は間違いなく、今後の各地域のデジタル化（いわゆるDX: digital transformation）推進のためにも本来カギとなる存在だ。このように各地方の社会経済的システム（socio-economic system）の中で不可欠な存在である地方の国公立大学を安易に消滅させると、想定を遥かに超えたダメージを与える可能性が高い。

学術領域についても、世界で3番目、先進国としては2番目の経済国、なおかつ大半の産業分野で大きなプレゼンスを持つ数少ない国の1つなのだから、絞ることを考えるよりも、大半の分野である程度以上の強さを持つべきことは自明だ。したがって、彼らの少々場当たり的な打ち手案についての意見に与するものではない。しかし、リソースが足りていないことに関しては後述の検討を踏まえ深く同意する。

5 1985年に450校だった大学が、2009年には772校まで増えたという。小熊英二『日本社会のしくみ』（講談社 2019）p.51

高い人材開発の投資効果

1つ大切な事実でありながらあまり認識されていない話をシェアしたい。それは国のような公共機関が行う取り組みの中でもっともＲＯＩ（Return on Investment：投下資本あたりの戻り）の高い取り組みのトップが教育・人材開発（people development）であり、それに次ぐのが科学・技術開発であるということだ（図５－４）[6]。ただし取り組みの性質上、当然のことながら、足が長い、つまり結果が出るまでに時間がかかる。しかし、国というのはもともと企業などでは到底取れない時間軸、規模のリスクを取り、未来に向けて張るのが本来の役回りなのだ。そもそも「人づくり」とあらゆる国力のもととなる「科学&技術開発の力」がもっとも大切なアジェンダでないような国や企業に未来などないことは、冷静に考えれば明らかだ。

科学技術予算の多寡は競争力に直結

科学技術予算は入れれば入れただけ論文数、すなわち競争力につながることがわかっている（図５－５）。これは国によらず、いわゆる西側諸国ではほとんど同じコンバージョンレベルであり、日本と韓国、ドイツの線は重なり合っている。このグラフを見れば一目瞭然なのだが、あえて計算してみると、相関係数は０・９５２（１が完全相関）という驚くべきレベルのものである。なお、中国はこの予算と論文のコンバージョン、グラフの傾きがやや低かったが、資本投下をし続けた結果、ほぼ我々と同じレベルに追いついたことも、各国の比較分析から言える。

6　詳しくは経済産業省のシンクタンクである経済産業研究所（RIETI）の森川正之副所長による論文をご覧いただけたらと思う。「経済成長政策の定量的効果について：既存研究に基づく概観」（２０１５・２）

図5-4　各種政策の成長率への効果

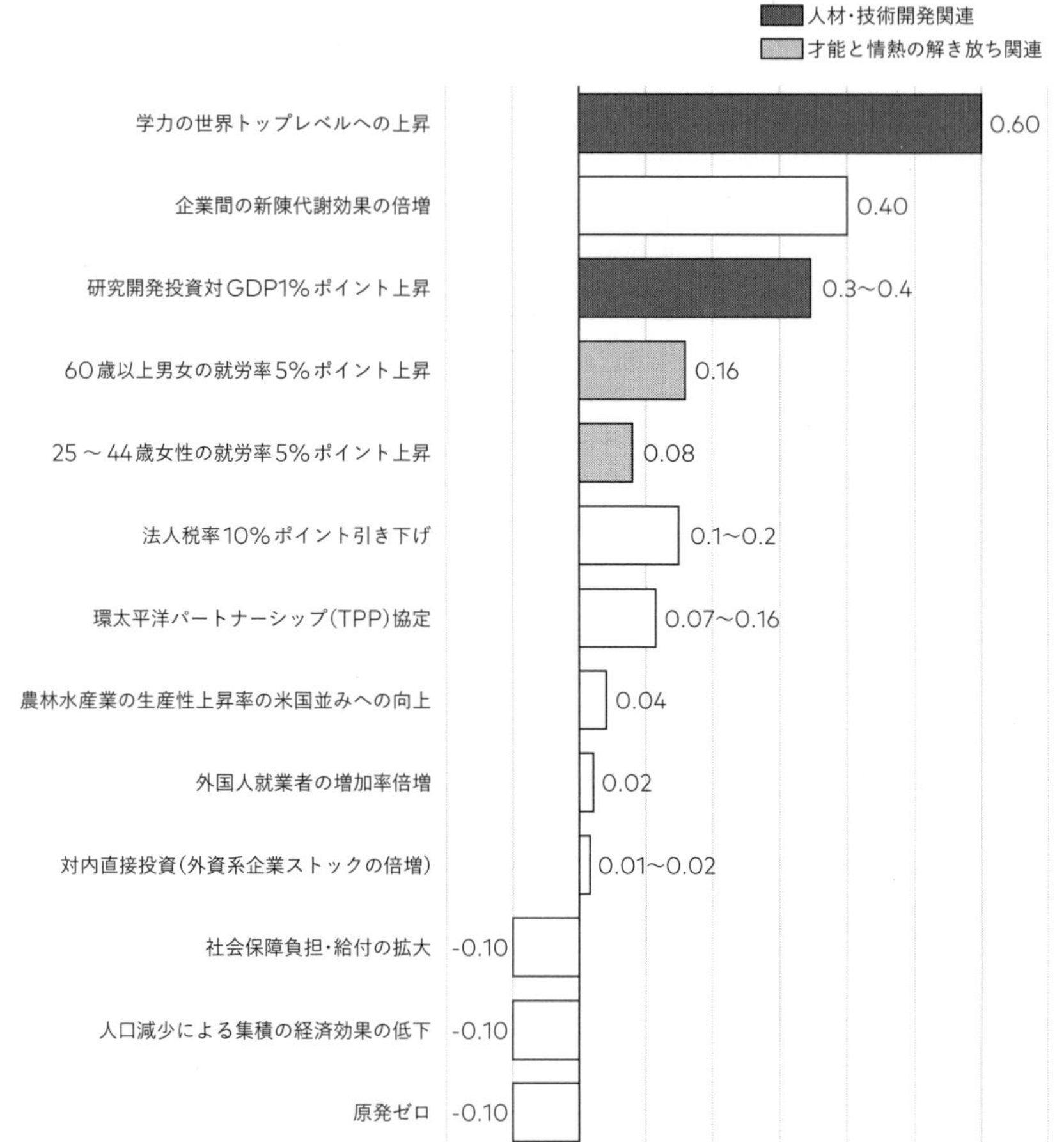

資料：森川正之 経済産業研究所(RIETI)・副所長「経済成長政策の定量的効果について：既存研究に基づく概観」(2015/2)から安宅和人図表化
https://www.rieti.go.jp/jp/publications/nts/15p001.html

図5-5　各国の科学技術予算と論文数

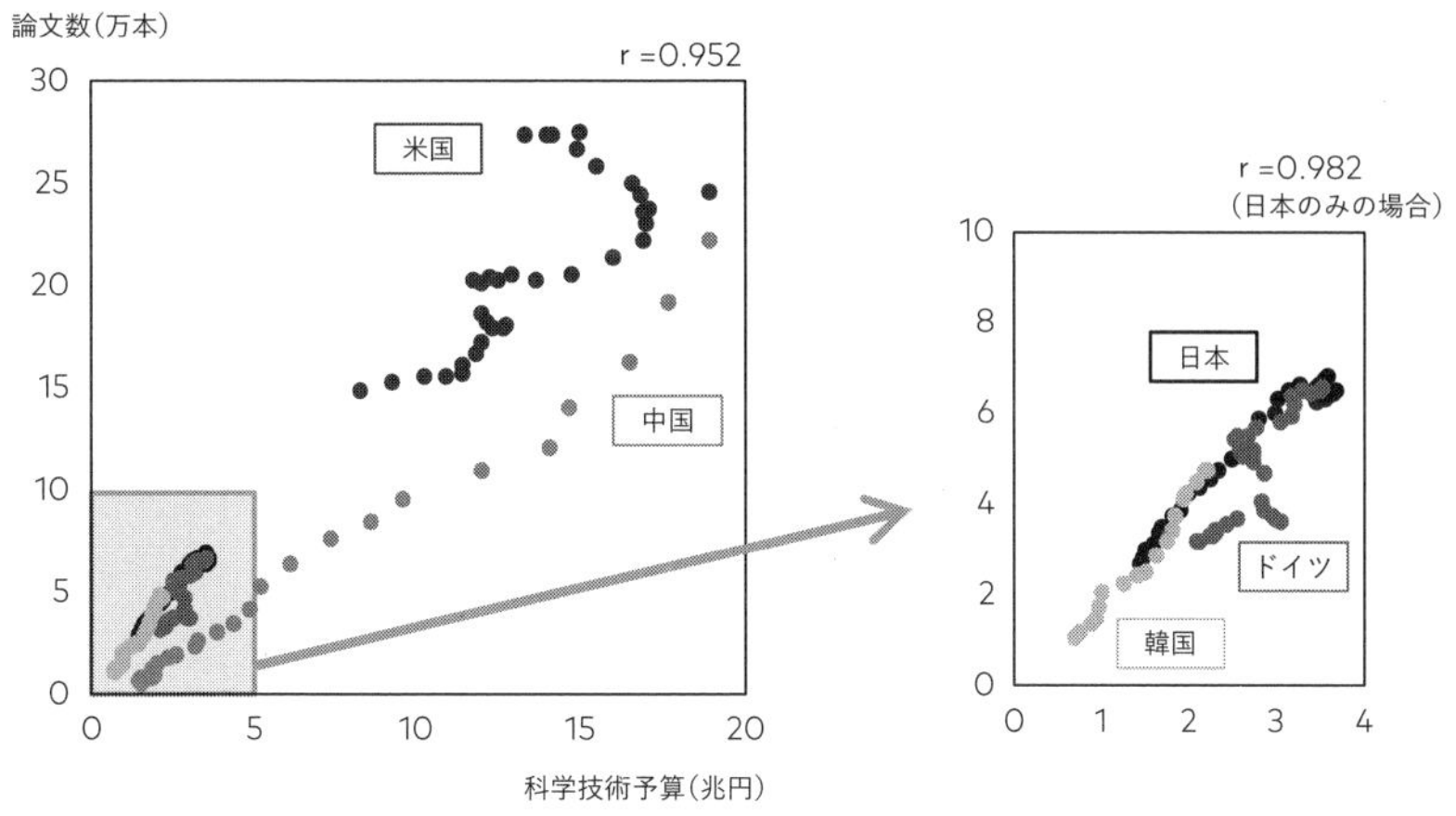

資料：文部科学省 科学技術・学術政策研究所「科学技術指標2018」をもとに安宅和人分析。1983年〜2016年をプロット。
科学技術予算はOECD購買力平価換算、論文数は分数カウント

こういうことを言うと「論文の質が問題なのです」と返す人もいるが、2019年も旭化成の吉野彰博士にノーベル賞が与えられたことからわかるとおり、日本にかなり質の高い論文が相当数混じっていることは事実であり、とにもかくにも質はある所定の割合でしか生まれないのだから、裾野を広げること、つまり数が大事だ。また先述のPhDを生み出すためにも、論文を生むための原資が必要だ。つまり未来の人づくり、特に国のレベルを支える専門層、リーダー層づくりのために、予算が不可欠なのだ。

選択と集中の真逆を行う必要がある

個々の研究者レベルで見れば論文数が必ずしもすべてではないことは僕自身も深く頷くものであるが、[7] とはいえそれは

7　論文数だけをベースにPhD判定や教員のパフォーマンス判定を行う大学は世界的には二流と言われてもしょうがない

ミクロの話であり、マクロ的に見れば科学そして技術（エンジニアリング）分野における力と論文数がほぼ一致することは事実だ。この分野における資本投下を削るということは、ストレートにものやサービスづくり、未来変革を行うための上流部分の国力を削ることになる。ここまで理解してもらえれば、明敏な読者ならば反論なく、むしろ、どのように対応したらいいか考えられるはずだ。

タイミングとしても今科学・技術開発に資本投下することは時宜に適っている。現在、データ×ＡＩ化におけるフェーズ１からフェーズ２、３に一気に移る局面であることは事実であり、そのような半ば不連続な局面において最初にツバを付けた人たちに多くの未来が待っていることは、過去のイノベーション勃発期と同様でこれからも変わらないからだ。しかも、日本がさまざまに強みを持つ境界領域、応用領域の刷新フェーズに入るわけで、今やらない手はない。

通常、最初期段階の論文１本は（seminal paper：種になる論文の意味）、中期、発展期以降の論文の少なくとも１００倍、ときには１０００倍近いインパクトがあるものだ。もし高いインパクトの論文を生み出したいなら、そして日本が20世紀後半同様に世界を変える先導者に再びなり続けたいと思うのならば、なるべくどのような領域においても（基礎科学だけでなく）最初期にツバを付けておくのが得策だ。国全体としてもベンチャーキャピタルと同様のポートフォリオ的な発想が大切になる。成功したものやすでに成功が見えているものに突っこむことがほとんどの「選択と集中」の真逆をやる必要があるということだ。

図5-6　日米のトップ大学の学生一人あたり予算と人件費率

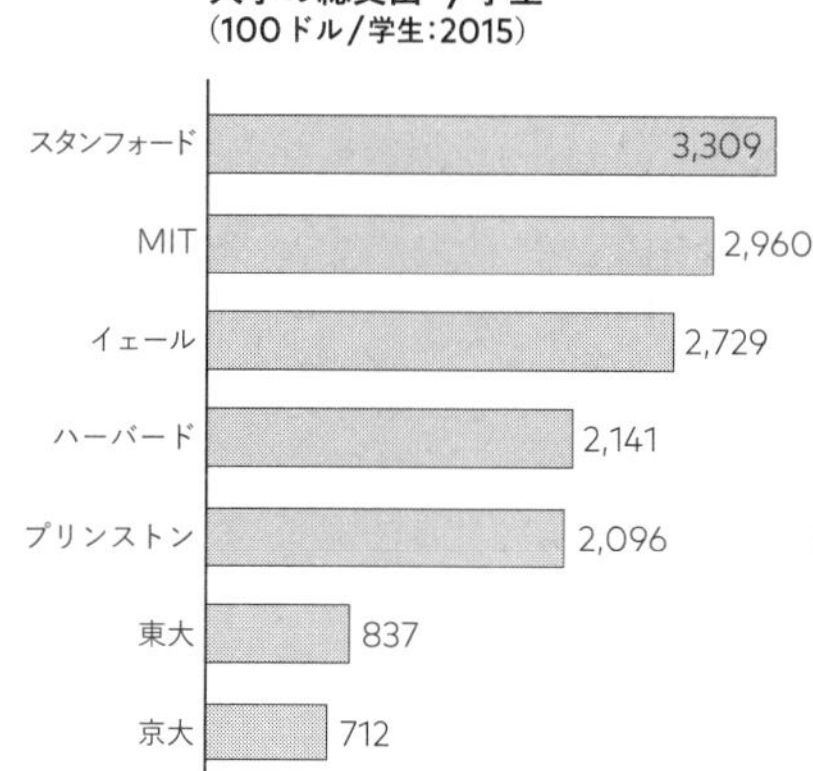

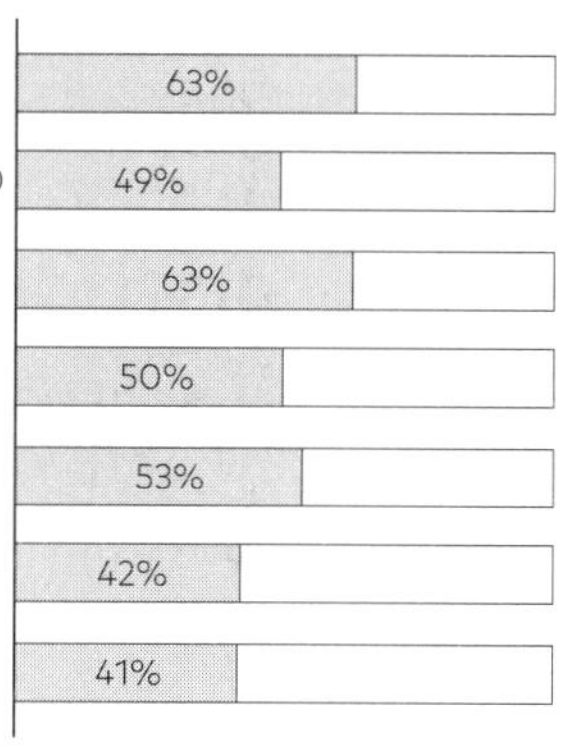

*Operating expense（簡便のため$1=¥100で換算）　**給与に加えbenefit（諸手当）含む
資料：各校financial report、学生数（学部、院のenrollment）に基づき安宅和人分析

2　日本から有能な人材がいなくなる

日本全体の科学および技術予算全体が明らかにジリ貧であり、手抜き状況にあることは以上から理解してもらえたと思う。この上でさらに、科学および技術分野の人材育成の要であり、研究開発の要である高等教育機関に十分なリソースが投下されているかどうかを見てみよう。

学生一人あたりの予算に彼我の差

図5－6の左側は日本と米国を代表するいわゆるトップ大学同士の学生一人あたりの予算を比べたものだ。

日本の学術研究の中心地である（国研的な機能も相当抱えている）東大、京大の予算は他の国公立、私立大学と比べても手厚いことで知られている。しかし、その2大学と比べても米国を代表する大学は3〜5倍の予算がある。しかも驚くべきことに、この限られた支出に占める日本側の人件費率はさらに低い。これは、日本ではまったく国際的な競争力のない水準の給与が払われていて、スタッフ不足が常態となっているということでもある。また、なぜ日本の誇る大学の建物の多くがあれほど汚いままでリノベーションすらされていないのかもこの予算の全体的な規模からわかるだろう。

東京大学医学部のある教室で2015年頃に行われたとある学会に出たことがある。風格があってよいといえば聞こえはいいのだが、廊下も部屋の机も古いままで、大教室の中にいまだブラウン管のテレビが置いてあったことには仰天した。僕がイェール大学のメディカルスクールで研究していた20世紀末、そのように内装が数十年放置された建物などはどこにもなかった。ちょうど2001年が創立300周年だということもあり[8]、年間10億ドル（約1000億円）ほどもキャンパスのリノベーションに投下されていたことを思うと悲しいとしか言いようがない。

この結果、研究現場からは文字どおり切実な悲鳴が上がっている。各地域の学術・研究の中心となるべく研究大学として作られた旧帝国大学の先生ですら、プリンターのトナーも買えない、あるいは東大で理論物理をやっている先生がボールペンを買おうとしたら「そのボールペンは本当に研究だけに使うのですか」などと言われたという衝撃的な話もある。紙とボールペンなしに理論物理をやるとはどういうことなのだろうか。当たり前の想像力が欠落しているというよりも、むしろそこまで事務方もぎりぎりになっているということだと信じたい。

立場上、いろいろな大学の関係者のお話も聞くが、地方の拠点大学（旧六医大、旧三商大があったようなところ）ですら教授がやめても補填できないという驚くべき状況が起きており、スタッフも

8　少々目を疑う数字かもしれないが、ハーバード、イェール、プリンストンを含む10校ほどは米国建国よりも古くから存在している

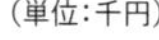

図5-7　日米トップ3大学*の常勤教授の平均年収推移
（単位：千円）

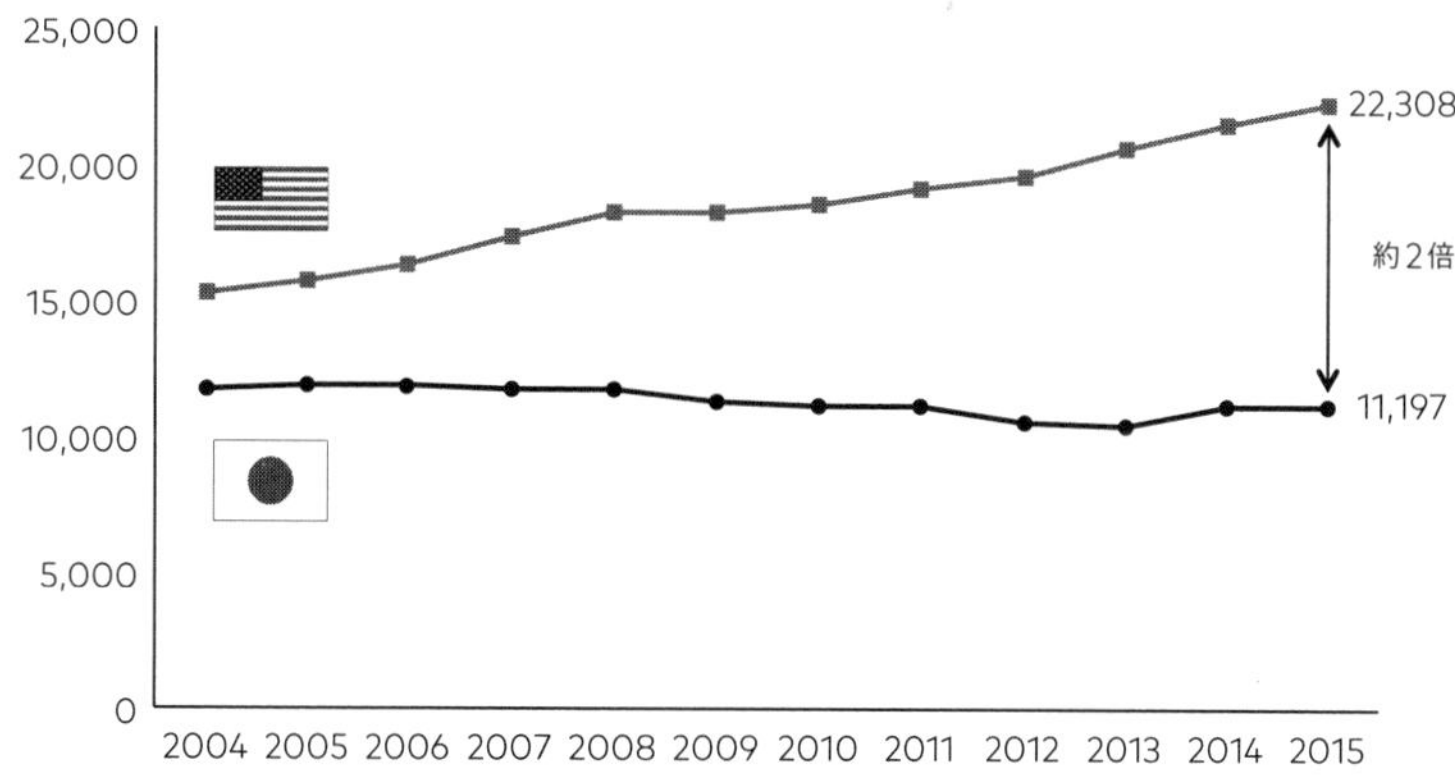

*Times Higher Education「World University Rankings 2018」より各国上位3大学の平均
米国：カリフォルニア工科大学、スタンフォード大学、MIT（マサチューセッツ工科大学）
日本：東京大学、京都大学、大阪大学
注：米国数値は、1ドル＝107円で換算

資料：THE CHRONICLE of Higher EducationCHRONICLEDATA（米国）、各大学の財務報告資料（日本）より安宅和人分析

削れるだけ削った状態で、研究費すらなく、じっとして何もしないモードに陥りつつあるという。

大学教員の給与は数十年据え置き

研究者を目指す若い人には共有すべきなのかためらってしまう話も伝えておこう。それは日本の大学教員の給与水準がおそらく30年以上にわたってほとんど上がっていないということだ。このコスト削減の流れを踏まえれば半ば当然といえば当然なのだが、聞けばぎょっとする話だ。

図5－7を見れば2004年から見ても、長期的にダウントレンドであることがわかる。15年前には米国の大学教員の給与の7～8掛けだったのが、2015年段階でほぼ半分となっているという大

変残念な状況だ。

世界的に経済や科学技術の発展が進み、引きずられるように研究者の待遇が改善される中、日本ではむしろ削られたのだ。[9] 米中競争に加え、すでに論文数で日本を抜いたインドの伸長が進み（図2－17参照）、人材争奪競争、いわゆるThe War for Talent（才能をめぐる争奪戦）がグローバルレベルで進む中、あまりにも危険な判断ではないだろうか。

事業がうまくいかないときも、冗費を削ることはしても、未来の種を生む技術・事業開発、そして人材開発コストだけは死守する、むしろ未来のためにさらに何本かbetする（賭ける）のが事業の鉄則だ。ところが国立大学は、まともな財源もない、事業としての運営能力もないままに民営化を進めたために、大半は余計に立ち行かなくなっている。[10]

この話をあるとき、某国立研究所で研究している同世代の友人にしたところ「間違いない」とのことだった。実はこの人の祖父（文化勲章受章者）はかつて東京大学教授を務めていたが、当時偶然から祖父の給与を知る機会があり、そのときの給与とこの図表の数字は1割と異ならないそうだ。

また、２０１８年某日、とある政府の審議会の場でこの話をしていると、座長の高名な東京大学教授からは、正にそのとおりであると強く賛同を受けた。しかもその先生からは「米国の大学教員の給与はおおむね9ヶ月間の働きに対して払われているのであり、12ヶ月労働をベースにした日本とは大きく違う」という指摘もあった。

9 財務省 主計局 某主計官曰く「GDPが増えないんだから増やしようがないんです」

10 米国の場合、大学本体がいわゆる事務機能とは別にかなり強いCorporation機能を持ってそこで財務的な運営を行っている

Bクラス人材ばかりになる

実際に若手の助教、講師クラスで世界クラスの研究をしている人はポロポロとこの国を去っていっている。社会科学分野で日本の若手で指折りだったある人は、首都圏の名門国立大学に属していたが、国外の大学に3倍近い給与及びハウジングパッケージ（住居まで含むひとまとまりのオファー）を受けて去ったという。しかも引き抜かれた先は、多くの人が想定するような欧米、シンガポールの大学ではない。中国の大学だ。今後ますますこのようなことは増え、その行き先に、現在資金力で才能を集める中東のほか、インドや東南アジアも加わってくるだろう。このまま続けば、トップ大学の教員といえども英語で仕事ができないような、ある種B級人材が大半になってしまう可能性もある。

当然のことながら、どんな分野でも世界レベルの研究者というのはそれほど数がいるわけではない（だからこそ世界的な研究者と言える）。この若手リーダー層一人、二人の喪失は、数では測ることができない大きなダメージがあることは強調しておきたい。

この給与水準では世界から人を集めることもできないため、一人を失うとそう簡単に他の人で埋めることはできない。先に人が足りない部分は輸血するしかないと述べたが（4章参照）、その前提として、世界的な競争にさらされている少なくともRU11[11]とよばれるような研究大学、主要な国立研究所においては、少なくとも2004年当時のように、米国との差が2～3割以内に収

11　国立私立の設置形態を超えた研究大学（Research University）11校によるコンソーシアム。2009年11月に旧帝国大学と早慶の9大学で発足し、2010年8月に筑波大学、東京工業大学が加入し、11大学で構成されている（RU11ホームページより）

まるまで相対的な給与水準とそのパッケージを見直す必要がある。一気に調整（adjust）することは多面的にハレーション[12]を起こす可能性が高いが、10年もかけると長すぎて流出が止められない。5年程度かけて戻していくのが現実的だろう。

その方針と時間軸を明確に掲げるだけで「国が彼らを見捨てたわけではない」というメッセージングになり、流出はある程度抑えられ、現在海外で研究を進めている同胞の才能への求心力にもなると考えられる。同じ待遇であれば、母国の有力大学で研究したい人はいくらでもいるからだ。また、海外からの才能の取り込みに対しては、さらに調整可能な柔軟な給与システム、彼らの家族も含めた歓迎ができるパッケージが必要だということも付け加えておく。

二大ブラック職場化する官学

また、若干脇道にそれるが、国力の観点でもう1つ気がかりなポイントを共有しておきたい。大学教員の給与が長期にわたって据え置きということは、国の運営を担う国家公務員（産官学の官）も同様だということを意味している。30年ほど前であれば社会のもっとも優秀な層の多くは、東京大学法学部などを経て官界に入ったものだが、必ずしもそう言えなくなって久しい。彼らがどこに向かっているかといえば、多くは日本を代表する経団連企業ではなく外資、データ×ＡＩ系、そして法律家、経営コンサルタントなどのプロフェッショナルの世界だ。

この背景には、待遇の大きなギャップがあることを認めざるをえないだろう。人は誇りだけで食べていくことはできない。大学で競い合った人間が自分の数倍以上の待遇を受ける可能性が高いとなると、どうしても選択を見直す人が多く出てくるからだ。それが経済原理というものだ。

12　もともとは写真の世界の言葉で、非常に強い光が入ってくるとフイルムの底面からの反射で白くぼやけてしまうこと。ビジネスの世界では周囲に当初の目的外の大きな悪影響が起きてしまうことを言う

その意味で、現在、霞が関の人生をあえて選ぶ方々はかつてないほど志が高いという見方もできるが、喜んでばかりはいられない。大きな権力がある人に、見合った給料を与えなければ不正を生む潜在的な温床になる可能性も高い。これはマネジメントのイロハのレベルの話であり、人材獲得の意味だけでなく、リスク回避の観点においても、国家を支えるエリート層には市場原理に即した待遇見直しを行うべきだ。

大学の教員・研究者と中央省庁の国家公務員は労基署管理の枠外であるため労働時間の長さも改善されず、それぞれ国の中心的な機能を担う立場でありながら、待遇も含め二大ブラック職場になりつつある。国家の背骨と言うべき部分から崩れ落ちないようにするための工夫が、早急に必要だ。

国研の危機的な予算

ここまで大学の話ばかりしてきたが、大学で起きていることと同じことが、国のR&Dの背骨を担う国立研究所（国研）でも起きている。実は、僕は数年前から情報系の国研を束ねる情報・システム研究機構の経営協議会の委員なのだが、そこで初めて知り、目を疑ったことがある。

研究と人材創出において中核を担うはずの国研の予算、特に人材を育てるベースとなる基礎予算（運営交付金）がひたすら削られているのだ。それも同じく削られ苦しんでいる国立大学法人の倍ほどのペースで、である（図5－8）。運営交付金が基礎予算であるというのは、この金額が基本給与のベースになっているからだ。ほかの変動性の高い資金をベースに一流の研究者を集めることなどできない。

図5-8　統計数理研究所*の運営交付金と経費推移

億円：年度ベース

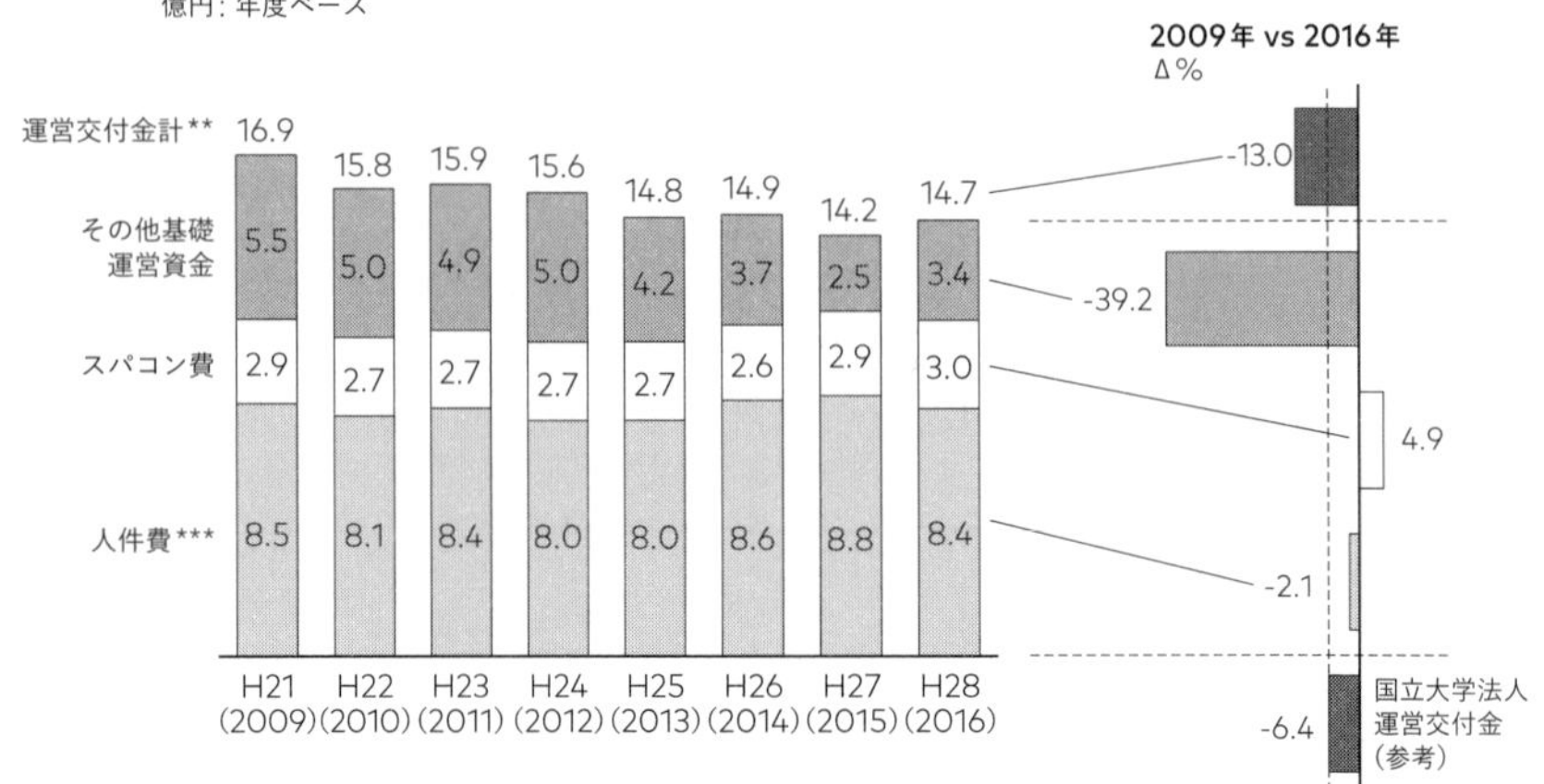

* 創立75周年（1944年設立）を誇る国立研究所。多数の統計数理学の研究者を有する国内唯一の機関であり、統計研究の中核的存在
** 当初配分額。H23からH27まで毎年1%減（5年間）H28, H29は毎年1.6%減（2年間）
*** 退職金を含まない執行実績値
資料：情報・システム研究機構　統計数理研究所　経営協議会 資料；　国立大学協会会長 山極壽一「平成31年度予算における国立大学関係予算の充実及び税制改正について（要望）―国立大学が我が国の発展に貢献し続けるために―」（平成30年8月7日）より安宅和人分析

またこのような分野の研究機関の場合、確かにサーバーやスパコン、通信費、ハコの維持費なども大きいのだが、予算としてもっとも重いのは研究者とスタッフを雇う人件費だ。そのため、ひたすらテニュアのない（＝無期雇用以外の）スタッフをカットした結果、もはや限界まで来つつあり、多くの研究者が退職金の発生しないプロフェッショナル契約に書き換えさせられている。これは覆い隠したくなるほどの、国家レベルの恥とでも言うべき状況だ。このまま行けばあと十数年で運営交付金が人件費とスパコン費用の和を割るという驚くべき事態になる。

このデータ×AI分野はとりわけ世界がしのぎを削っているところであり、日本としても大きく踏み込むべきであることは、ここまでの検討から言うまでもない。中国のように爆増とまではいかないにしても、予算は少なくとも数倍になっているのではないかと思っていたが、蓋を開けてみると、真逆であり、予算維持どころか、この5〜6年で1割以上も削られていたのだ。

ちなみに本機構には統計数理研究所（統数研）のほかにも、情報学の国内唯一の総合的な研究所である国立情報学研究所（NII）、同じく、この国のDNA、そして遺伝学研究の総本山である国立遺伝学研究所（遺伝研）、また南極など極地ほかの膨大な環境データの研究を総合的に行う国立極地研究所（極地研）の4つが含まれている。いずれも今変わりつつある未来の、そしてこれからの未来に対して重大な役割が期待され、現在も相当量のカッティングエッジ[13]の研究を行っている大切な場所だ。この国の各領域のフラッグシップ研究所に対する対応として、これが正しいのだろうか。世界がここぞと資金を投入する中、日本ほどの大国がこのような対応、予算繰りでは出遅れを取り戻すことは非現実的であることだけは明らかに言えるだろう。

13 刃の切り先から転じて、科学や技術などの最先端のこと

主要国で唯一PhD取得に費用がかかる残念な状況

世界的に才能の取り合いが行われているのは研究者だけではない。もう1つの才能争奪戦の戦場は大学院だ。むしろこちらが主戦場とすら言える。PhD課程こそその後その土地（国）に定着する人を確保する場所であり、かつ人がもっともフレッシュな頭で、腰を据えて研究する時期の1つだからだ。

現実はどうかといえば、大学院に進学することは、経済的に逆インセンティブが働いており、ある種、罰金刑のような仕組みになっている。日本では学費生活費込みで1日1万円近い出費が

図5-9　PhD学生の年あたりコスト(2017年)

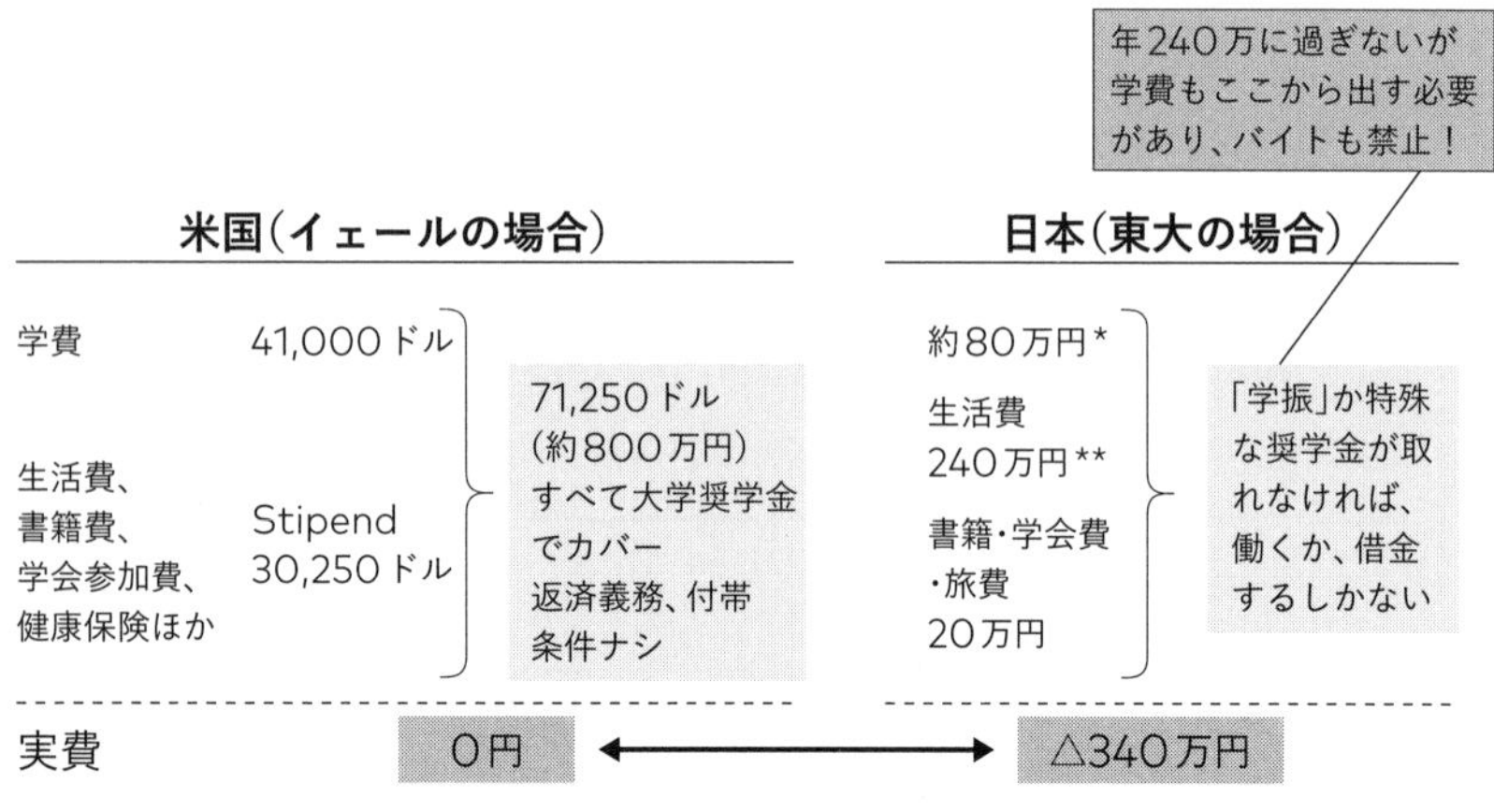

*入学金＋１年目の学費　**月20万円の場合
資料：http://www.u-tokyo.ac.jp/stu04/e03_j.html , https://gsas.yale.edu/funding-aid/tuition-living-costs, https://gsas.yale.edu/funding-aid/fellowships/university-fellowshipsより安宅和人分析

必要だからだ（図５－９）。実は僕が90年代初頭、大半の人が博士課程に行く稀な大学院にいながら、最後の最後に進学を取りやめた1つの大きな理由はここにあった。他分野も含めて、同じ理由で進学を取りやめた人は、自分の知っている限りでも相当の数だ。

米国の研究大学のＰｈＤプログラムの場合、基本学費も生活費、医療保険も大学側からサポートしてもらえることが当然であり（補助は２０１９年現在、学費＋年間４００万円前後）、経済的な理由で進学を諦める必要はない。逆にこれがなければ、大学側がＰｈＤ学生を採ることは諦めなければならない。これを言うと大半の人に驚かれるのだが、実は世界の主要国でＰｈＤ取得に明示的にまとまったお金が必要な国は日本しかない。

なお、米国の場合、ＰｈＤ学生を育成

14　米国にはMedical Scientist Training Program（ＭＳＴＰ）というＭＤとＰｈＤを合わせて7～8年で取得し、その過程のＭＤ取得を含めた学費も生活費も全額、連邦政府（ＮＩＨの部門であるNational Institute of General Medical Sciences：ＮＩＧＭＳ）が出すという最難関のエリートプログラムが存在する。プログラム終了までの総額の補助は一人あたり60～１００万ドル（日本円にして７０００万～1億円強）。通常ＭＤ取得は借金して行うケースが多いので、極めて特異的なプログラムということができる。この枠は２０１８年現在、年間５１３人で実績に応じて現在50の主要大学に枠が割り振られている。20～24歳人口が米国は日本の３・59倍である（２０１９年）ことを考えれば日本で言えば年間１４３人しかない狭き門であるする予算の相当部分は、国（国立衛生研究所ＮＩＨ、国立科学財団ＮＳＦなど）を中心とするＰｈＤ育成グラントだ。前述のとおりＰｈＤ学生には学費も生活費も出さねばならないため（自腹で来いと言えば誰も来なくなるだけ）、この予算を確保できる量しか学生を受け入れられないことになる。このグラント申請はプログラムに参加している教員が持ち回りで行う。もちろん寄付金や寄付金を集めた基金の運用益も使われるが、将来の社会を担うＰｈＤ、ＭＤ－ＰｈＤ[14]育成は国家の支援が基本なのだ。

日本の場合、基本的にそのような仕組みがない。よほど運がよければ学費や生活費をどこかの奨学金で賄ってもらえるかもしれないが、それはそもそも進学段階で保証されているわけではない。世界のトップ大学がここまでして世界中から才能を奪い合っているときに驚くほどの愛想のなさだ。

仮に運よく日本学術振興会（学振）の博士課程特別研究員[15]に選ばれたとしても、アルバイトは禁止となる。支給される年間２４０万円の中から学費、家賃、電気代、通信費、本やコンピュータなどの経費を出す必要がある。すなわち、すでに働いていてもおかしくない年代であるにもかかわらず、仕送りがなければ貧困線前後の生活しかできないのだ。正直このような条件は憲法（25条生存権）違反なのではないかとすら思う。しかも博士課程の前半にあたる修士課程の間はこのようなサポートシステムはない。

15 年間１８００人：学位取得者は年間１・５万人なので１割強

世界的に異例な博士号取得者数の減少

本来はＰｈＤ課程の後半である博士課程の学生でも9割近くの人は学振すら取れないのが実情である。これが社会の未来を担うリーダー候補層に対する対応としてどうなのか、彼らが最低限の誇りを持って生きられる状況なのかは考え直すべきだ。ちなみに筆者が数年前ＭＩＴに訪問した際、ＰｈＤプログラムに留学している日本人の学生に幅広く会って話を聞いたが、その多くが日本の名門校の元大学院生で、学振をもらったがために生活ができなくなって（！）留学することにしたとハッキリ言う人が何人もいた。

この問題は当然のことながら、大学院に入る前から始まっている。海外、特に米国の大学の学費は極めて高いことで知られている。たとえばイェール大学の場合、学部生の学費（tuition）と寮費・食費（room and board）だけで年間7万２１００ドル（２０１９〜２０２０年）と８００万円近い。しかし、実際には筆者がＰｈＤ学生として入学した20年以上前ですら、学部生の過半数は一般水準ではかなり豊かな家の学生であるにもかかわらず、学費の高さからニーズベース[16]で何らかの経済的な支援（financial aid）を受けていた（相対的に豊かな学生であっても多少の支援が必要となることは多い）。これがしっかりできるのが、才能を見出し育てるのが役割である一流大学の証とすら言える。

世界レベルの州立大学も相当数存在し、育った州の学校の場合、州外からの学生より遥かに学費は安く[17]、才能がある人を救い出せるようになっている。もちろん経済的な支援システムもかなり強く作られている。一方、日本の大学には本来の意味の奨学金システムはほぼ欠落している。

16　ニーズの有無により経済的に支援されるかが決定される。入学許可の際に家計収入が不合格の理由になることはない。同じ成績の場合、むしろ多様性の視点で入りやすい可能性が高いのではないかと思う

17　カリフォルニアの名門ＵＣバークレー校の場合（２０１９〜２０２０年）、学費は州内の学生の場合１万４１８４ドルだが、州外の学生の場合２万９７５４ドル上乗せされる

日本の奨学金の大半は実質的にはローンだからだ。重要な救いの1つであった日本育英会（現日本学生支援機構）の「教育又は研究に係る返還免除」制度も驚くべきことに廃止された。研究職という、経済的には報われない高貴な仕事を目指す人のインセンティブを削っても何もいいことはない。

以上の結果、国公立大学ですら十分なニーズベースの経済支援システムがないまま学費が年々上がり、ある程度の豊かさがなければまともな教育が受けられない傾向に拍車がかかっている。日本の場合は必ずしももっとも才能に恵まれた人が大学、大学院に進学し、さらに大学に残るわけではないことはほぼ明らかだ。このままの状況が続けばトップ層は丸ごと海外に出てしまい（それも致し方なく、彼らの生存戦略としては正しい）、B級の院生、国際的に仕事を行う気がない院生しか日本に残らなくなる可能性すらある。本書の前半で述べた3分の1のたまたま貧困層に生まれた才能の多くは、仮に大学になんとかやってこれたとしても、こうして去っていくことになる。

これは社会にとっても巨大な損失であり、社会の二分化をよりいっそう進めるだけだ。維新後、日本という国がここまで成功したことの1つの大きな理由は、日本中あらゆるところから才能と情熱を集め、それを解き放ったことにある。僕の中学時代（1980年代前半）の恩師は大学（旧帝大）に入ったとき、学費が月1000円だったと言っていたが、[18] 2016年に年間53・6万円まで上がっている。[19] 現在価値で13倍以上だ。

過去20年間に貧困層が劇的に増えたことを踏まえれば、そのインパクトは数字以上に大きい。この状況を放置することでよりいっそう二極化を加速し、才能の発掘を諦めてしまうのか、未来に向けて意味のある変化を仕掛けるのかは、この時代を生きる我々の決意にかかっている。

18 1963〜1971年まで国立大授業料は年間1・2万円：1971年の1・2万円は2016年価値で約4万円

19 年次統計 国立大学授業料：文部科学省 国公私立大学の授業料等の推移

図5-10　博士号取得者数推移

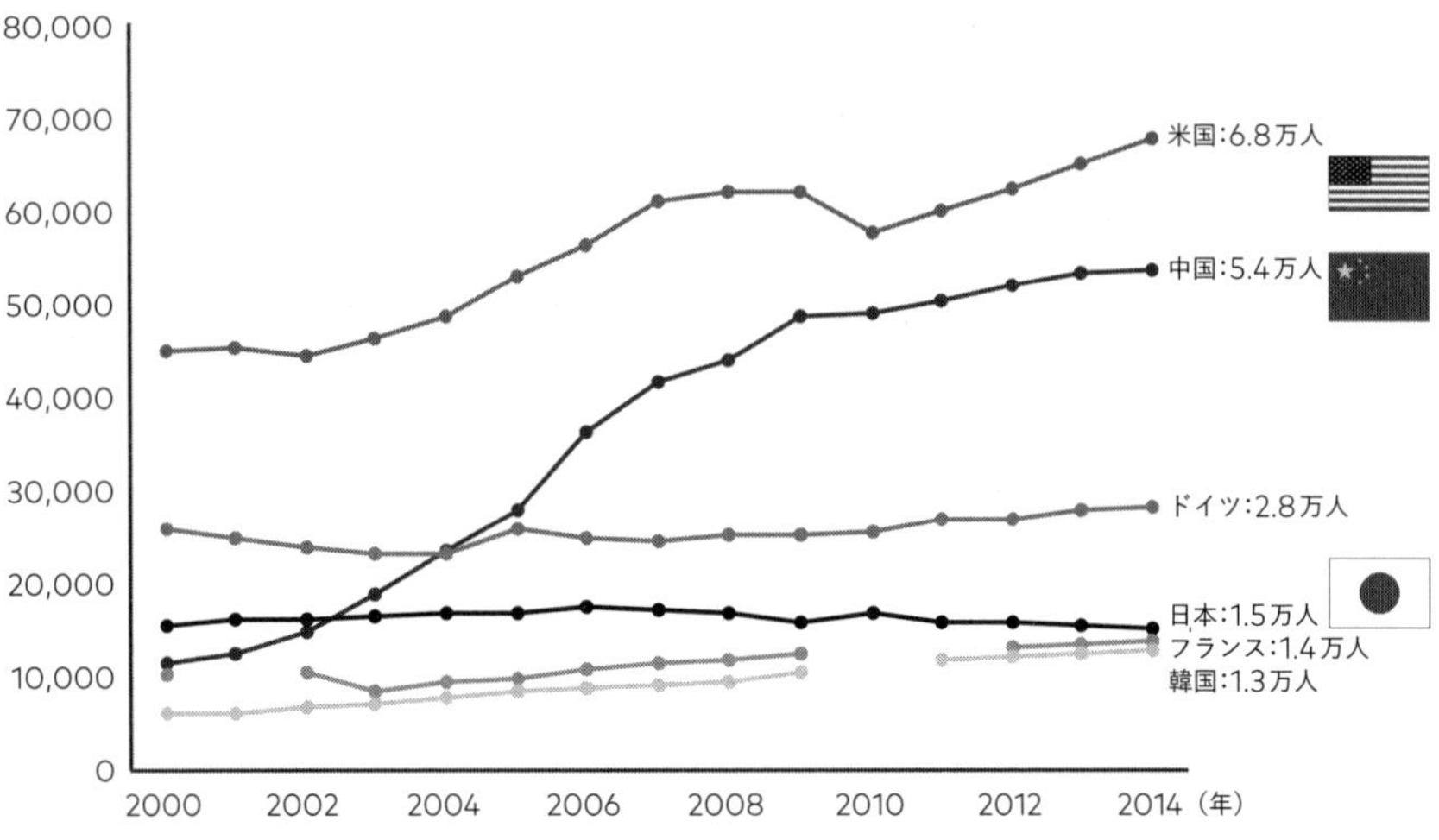

資料：NFS「Science & Engineering Indicators 2018」より安宅和人作成

ちなみに、この技術革新期において日本の博士号取得者数は減少しているが、これは世界的にも異例だ（図5－10）。熱が出ている身体にさらに負担をかけるようなことをしていれば、半ば当然の結果と言えよう。

基金そのものを底上げしよう

ここまで専門層&リーダー層の入口の話に触れてきたが、もう1つ大切な話をしておきたい。それはこれらの層を生み出すために大きな役割を果たす、資金とグランドチャレンジ的なプロジェクトの両方が足りていないということだ。日本の場合、ベースとなる資金は運営交付金の形で配られているケースが大半だが、経営協議会に参加している情報・システム研究機構のさまざまなデータを見ていても、歳入のうち運営交付金は急激に削られ、競争的な研究資金である科研費（グラントの一種）のほうに大きくシフトしている。科研費シフト自体はある程度理解できるところもあるが、競争的な資金は国の意図と反対に大きなイノベーションとの相性が悪い。

「国の審査を受けて研究費を獲得する競争的資金（グラント）の場合、メインストリームの研究でないと、やはり対象とはならないでしょう」

元独マックス・プランク研究所所長で、現在、沖縄科学技術大学院大学（ＯＩＳＴ）のピーター・グルース（Peter Gruss）学長の言葉だ。ＯＩＳＴはご存知ない人も多いと思うが、設立２０１１年と極めて若い機関ながら、Nature Index2019の自然科学分野の論文数に占める、質の高い論文の割合が多い研究機関のランキングにおいて世界9位と現在、国内ではダントツの研究の質を誇る研究機関だ。[20]

「メインストリーム以外の、誰もやっていないような質の高い研究をしようということであれば、グラント獲得のことを考えずに研究できる環境が、とても大事です」

「トップレベルの新発見、ノーベル賞につながるような発見は、最初はあまり注目されない」

いずれもグルース学長の言葉だ。考えさせられる人が多いのではないだろうか。

たとえばオートファジーの研究で２０１６年ノーベル生理学・医学賞を単独受賞された大隅良典先生の研究は、東京大学駒場キャンパスのこぢんまりとした研究室でのコツコツと、しかししっかりとした取り組みから生まれた。[21] 大型プロジェクトの一部であったわけでは決してなく、当

20 日本の次点の東京大学は40位。「東大を超える、トップ論文を生み出し続ける僕らの方法」News Picks 2019/8/19 https://newspicks.com/news/4146925/

21 国立遺伝学研究所70周年記念講演『半世紀の研究を振り返って —基礎科学の将来』（２０１９年６月１日）より

時、近隣の研究室で研究していた僕の親しい友人曰く、むしろ人目につかないところで興味深い取り組みが行われていた。大隅先生ご自身もこう語られている。

「私はもともと競争というものが苦手なので、誰もやろうとしない研究テーマを選んだという側面もあります[22]」

巨額な研究費が一気に投下されたわけではなくても、運営交付金や科研費などが細々とであれ、継続的に流し込まれたことから画期的な未来を切り開く結果が生み出された。安定した基金が、こういう境界を切り開く取り組みにしっかりと流れ込むことが大切だ。極端かつ安易な運営交付金削減は日本の基礎科学創出力を大いに削ぎ、はやりの研究（つまり追随型の研究）に追いやるだけの可能性が高いのだ。科学研究のなんたるかをわかっていない人が、表面的なロジックだけで予算を触っていると言われても仕方のない状況だ。

教員の給与をそれなりに払っても（とはいえ前述のとおり世界水準の半分）、一人あたりのベース研究費（交付金）がわずか年間20万（現在の平均）というような水準ではまともな研究などしようがない。高校の教師ならわかるが、研究者であり大学・国研の教員となると話が違う。研究者に必要なハイエンドのコンピュータを一台買うだけでも、往々にしてこの数倍のお金がかかる。

運営交付金を維持して科研費を増やすならわかるが、交付金を削って科研費に移せば、競争力の強いトップ大学以外の研究者は研究するのをやめろと言っているも同様の結果を生むことは火を見るより明らかだ。

凄まじい倍率の選抜を経て、全国から十数名だけとんがった学生を集める育成プログラムに選

22 京都大学ホームページ『ノーベル生理学・医学賞受賞者、大隅良典博士が語る研究の足跡そして京都時代 ―やりたいこと、おもしろいことを追い続けた半世紀―』2017年7月13日収録 http://www.kyoto-u.ac.jp/ja/about/history/honor/award_b/nobel/2017/ohsumi/ohsumi.html

ばれたとある地方国立大学（旧六医大）の院生と先日話すことがあった。大変明晰でモチベーションも高い人であったが、その人の話を聞いて驚いたのは、そのような優れた研究をしているにもかかわらず、「このプログラムのおかげでバイトしなくてよくなってホッとしたが、院生として本来倍速でやれるのに研究室にカネがないのでゆっくりとしか研究できない」という話だった。それでも、大学の中では潤沢な部類のラボだという。そもそもカネがないならその指導教官は院生を採るべきではない。この人の日々すり減る才能である若さが無駄に消えていっているということは取り返しがつかない損失だ。今も胸の奥に何か気持ちの悪いものが残っている。即座に留学することを勧めたことは言うまでもない。

世界的に見て運営交付金を払い過ぎなら削るのもわかるが、元の水準でも最低水準に達しているのか微妙なのであり、ＰＩ[23]あたり２００〜３００万円のレベルを確保することは必須だろう。これらはすべて未来に対する投資であり、ベースラインの予算を文部科学省で払いきれないのであれば、他の省庁予算を入れることも検討すべきだ。

23 Principal Investigator（代表研究者）。ラボのヘッドのことを言う

忘れ去られた国家プロジェクト

かつて日本は相当数の科学・技術分野のフロンティアを切り広げる、グランドチャレンジと言うべき大型プロジェクトをコンスタントに立ち上げていた。だが、バブル崩壊後その手は緩み、そうこうしているうちに日本の十八番（おはこ）だったはずの国家プロジェクトを立て続けに出すのは米国になった。

図5－11にざっくりと取りまとめたが[24]、日本では2000年以降、このような大型のプロジェクトはずっと止まっており、これが重大なダメージを与えつつあることを2015年春から政府の委員会などで相当強めに投げ込んだ。その後、新産業構造ビジョン（2017年5月発表）を取りまとめる中で、経産省の方々に口々に言われたのは、「安宅さんのおっしゃるとおりなのですが、我々は長らくこういうグランドチャレンジをしておらず、仕掛け方を忘れつつあるのです」ということだった。

この投げ込みの効果もほんの少しはあったと信じたいが、その翌年2016年4月から100億円×10年の人工知能技術戦略会議（総務省／文科省／経産省）が始まった[25]。これが現在の統合イノベーション戦略、AI戦略につながっている。この立ち上がりと前後していくつかの国家的研究拠点[26]が相次いで立ち上がった。

しかし、ほぼ15年ほど空白期間があることのダメージ、この間資金投下しなかったことのツケを払う日は必ず来る。現在、データ×AIの世界でリーダー層を担われている方の大半はリアルワールドコンピューティング（と「情報大航海」）までの国家プロジェクトの資金で直接、間接的に育成された人が多い。ビジネスと同様に、大きなプロジェクトを率いたり、その中で大きく踏張ることで人が育つ面は大きいからだ。

真に人材開発を行い、科学もしくは技術のベースとなる力を育てるために、これらの国家プロジェクト（国プロ）などを立ち上げるにあたって留意すべきと考えられるポイントが3つある。多様性、本数、そして取り組みの期間だ。

24 2007〜2009年に情報大航海プロジェクト（経産省）はあったものの実施規模が113億円と比較的小さかったこと、3年間と人材、技術開発に十分とは言い難い長さであったこと、相当部分が企業を対象としたものであったことを鑑み図表には含まなかった

25 筆者も、産業化ロードマップTFの副主査（主査はNEC江村克己CTO：当時）として参画した

26 産業技術総合研究所人工知能研究センター（AIRC：2015年5月：経産省）、理化学研究所革新知能統合研究センター（AIP：2016年5月：文科省）、情報通信研究機構（NICT）知能科学融合研究開発推進センター（AIS：2017年4月：総務省）

図5-11　科学技術分野における日米の大型プロジェクト

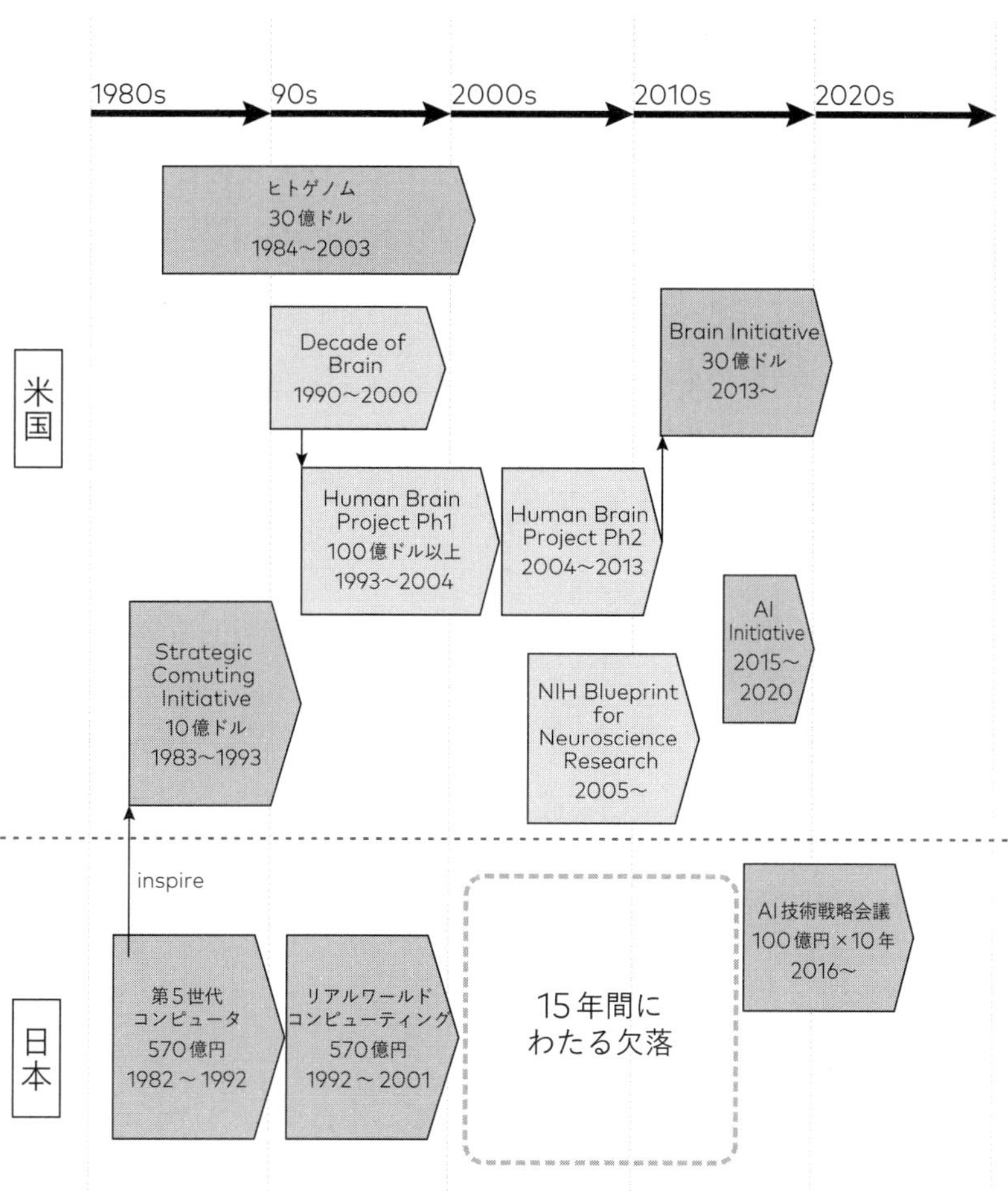

資料：安宅和人　産業構造審議会 新産業構造部会（第2回）発表資料（2015/10）をもとに安宅和人改訂
http://www.meti.go.jp/committee/sankoushin/shin_sangyoukouzou/002_haifu.html

多様性はある種、見過ごされがちだがもっとも大切だ。ここまで繰り返し述べてきたとおり新しい未来創造、イノベーションは境界・応用領域から生まれるものであり、すでに成功しているところに投下するという「選択と集中」型の発想とは真逆の取り組み、すなわち境界領域を切り開く多様性の担保を行う必要があるからだ。日本はついついすでに成功しているプロジェクトに後追い的な投資を過剰にしがちだが、これでは我々の望む結果は得られない。よくよく留意しておく必要があるだろう。脱「選択と集中」だ。

本数についてはＡＩ一本では足りない。多様性を担保するためにも、あらゆる領域の刷新に向けて先導的な取り組みを行うためにも、複数の取り組みが必要だ。

研究分野にもよるが、たとえばＰＩ一人としても、ポスドク10人、ＰｈＤ学生４～５人のチームを組めば、世界標準的に考えればこれだけで年間1億円程度の資金が必要だ。この上に研究資材のコストがある。

研究用の機械は台数がはけるものではなく、しかもスペックが高いため、驚くほど高いものが多い。たとえば生物学研究で不可欠な超遠心分離機は1台５００万円から１０００万円程度、ローターも1つが数十万から１００万円程度する。遺伝子を切るための制限酵素も数万円単位だ。このように優れた人材に加え、まとまった資金と蓄積がいるからこそ、科学力、技術力は大国だけが持つ特別なアドバンテージなのだ。年間１００億円というのは資材のコストをミニマムと見積もったとしても、１０００～１５００人程度の育成基金に過ぎない。

まさにこの理由で製薬会社は合併が繰り返されてきた。合併は、販売網を強めるためではない。

R&Dの力には規模の経済が働くからだ。国力増強を本当に目指すのであれば、それを今一度理解しておく必要がある。

3つ目に留意したいのはプロジェクトの期間だ。拙速な成果を求めていては大きなプロジェクトは花開かない。その過程で育つはずの人も育たない。学位取得に5年はかかることを考えれば10年程度の腰が据わった取り組みが必要だ。今内閣府CSTI[27]直下で急速に立ち上げが進む、ムーンショット型研究開発制度[28]に大いに期待したいところだが、当初わずか5年という期間の短さと聞き「少々危惧を抱いている」と担当の幹部の方数名に伝えていたところ、10年に見直されたと耳にし少し安堵している。

以上見てきたとおり、世界的にThe War for Talent（才能をめぐる争奪戦）が進む中、日本の大学や国研はまったく国際的に競争力のない研究開発環境になりつつある。信じられないかもしれないが、これが世界第3位、そして先進国中2位の経済国、またこれだけ頻繁にノーベル賞をいただく日本の科学技術研究の中心である大学の現実なのだ。

まっとうな原資を流しこまないために我々の大学システムは内面から崩壊しつつあることを直視しなければいけない。2章で見たとおり、すでに結果は表れてしまっている。こういう基礎的な国力は一朝一夕で身につけることはできない。また一度失ったものを戻すのは多大な力がいる。過去の膨大な遺産を毎年数年以上のペースで溶かしているのが現在の日本だ。まともな未来を次の世代に残そうと思うなら、今こそ我々は動くべきだ。

27 総合科学技術・イノベーション会議（Council for Science, Technology and Innovation; CSTI：システィと読む）。国の科学技術政策の司令塔と位置づけられている

28 我が国発の破壊的イノベーションの創出を目指し、従来の延長にない、より大胆な発想に基づく挑戦的な研究開発を目指すプロジェクト（内閣府の説明による）。筆者の理解ではソニーCSLの北野宏明所長が2017年4月の経産省 産構審 新産業構造部会 第15回で投げ込まれたのが発端で立ち上がった

3 産学連携の正しいエコシステムをつくる

2018年10月、MITが人工知能大学・大学院（AI school）を設立することを発表した。[29] これだけでもさすがではあるのだが、驚いたのはその予算規模であり、その資金源だった。なんと設立資金3億5000万ドル（約380億円）、総額10億ドル（約1100億円）という規模であり、しかも出元は個人としての寄付だったのだ。新しくできる学校名はMIT Stephen A. Schwarzman College of Computing。

名を冠したスティーブン・シュワルツマン氏は世界的な投資ファンド運用会社Blackstoneの共同創業者かつCEOだが、そのBlackstone社からは一銭も出ていない。よく日本で産学連携というと大企業や地場の企業から資金を提供するなどの議論になりがちなのだが、それとは異なる。

MITはカーネギーメロン、バークレー、スタンフォードと並ぶ全米の計算機科学分野の四天王の1つだ。すでに強いところにこれだけの資本が流れ込み、また1つ新しく教育機関ができるというのは尋常ではない。日本が人工知能技術戦略会議で国全体として年間100億円を投入するだけで大騒ぎしている対岸で、一大学の一部門にこれだけの規模の資金が流れ込んでいる。

このニュース1つからでも、どうも通常日本の人が思っているのとはまったく異なる経済的なダイナミクス（動力学）が、背後で働いていることに気づかれる人は多いだろう。前節までで、科学そして技術開発に日本の国力に見合ったお金が流れ込んでいないことは理解されたかと思う。ではそれが、どのような構造から生じているものなのかを次に見てみよう。

29 "MIT reshapes itself to shape the future", MIT News, October 15, 2018

図5-12　**日米主要大学収入内訳／学生**（100ドル／学生：2015）

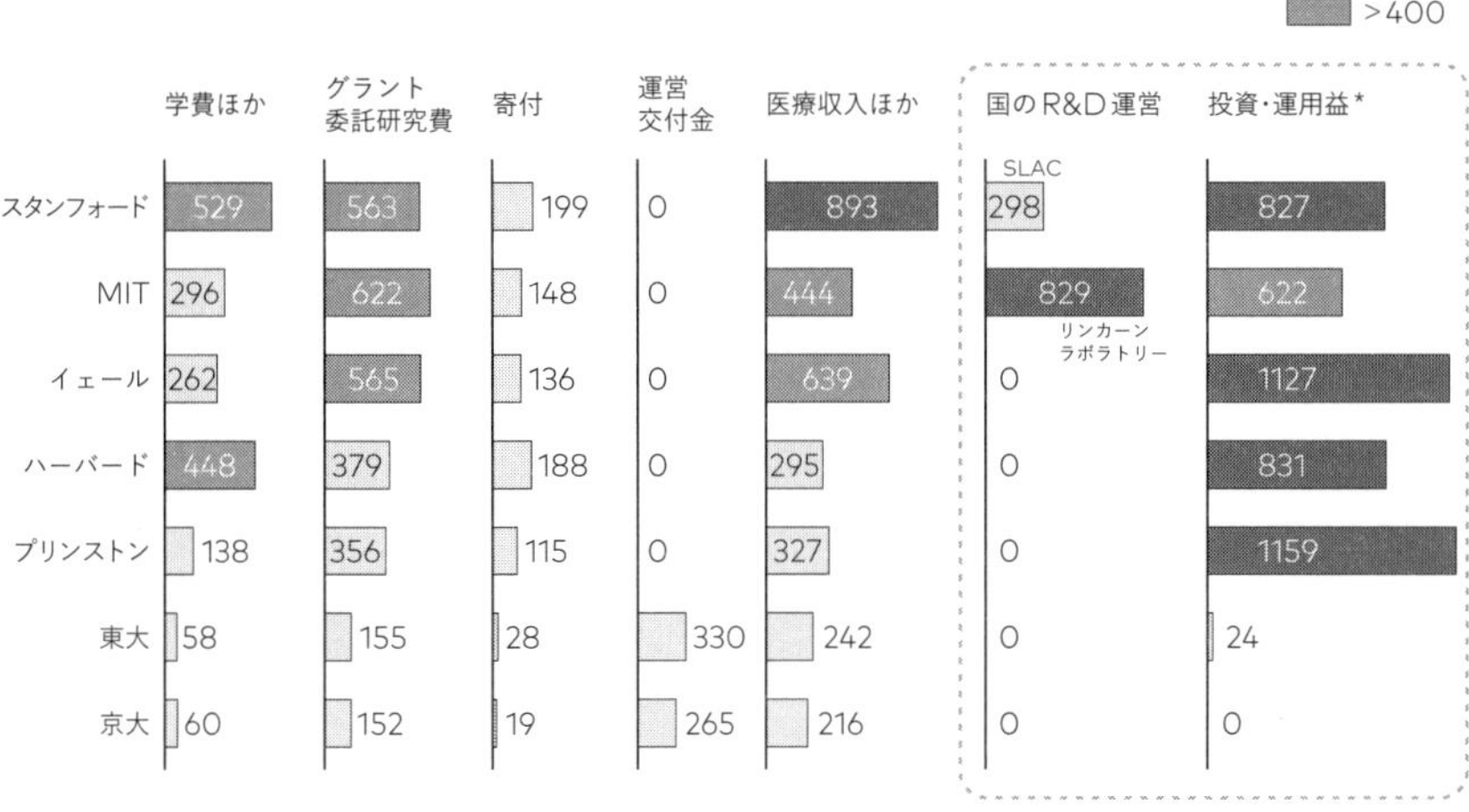

* 大半が基金（endowment）の運用資金
資料：各校financial report、学生数（学部、院のenrollment）に基づき安宅和人分析（簡便のため1ドル=100円で換算）

米国の主要大学を支えているのは企業の金ではない

学生一人あたりの予算を日米大学比較したデータについてはすでに触れた。各校から集めた年次会計報告書のデータを元に、さらに割ってみた。これを取りまとめたものが図5－12のデータだ。

見れば明らかなとおり、確かに学費収入の差もそれなりにあり（特にスタンフォードとハーバード）、研究グラント（各研究室が獲得したもののうち、約2割が本部の基金になる）の差も大きいのだが、圧倒的に大きな差は投資からの運用益と国のR&D運営の委託費用であることがわかる。いくら運営交付金を投入しても（国家における特別な役割からもっとも激しく投入されている東大・京大の二校を見ても）埋めきれないほどの差があるのだ。これが総額で見たときに学生あたり3〜5倍もの予算の差が生まれている背景だ。

つまり、金がないなら産学連携だ、海外の大学のように企業から金を持ってこいという日本の大学の議論は、まったくの誤解なのだ。この類の議論を訴える霞が関幹部（課長以上）および政治家の方々に出会うことが多いのだが、どこが情報の出元なのかといつもいぶかしく思っている。いずれにせよ、そういう議論をする前にまずはこのデータをよく見つめた上でもう一度考え直してもらいたい。我々に必要なのは感情論を脇においた、事実に即した議論だ。[30]

圧倒的な基金と運用力がメインエンジン

最大の差を生み出す投資・運用益がここまで違う背景には何があるのだろうか。投資運用益は簡単に言えば2つの項目から生み出される。ベースになる投資運用するための基金（endowment）の規模、そしてその運用の効率・成績だ。

まず元になる投資運用するための基金の総額を比べたものが図5－13の左側だ。米国の主要大学はどこもなんと兆円単位の巨額の基金があることがわかる。ちなみにこれは数年前の経産省産構審の人材育成討議（2017年2月）のために用意したものだが、2015年当時、東京大学が持っていた基金は110億円。京都大学はそのとき、どれほど調べてもわからず、n/a（not available：不明）としている。後日、京都大学の当時のマネジメントの方に話を聞く機会があったが、億単位の基金と言えるものはなかったということだった。アジアでおそらくもっとも自然科学系のノーベル賞受賞者を生み出した大学である京大[31]ですらこうであるとは驚くべき事実だ。

30　ちなみに旧帝国大学である九州大学、東北大学、北海道大学の設立にあたっては古河財閥の古河家からの巨額な寄付があった（天野郁夫『帝国大学』pp.37-38）。「東北帝国大学は、古河家の寄付26万円（理科大学新営費）、宮城県の寄付15万円（内部設備費）、計41万円で設立され、結果的に国費なしで創設された」（馬渡 尚憲『創立と100周年』東北大学　学びの社 http://www.bureau.tohoku.ac.jp/manabi/manabi21/mm21-7.html

31　日本の大学では24名中8人でダントツ1位。三高出身者である江崎玲於奈博士まで入れれば9人

この基金を在籍する学生数で割ると右側になる。一人あたり億円単位の基金なのだ。東京大学を1として比べると約300~700倍という、途方もない規模であることがわかる。つまり、日本の大学の運用基金は世界的な水準で言えばないも同然なのだ。

運用はと言えば、ハーバード大学の場合、1974年度の1000ドルが2019年度には12万7778ドルに、すなわち約121倍[32]にまで増えている(図5-14)。この45年間をならすと年率約11・1%で回し続けているという驚くべきパフォーマンスだ。なんとこれまでこの基金から280億ドル、すなわち約3兆円もの予算貢献をしたという。大学の持つ世界最大の基金であり、しかも国の誇るトップ大学ということもあり、毎年何%で運用したということがBloombergでニュースになるほどだ[33]。

ちなみに東京大学基金の2018年度運用成績は4月から10月は「従前どおりの国債、地方債を中心に資産運用を行い」0・45%、11月から3月までは「新たに策定したポートフォリオに基づき、複数の資産クラスへの分散投資」を行った結果、1・94%。改善は見られるもののまだまだ相当の伸びしろがある状況だ。

以上から明らかなとおり、基金は寄付とその運用から生み出されるものであり、年次のサイクルで考えるようなものではない。今のままの積み上げで頑張ってもそう簡単には解決できるようなものではなくギャップは広まるだけだということがわかるだろう。この国の大学における教育、そして科学・技術開発をテコ入れするには、より本質的な打ち手が必要だ。

32 S&P500でも6万3104ドル(63・1倍)。基金を運用するHarvard Management Company調べ。S&PとはStandard & Poor's 500 Stock Index: 米国の代表的な株価指数。大型株500銘柄の株価を基に算出される時価総額加重平均型株価指数である

33 Bloomberg "Harvard's 6.5% Return Lags Elite Peers After Strategy Revamp" 2019/9/27

図5-13　日米主要大学基金規模比較(2015)

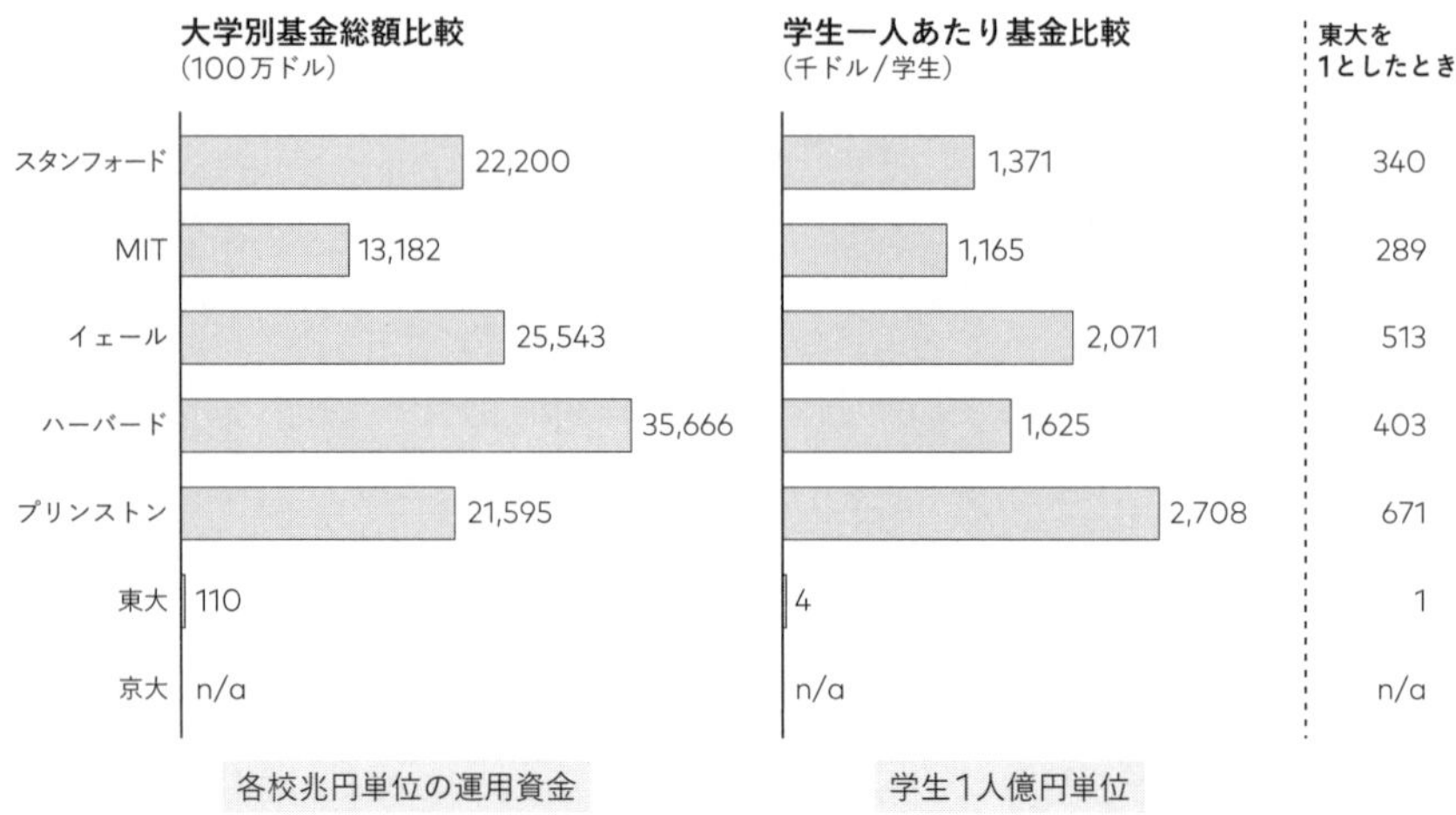

資料：各校financial report、学生数(学部、院のenrollment)に基づき安宅和人分析(簡便のため1ドル=100円で換算)

図5-14　ハーバード・マネジメント・カンパニー(HMC)の運用実績

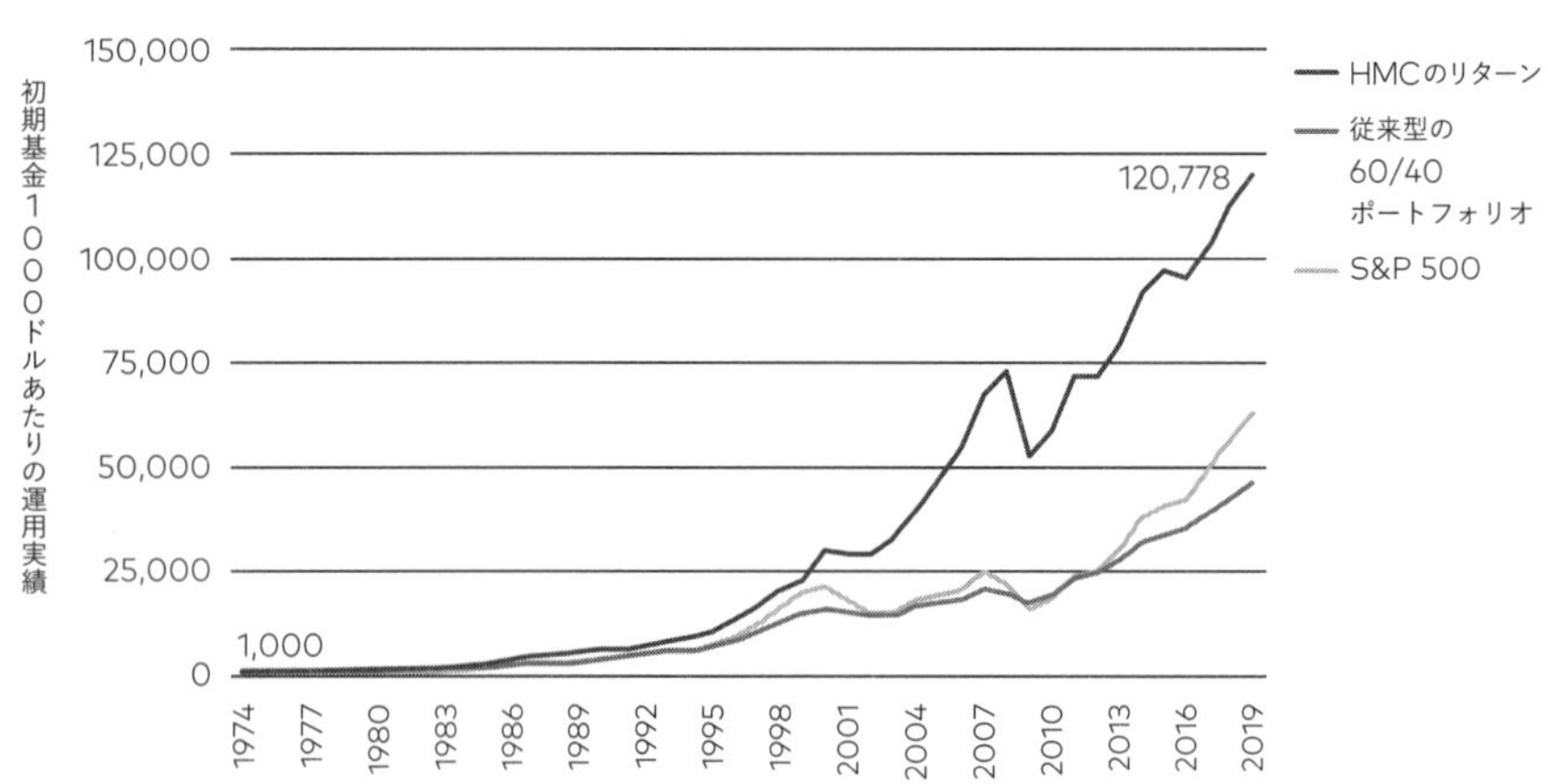

資料：Harvard Management Company HPから。2019年10月22日時点

図5-15　イェール大と東大の寄付元の違い

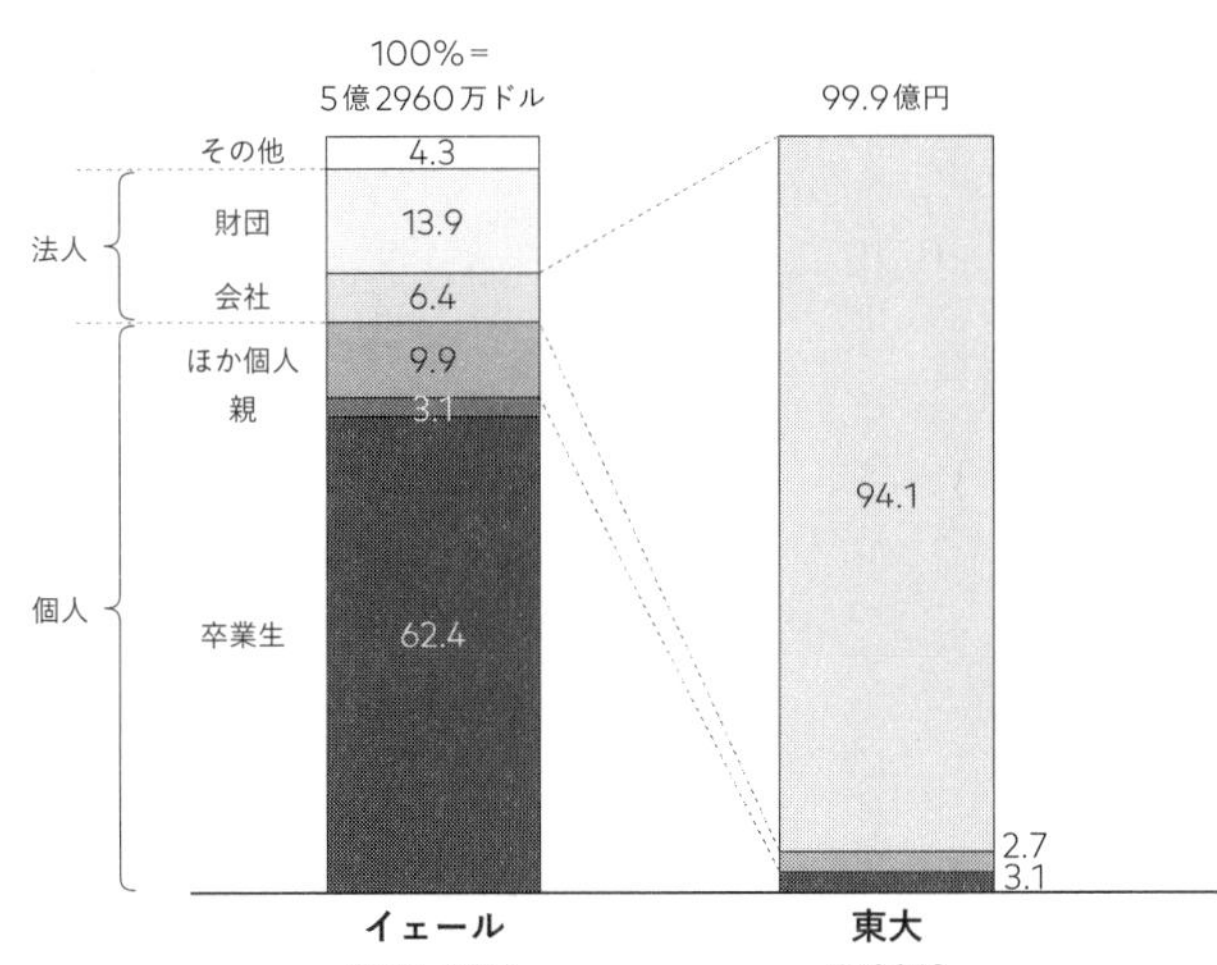

資料：Annual Report of Giving to Yale 2017-2018 (https://givingreport2018.yale.edu/financial-overview)
東京大学基金 HP(https://utf.u-tokyo.ac.jp/result/result/2018), 安宅和人分析

企業ではなく卒業生の寄付を集められるかが勝負

また、寄付をしている母体の違いにも注目したい（図5－15）。東京大学基金を見るとその寄付のほとんど（94％）が企業からであり、個人寄付は6％弱にすぎない。一方で、イェールの場合、一般会社の寄付は6％にすぎず、個人寄付だけで75％を超えている。

イェールは卒業生が寄付全体の6割以上、親まで含めるとほぼ3分の2を占める。大学が育て、大学に感謝する経済が回っているかどうかの違いが極めて大きいのだ。「愛の循環」がある大学とない大学との違いと言える。

また、米国ではフォード財団、ゲイツ財団のような財団がかなりのプレゼンスを発揮しているが、これらが会社以上に大きな役割をなしているところも日本とは大きく異なる。

なお、寄付総額がイェールは東大の約6倍あること、一学年あたりの卒業生の数は東大のほうがイェールの2倍ほど多いこと（学士3000 vs. 1300、[34] PhD 1100 vs. 800）、寄付に占める卒業生率がイェールは東大の20倍高いことを考えると、卒業生一人あたりの寄付額の差は6×2×20＝240倍ほどもあるという驚くべき結論になる。

これはもちろん払っている人の数（割合）と一人あたりの寄付額（特に高い人の有無）によるので、そこまで切り分けられればさらに興味深い結果が出てくるだろう。

自分自身が実際そうなのだが、日本人で海外の大学に留学した人で、日本の母校には寄付していなくとも、大きく育ててもらった海外の母校には寄付している人も多いだろう。どれほど経済的に苦しくともせいぜい学費免除ぐらいしか受けられない日本の大学と、ニーズベースで学費どころか生活費まで出す米国の大学ではそもそも前提が違う。在学中にしかるべきケアをしてこなかったのに卒業後は寄付を募るという日本の大学のアプローチは、海外のそれとは質的に異なるのだ。

もう1つ付け加えるならば、米国の場合、大学もしくは公的な研究所に寄付をするとそれは基本免税扱いになる。そのため、国や州に税金を払うくらいならば、直接このような教育機関、研究機関に寄付したほうがいいと考える人がいる。

また、大きな会社の多くでは従業員もしくはその配偶者がこのような寄付を行う際にマッチアップの仕組みができており、たとえばある人が母校に1000ドル寄付すると同額、自分の働く会社から支払われる。それぞれは巨大なインパクトではないものの、全体としてはそれなりの効

34 近年residential college（寄宿寮。全学部学生がいずれかに所属。1〜2年はマストでここで生活しなければいけない）が増設され約150名程になったがこれまでの卒業生にインパクトがあるほどではない

果を出しているとは確かだ。主要大学に寄付しているときは、必ず職場を聞かれる。マッチアップの仕組みがある企業に働いている場合は、大学から働きかけてくれるというわけだ。

前述したBlackstone創業者の例などについても考察しておく必要があるだろう。日米に限らず資本主義社会で真に大きな富を持っている人たちの大半は事業を立ち上げた、もしくは事業の立ち上げにあたって重大な貢献をしてきた人たちだ。[35] こういう人たちの、使い切れない富を何かしら世の中に役立つ形で貢献したい、単なる金持ちとして死にたくないという気持ちが、まとまった額の寄付として表れるのだ。

またこの背後には、税金の発生なく資産を資産のまま寄付できる仕組みがある。資産家の多くは株など現金以外が資産の中心であり、寄付のために資産を現金化すると税金が発生してしまうが、この負のインセンティブを取り除いている。1章で見たとおり現在、富の形成はＧＤＰにならない形が中心となりつつあり、[36] この新しい富を社会全体のために還流させる優れた仕組みと言える。

したがって、よく霞が関や永田町で聞く企業の内部留保を吐き出せという話は筋違いだ。企業側としては、やる動機があまりにも小さいからだ。よほど事業に近い内容でない限り、寄付は株主価値毀損と言うべき行為になってしまう。もし仮に投資としての意味を見込んで寄付するとしても、大学の研究は足の長いものが中心である以上（そもそも目先の研究を大学がやる必要はない上、ミッションの本質からずれる）、そんな営利性を求められても大学側も困るというのが正直なところだ。であればむしろ、ここまでひたすら法人税を削ってきたことを見直し（図5－16）、むしろ経済ダメージを与えない範囲で数％程度、特に内部留保が多い企業セグメントに対し、法人実効税率を

35　キャッシュで富を持っているわけではないので、免税のために寄付をするインセンティブが働くわけではないが、とにかく大きな富を持っていることは間違いない

36　ＧＤＰが伸びない背景の1つ

図5-16　法人税率の推移

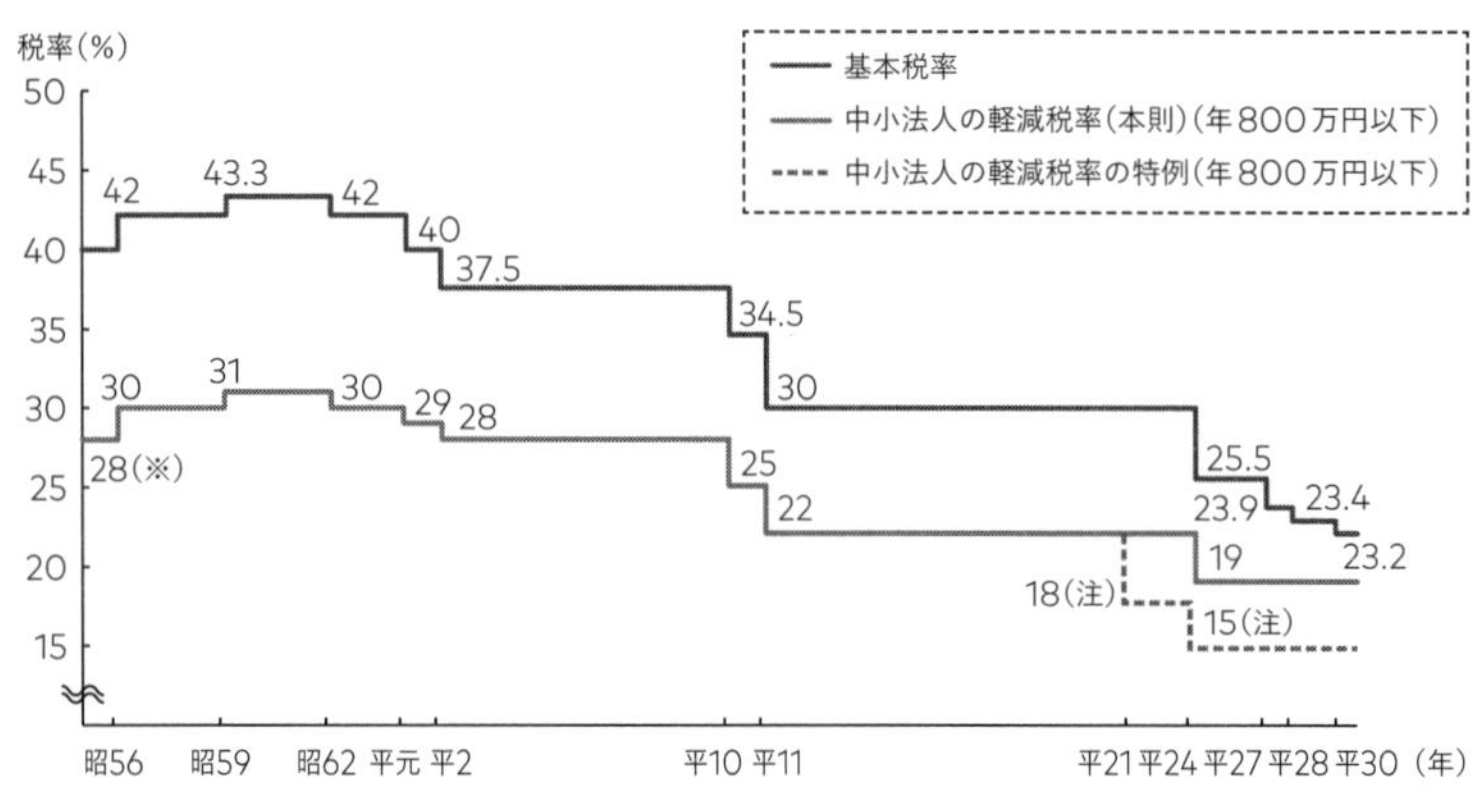

注1:中小法人の軽減税率の特例(年800万円以下)について、平成21年4月1日から平成24年3月31日の間に終了する各事業年度は18%、平成24年4月1日前に開始し、かつ同日以降に終了する事業年度については経過措置として18%、平成24年4月1日から令和3年3月31日の間に開始する各事業年度は15%
注2:昭和56年4月1日前に終了する事業年度については年700万円以下の所得に適用

資料:財務省　法人課税に関する基本的な資料　https://www.mof.go.jp/tax_policy/summary/corporation/c01.htm

上げるか[37]、後述のとおり、大学・研究機関への寄付に伴う税制的な優遇策を導入する[38]ほうが筋として良いと思うのだがいかがだろうか。

米国の大学からは寄付者に向けて定期的に冊子が送られてくる。大きな投資にどのように寄付が使われたとか、どういう学生をサポートしているかなどの情報だけでなく、晩年になって、あるいは遺言で相当額をまとめて寄付される人が多くいることが伝えられる。寄付が本当に気持ちよく行われている背景にはこういう気持ちの豊かさ（自分は将来に続くインパクトを残したという実感）と経済的な合理性の両方がある。

　ますます富の形成が資産型になっていく時代において、このような富の循環の生み出し方を、日本でもしっかりと研究し、整備するべきだ。通常の税制では集

37　本章冒頭のRIETI分析にあるとおり法人税10%で0・1〜0・2%程度の経済成長率への影響があること、また日本の法人実効税率（29・74%）がフランス（31・00%）、ドイツ（29・89%）に次ぐ水準と比較的高く、米国（27・98%）より1・76%高いことを勘案し、行うとしても最小必要レベルに留めるべき。また税のような金の流れを触ると多岐にわたる影響が起きるため、どのような項目を触るべきかについては慎重な見極めが必要

38　内部留保が多い企業セグメントに対し、「EBITDA（≒キャッシュフロー）の●%まで」というような上限をかけ、その分は法人税から割り引いていいようにするのが一案

めることが困難な富を再配分する優れた仕組みであり、税を補完するメカニズムになるからだ。確かに寄付は明確には行き先をコントロールできないが市場メカニズムによる制御はかかる。[39] また、流れるべきところにお金が流れていくだけで社会は改善される。国、コミュニティとして、このようなお金の流れをうまくデザインする技を持ち、税金での再配分以外の道を作っておくことは今後不可欠になるだろう。

10兆円規模の基金を立ち上げよう──国家百年の計

以上を踏まえ、僕が提言したいのは国家レベルの基金（endowment）システムの設立だ。[40] 立ち上げ時点での目安の運用額は10兆円。大学のような機関では一過性の予算はほとんど意味がない。今年いきなり1兆円予算を増やしても、来年続かないのであればあまり意味がないのだ。人材育成であれ研究であれ、腰を据えてやれない状況では何一つコミットできないからだ。

この基金に、各参加機関に集まる寄付もラベル付きで入れていく。米国の大学も部門別に寄付を集めるが余剰資金の運用はまとめてなされている。[41] これと同じだ。

基金運用は相当の事業体力がいる行為であり、国公立大学では東京大学ぐらいしかまともにできない可能性が高い。また総額が大きければ大きいほど投資の自由度は上がり、運用成績も上げやすくなる。トップ研究大学及び主要国研強化費用としてまずは10兆円程度準備し、世界トップクラスの運用プロフェッショナルを任命する。ハーバードのように年率平均で10%を超えるチームは無理にしても、日本の命運を担うこの取り組みの重要性を鑑みれば、7%ぐらいで回せるチ

39 米国と同様、単に縁故がある程度の理由ではまとまった規模のお金は動かず、真に価値のある機関や目的にお金が流れていく可能性が高い

40 明治22年、初代文部大臣の森有礼時代、国家の総合大学システムとしての帝国大学の財政的な自立のために最初に考えられたのは、経費の半分程度を賄うに足る収入を生む「資金」（ファンド）の蓄積をはかることであった。財源として授業料しか当てにできなかったこと、森が暗殺されたこともあり実行されずに終わった。（天野郁夫『帝国大学』中央公論新社 2017、p.19）これは再度初心に帰って考え直そうという提案である

41 ハーバード大学のSchool別の募金ページを参照
https://alumni.harvard.edu/giving/givenow#schools

ームであれば確保できるはずだ。

担当の運用チームにはもちろんフェアなプロフェッショナルとしての報酬を提供する。前述のハーバード・マネジメント・カンパニーやイェール・コーポレーション[42]などいずれもそうだが、国を代表するアカデミアの資金源を回すというのは国力そのものの担い手ということもあり大変に誇り高く、力も求められる資産運用のプロの仕事だ。大いなる名誉であることもあってピカピカの実績の方が担当することが多い。日本もそうであるべきであり、今のような小規模ではない基金を立ち上げた上で、待遇を見直すことさえできれば十分実現可能だろう。

この運用益の半分を翌年の予算に組み入れれば[43]平均年間３５００億円の余力が生み出される。東京大学全体の予算が約３０００億円であることを考えれば相当の余力が生み出せることがわかるだろう。残った3・5%分があれば20年後には約20兆円、40年後には約40兆円となる。もちろん市場の状況でときには凹む年もあるだろうが（例：リーマンショック）、それは半ば致し方ない。長期で大きく増えるかどうかだけが問題だ。次世代、50年後、１００年後の世代に残せる大きな遺産になるだろう。

効果の希薄化（dilution）を避けるためまずは参加する大学、機構を10ほどに絞る。まずはまとまった人づくりを行っており、研究規模的に大きい主たる研究大学を優先的に救い出す必要があるので、当初は国研を外してもいいだろう。個別の大学など機関に入ってくるお金はすべてここでプールして最高レベルの運用を行う。

また、基金の運用は必ずしも自分で行わなくとも、ＧＰＩＦ[44]や、それこそ米国の主要大学、さきほどのBlackstoneなどに1兆円ずつ運用委託するという選択肢もあり得る。日本の未来を担う

42 ハーバード大、イェール大の事業体としての運営機関

43 事前に予算化するのではなく運用を見つつ予算に組み入れる。予算化は切ることのできないＰｈＤ育成グラントや教職員の待遇補正から確保する。余力の範囲で施設の改修費用などに充てていく

44 Government Pension Investment Fund（年金積立金管理運用独立行政法人）年金基金の運用機関。世界最大級の公的ファンドの１つ。運用資産額は１５９兆２１３３億円（２０１９年度第１四半期末現在）

図5-17 国家百年の計としての運用基金endowment構築案

1. トップ研究大学および主要国研*強化費用として
   運用基金として**10兆円**程度準備
2. 世界トップクラスの運用professionalを任命
   ……**平均7%以上**の運用益創出を目指す
3. 運用益の半分(基金の3.5%程度:期待値)を予算化。基本2分の1を教員・サポートスタッフの人件費、4分の1を人材育成グラント**、4分の1は施設のリノベーションに
4. 大学などの教育・研究機関***への寄付に対する免税措置(education gift)
5. 企業が従業員や配偶者のこれらの寄付にマッチして寄付することも免税(matching gift)

* 希釈を避けるため10機関以下が望ましい。世界的な研究力、優秀なPhD.を生む能力、施設の老朽化などの必要性を鑑み指定
** 学費補助のスカラーシップ、生活費(stipend)支給など(米国同様、日本国民、永住権保持者を優先)
*** 幅広く対象
資料:Harvard University financial report FY16, https://ces.commerce.yale.edu/givingtoyale/gifts.cgiをもとに安宅和人試案

お金なのだ。意義は十分に高く、然るべきプロフェッショナルフィーを払うということであれば十分引き受けてもらえる可能性はあるだろう。投資先も国債、株などだけでなくシンガポールの国家投資グループGIC[45]のように、土地や不動産まで含めて考えるべきだ。合わせて先に述べた税制の工夫も当然必要だ(図5-17)。

この話を投げ込むようになってかれこれ数年になる。基金はどこから持ってくればいいのかという質問もたまに受けるが、これは長期的に消滅するようなお金ではないのでP/L(損益計算書)には基本響かず、代わりに他の予算を削る必要はない。あくまでB/S(バランスシート)的な問題である。財務省主計局の方々と話をしている限り、財政投融資などから持ってくれれば、実行は十分可能というこ

45 GIC Private Limited。もともとはGovernment of Singapore Investment Corporation(シンガポール政府投資公社)

とだ。リニアモーターカーに3兆円出したことから明らかなように、日本国にはこのぐらいの余力はあり、しかも前述のとおり、このような教育、科学技術開発の投資はもっともROIがいいことも踏まえると、ためらわずに実行すべきというのが僕の見解だ。

いかがだろうか。主計局の方々によれば、これは民意の問題、つまり市民の理解を形成しつつ、代表者である政治家の方々が決意さえすればできる話だということだ。自分たちの世代で未来に対して何ができるかを考え、それを大胆に仕込むべきときが来ている。この変化を仕掛け、成し遂げた政治家・官僚の方々は、日本史上の偉業として名を刻むことになるだろう。

見逃せない国による研究開発委託

日米の大学間のもう1つの巨大な財源の違いである、連邦政府からの研究開発委託について見てみよう。この項目に気づいたのはMITの年次会計報告書を読んでいるときだった。Lincolnという名前があり、それが全収入（約3000億円）の3分の1を占めていたのだ。リンカーン大統領とMITに関係があっただろうかと探ってみてわかったのは、Lincolnというのは空防に関する先端技術開発の研究所であり、国防省から丸ごと委託されて運営している機関だということだった。

ちなみに2019年のノーベル化学賞を吉野彰博士と共同受賞されたジョン・グッドイナフ(John Goodenough)博士は、日本では報道されていないがこのMITリンカーン研究所[46]出身だ。リチウムイオン電池は、米国では軍事研究だったのだ。あの大きなMITの3分の1の予算を占めるというのはただごとではない。さすが軍予算だ。

46　当然、国防省系の研究所では米国の市民権がないと研究したり働いたりすることはできない

さらにいろいろ見てみると、データ×AI的な世界においてサイバーセキュリティの総本山と言うべきSEI（Software Engineering Institute）も、同じく国防省からカーネギーメロン大学に委託されている研究所で、5年で約2000億円の予算を持っている。これらから生まれた人材がかなりエッジのきいたスタートアップを生み出していくことは言うまでもない。あまり知られていないが、これと同じようなメカニズムがイスラエルでも働いている。

加えて、もう少し平和利用よりのNASA[47]を見てみよう。火星における無人ローバーや、ジェット推進のメカニズムなどを研究するJPL（Jet Propulsion Laboratory）は科学の聖地カリフォルニア工科大学（Caltech）に委託されている。その予算は2015年段階で年間17億5900万ドル（2000億円弱）という途方もない額だ。

また公的には47人、大学に所属してきた人を合わせると107名もの膨大な数のノーベル賞受賞者（2019年10月現在）を生み出してきたUCバークレーには、エネルギー省の委託でその名も「バークレーラボ」と呼ばれる巨大研究所が存在している。正式名称はローレンス・バークレー国立研究所（Lawrence Berkeley National Laboratory）。予算は年間約900億円。そのミッションは「エネルギー及び環境問題に質的な変容をもたらす解を提供する」という、さすがと言うべきものだ。ここから生まれたノーベル賞だけで13に上る（2019年秋現在）。そのライバル校であるスタンフォード大学には同じくエネルギー省の委託で、SLACこと国立加速器研究所（SLAC National Accelerator Laboratory）が年間500億円規模で委託されている。ここからも3つのノーベル賞が生まれている。

理化学研究所は、自然科学分野における日本で唯一の総合研究所である。全国に10以上の拠点

47 National Aeronautics and Space Administration：米国航空宇宙局

を持ち、350人もの人員を抱えているが、それでもその総予算が988億円（2019年度）であることから、先に述べた委託研究予算の規模がどれほど巨大なものかわかるだろう。日本の研究大学を飛び立たせようと思うのであれば、独立型の国研を運営するだけでなく、このように大学の自由度と国研の予算の力強さをかけ合わせた形で、大型の予算をセットにして任せることも十分考えられるだろう。

特に日本では、国防系の研究所および国防系の研究基金は先の大戦での敗戦後、すべて整理されてしまっている。多くの大学もこれらの研究資金利用を事実上認めていない。だが、潤沢な研究資金と取り組みの自由度が求められるAIやロボティクスの最先端研究の多くが米国のDARPA[48]などで行われていること、インターネットもその起点の1つであるDARPAの前身であるARPA資金をもとに作られたARPANET[49]が発端であることからわかるとおり、軍事利用を必ずしも前提としない基礎的な先端研究という視点に絞ることを条件にするのであれば、そろそろ考え直してもよいのではないだろうか。東京大学駒場リサーチキャンパスにある生産技術研究所（生産研）[50]、また先端科学技術研究センター（先端研）[51]はいずれも国防的な意味で特別なレガシーを持っていることは、知る人ぞ知る事実だ。

人が育ち、資金が回るエコシステム

以上見てきたとおり、現在、世界の科学技術において最強を誇る米国の大学及び科学そして技術開発環境は日本とは大きく異なり、異質な生態系（エコシステム）が働いている（図5-18）。産学連携というかけ声のもと、大半の人に高等教育における財源問題が根本から誤解されているのだ。

48 Defense Advanced Research Projects Agency; 国防高等研究計画局。トヨタの人工知能研究部隊であるToyota Research Institute（TRI）を率いるGill Pratt氏はもとはDARPAのDefense Sciences Office（国防科学戦術技術室）のプログラムマネージャー

49 インターネットの起源でもあり、世界で初めて運用されたパケット通信コンピュータネットワーク（参考：Wikipedia「ARPANET」）

50 元東京大学第二工学部（軍事産業を支える工学者や技術者を養成するために作られたが、戦後改組され生産研になった）

51 元東京大学航空研究所（航空機の基礎的学理に関する研究を行っていたがGHQの指示で研究が禁じられ改組され先端研になった）

図5-18　**米国の産学連携のエコシステム**

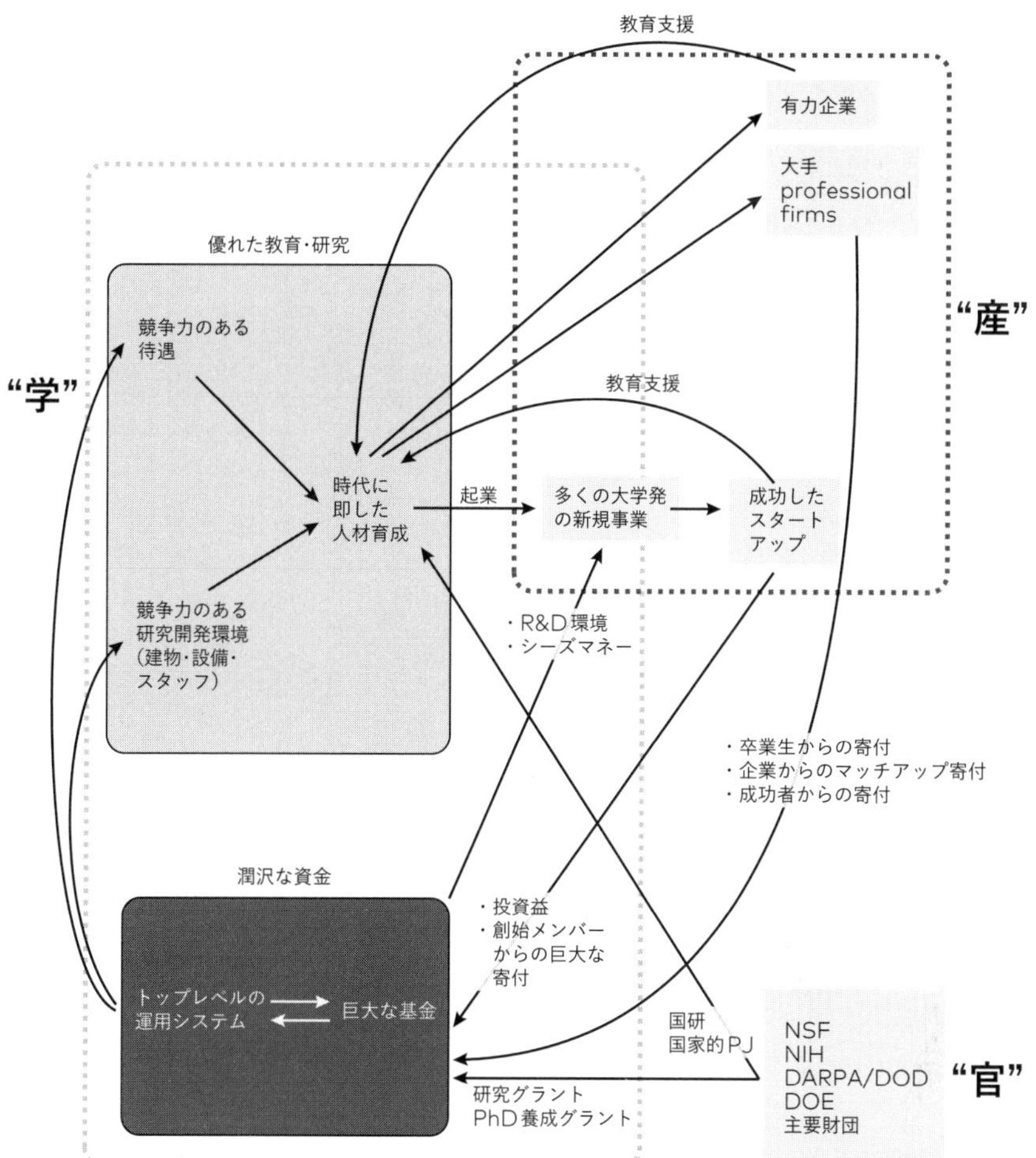

資料:安宅和人分析

これまで挙げられなかった点も含め、全体を取りまとめつつ、俯瞰してみよう。

1：米国の大学の財源は、霞が関でよく言われるような巨額の企業からの資金で回っているわけではない。大きな資金源は基金と国からの大学への研究機関の運営委託。グラントも大きい。

2：基金の元が大きいのは、まとまった金額が成功した卒業生から大量に流れ込んでいるのが最大の理由である。財団[52]からの寄付もそれなりの規模があるが、企業側が大量に寄付しているからではない。卒業生一人あたりの平均寄付額はトップ大学でも日米で200倍以上異なる。

3：この仕組みが回るのは明確な経済合理性があるから。米国では学生の多くは経済的な支援を大学から受けており、その豊かな経験を恩返しする意味でも、母校が偉大な学校であり続けるためにもせっせと寄付を行う傾向がある。これを税制が力強くサポートしている。

4：この流れ込んできている寄付金と運用益を元にした基金を世界トップレベルの運用を行う面々が運用し、さらに大きく増やしている。

5：増えたお金が競争力のある待遇と、競争力のある研究開発環境を生み出す。

6：その卒業生たちが世の中に向けて試みを行う際に、大学そのものがある種のインキュベーターとなりR&D環境を提供し、ときにはシーズマネーも入れる。

7：やがて創始メンバーからの巨大な寄付や、投資益として返ってくる。卒業生が起業せず企業などに働くようになった場合も、寄付などがまた還流してくる。

8：成功した人たちは寄付するだけではなく教育の支援も行う。

52 これ自体もともとはまとまった寄付による基金

9：官はＮＩＨ／ＮＳＦなどの手厚い基礎グラントに加え、ＰｈＤ養成グラントを出し、人の育成をサポートする。

10：官はグランドビジョンを元に大きな追加ファンディング、シーズマネーの投下も行い、国家的な人づくりと領域強化に向けた戦略的な柱を生み出す。

11：官はまとまった額を出し、国研を主要研究大学に委託することもある。

日本でよく言われる産学官の連携とは似ても似つかぬものではあるが、このように実にリーズナブルな仕組みだ。日本の大学も企業からの寄付金はあくまで目先のしのぎと捉えて、本当の技術を生み、人を育て、産業を生む、その結果、卒業生から資金が還流するという基本的なエコシステムこそをしっかりと作っていくべきだ。そして、国は国ならではの仕事として大型基金、運用システム設立に向け、大いなる取り組みをやっていただければと思うがいかがだろうか。

図5-19　国としてのP/L(1)
兆円 2016（概算：一般会計予算のみ）

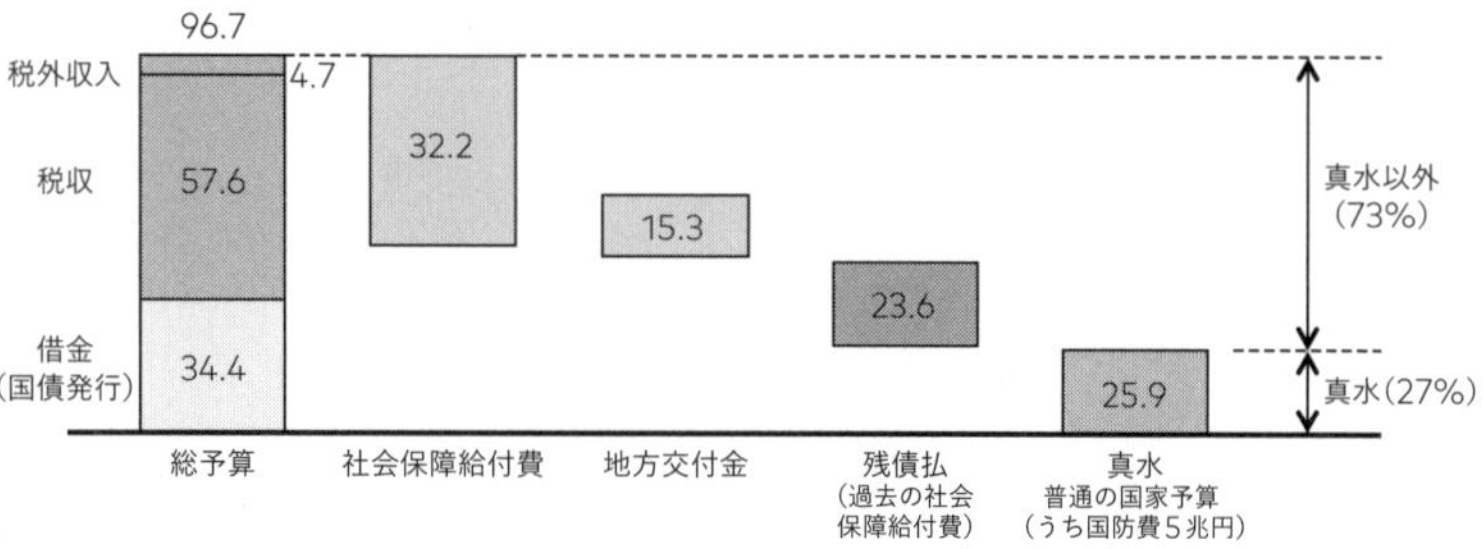

資料：内閣府（http://www5.cao.go.jp/keizai-shimon/kaigi/special/reform/wg1/280915/shiryou3-1-2.pdf，http://www5.cao.go.jp/keizai-shimon/kaigi/special/2030tf/281020/shiryou1_2.pdf）、財務省（https://www.mof.go.jp/budget/budger_workflow/budget/fy2016/seifuan28/03.pdf）、安宅和人分析
安宅和人 "未来にかけられる社会にしたい" http://d.hatena.ne.jp/kaz_ataka/20180526/1527308271

4　若い人に投資する国へ変わろう

国に金がないのではない

ここまで未来に対して投資すべきであることを詳しく語ってきたが、このような話をすると出てくる批判（言い訳？）は「この国にはカネがないから何もできない」というものだ。本当だろうか。その視点で２０１６年予算を例にとって、国としてのＰ／Ｌ（予算の入と出）をまず見てみよう（図５−19）。

これが新聞などでおなじみの日本の一般会計予算を整理したものだ。歳入のうち、３分の１程度借金ではあるものの、全体では１００兆円近くとかなりの予算だ。歳出は３分の１程度が社会保障給付費に使われ、15％程度が地方交付金で自治体に。またある種の残債払いと言うべき国債の支払いが4分の1程度ある。

結果、普通に国家予算だと言えるものは4分の1程度、26兆円しかない。これまで国家予算をしっかり見たことがなかった僕は、これには少々驚いた。ちなみにこの内、防衛費（国防費）が約5兆円[53]で、それを差し引くと21兆円、約5分の1しか残らない。

防衛費が多すぎると思う人もいるかもしれないが、僕の見解では正直これはミニマムなレベルと考える（決して軍事行動に好意的なわけでも防衛省の関係者なわけでもない）。自衛隊員25万人、仮に平均給与600万円だとしても実際には社会保険料、その他もろもろで一人1000万円程度かかる。25万×1000万＝2・5兆円であり、兵器購入、設備その他のランニング・メンテナンス費用は2・5兆円しか残らない。ちなみに、米国は現役軍人135万人（＋予備役 約85万人）、国防費は同じ2016年で5800億ドル（約63兆円）、2019年予算は6930億ドル（約76兆円）。隣国の中国の人民解放軍は現役228万人（予備役51万人：2012年）、予算規模は2500億ドル（約27兆円：2018年）と推定されている。[54] ロシア、北朝鮮、中国に囲まれる我が国として、増額を検討することがあっても、これ以上削るのが厳しいことは理解できる。

話を戻そう。図5－19をあらためてよく見てみると、おかしくないだろうか。社会保障、すなわち医療費、年金などの費用は医療費だけでも32兆円ではきかない程度の規模があるはずだ。実際、社会保障給付費の総額は120兆円近くあり、こちらを合わせたこの国の予算[55]の全体観は図5－20のようになる。なんと総額は170兆円。2016年のGDPが537兆円であったことを考えると、国の生み出した付加価値のほぼ3分の1だ。国に単にカネがないという議論をする

53 かつて「GDP1％枠」という議論があったことを覚えている人もいらっしゃるだろう

54 List of countries by military expenditures（出典：Wikipedia）

55 国というコミュニティ全体の話であり国家予算という意味ではない

図5-20　国としてのP/L（2）
兆円 2016（概算：一般会計予算 + 社会保障給付費）

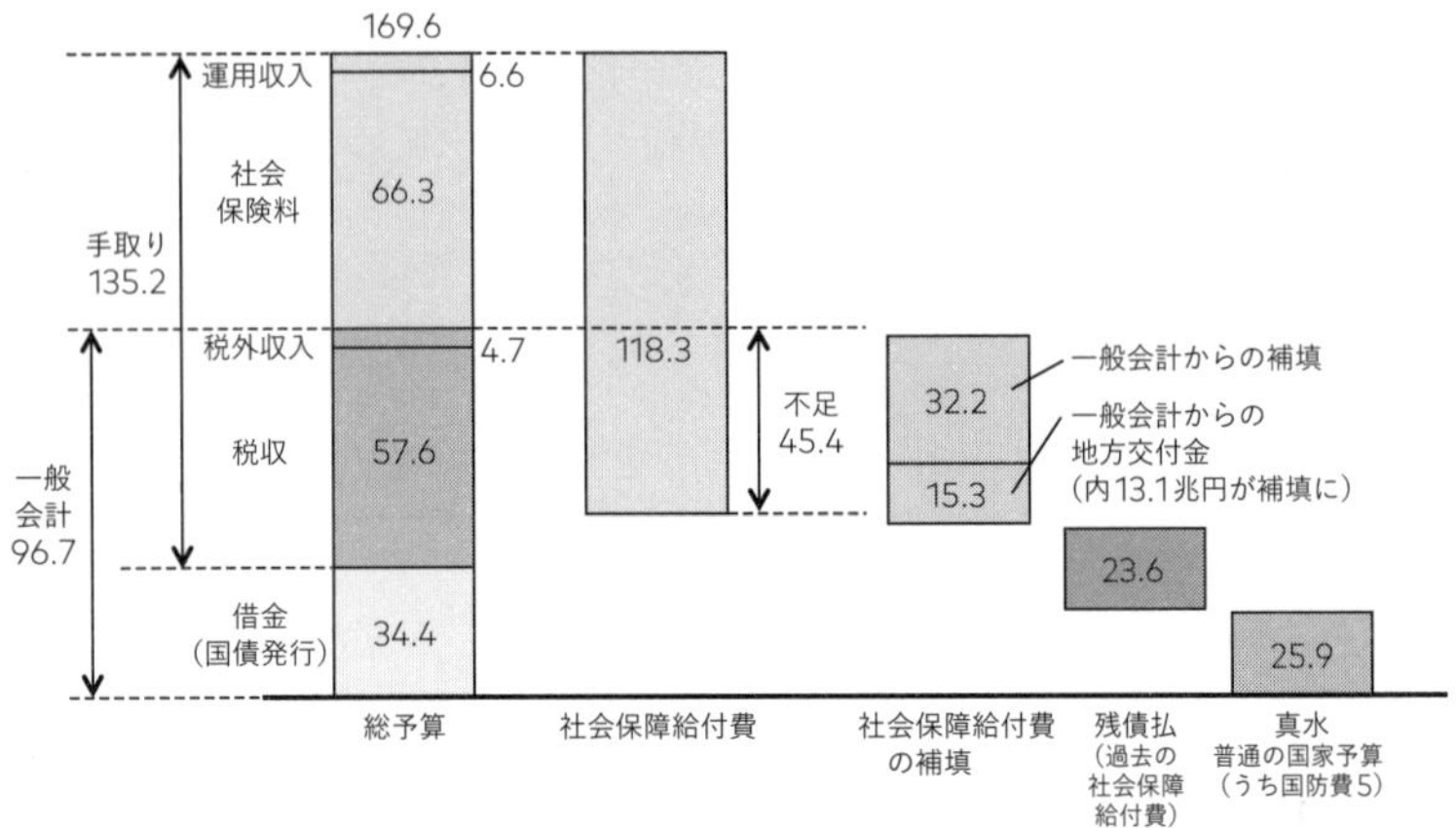

資料：内閣府（http://www5.cao.go.jp/keizai-shimon/kaigi/special/reform/wg1/280915/shiryou3-1-2.pdf，http://www5.cao.go.jp/keizai-shimon/kaigi/special/2030tf/281020/shiryou1_2.pdf）、財務省（https://www.mof.go.jp/budget/budger_workflow/budget/fy2016/seifuan28/03.pdf）、安宅和人分析
安宅和人 “未来にかけられる社会にしたい” http://d.hatena.ne.jp/kaz_ataka/20180526/1527308271

のはかなり誤っていることがわかる（図5-20）。

皆さんも毎月かなりの社会保険料を支払われていると思うが、実は職場も同じ額の社会保険料を雇用者ごとに支払っている。もし月に10万円引かれているとすると、会社も同額払っているのだ。これが税収よりも大きな社会保険料であり、これらの基金を運用した収入を合わせると70兆円以上の規模になる。これで医療・年金・その他の社会保障を賄うべきなのだが、45兆円以上も足が出ており、これを国家予算で半ば補填しているというのが実情なのだ。この補填部分がさきほどの一般会計の社会保障給付費であり、地方交付金もソロバン上は、大半はこの補填に回っていると考えたほうがよさそうな状況だ。

この社会保障給付費の内訳を開いてみると、年金が60兆円近く、医療費が40兆円近くある。医療費の60％が65歳以上で発生すること[56]（図6－29参照）、残債払いと書いた部分の国債の支払いは、半ば過去の社会保障給付費であることを加味すると、我が国はかなり立派な額の予算を組みながら、その多くがシニアと過去に使われていることがわかる（図5－21）。

このようにお金はあるのだ。むしろリソース配分の問題であり、未来に賭けられる国になっていないだけなのだ。

未来のための最適なリソース配分とは

次は英国の雑誌『The Economist』に載った日本の人口ピラミッドだ（図5－22）。右側が日本全体。左は東京の奥多摩町だ。奥多摩は特殊な事例ではなく、多くの地方で同じ様相を呈している。たとえば僕が育った富山の海沿いの町の小学校は、自分たちの学年は確か約100人いたが、約40年後の今調べると1学年20〜30人程度と約4〜5分の1だ[57]。

ピラミッドの一番上の層は、国家功労者ではあるが「引退層」だ。我々一人ひとりの恩人であり、僕自身の親も含むとても大切な人たちでもある。ただ、そこに国家のリソースの相当部分、年金と医療費合わせて半分以上（90兆円前後）が投下されてしまっていることもまた事実だ。

また、すでにこの世を旅出たれた人も含めた「過去の社会保障予算費」と言うべき国債の支払い（言ってみれば残債払い）が25兆円程度存在する。

56　70歳以上で49％、厚生労働省 平成29年度 国民医療費の概況 結果の概要 表5より

57　gaccom（https://www.gaccom.jp/）で調べた2018年時点の値

図5-21　国としてのP/L(3)
兆円 2016（概算：一般会計予算 + 社会保障給付費）

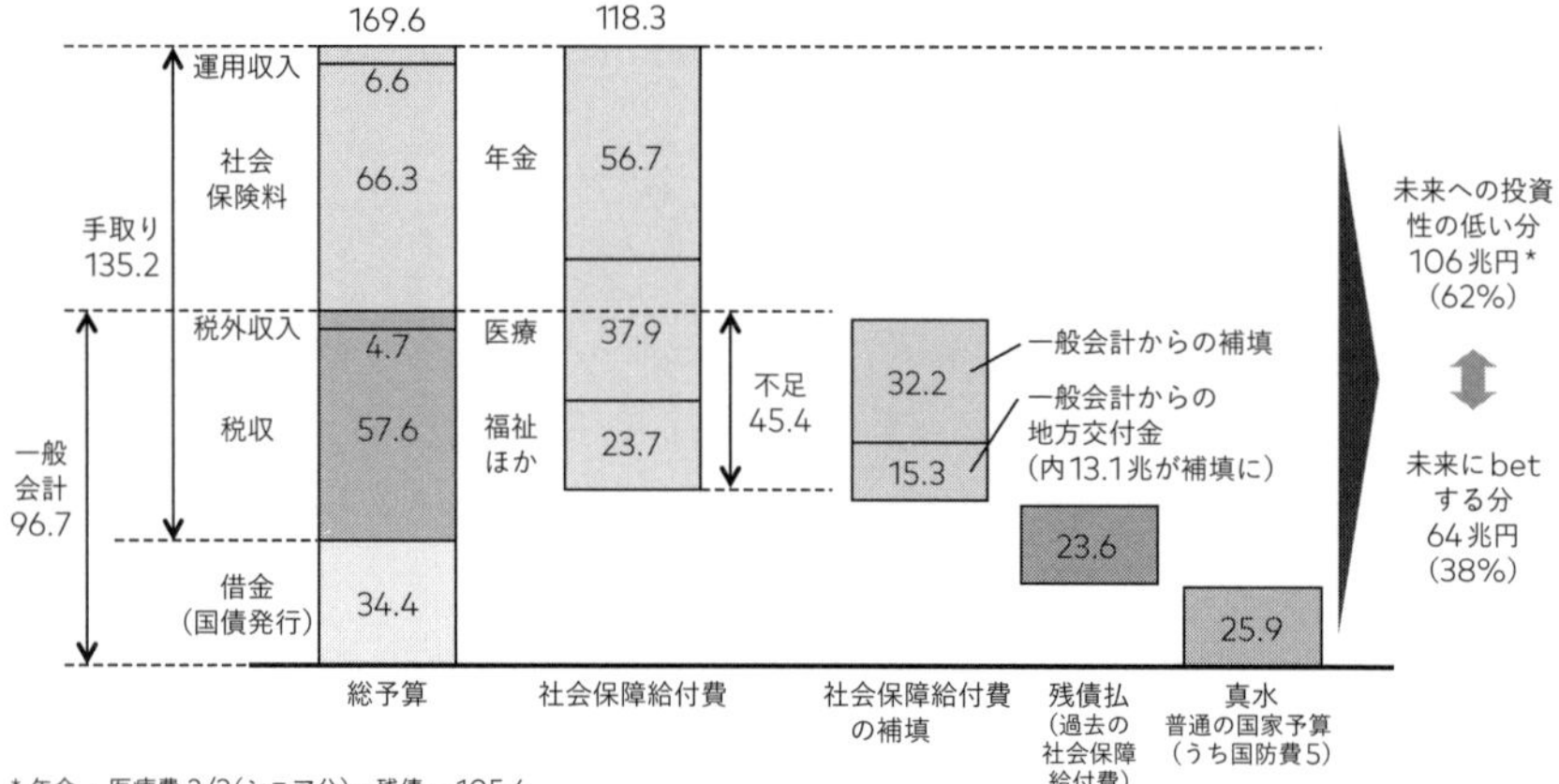

* 年金 + 医療費 2/3(シニア分)+ 残債 = 105.6

資料：内閣府（http://www5.cao.go.jp/keizai-shimon/kaigi/special/reform/wg1/280915/shiryou3-1-2.pdf , http://www5.cao.go.jp/keizai-shimon/kaigi/special/2030tf/281020/shiryou1_2.pdf）、財務省（https://www.mof.go.jp/budget/budger_workflow/budget/fy2016/seifuan28/03.pdf）、安宅和人分析
安宅和人 "未来にかけられる社会にしたい" http://d.hatena.ne.jp/kaz_ataka/20180526/1527308271

図5-22　国家の経営としてのリソース最適化が必須

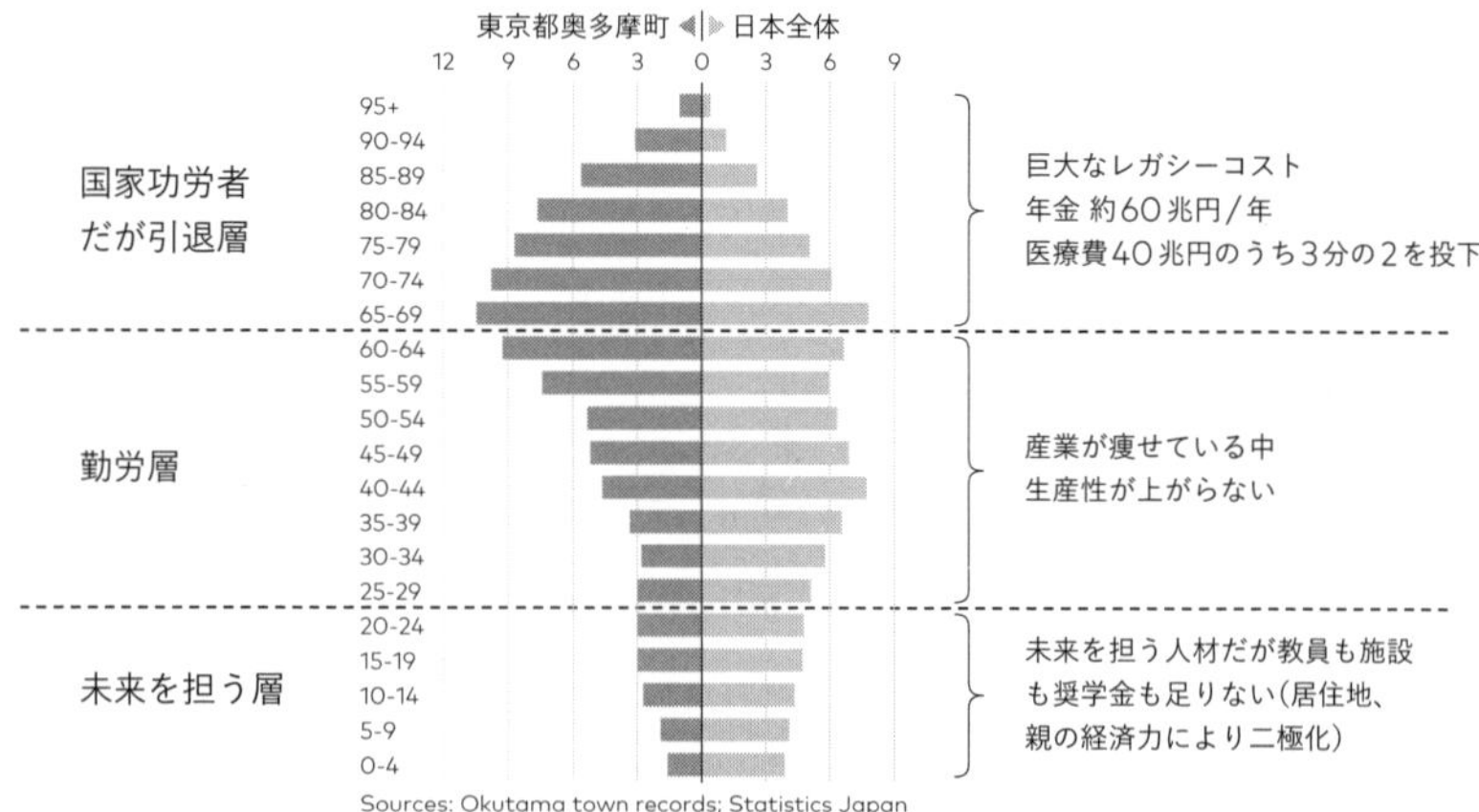

資料：『The Economist』(2017/1/7), 安宅和人分析

その下の層は、我々の多くが含まれる「勤労層」だ。前述のとおり、イタリアの倍以上、インド、韓国、中国よりも長時間という異様なレベルで働いているが（図2－12参照）、産業が痩せている中、生産性が上がらない。ニューエコノミー創造のフェーズ1型の企業を生み出せなかったことと、オールドエコノミー側の企業の刷新が遅れていること、膨大な数が存在する中小企業を束ね生産性を上げられなかったこと[58]、などファクトベースに直視すれば理由が明確なので、特に最初の2つについて、取り組むべき大きな課題であることを本書でも述べてきた。

一番下の幅の細い層の人達は「未来を担う層」だ。彼らこそが我々の未来であること、我々が未来を託す人たちであることは間違いない。僕は今50を過ぎたところだが、普通に考えれば、20歳の人たちよりも数十年は早くこの世を去るはずだ。彼らは本当に我々の未来にとって一番大切な人たちだ。しかし、戦後復興期に近いレベルまで急激に貧しい人たちが増える中、親と居住地によって極端な二極化が加速し、才能と情熱を解き放てない人たちが増えている。この世代こそ日本の国力に依存せず、グローバルな世界で価値を生み出していかねばならないのだが、運よく地域の拠点大学、研究大学（RU11など）にまでたどり着けたとしても、経済的な理由で、今世界的なレベルで求められている上級学位（advanced degree）をとることもできない。

また、ここまで見てきたとおり、富を生み出すための前提が変わり、その人なりの深い知覚を育てる必要性が急激に高まっているにもかかわらず、創るべき人材像の刷新がほぼ一切行われていない。あるいは、魂を伴わないお題目だけになっている。相変わらずマシンとしての教育、すなわち機械のほうがむしろ得意なことを身につける教育が主としてなされ、その基準で多くの高

58　中小企業の多さと背景については小熊英二氏の『日本社会のしくみ』（講談社　2019）、中小企業が多いための生産性の低さについてはデービッド・アトキンソン氏の『日本人の勝算　人口減少×高齢化×資本主義』（東洋経済新報社　2019）に詳しい

校や大学の入学許可もなされている。新しい基礎素養としてデータやＡＩを使い倒す力を身につける必要があるが（AI-ready化）、そのための教員、教育プログラム、施設の刷新も明らかに出遅れている。

日本を１つの事業体だと思えば、我々がどれほど危険な道を歩んでいるのかは明らかだろう。日本円の価値を保つために残債の返済は不可避だが[59]（この返済約束を守りきれなかったり、徳政令で帳消しにすれば円の暴落は必至）、これは当然将来の富を生むものではない。シニア層のサポートは人道上、また憲法上、また年金のお約束上不可避だが、未来の経済規模を拡げるものではない。また、この多くは実はサンクコスト[60]になってしまう可能性が高い。真に未来につながる若手の育成、そして科学、また技術の開発のコストは削られ続けている。

未来が暗いと考える前に、なぜそうなのかをこのようにフラットに見れば、原因はそんなに難しいことではないのだ。解決のために必要な取り組みも驚くほどシンプルだ。「育て評価する人の像を刷新する」、それに伴って「もう少し未来にリソースを寄せる」、それだけのことだ。その必要なリソース規模は、このあと述べるが実は社会保障給付費に比べれば驚くほど小さい。

国全体を家族として考えてみる

国というのは言ってみれば大きな家族のようなものだ。財布が１つという意味では最大級のコミュニティ単位とも言える。今の日本は、たとえて言うならば、家族のうちおじいさんやおばあさんはちゃんとしたおかず付きのご飯を普通に食べることができるが、働くお父さんやお母さん

59 国家は容易に消えるものではないので、ものすごく長期の返済（例：数百年、千年）に変え、毎年の返済を極限的に薄くすることは理論上は可能

60 sunk cost：投資はしたものの回収できない費用

図5-23　社会保障給付費の推移

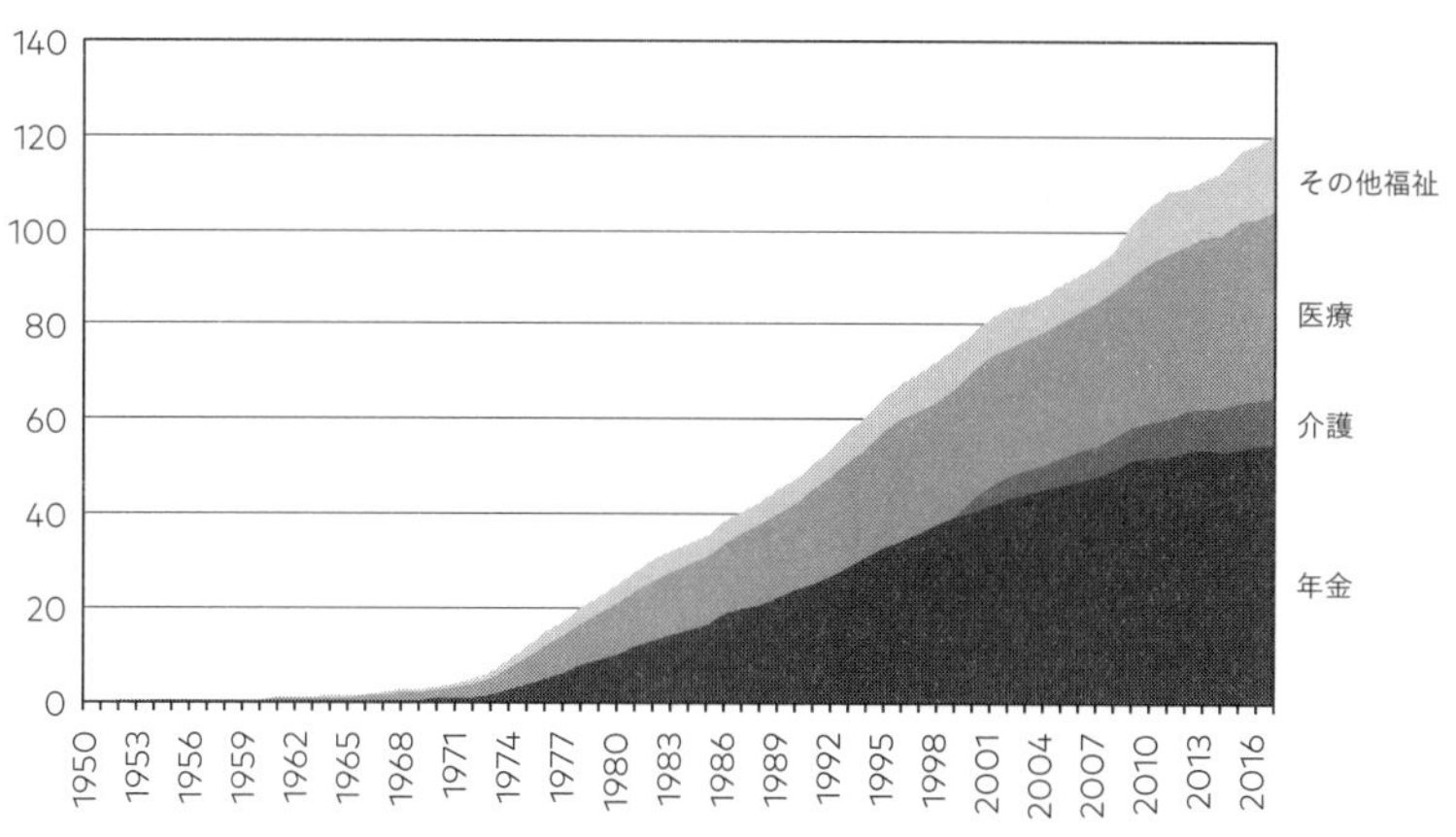

資料：国立社会保障・人口問題研究所「社会保障費用統計（平成29年度）」第8表　社会保障給付費の部門別推移（1950～2017年度）より安宅和人作成　http://www.ipss.go.jp/ss-cost/j/fsss-h29/fsss_h29.asp

にはほんの少ししかお小遣いがなく、子どもたちはメザシ1つ与えられていない。そういう状況だと思えばイメージが湧くだろうか。

このまま行けば、この国はシニア層と過去にお金を使いすぎて衰退を止められなかった初めての大国として歴史に名を刻むことになるだろう（図5－23）。また、今のシニア世代は、そのようなことを微塵も望んでいなくとも（むしろ、ほとんどが良識を持った方々であり、戦後の日本を作ってきた恩人たちであることは明らかなのだが）、日本の歴史上、もっとも強欲で身勝手なシニア層のいた時代だったと後世の人に言われてしまうことになりかねない。

財務省の予想[61]では、2025年の社会保障費は約150兆円近いものとなる。過去20年と同じようにGDPが増えない、したがって税収も消費税増税分しか増え

61　財務省「これからの日本のために財政を考える」2017年4月

ないとすれば、先程述べた真水分の予算26兆円をゼロにしても足りないという驚くべき状況に陥る。

当然この不足分は国債の発行によって賄うしかない。だが、市中の銀行にこれだけのキャパがあるわけではなく、日銀が裏で買い続けることになる。日銀が買い続けるということは原理的には可能だが、過去、中央銀行が財政赤字をファイナンスすることが多くのハイパーインフレーション[62]の共通原因であったことを鑑みれば、危ない橋を渡っていることは明らかだ。第一次世界大戦直後では、敗戦後のドイツ帝国で物価が1兆倍、1986年から1994年までの8年間にブラジルは2兆7500億倍のハイパーインフレーションが生じた。日本も敗戦後の1946年から1949年には数百倍規模のインフレに陥ったと見られている。[63]また、万一、一瞬でもこの国債がさばききれない、すなわち財源がショートする、ということが起きれば国の株券と言うべき円の価値が急落する可能性が高まる。[64]

この経済的な構造に気づいて以来、歴史を振り返り、ずいぶんいろいろな滅びのパターンを調べてみたが、どうもこのような滅び方をした主要国は1つもなかったように見受けられる。ローマ帝国、ベネチア、モンゴル帝国、アステカ帝国、イースター島の文明……いずれもまったく異なる滅びのパターンだ。[65]実は、この間、米国の友人にあるパーティで言われたのだが、日本は現在「G7で初めて引退（retire）した国になった」と言われはじめているという。何ということを、と、唖然とし、悔しさを隠さねばならないことしきりであった。今一度、この社会の基本に則り、国全体を家族として考え、あるべき姿を考え直すタイミングだ。

62　インフレ率が毎月50％を超えること。毎月のインフレ率50％が継続すると、一年後には物価が130倍に上昇することになる。すなわち、インフレ率1万3000％である。トーマス・サージェントが行った分析によると第一次世界大戦後にハンガリー、オーストリア、ポーランド、ドイツで生じたハイパーインフレーションの共通の原因は財政赤字の急膨張であり、不換紙幣である政府紙幣の発行による、財政赤字のファイナンスであった。中央銀行が財政赤字をファイナンスすることを拒否し、政府が財政赤字を民間への国債の売却あるいは外国からの借入れでファイナンスすることを決めた直後に終息（以上、Wikipedia「ハイパーインフレーション」より抜粋、要約）

63　闇相場をとらえ200倍という話を耳にすることが多い。一説には約600倍（永田町筋情報）。1930年に

漫画家カガノミハチ氏に『アド・アストラ ―スキピオとハンニバル』[66]という作品がある。副題からわかるとおり、実話に基づくローマ時代のローマとカルタゴの戦いの物語だ。そこに〝ローマの剣〟と呼ばれる常勝将軍マルケルスが現れる。ただ、そのマルケルスの率いる部隊も天才ハンニバルの部隊との戦いにおいて「もはやこれまで」という局面が来る。そこで彼は言う。「お前達、ここまでよく守ってくれた。だが、もういい。（略）敵はワシが引きつける。おまえたちは散り散りに逃げろ。でなければ全滅は避けられん」と。部下が必死の形相で「おではマルケルス殿の盾だ！ 命を懸けて守り抜くって約束したんだど！」と述べると、そこでマルケルスは言う。

「老人を生かさんがために、若者を犠牲にするような国に未来はない」

今僕らの国が置かれている局面は、まさにこれと同じではないだろうか。なお、この場面のマルケルスの次の言葉は、「バンディウスよ、どうか生き延びてローマの明日を紡いでくれ」だ。

数％で未来は変わる

リソース配分の話をすると、原資がないという意見がすぐに出てくるのだが、本当だろうか。ざっとどのぐらいかかるのかを計算してみた。桁を見るためのざっくりとした計算だが、掲げておこう。

なるまで1ドルは2円台であったが、1941年に4・2円、1945年の敗戦直後の軍用交換相場が15円、1949年にインフレを抑えるために360円に固定されたことからも少なくとも数十倍のインフレになったことだけは確実（Wikipedia「円相場」を参照）

64 原則的には日銀が買い続ける限り起きない。あくまで、もしそうなったらの話

65 高坂正堯『文明が衰亡するとき』（新潮社 2012）；Jared Diamond "Collapse: How Societies Choose to Fail or Succeed" (Penguin books, 2011/1) 邦訳『文明崩壊』（草思社 2012）；杉山正明『モンゴル帝国と長いその後（興亡の世界史）』（講談社 2008）などを参考

66 第10巻、集英社 2016年9月

（1）**国家基金（Endowment）**……P／Lにはヒットせず、何かの原資を削る話にはならない。むしろ理財的（財産をどう運用するか）な判断による。

（2）**研究者の待遇改善**……研究大学の7割ほどの先生と国研などの世界的な研究にさらされている先生方の給与を、仮に一気に一律で世界標準にするとしても、追加に必要なのは2000億円程度。実際には前述のとおり5年ほどかけて上げていけばいいわけであり、（1）の国家基金が機能すれば、予算を組んでやる部分はかなり削ることができる。

（3）**PhD学生の育成グラント**……学費＋400万円（米国並）で仮に一人500万円とすると3750億円。[67]

（4）**初等・中等教育のAI-ready化**……高校は数も限られているため、各県で対応できるものとする。小中学校すべてをある程度刷新するのに必要なのは、各校1500万円程度とすると、年間4500億円。この規模なので相当のボリュームディスカウントが効くはずであり、毎年ある程度のハード&ソフトウェアを、接続環境も含めてアップデートするとしても、技術教科まで含めて相当の刷新が可能になるはずだ。この資金があれば2〜3年毎に相当のアップデート費用が必要だとしても、2年目に相当数の共同ファブを創ることも十分可能だ。もちろん数年使ったマシンは払い下げ、転売すれば、さらに購入時価格の何割かの原資にはなるだろう。

67 米国のPhDプログラム同様、博士論文研究に入ったところで所属する指導教員が研究費から資金を出すことにすればこの半額程度（約2000億円）になるが、研究費用全体が削られている現状でそれを期待することは厳しいためこれだけを想定

（5）**大学・国研の交付金**……削られ続けている交付金を少なくとも10年前の水準に戻す費用は約3000億円。同時に毎年基礎予算を削ることもやめる。

（6）**業務改善**……まずICTを合わせたBPR、CPR[68]的な業務改善を一気に行う。この費用は機関の大小もあるが年間約100億円（1億円×100機関）もあれば可能だろう。企業のようにBPRされていない大学は、おそらく少なくとも3〜4割の業務改善が可能だ。それを踏まえて研究者が研究に集中できるようにするためのスタッフの増員を行う。費用はざっくり約1000億円（1000万円×1万人）程度。多くの研究者の事務、会議などで浪費される時間がまとまって浮くはずだ。

（7）**科学技術予算の補正**……国力に見合った規模にする必要額は約5000億円。ここまでの議論から明らかなとおり、これを基礎科学技術開発費にすることで相当の未来に向けた種まきができるだろう。実際にはここまでの項目（特に5）に重なる部分もあると思うが、見えないコストもあると思われ、ここではざっくり立てておこう。ここから年500億円程度充てられれば戦略的な位置付けを持つ国研を1〜2立ち上げられる（設立約300億円・運営200億円程度）。

（8）**大学生の学費と生活費補助**……RU11の国立大に属する学部学生約10万人[69]のうち4割に学費と生活費（年間400万円）、3割にその半分（年間200万円）のサポートがいるとすると、

68 ICT（Information and Communication Technology）、BPR（Business Process Redesign）、CPR（Core-Process Redesign）典型的には業務をいくつかの太いコアプロセスに整理し、そこの中の重複、手戻り、無駄取りを行う。ハンコが同じ人に戻ってきて複数回押さないといけないなどというようなこともここで解決する

69 2019年 北大1万1311、東北大1万814、東大1万4058、東工大4866、名大9628、京大1万2992、阪大1万5285、九大1万1647、筑波大9840 計10万441人（資料：大学基本情報2019『大学改革支援・学位授与機構』）

2200億円。

合わせてみると、仮に重複がなく、国家基金の運用益を組み入れることができない前提で計算しても2兆円超にすぎない（2兆1550億円）。実際には相当の重複があるので2兆円で十分なんとかなるだろう。これは社会保障給付費120兆円に比べると2％以下だ。ここに後述する未来を作る世代の年金基金を入れても3・2兆円程度。社会保障給付費を半分にしろとか、3分の1削ろうというような話ではないのだ。

長年ストラテジスト（事業参謀）として生きてきたため、これまでずいぶんさまざまな企業の予算や経営計画を見てきたが、数％の余力を生み出せないというような予算は普通存在しない。しかも現在は歴史的な技術革新期。相当のものが自動化し、効率化し得る恵まれた局面にある。世の中で喧伝されるほど悲観的に考える必要がないことは、これで理解してもらえるだろう。普通のマネジメントをやればそれでよいのだ。未来を生み出すために必要な犠牲は、前述の古代ローマの話と異なり、場合によってはゼロにできる程度の規模なのだ（図5－24）。

またこのぐらいは、質を保ちつつ、軽く削れてこそマネジメント改革と言える。質はQOL（Quality of Life）、サービス提供（service delivery）の両方だ。この未来への投資（子どもたちのサポートや大学、科学技術開発）が将来の国力に直結すること、しかも最大級にリターンの高い投資であることを考えると（図5－4参照）、ほぼ躊躇することなくやるべきだと思うのだが、皆さんはどう思われるだろうか。

図5-24　年間数兆円で未来は変わる（未来を変えるコストの概算）

● 国家Endowment	・いわゆる予算とは異なるB/S側の仕組みで対応可能
● 研究者の待遇改善	・約2万人 x 1000万円 = **+2000億円** ① 旧帝大の先生の7がけ（約2万人 ×0.7= 1.4万人） ② その他大学・国研（約6000人）
● PhD学生の育成グラント	・約7.5万人 x 500万円 = **+3750億円** ・年1.5万人。1人年500万円。5年で終了を想定
● 初等・中等教育のAI-ready化	・約3万校 x 1500万円 = **+4500億円** ① 小学校2万校、中学1万校 ② 各学校1500万（ハード&ソフト導入/刷新+反転学習費用）
● 大学・国研への交付金 ● スタッフ強化と業務改善	・少なくとも10年前の水準に戻す **+3000億円** ・研究に集中できるレベルまでスタッフの増員 **+1000億円** ・BPRおよびICTによる業務改善 約100機関 x 1億円 = **+100億円**
● 科学技術予算補正	・米国並みにする場合 **+約5000億円**
● 大学生の学費と生活費補助	・RU11の国立大の学部学生の4割に学費と生活費 ・3割にその半分のサポートがいるとすると **+2200億円**
● 若い人たちへの年金積立	・1人月5000円（年6万円）を生まれたときから積立運用する ・年間100万人、20学年分で**1.2兆円**
計	約2兆円（本文参照）**+ 1.2兆円 = 約3.2兆円**

資料：安宅和人分析

Life as valueの時代に

ここまでどちらかと言えば若者サイドの打ち手を見てきた。もう1つ国家五十年、百年の計として検討し、導入すべきと考えるのは、社会の極相林化の実現だ。「極相林」というのは生態学の言葉で、さまざまな多様性を保った状態で安定的な状況に入った森のことを言う。[70]

一方、2章で書いたとおり、日本の今の社会は65歳での「伐採」を前提としたシステムだ。前述のとおり、90歳近くまで生きる人が多い、つまり少なくともその数年前までは元気である人が多いにもかかわらず、社会での生産活動から切り離されてしまう。これは3つの点で大きな課題がある。

第一に生きがいだ。前述のとおり仕事は意味のある変化を生み出すことだが、意味のある変化を生むということは、要は人の役に立つことだ。特にその年齢まで働くことに相当の時間とエネルギーを注いできた、それが社会における存在意義であった多くの方々に、仕事なしに生きがいを持てと言うのはかなりの無理がある。自分が80歳、90歳になったときのことを考えてほしい。社会で明確な価値を生み出す側に回るか、社会にケアされる側に回るのかは人間の尊厳の問題そのものに関わる。誰かに必要とされることがどれほど生きるエネルギーを与えるかを考えてみることが大切だ。

70 実際には環境変化に伴い動的に変化が生まれる

第二にエコノミクスだ。現在の医療費の半分は70歳以上の方々によって発生している（図6－29参照）。人間はある種の物理的な存在であり、身体自体は見方を変えればある種の機械であるのだから、メンテナンスが必要なのは当然だ。年金も当然シニア層で発生する。しかしそこが問題なのではなく、むしろなおさらのこと、一人でも多くの方が、倒れて動けなくなったとき以外は社会の役に立つ、そして社会保険料を生み出す側に回るのが、大きなコミュニティ維持の視点では正しい。

第三はダイバーシティでありスキルだ。この方々の多くは経験値の高い、いわゆる熟練ワーカーだ。この方々を社会から伐採するということは、ここまで溜められてきた膨大な経験値を捨ててしまうことになる。それを最大限活かしてもらうことは、純粋に社会にとって価値がある。またその経験から得ている深い知覚と知恵は無数にあるはずだ。もちろん経験からくる視点の偏りもあり得るが、知恵をもらう側がファクトベースで取捨選択すればいい。また、この幅広い経験から来るバランスの取れた判断、角の取れたコミュニケーションスキルは若い人たちに一番足りていない部分であり、補完性は高い。

以上の検討から、生産年齢の定義を変えることはこの社会にとって大きな正義だと言える。働きたいと思う人が立てなくなる寸前、あるいは立てなくても社会の役に立てなくなる寸前まで誰かの役に立つ社会こそが美しい。仮に目が見えなくなっても、残った知力や思いを活用できるスティーブン・ホーキング（Stephen Hawking）博士的な世界が本来望ましい。現在、日本では15歳以上65歳未満だが、実際には20歳以上90歳未満ぐらいにすべきなのではないだろうか。[71]

71　当面、社会全体のトータルな年金原資が下がるという理解の上で、自己資金が十分あり、もう本当に引退したい人は働かないというチョイスをするのはもちろん自由。あまり認識されていない事実として、年金は開始時期を繰り上げ、もらう期間がのびるほど月額は下がるので（支払った額が同じ場合、トータルがほぼ同じになるように設計されている）そのバランスで判断するのがよいかと思う前述したとおり別に週5日、日に7時間も働く必要はない。週1日あるいは1日1〜2時間働ければそれでもいい。そして細切れで3つも4つもの仕事をやってもいいはずだ。

これらの変化とともに、時間を売る時代は終わり、アウトプットが仕事の成果になる時代になる。僕らは時間に縛られることはなくなり、自由になる。生産年齢人口の定義を変えるというのは、そういうアウトプットドリブンな社会を創ることでもある。みんなが自分のペースで社会に役に立てる社会こそを創るべきだ。

その過程で、一人でこもって手作業をするような仕事が得意なタイプの人をどうやってサポートするかも大きな課題になるだろう。これはリエゾン(連携係)、あるいはミツバチ的に人と人をつないで動き回る役回りの人がいれば状況は大きく改善する。なんでも一人でやればいい時代は終わる。頼り、頼られる力が人にとって大切になる。それをテクノロジーがサポートできれば豊かな未来はやってくるはずだ。これに伴い、次の5つのアクションを提言したい。

(1) 年齢・性別による雇用差別を禁止する

具体的には雇用の際に年齢、性別について聞くことは禁止し、これが理由による雇用の差別も、定年も撤廃する。今のスキルベース、デモグラフィックな属性(年齢、性別、住所など)に基づく雇用をやめ、提供価値ベースでの雇用判断の実現を図る。[72]

(2) この方々の活躍を生涯サポートする仕組みとテクノロジーを生み出す[73]

50歳になってから老眼が進んで苦労している人も多い。膝などの身体の問題など解決すべき課

72 このイメージがわかない人にはアン・ハサウェイとロバート・デ・ニーロの映画『マイ・インターン(The Intern)』(Warner Bros. 2015)をご覧になることをオススメする

73 これについては深く関連・共鳴する提言をされている落合陽一さんの「【落合陽一・小泉進次郎】平成最後の夏期講習」 niconico 2018年7月31日での提言資料を参照されたい

題は山積している。巨大な産業にもなり得るため、追加投資が必須というわけではなく科学技術のイニシアチブテーマの1つに入れればいいだけだ。

幸い、人をアシストするインクルージョン的なテクノロジーは急激に発達しつつある。これを活かさない手はないだろう。たとえば、シニアの人が自分の体を動かさずとも、遠隔で作業を代替し、他の誰かをサポートするソリューションもすでに現れている。誰かの仕事中にシニアの人が遠隔で服をたたんであげる、という単純な作業を想定しても、そもそも仕事で外に行ってしまっている人の代替作業なのでスピードを問わない。家の外部にいる90歳の人がVR的に入り込み家政婦ロールをするロボットを動かして自分のペースでメンテしてあげるということで全然構わないはずだ。[74]

（3）生まれたときから年金を積み立て、運用する仕組みを構築する

現在の年金システムは基本的に、働いた人のお金が数十年かけて運用されて未来に返ってくるのではなく、年金を受け取る世代にリアルタイムで渡されるシステムだ。これは人口構成がピラミッド型のとき（年金システム構築時）には機能するが、現在のような逆ピラミッドになってしまうと完全にアンフェアな仕組みだ。またこの状態では大人たちも安心して子どもを生み、育てることができない（図5－25）。

子どもたちが我々の未来であることは間違いない。彼らが生まれたときからせめて成人になるまでは、月に5000円でもいいから国（コミュニティ全体）が積み立て、それを運用するという仕組みに変える。子どもたちの将来不安は劇的に解消するし、自分たちがこの社会にとって本当に大切な存在だということを深く実感できるだろう。年間100万人、一人年間6万円だとする

74 参照：Mira Robotics "ugo（ユーゴー）"（2019 59th ACC TOKYO CREATIVITY AWARDS／クリエイティブイノベーション部門 Silver賞受賞）

図5-25　年金システムの前提が崩壊

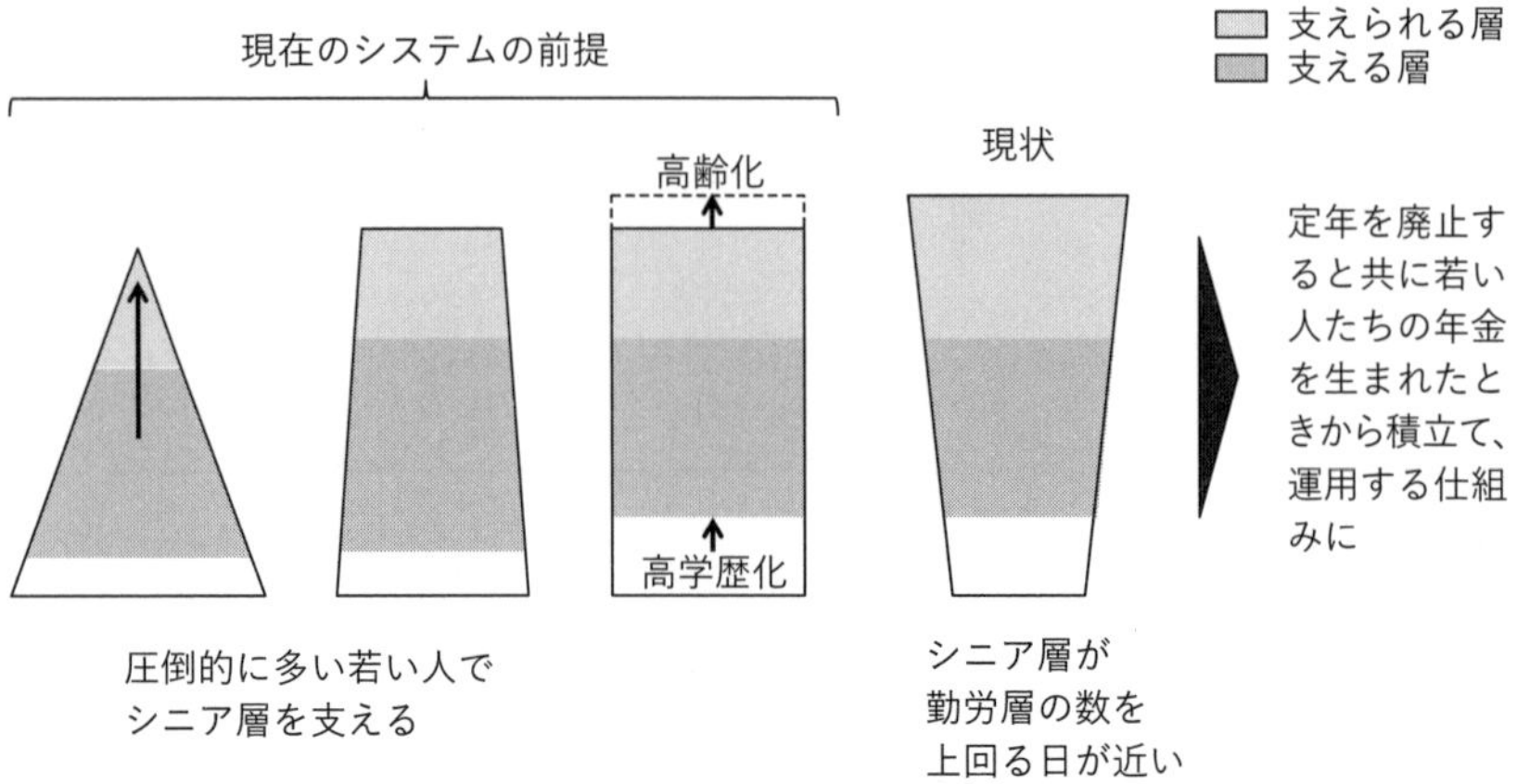

支えられる層
支える層
現在のシステムの前提
高齢化
高学歴化
現状
定年を廃止すると共に若い人たちの年金を生まれたときから積立て、運用する仕組みに
圧倒的に多い若い人でシニア層を支える
シニア層が勤労層の数を上回る日が近い

資料：安宅和人分析

と、一学年600億円。20学年分で1・2兆円と、今の社会保障給付費の約1%だ。年金総額が年間60兆円近いことを考えればこのぐらいの投資は未来に向けて行うべきではないだろうか。世界的に国境を超えた才能の奪い合いが進む中、将来的に彼らにこの国を見捨てられたくなければ、ある種のリテンション（国家離脱防止）費用として真剣に考えるべきだ。

（4）技術の力で身体の問題を治す試みをさらに進める

（2）と表裏一体だが、不備を補うだけでなく、さらに修復・増強する（fix & augment する）試みを強化するということだ。2020年に東京で行われるパラリンピックでは、オリンピック以上の成績が出てもおかしくないと言われているが、そもそも機械と人間の境目、サイボーグと強化人間の境目はわかりやすいものではない。

肝炎などの延長で肝臓の機能が弱る人は多いが、いずれ身体のどこかにアルコール分解機能マシンを埋め込むようなことは普通に行われるようになるだろう。こういう未来を世界に先駆けて進めるのだ。日本には身体の未来がある、そういう国にする。キーワードは攻殻化であり、ナノマシンだ。

(5) 尊厳死を合法化する

これはなんとも書きづらいテーマではあるが、個人的な見解を述べてみたい。僕の育った田舎の周りの話を聞いていると、妻に先立たれたシニアの男性の自殺が結構な数で起きている。また東京でも、以前目黒区に住んでいた際、数ブロック先のアパートで孤独死した男性のミイラ化した遺体が見つかったこともあった。なぜか男性の話を聞くことがほとんどなのだが、仕事からも引退し、奥様に先立たれた男性は、生きる勇気を失ってしまうケースがあるように思われる。

実際、米国で研究していた際に保険会社のデータとして目にしたのだが、男性が妻に先立たれると3・5年程度寿命が短くなるという(女性は、だいたい夫に先立たれるせいかその影響はよくわからないという話だった)。そのときのデータではこれだけ害悪を訴えられているタバコでさえ1・5年しか短くならないということだった。そのインパクトは驚くべきレベルだ。

それ以外にも、回復の見込みのない重篤な病気の方(かた)が、病院で管だらけになって自分の意志とは無関係に生き長らえているケースの話は相当数存在している。もちろん自分の意志で頑張って生きている人もたくさんいることは大前提だが、身近な事例を思い起こしても、必ずしもそうでない人も相当数いることは認めざるをえない。人間性、尊厳の面において、彼らに対する何らかのセーフティネットが必要なことはほぼ明らかだ。

シニアで十分に生ききったと思う人、もしくは先が厳しい病気にかかったため誇り高くこの世を去りたい人など、一定の条件を満たした人が、直前まで明確に意思表示をして変わらない場合、そして自ら命を断つ力のない場合、鎮静する（セデーションという）仕組みを選択肢として持つことは必要なのではないか。おそらく論点は安楽死を合法化するかどうかということではなく、本人以外が執行する場合に、執行者が訴えられない仕組み、また家族も納得する仕組みをつくれるかどうかだろう。

単なる社会現象として考えず、自分ごととして考えれば、いざというときにこのようなオプションを選べるようにしておくことは、90歳まで生きる今の社会では必要なのではないかと思う。大変に重いテーマではあるが、近い将来社会が向き合う必要があることはほぼ確実だと思われるのでここにも記しておく。

総じて言えば、人生の長さと社会保障システムの前提が変わってしまったのだから、国というコミュニティ全体で補正しようということだ。

エコノミクスしか問題がない場合、一人っ子政策を行っていた高度成長期の中国のように、若い人がシニア層の数倍の生産性を持つという解も原理的にはなくはないが、日本のような成熟社会においては現実味に欠ける。また、「伐採」によるシニア層の生きがい、スキルの消失という課題の解決にはならない。これらの補正が、今日のいびつな生産人口の少なさとそれに依存する人口の多さの比率を変えられれば、取り組む意義は大きい。我々はLife as valueの世界（その人らしく生きていること自体が価値である世界）に向かうべきだ。

また、現在の逆ピラミッド型の人口調整は人類全体が半ば無意識に行っていることだ。次章で述べるが、この若い人のほうが少ない人口構成は、地球の環境が破壊されないようにする、あるいは長期的に人類が本当に生き延びようとするためには、当面、正しい可能性が高い。つまり、逆ピラミッドは長期にわたり続く可能性が高いのだ。これらを踏まえるとなおさらのこと、この逆ピラミッド構造が続くことを前提とした、本質的な変革を今こそ仕込むべきだと思うのだがいかがだろうか。

憲法25条の解釈は正しいか

リソース配分の見直しについての基本は以上のとおりなのだが、もう一点触れておきたいところがある。それは憲法25条、具体的には、

> すべて国民は、健康で文化的な最低限度の生活を営む権利を有する。
> 国は、すべての生活部面について、社会福祉、社会保障及び公衆衛生の向上及び増進に努めなければならない。

という項目の解釈論だ。というのも、ここまでの話をかつて財務省の方々のところにお話に行ったときに[75]「安宅さんの問題意識はよく理解しますし、未来にリソースを張るべきというのはごもっともです。ただ、この憲法25条を掲げて、そういう取り組みを憲法違反だという人が必ず出てくるんです」ということを中核的な立場の方々から直接聞いたからだ。

75 財務省 財務総合政策研究所「イノベーションを通じた生産性向上に関する研究会」第4回会合 平成29年12月21日

本来国を守るはずの憲法が持ち出されるとは、と驚いたのだが、引いて考えると、そのような批判をする人のロジックは、「国という事業体全体が未来にミニマムな投資ができない状態でも（すでに削るようになって久しい）、この条文があるから年金や医療費は、若者の未来や未来の国力強化のためのリソース投下を犠牲にしてまで最優先されるべき」という驚くべきものだ。

そのような言説を述べる人がどなたなのかよくわからないが、少しでもまともな未来を残そうというだけの話がなぜそういう話になるのかを、落ち着いて考えてもらえないだろうか。誤解していただきたくないのは「最低限度の生活を営む権利」を犠牲にすべきと言っているのではないということだ。数％程度のリソースのバランスの話であり、経営努力によりＱＯＬを下げることなく（できれば上げつつ）、未来を生み出すリソースを張ることは可能なはずだということだ。財布は１つだ。現状のリソース投下をみんなで直視しよう。コミュニティの滅びを加速するような選択を続けるべきではないというだけのことだ。

また別のときに、とある主計官の方からは「ＧＤＰが増えないんだから（科学技術予算を削るのは）しょうがないんです」ということを言われたこともある。[76] そもそもＧＤＰが同じならば据え置きが正しいのであり、削る必要などないはずだ。なぜ社会保障給付費が年間１兆円も増えることが許され、社会保険料で足りないからと言って、ひたすら国庫から補填され続ける一方で、この遥かに小さな、しかも未来への投資である教育や科学技術予算は削られなければいけないのか。ＲＯＩがどちらが高いかについては議論の余地がないほど決着がついているのにもかかわらずだ。本当に立派な方なのに、彼からこのようなお話を聞いて僕は涙が出そうなほど悲しくなった。

日本がこれほど豊かな国でありながら、この一条項のために滅びなければいけないのであれば、

76 かなり不思議な論理であるが、この人自身は大変に立派かつ聡明な人であり、立場上、このようなことを仕方なく言わねばならないだけなのだろうと推察している

この25条の解釈は即座に改めるべきではないだろうか。国が国民の「すべての生活部面について、社会福祉、社会保障及び公衆衛生の向上及び増進に努めなければならない」のは当然だ。ただし現実的な財布の範囲でだ。国の運営もマネジメントなのだから、未来を犠牲にしてまで、現状を微塵も変えてはいけないという解釈は明らかにおかしい。

国家も継続する仕組み（going-concern）として、長期的に発展し続けることが、全体としての幸福といえる。現在生きる人の幸福が未来と未来の世代を犠牲にすることによって成り立っているのであれば、明らかにマネジメントの誤りだ。国家として続いていくためには、生み出す富を継続的に増やしていかねばならないのに、それをやっていないということだからだ。未来と目先をバランスさせるのがあらゆるマネジメントの基本だ。

この国が内面から滅んでいる理由がこのような議論のためであるならば、そのような言説を述べる方は自分の未来の世代に対して、また膨大な犠牲を払ってこの国をここまで築き上げてきた方々、僕らにバトンを渡してきた方々に対して、どのような顔向けをするつもりなのか胸に手を当てて考えてもらいたい。さらに考えてもらいたいのは、未来は若者たちのものだということだ。恨みの連鎖を残しても何もいいことはない。愛こそを注ぐべきではないだろうか。

正直、国家を企業にたとえると、未来を犠牲にする判断を行った方々は株主価値毀損、もしくは背任容疑で訴えられてもしょうがないという状況でもある。また、我々が1つの家族だとたとえてみてもいい。お父さんやお母さん、あるいはおじいさんやおばあさんが出費を少々抑えても、これからの世代である子どもたちの教育なり経験のためにリソースを張るのは、人として当たり前のことではないだろうか。

5 未来のための原資を作り出す私案

ゼロベースで知恵を絞る

最後に、この3％の原資（若者への投資と科学技術開発、若者年金）をどのように生み出し得るかについて少し述べておきたい。この程度の規模の捻出はどのような経営でも普通に行うことなので、明敏な霞が関、そして永田町の方々であれば大した問題ではないと思うが、たたき台的な考えをいくつか残しておこう。

まず、方針としては次の7つを掲げておきたい。

①コストカットではなく国全体の中長期的なＲＯＩ改善を目的として行う
②項目として丸ごと落とすようなことは避ける
③人員カットは基本無理、場合によっては人員増すら必要という観点で行う
④余力を生み出すために技術的に可能なことはすべて目指す
⑤低コストなソリューションもどんどん活用する
⑥一過性の取り組みではなく、継続的な運動論にする
⑦経済的な系づくり（どんどん回る仕組みづくり）も含めて考える

①は自明だがとても大切だ。コストカットは簡単な打ち手であるため、さまざまな経営で行われがちだが、これは国のような半ば永遠に存在するものを対象にした場合、②に挙げる事例のように相当の注意が必要だ。この検討の目的はあくまでこの国のコミュニティ全体の長期的な発展

であり、やせ細ることでない。必要な投資は行い、システムとして一時的ではなく継続的に発展するのを最大の目的にすることを明確に掲げたい。

②はかつて行われた事業仕分けのようなアプローチを取らないということだ。国のような複合的なシステムにおいて、背景を理解しきれていないところで何かを項目ごと落とすことは危険だ。想定外の機能不全の発生を誘発する可能性が高い。たとえば、一度取りやめ寸前にまでなった利根川支流の八ッ場ダムがなければ、2019年台風19号の被害は相当のものになったことは疑いようがない。全体を読めないまま項目削除するのではなく、本物の無駄取り、効率化を行う。

③は、公務員だから削れないと言いたいわけではない。大学で起きている人材不足の問題[77]が国や自治体でも起きているであろうことは予想に難くなく、実際、自分が認知している限りでも、研究大学の先生はスタッフ不足であらゆる雑用に追われている人が大半で、国の官僚の方々も常軌を逸したボリュームの仕事をしていたり、かなり無理のかかった仕事のリズムで生きている人が多い。人材不足になれば一人があらゆる業務をこなす必要が出てくるが、コアな業務では価値を発揮できる人も、アシスタント的な仕事が向いていない人はたくさんいる。その人たちに適切なスタッフを当てるだけで、総和としてのアウトプットが劇的に増える可能性が高い。②と同様、がむしゃらに人を切るというアプローチはおそらく機能しない。むしろ状況を悪化させる可能性が高いだろう。

④と⑤は矛盾して聞こえるかもしれない。④はデータの利活用、AIやロボティクスなどの最

77 たとえば、2018年5月現在でファカルティ1人に対する職員数は東京大学1・29人に対しスタンフォード5・58人（両校ホームページ、Wikipediaデータより筆者算出）

新テクノロジーを活用することを念頭においており、うまく効けば爆発的な効果があるだろう。一方、⑤で言いたいのは、必ずしもそれが最適解ではない、プロセス改善含め、より安価な技術で代替できるケースもそれなりにあるはずだということだ。

⑥と⑦の重要性は言うまでもないだろう。継続的な運動論が日本人はかなり得意だ。TQC、カイゼン運動などが典型的な成功例だ。たとえば、せっかくリアルな世界のデジタルツイン[78]を生み出して新たな効率化が可能になろうとしているときなのだから、これを運動論化することにより、まったく新しい産業の創造につなげられる可能性もある。系としてうまく回るようになれば、この3%の絞り出しの過程がピンチをチャンスに変える過程になる。

総じて、過去にとらわれず、しかし未来でのこの社会の発展に向けてリソースを張るためにあらゆる知恵を絞るべきということだ。

78 バーチャル空間にリアル空間にある物体や建物などのデジタルな鏡像（twin＝双子）を再現したもの

リソース再配分に向けた検討案

具体的には、まずは以下のあたりの検討からやってみたらどうだろうか。なお、あくまで暫定的なものであり、かならずしもダブりもモレもない（MECEな）わけではない。領域的には、圧倒的に大きなコミュニティへのコストである社会保障給付費（特に医療費と年金）を対象に考えるのが基本だが、その他のインフラ費用についても多少以上の余地があるという見解だ。

①調達を見直す

公的な購入の場合、一定金額以上の仕入れが必要なものについては、代替案がある限り、仕入れに相見積もりを導入することを義務付ける。すでに相当の部分まで実施されていると推測するが、もしまだの領域が残っている場合、国が本気であることを伝える意味で規律的な効果があるだろう。

②あらゆるコスト前提、必要前提を疑う

全米一の病院と医学大学院を持つジョンズホプキンス大学の足の専門家のお医者さんに以前「バリアフリーな道が認知症を生み出す」という話を聞いたことがある。多くの人にはかなり直感に反した（counter intuitive）話だと思うが、実際、バリアフリーであるということは、脳への負荷が減るということでもある。砂利道や凸凹のところを歩けば、足をくじくことが増えるかもしれないが、明らかに認知症予防には効くという。生命としての本能だろう。これが本当だとすれば、道と廊下のデザインの見直しを試みるべきであるし、市民にも周知をしたほうがいい。これはたまたま認知症の話であったが、丁寧に専門家のヒアリングをすれば、これに類することはいくらでもあるだろう。

③データドリブンに今発生している大きなコストをしっかりと解析して、打ち手を打つ

たとえば、認知症高齢者の入院日数は米国が平均6日、デンマークが8日、スウェーデン13日、オランダ19日なのに対し、日本はアルツハイマー病の場合で252日、血管性の場合で350日と極端に長い（図5－26）。米国に比べ入院日数が40倍以上というのは異様だ。日本人だけが認知症になったら極端に治りにくいなどということは生物学的、医学的には考えにくく、

図5-26　データドリブンに見極める

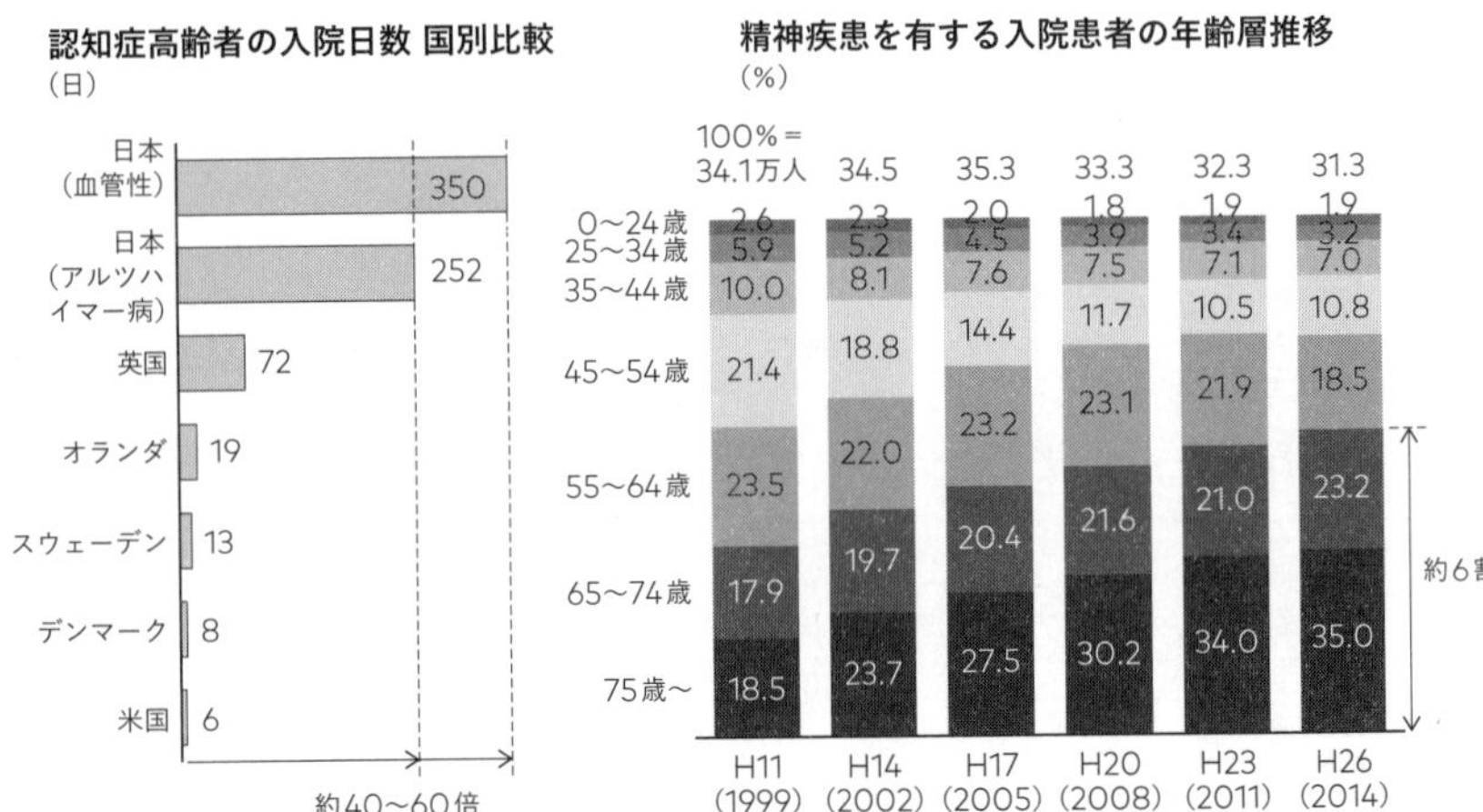

資料：大石佳能子『DESIGN MY 100 YEARS』（ディスカヴァー 2019/1/21）、「認知症の人の精神科入院医療と在宅支援のあり方に関する研究会」（平成25年度第1回）資料2、富士通総研「精神科病院に入院が必要な認知症の人の状態像に関する調査研究事業 調査研究報告書（本編）」2013年3月、厚生労働省「患者調査」より安宅和人作成

これは何らかの理由で人為的に発生している可能性が高い。

精神疾患で入院される患者の約6割は図のとおり65歳以上であり、統合失調症とみなされている患者が53％（平成26年）だ。[79] 精神病床は在院患者数の22・8％を占め、平均在院日数も268日（全病床26・7日）と長い。[80] 精神科入院の診療あたりの点数は一般病院患者の3分の1以下ではあるものの、[81] 入院医療費が約16兆円もあることを鑑みると、社会的弱者である認知症高齢者の方々を人道的に扱い、なおかつコストを最小化する建設的な答えを出せれば、これだけで兆円近い見直しの余地がある可能性が高いのではないだろうか。

また、抗生物質の乱用によって生まれる耐性菌は、今後、癌や心臓疾患を抜いて人類の最大の死亡要因になると言われている。東京大学喜連川研で構築された

79　精神病床のみだと57％。「精神科医療の機能分化と質の向上等に関する検討会（第1回）」資料より（厚生労働省、平成24年3月23日）

80　精神病床の一日平均在院患者数は28・3万人。厚生労働省 病院報告（令和元年8月分概数）より

81　診療行為別1日当たり点数は精神科病院1202点vs.一般病院3811点。社会医療診療行為別調査（平成22年6月審査分）

日本のすべてのレセプトデータ（医療報酬の明細書のデータ）を解析可能な研究プラットフォームを利用して、自治医大、医療経済研究機構のチームが外来患者に対する抗菌薬投与の実態を調べたところ[82]（年平均約8957万件処方）、5割以上が通常は抗菌薬が不要な感染症に対して処方されていること、また抗菌薬が必要な感染症に対しても7割以上に耐性菌が発生・増殖しやすい、不必要に広域の抗菌薬が処方されていることが判明した。とりわけ小児に対する処方率が高く、米国の2倍に至っている。これは言うまでもなく相当規模の改善余地の検出であり、データドリブンなアプローチの力を示している。

さらにレセプトデータや健康トラブル発生時の地点と医療機関との位置関係などを掘り下げれば、さまざまな改善機会の所在が相当量リアルタイムで見えてくるだろうことはほぼ確実だ。

④松竹梅化の視点をさまざまなものに導入する

たとえば現在の医療は大学病院の教授に診てもらっても、町のクリニックで診てもらっても、基本費用の差はない（もちろん大病院で案内状なしで診てもらうためには特別の追加費用がいる）。どのように刻みを入れるとフェアなのかは相当の検討が必要だが、飛行機のファーストクラス、ビジネスクラス、エコノミークラス的な視点を入れたほうがいいというのが僕の見解だ。

飛行機の場合はどのクラスに乗っても、たとえば東京－NYの所要時間は同じだ。5倍払ったからといって5倍早く着くわけではない。ただ、乗り降りの際の優遇や機内の快適レベルが異なるだけだ。今、これに類する仕組みが医療において入っているのは歯の治療と差額ベッド代ぐらいだろう。この整理に即し、松や竹メニューについては梅（基本レベル）との差額の分の保険のカバー率を下げる。

82 Hashimoto H. et.al, "Indications and classes of outpatient antibiotic prescriptions in Japan: A descriptive study using the national database of electronic health insurance claims, 2012–2015" International Journal of Infectious Diseases 91 (2020) 1–8

⑤自動化できるものは片っ端から自動化する

これはデータ×ＡＩのもう１つの出番だ。③のデータドリブンなアプローチとの相性も極めて高い。たとえば抗生物質の処方の際に、自動でガイダンスするようになれば不適切な処方は急激に適正化することは間違いない。

その他にも人手がかかっていることで自動化できそうな大きな塊があれば、それを自動化し、展開する。国交省の i-Construction 推進コンソーシアムで行っている、ＩＣＴによるさまざまな取り組みの自動化検討が大いに参考になると思う。

⑥煩雑なプロセスを見直し、コアプロセスを再整理する

重複は削り、手戻りはゼロに近づける（この項目と⑤が、予算を充て各研究機関ごとに行うべきだと書いたＢＰＲ、ＣＰＲそのもの）。

⑦医療は治療・ケア（cure・care）以前にできるだけ予防（prevention）する

特に医療費の集中するシニア層において、病気や故障は予測し早期に手を打つ。結局、寿命が延び、仮に大きなコスト削減にならないとしてもＱＯＬは相当に上がる。一人ひとりが社会で価値を生み出し続けられる余地も上がる。

⑧都市以外、特に過疎地域におけるインフラコストを劇的に下げる

ここまでの多くの項目とも連動する話だが次章でさらに検討する。

図5-27　未来に向けたリソースを作り出す検討方針(たたき台)

検討方針	例
1. 調達を見直す	・一定金額以上の場合相見積もりを義務付ける
2. あらゆるコスト前提、必要前提を疑う	・バリアフリーな道と認知症、ほか
3. データドリブンに発生している大きなコストをしっかり解析して打ち手を打つ	・データドリブンな医療費解析 ・認知病の入院日数を世界水準に ・抗生物質の処方を適正化など
4. 松竹梅化の視点をさまざまなものに導入する	・医療のエコノミー、ビジネス、ファーストクラス導入
5. 自動化できるものは片っ端から自動化する	・ICT土工、自治体業務のスマホでの対応
6. 煩雑なプロセスを見直し、コアプロセスを再整理する	・BPR/CPRを徹底的に実施。コアプロセスを整理し、重複、手戻りをゼロに近づける
7. 治療・ケア以前にできる限り予防する	・特にシニア層において早期に手を打つ
8. 都市以外、特に過疎地域におけるインフラコストを劇的に下げる	・都市スペックでない低コストなソリューションを生み出し展開する(6章で詳述)

資料：安宅和人分析

負のサイクルをあるべきサイクルへ

以上駆け足で、僕らの国が抱えている課題を振り返り、そのために必要と考えられる打ち手を見直してきた。3章の冒頭で整理したマネジメントの4つのかたまり、

(0) あるべき姿を見極め、設定する
(1) いい仕事をする
(2) いい人を採って、いい人を育て、維持する
(3) 以上の実現のためにリソースを適切に配分し運用する

のうち、(2) 人づくりと (3) リソース配分こそが今の我々の社会の二大課題であり、そこに必要な打ち手はそれほど複雑なものではないことは理解していただけたのではないだろうか。本章の最後に現在起きている負のサイクルと本来あるべきサイクルをざっくりとまとめたものを掲げておこう(図5-28、29)。

図5-28　現在起きている負のサイクル

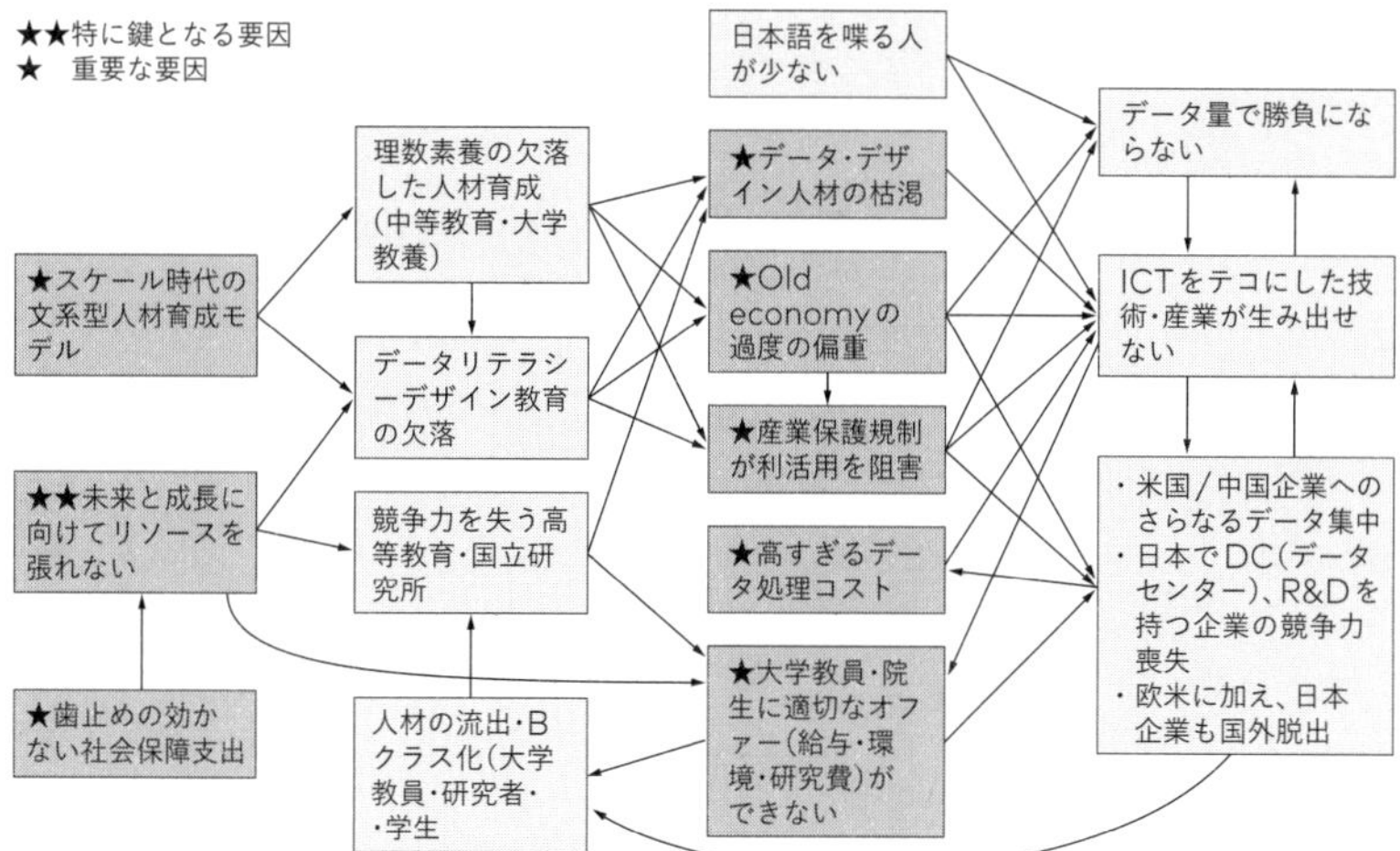

資料：安宅和人　“シン・ニホン” AI× データ時代における日本の再生と人材育成
教育再生実行会議 技術革新ワーキング・グループ(第4回)配布資料 資料1(2018年11月27日)

図5-29　本来あるべきサイクル

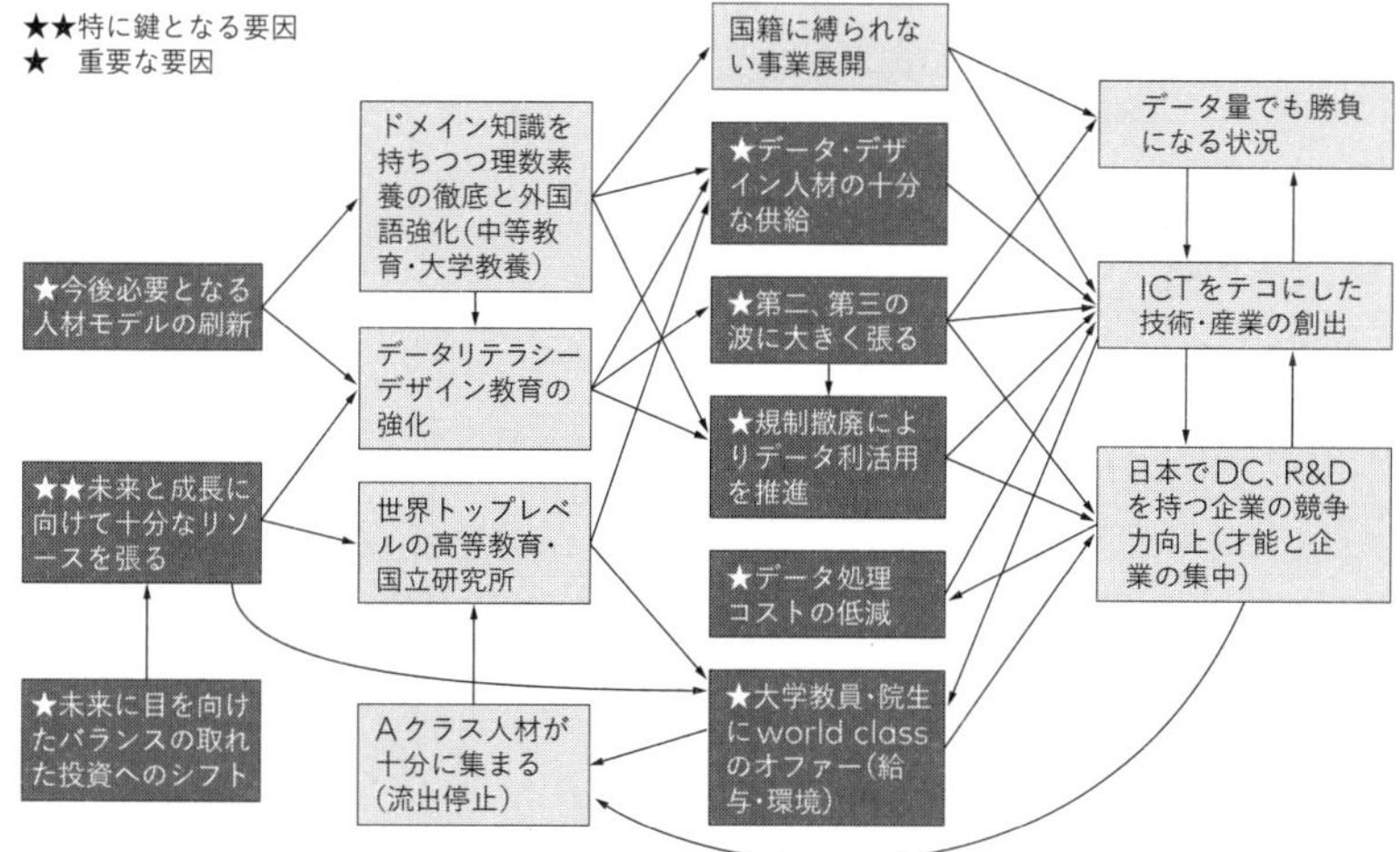

資料：安宅和人　“シン・ニホン” AI× データ時代における日本の再生と人材育成
教育再生実行会議 技術革新ワーキング・グループ(第4回)配布資料 資料1(2018年11月27日)

6章

残すに値する未来

明日、世界が滅びるとしても
今日、君はリンゴの木を植える
——開高 健

開高健：小説家（1930–1989）
太陽 1996 年 5 月号『特集 開高健』平凡社

1 不確実な未来にいかに対処するか

ここまで、この日本の社会の成長の筋はどこにあり、そのためにどのような取り組みが必要かについて述べてきた。とはいえ、それが生み出す社会には相当の幅がある。我々がどのような未来を創っていくべきかについて最後に考察したい。

未来は目指すものであり、創るもの

まず本題に入る前にお話ししておきたいのが、未来の予測不可能性についてだ。2012～2016年ぐらいまでは講演で呼ばれるとビッグデータばかりだった。今はＡＩ（人工知能）とシゴトの未来、そして世の中の未来一色だ。国の審議会、委員会でも、未来についてばかり議論している。シゴトの未来、産業の未来、必要になるスキルの未来、ＡＩの未来、などなどだ。しかし僕らは知っている。未来の本当の姿など誰も予測できないことを。

人工知能となんだか似た響きだが、微妙に違う隣の分野に人工生命という領域がある。コンピュータ上でモデル化された生命がいて、これらが生き延びていく。突然変異も仕込めるし、捕食関係も仕込める。膨大な世代を繰り返し、進化する姿も見ることができる。とても興味深い領域の1つだ。

以前、ある教育系テレビ番組で流れていたのだが、コンピュータ上の生命を何種類かおいて、それらがどのように進化していくかを見ていくと、初期値やモデルが同じでも毎回違う結果になる。まったく同じ結果は二度と起きない。ブラウン運動で1つの粒子の次の動きが予測できないように、一つひとつの変化には幅があり、しかも要素間にさまざまな正と負のフィードバックが働き、さらに新しい高次の構造が何階層にもわたって創発的に生まれ出すからだ。多くの人にとって、これはちょっとした驚きだ。未来は予測できないということだからだ。

モデル化されたシンプルな世界でもそうならば、我々の生きているような、遥かに要素が多く入り組んだ世界であれば、なおさらそうなることは自明だ。そもそも我々の生きているこの系（地球の表面）は必ずしもクローズなシステムですらない。太陽のフレアや地質変動などの外部影響を常時受けているからだ。

その番組に出ていたうちの一人は「これって地球の歴史が繰り返されたとしても、二度と同じ人類は生み出されないということですよね?」と実にもっともな反応をされていたが、これは僕らの未来についても当てはまる。

もちろん、技術の進展の大まかな方向性は見える。たとえば、人工知能分野関連であれば、識別・予測から実行（作業）における暗黙知の取り込み、そして意味理解／意志like[1]な世界への展開などだ。

ただし、これが生み出す未来は予測できない。

産業はそこにある課題とその課題を解決する技術、方法の掛け算で生まれる。課題がどうなるかが変わると当然のように中身は変わる。また実現するアプローチが少し変わるだけでまったく違う世界がやってくる。

よく考えてみると、そんなことは僕らはよく知っている。雑多なMP3プレーヤーが渦巻く中、

1 データ×AIにおいてキカイにある種の意志を持たせていくこと

iPodが2001年に生まれたときもそうだった。ワクワクをカタチにする方法などいくらでもある。だがどれが当たるかは誰もわからないだけだ。

それでも、未来は目指すことも創ることもできる。課題がある、技術がある。その組み合わせ方も、問題の解き方も自由だ。

ダーウィンが言ったように、生き残るのはもっとも強い種ではなく、もっとも変化に対応できる種だ。そして一番いいのは、未来を自ら生み出すことだ。振り回されるぐらいなら振り回したほうが楽しいに決まっている。

未来は目指すものであり、創るものだ。

不確実性の4つのレベル

不確実性の対処の仕方についても見てみよう。不確実性という言葉は曖昧だ。もう少し丁寧に見ると、未来は見通しの度合いによって図6-1のように大きく4つに分けることができる。

1. 確実に見通せる未来（A clear-enough future）
2. 他の可能性もある未来（Alternate future）
3. 可能性の範囲が見えている未来（A range of future）
4. まったく読めない未来(true ambiguity)

図6-1　**4つの不確実性レベル**

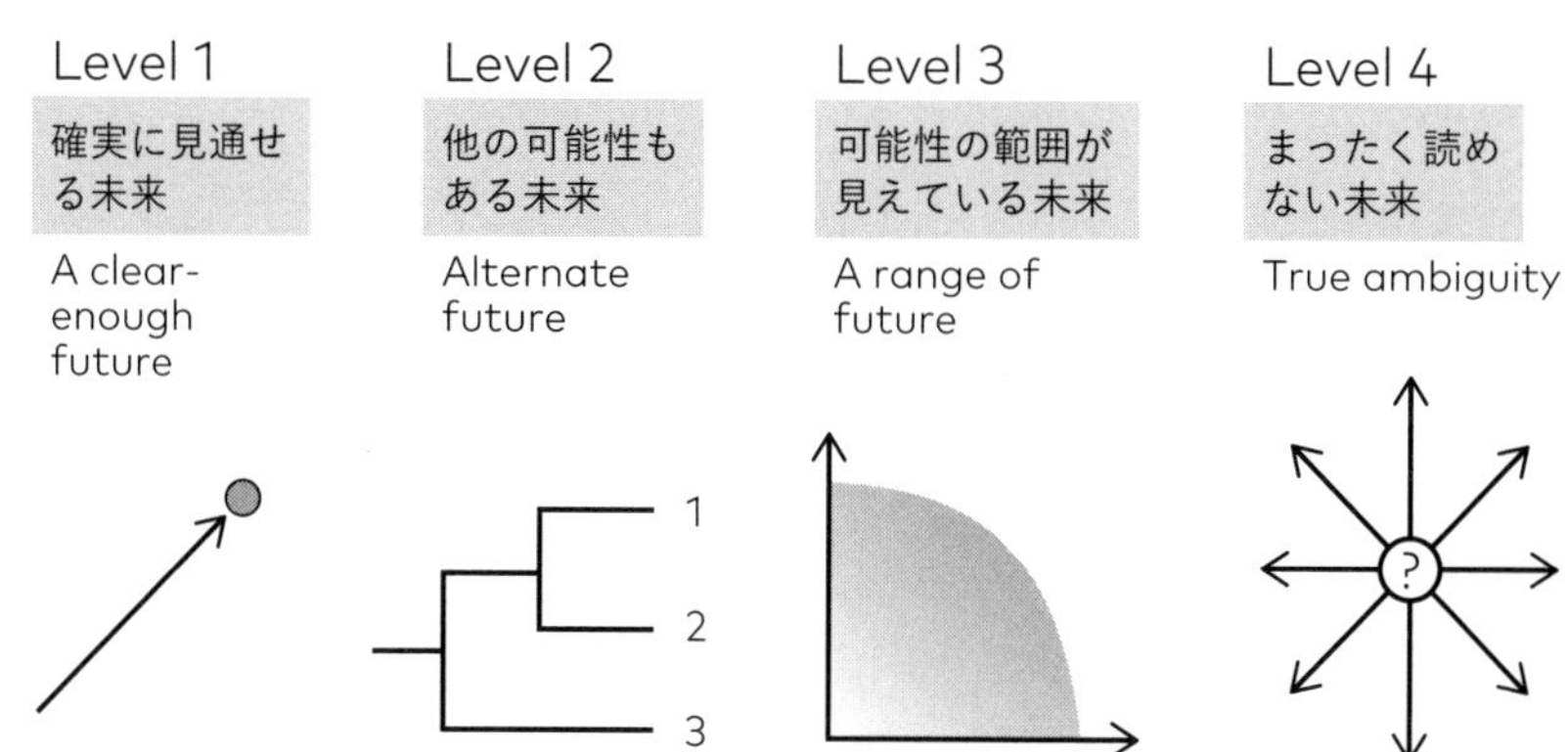

注：1995年前後にマッキンゼーで行われた整理である
資料：「不確実性の時代の戦略思考」ヒュー・コートニーほか（DIAMOND ハーバード・ビジネス・レビュー 2009/7 pp.64-81）

春が来て夏が来るとか、日本の当面の人口推移のようなものがレベル1に当たる。技術革新の大きなトレンドもこれに当たるだろう。情報処理のスピードがどんどん指数関数的に速くなることや、よりミクロな加工が可能になるなどだ。

レベル2は規制がどちら向きになるか、あるいは米国と中国のように、地政学的に向き合う国などライバルや相手がどう出るかによって変わるようなケースが当てはまる。起こり得るシナリオの幅がそれほど多様でなく、結果もそれぞれ性格が異なるようなタイプだ。オプションをそれぞれ評価する決定木（デシジョン・ツリー）などで対応できる世界とも言える。

レベル3はある程度の幅を持って考えることができるが、大まかな見通ししか立てられないようなものが当てはまる。新規商材を導入するときや、これまで参入したことのない市場に何かを持ち込むような場合だ。技術イノベーションによって左右されることの多い分野、大まかな技術の特性とコストのレベル程度しか見立てられないケースは、おおむねレベル3の状況と言える。

さまざまな不確実性が相互に作用する世界がレベル4だ。変化の範囲すらよくわからないし、シナリオを書くことすらおぼつかない状況だ。現在のICT分野は、データセンターからクラウド、あるいはスマホOSからアプリストア、さらにアプリ内のミニアプリというように異なる技術レイヤを生み出しつつ市場構造が進化してきた。このように構造そのものを組み替えることが日常的に行われている世界、しかもそのメインプレーヤーが平気で入れ替わる世界は典型的なレベル4といえる。

基本的にどのような分野、課題であっても時間につれてレベルは下る傾向がある。しかし、未来の大半はせいぜいシナリオを立てられるかどうかというレベル2程度の確度しかない話であり、未来には相当の自由度があることは事実だ。

イニシアチブ・ポートフォリオという考え方

ここで僕らが取りうるスタンスには大きく「形成」「適応」「プレー権の確保」の3つがある（図6－2）。

1．「形成」自ら未来を創る（shape the future）
2．未来に「適応」する（adapt to the future）
3．「プレー権を確保」する（reserve the right to play）

図6-2　3つの戦略姿勢

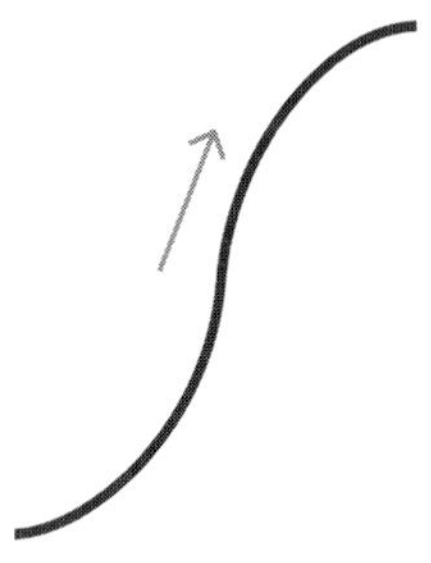

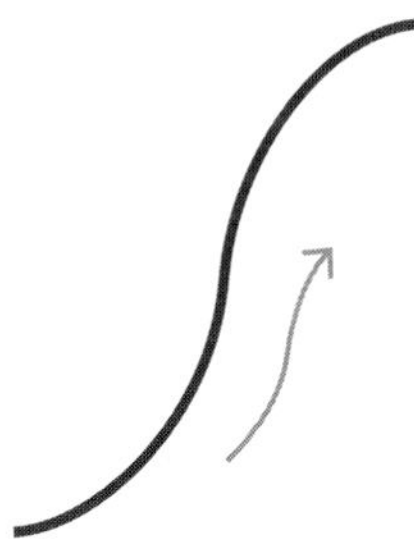

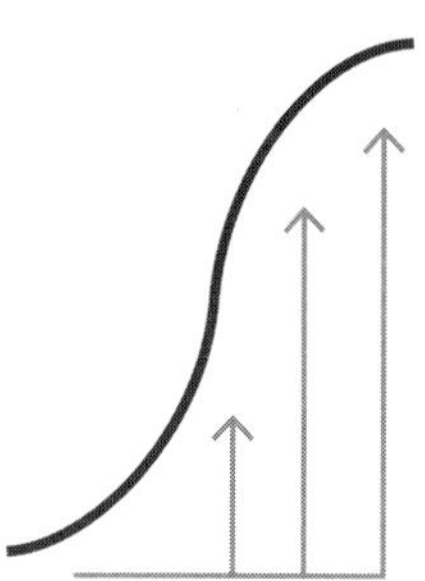

資料:「不確実性の時代の戦略思考」ヒュー・コートニーほか（DIAMOND ハーバード・ビジネス・レビュー 2009/7 pp.64-81）

もちろん未来を創る側に回るのが一番自由度が高い。また不確実性のレベルが上がれば上がるほど、適応などということを考える意味がなくなることは自明だ。

かつてアラン・ケイ[2]（Alan Kay）は「未来を予測するのに一番いい方法はそれを発明することだ（The best way to predict the future is to invent it.）」と語った。まさに先が読めない世界の未来についての対応方針の1つと言えるだろう。

なお具体的な手を打つにあたっては、リスクが高い順に「大勝負（big bets）」に出る、シナリオを読み込んだ「オプション（options）」を仕掛ける、「後悔のない行動（no regret moves）[3]」をとるの3つの手があるが、これらは、いずれか1つしか選べないわけではない。no regretなことを当然やりつつも、リソースが続く限り仕掛けていくべきだ。

2　アラン・ケイはオブジェクト指向プログラミングの父の一人であり、持ち歩けるコンピューターやGUI（グラフィックインターフェース）を創案した計算機科学の巨人だ

3　何もしないよりもやったほうがいいに決まっている行動、打ち手のこと

ここで、1つ有用だと思う考え方を共有しておこう。正にこの3つの戦略姿勢を実際に落とし込むためのアプローチで、イニシアチブ・ポートフォリオ（POI：Portfolio of Initiatives）という。

変化の激しい世の中では、従来型の比較的変化の少ない静的な市場構造を前提とした戦略立案はあまり役に立たなくなりつつある。これを問題視し、マッキンゼーの戦略グループでかつて生み出されたものだ。

従来型の戦略立案、事業プランニングというのは、未来は決定できる、将来の予測は可能であるという考え方に基づいている。戦略的に考えられるリスクをできるだけ回避し、将来の事業ポートフォリオを描きつつ考える。しかしながら、今の時代はスマホが現れてすべてをひっくり返してしまったように（1章で見たとおり現在の世界最大の「大陸」はスマホの上にある）戦略の前提となっているものが、瞬時にあり得ないものになってしまう危険性が高い時代だ。つまり、たとえリスクが大きな環境下でも好ましい結果を生み出すような状態を作り出す必要がある。

ではどうするかといえば、完全な予測は不可能という前提の下に、何を仕掛けるか（取り組み）を考える（図6－3）。戦略的に好ましい結果をもたらす状況を作り上げるためにどういう仕掛け（イニシアチブ：課題解決プロジェクト）を打ち込むかをポートフォリオとして考えるということだ。

仕掛けのバランスは刈り取りの時間軸と、事業側の馴染みやすさ（familiarity）によって判断する。仕掛けはすべて環境変化に応じて行う。大きく4種類でコアスキルの展開、新事業の構築、事業ポートフォリオの改変、組織全体としてのインフラづくり、だ。

時間軸は目先（計画期間中：多くは1～2年）、中長期（多くは3～5年）、未来（刈り取りのタイミングは

図6-3　イニシアチブ・ポートフォリオ

Portfolio of Initiatives

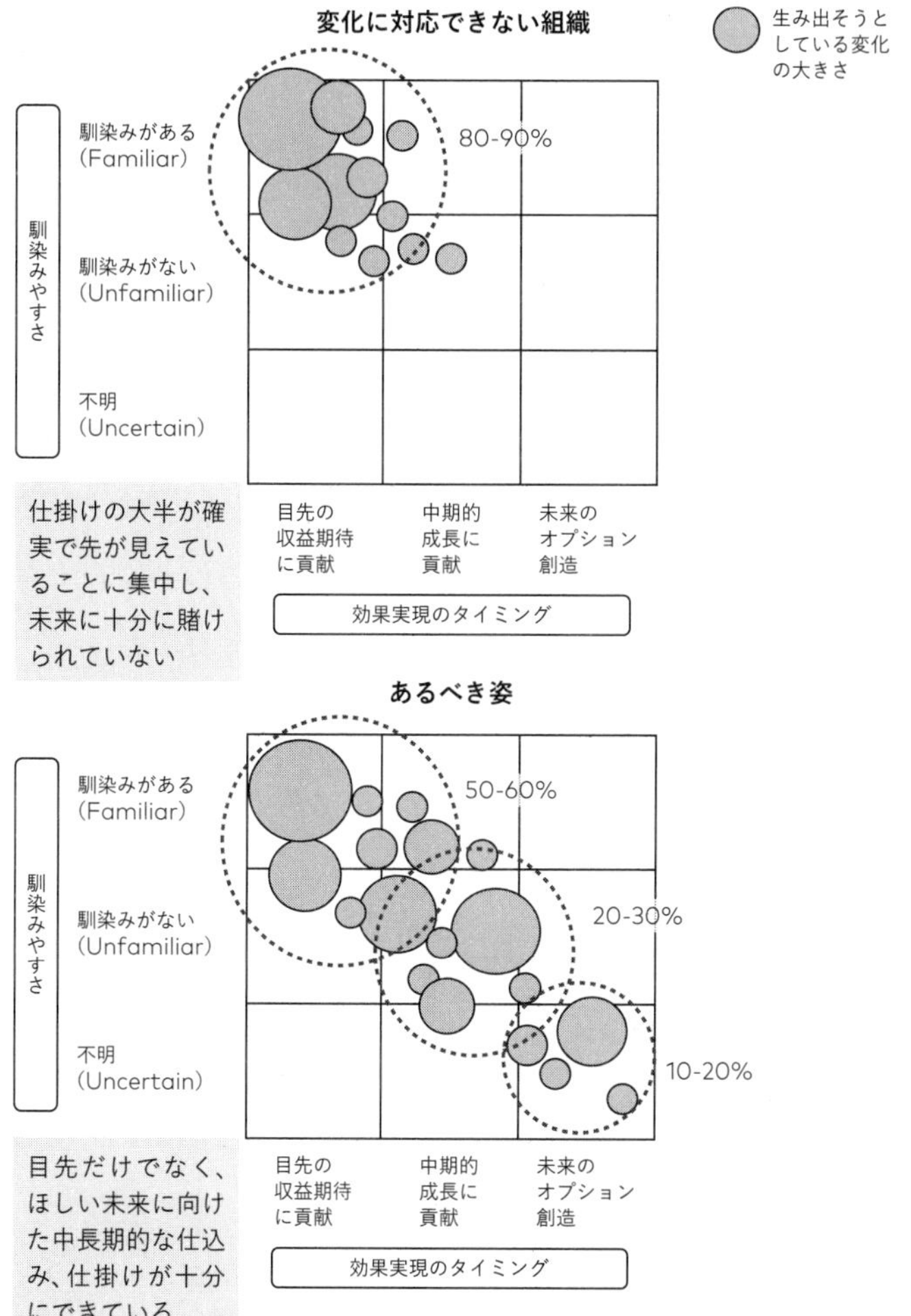

資料：Lowell Bryan "Enduring Ideas: Portfolio of initiatives" McKinsey Quarterly October 2009 | Article を参考に安宅和人作成

読めないが将来に対して必要な種まき）という3つに分ける。時間軸の刻みは業界によって変わるので自由だ。馴染みやすさは馴染みがある（familiar＝競合より得意／経験／スキルがある）、馴染みがない（unfamiliar＝少なくとも前例がある）、不明（uncertain＝前例がない）、と分ける。この整理にしたがって、組織全体としてどういう大きな仕掛けを行っているのかをマップしていく。

主たるイニシアチブをマップして短期に寄りすぎていないか、低リスクなところに寄りすぎていないかを見る。変化に対応できない組織はとにかく短期・低リスク志向になりがちだが、先が読みきれないときこそ目先の確実なこと以外にそれなりのリソースを張ることが重要だ。目先5～6割、中長期2～3割、未来1～2割というのが理想的だ。

さて、これを国という大きなコミュニティで考えるならば、本書でここまで状況をシェアし、提案してきたことの多くが中長期以上の未来についての打ち込みであることを理解してもらえるのではないだろうか。

10年を超えるリスクを取れる機関は国や公的機関しか存在しない。今の日本の打ち手や取り組みはあまりにも目先の変化対応に寄りすぎている。過去ではなく未来に向けたリソースの振り直し、女性、貧困層、シニア層の解放、作るべき人材像（新しいリテラシー、脱マシン、異人ほか）と育成のあり方の刷新、これらを支える国家的な基金、若者に向けた年金システム、これらはいずれもこの変化の激しい世の中に合わせて、中長期的、もしくは未来に効くことを大きく期待したイニシアチブだ。

2 この星は今、どうなっているか

今世の中で起きている変化については、経済、科学技術、地政学的な重心という視点でここまでかなり広範に見てきた。しかし、意図的に触れなかったことが1つある。それは我々生命すべての住む母体であり家である地球の状況だ。

人間は植物のように太陽や水、空気、地下からの栄養素だけで生きることはできない。食物が必要であり、立ち返る場所として豊かな緑・自然が必要だ。またその前提となる気候にある程度の安定性が望まれることは明らかだ。それぞれの視点で見てみよう。

枯渇する水産資源

まず食物。日本は世界に冠たる水産王国だ。土地は世界のすべての陸地の0・25%（61位）に過ぎないが、海岸線の長さは各国総和の3・8%で世界で6番目[4]。また、魚を食べることが我々の文化の中心の1つにあること、日本文化のアイデンティティの1つであることは言うまでもない。その主役というべき海産資源について見てみよう。

サバは廉価で栄養価の高い魚であり、マグロなどの食物連鎖の高い位置に位置する魚たちの餌としても重要だ。あたかも無限にいるかのように思いがちだが、太平洋のマサバはかつて漁獲量が147万トン（1978年）もあったのが1990年には2万トンにまで減るというほぼ絶滅に近い状況だった（図6－4）。2016年では漁獲量33万トンと回復基調に見られるが、70年代の平均の3分の1程度であり予断を許さない情勢だ。

4 Wikipedia上のデータより筆者計算

図6-4　マサバの漁獲量推移

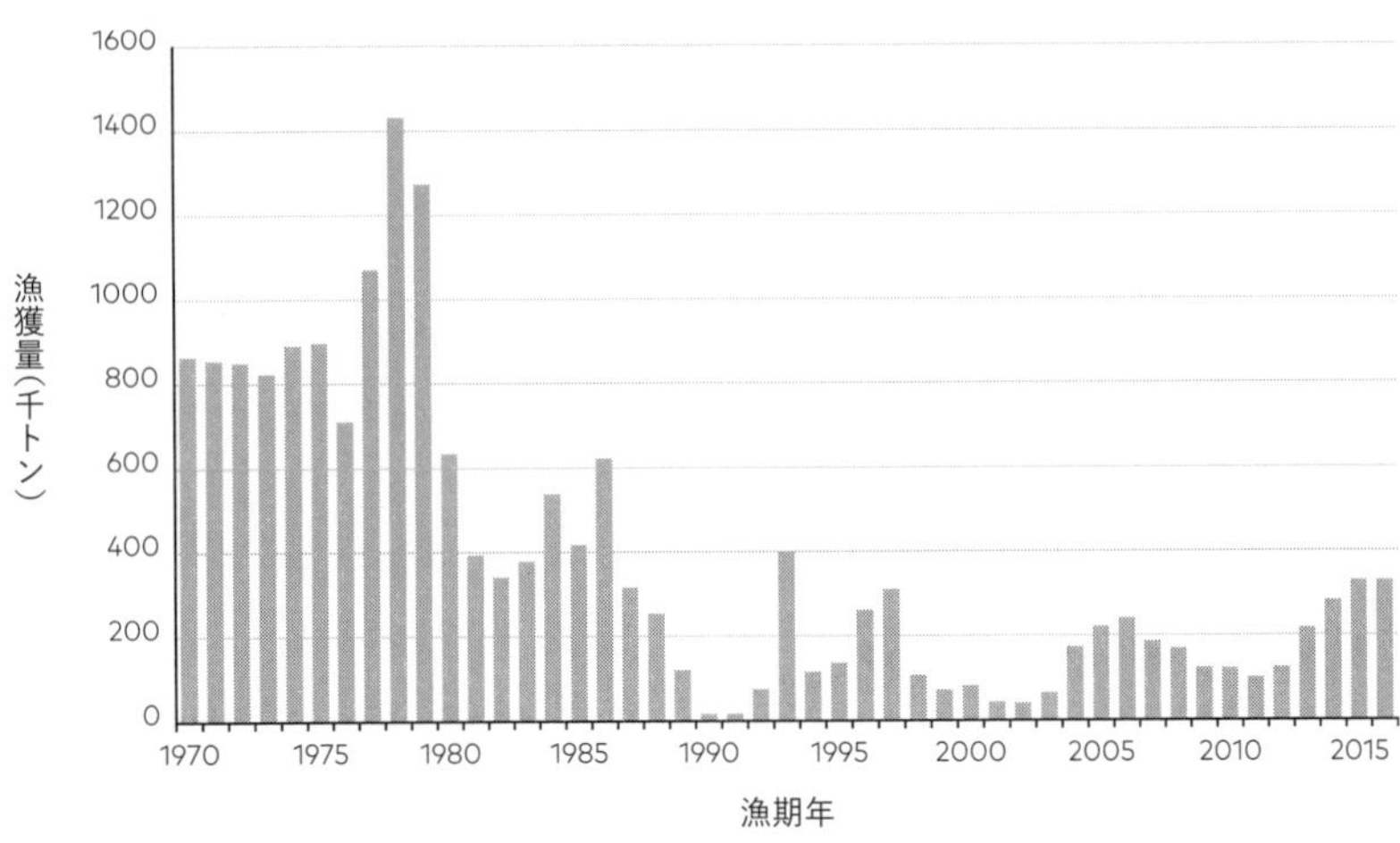

資料：水産庁 第29回太平洋広域漁業調整委員会資料 2018年11月28日

また夏の暑さを乗り越えるために万葉集の時代から食べられてきたウナギももはや絶滅に近い状況にある。ニホンウナギの稚魚は1960年頃に200トン以上捕れていたが、今は4トン程度しか捕れていない。50分の1以下だ[5]（図6－5）。

ウナギは卵からの養殖方法が実質的にない。国内流通量（4・8万トン：うち輸入3・3万トン）のほぼすべてが漁獲によるものではなく、稚魚から餌を与えて育てる養殖、蓄養で育てられたものだ。漁獲による天然うなぎは輸入を除く1・5万トン中、68トン（国産の0・45％）しかないのだ。また、輸入といっても、ほぼすべてが日本の資本が多く入った中国・台湾の拠点で生産されている。[6]これらも基本すべてが蓄養であることも言うまでもない。

イカは実は日本人がもっとも大量に食

5　水産庁「ウナギをめぐる情況と対策」２０１９年８月

6　ウナギの輸入はほぼすべて中国と台湾から来ている。活ウナギの99・8％（中国と台湾）、調整品の97・7％（中国のみ）だ。（財務省貿易統計：東京税関「うなぎの輸入」平成29年6月29日）

図6-5　ニホンウナギ稚魚　国内採捕量の推移

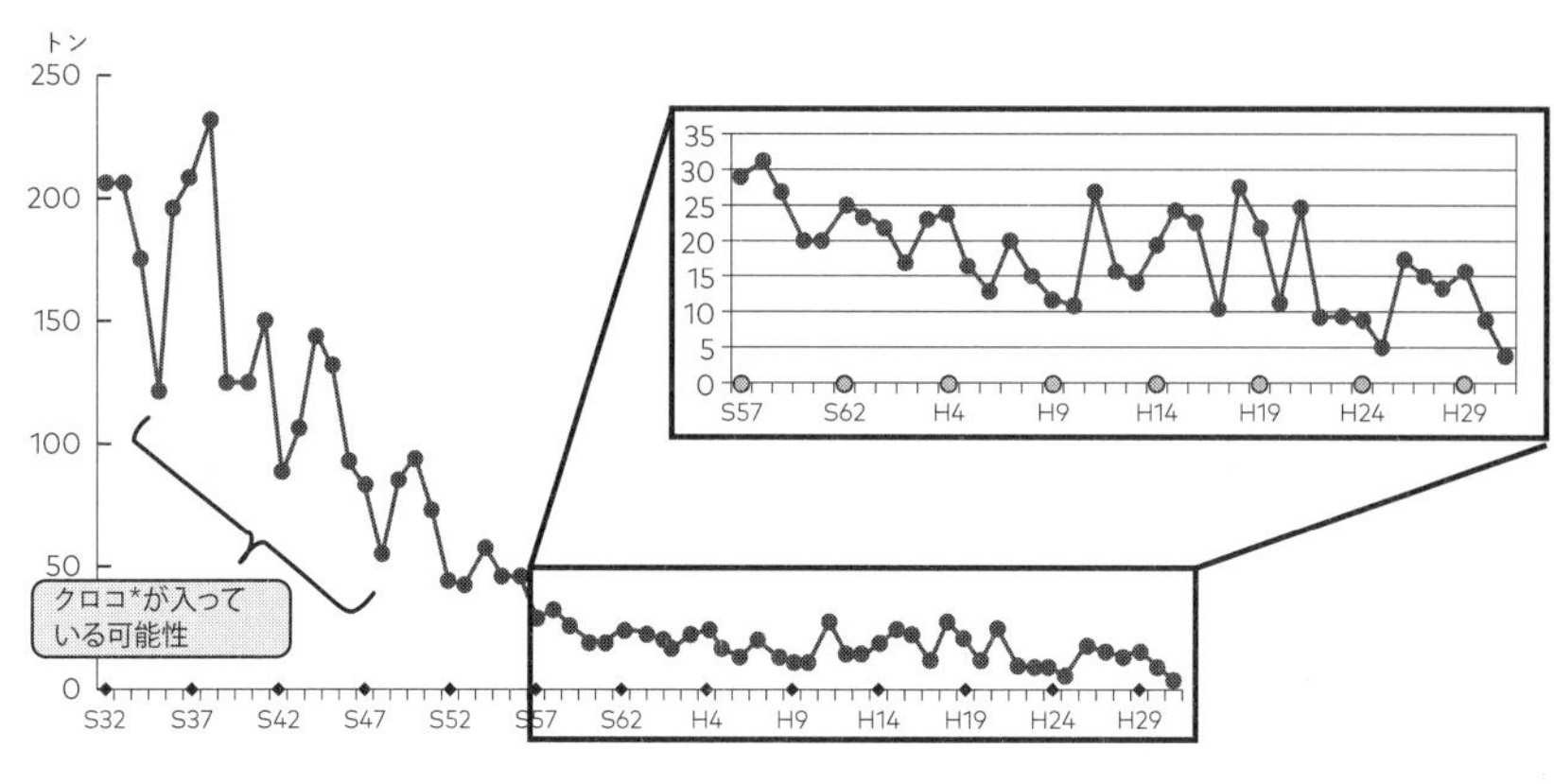

*クロコとは、シラスウナギが少し成長して黒色になったもの
資料：農林水産省「漁業・養殖業生産統計年報」（昭和32年～平成14年）、平成15年以降は水産庁調べ（採捕量は、池入数量から輸入量を差し引いて選出）

べるシーフードだが、[7] 日本海西部で1977年に1・4万トン捕れていたヤリイカは2003年にはわずか16トンと最盛期の約1000分の1まで落ち込んだ。かつて15万トン（1983年）もの漁獲を誇ったアカイカも2016年には3600トンと40分の1以下にまで減少している。[8] 以前はあまり見なかった種類のスミイカなどが主な寿司ネタになっていることに気づいた人は多いだろう。

米国北部からカナダの東海岸にかけて広がるグランドバンクスは数世紀にわたり世界最大のタラ漁場であることを誇ってきた。年100万トン単位の莫大な量のタラが捕れ、1969年のピーク時には400万トンを超えていたという。しかし1990年には150万トンを割るようになり、1992年以降タラはカナダ政府の判断により禁漁になった。それ

7　井田徹治『サバがトロより高くなる日』（講談社　2005）

8　全国いか加工業協同組合　いか漁獲量統計

以来、資源回復の兆しは見えていない。2003年にカナダ政府の専門委員会が調べたところ、群れの数は過去30年で97%減少していることがわかり、極めて絶滅の危険が高い種に指定された。[9]

地球上の大型生物の質量構成

次に、地球上の生命の中における人間及び人間の周りの動物たちの存在について見てみよう。これはユヴァル・ノア・ハラリの『ホモ・デウス』[10]（河出書房新社　2018）に出てくる息を呑むデータを描き直したものだ（図6－6）。

地球上の大型動物の質量構成を見てみると、人間が3億トン（27%）、家畜7億トン（64%）、野生動物1億トン（9%）という少々驚くべき情況だ。この星の上にいる動物は9割以上が人間世界のものなのだ。家畜とて無限に飼えるわけではない。しかも彼らのCO_2やメタン排出が無視できない問題であることはこの20年来、議論になってきたとおりだ。

森林の隠れた課題

問題などないかのように見える森林にも課題が多い。資料6－1の写真は美しい奥会津の一風景だが、よく見ると杉とヒノキばかりの森になっている。戦後の復興期から高度成長期にかけて、天然の森の木をひたすら倒して使い、その後、これらの真っすぐ、かつ景気よく伸びる樹種ばかりを植えた結果、日本中至るところで同様の現象が起きている。この多様性の低い森は花粉症の大きな要因の1つでもある。

9　井田徹治『サバがトロより高くなる日』（講談社　2005）

10　「神になる人」というべき題名

図6-6　地球上の大型生物の質量構成

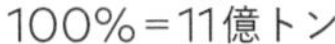

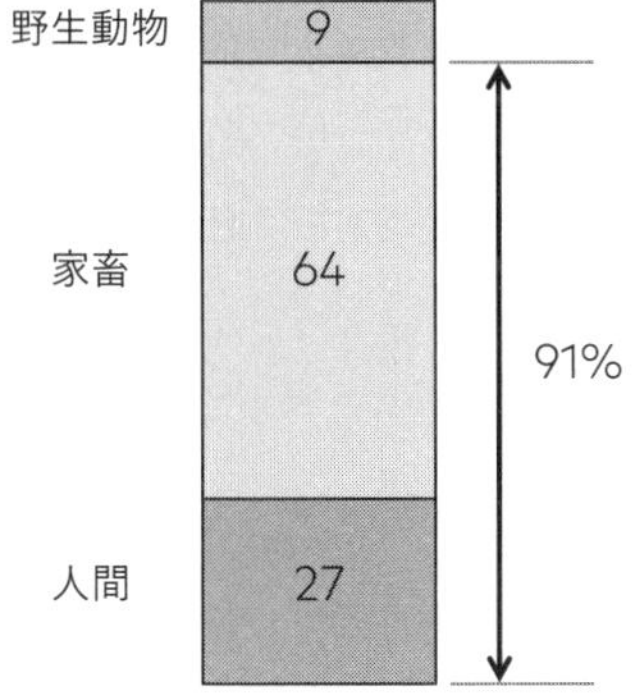

資料：Yuval Noah Harari "Homo Deus – A Brief History of Tomorrow" (2016)より安宅和人作成

資料6-1　奥会津の美しい森林

著者撮影　© Kaz Ataka

アロマセラピーでよく使われるヒノキチオールが虫除けにもなることからわかるとおり、このような森はあまり多様な野生動物の生息には適していない。実際、これだけが理由ではないものの、かつて大量にいた多様な野生動物は死滅したか、もしくは絶滅に瀕しているものが多い。前項の数字に表れているとおりだ。

日本ではシカの大量発生などがよく話題になっているが、これは自然の豊かさを示すものではなく、むしろ生態系（エコシステム）が全体としてバランスを崩してしまっていることの一面を表しているにすぎない。この結果、本来いなかった南アルプスの高地にまでシカが広がり、高山植物がほとんど食べ尽くされるということすら起きている。[11]

よくオオカミが（１００年前に）消えたことがシカの大量発生の原因だと言われるが、それよりも、日本の山村から人がいなくなったために農地や森林の管理ができなくなったことが理由としては大きいという。田畑が放棄され、森林に手入れがされなくなったところにシカが侵入するようになり、栄養価の高い食物がたくさんあるために増えすぎ、奥山のほうにまで拡大したということだ。

森の多様性喪失は全世界的な問題でもある。かつて地球上のさまざまな場所に数多くいたゾウ、ヘラジカ、バイソン（これらは日本列島にも相当数いたことがわかっている）、ヒョウ、ライオン、オオナマケモノなど多くの大型動物も、人間が登場してから大半が絶滅してしまった。原因については人類の餌食になったという説と気候変動によるものという説が入り混じっているが、多くの大陸で見られる人間の上陸と大型生物の消滅タイミングの合致度合いを見る限り、我々人類の先祖が

11 高槻成紀（麻布大学いのちの博物館 上席学芸員）「日本の山とシカ問題」NHK解説委員室（視点・論点）２０１６年6月14日

12 Emma Marris *"Rambunctious Garden"* 2011;（邦訳）エマ・マリス『「自然」という幻想』（草思社 ２０１８）第3章

いなければ起きなかった部分が相当あることは否み難いだろう。
あれほど緑の多いヨーロッパにおいても、本物の天然林はほとんど残っていない。ドイツが誇るシュヴァルツヴァルト（黒い森）も植林されたトウヒを中心とする人工林だ。ほぼ唯一の例外とされるビアロウィエージャ原生林（総面積１５００平方キロ：ポーランドとベラルーシの国境をまたぐ）は厳重に保護され、一度も皆伐されることなく全ヨーロッパ史を生き延びてきたとされるが、その46平方キロほどの中心部すらも、決して手つかずではない。[12]

人間の圧倒的なエネルギー消費

我々地球上の生物の大半にとって、生きることとは呼吸することだ。つまり何らかの炭素化合物を体内で酸化させ、そこからエネルギーを取り出し、水と炭酸ガス（CO_2）を吐き出す。

このCO_2が（おならや家畜のゲップなどに特に多く含まれる）メタンなどと共に温暖化の原因になっていることが明らかになって久しい。[13]

みなさんが一日生きているとどの程度のCO_2を吐き出されているか計算したことがあるだろうか。エネルギー源のすべてが炭水化物であるとして考えてみると、比較的に簡単に計算できる（実際にはおおよそ炭水化物60％、脂肪25％、タンパク15％）。炭水化物の生み出すカロリーがグラムあたり4kcal（タンパクもほぼ同じ）、一人あたりの消費カロリーがおおよそ２０００kcalなので、[14] すべてのカロリーが仮に炭水化物から来ているとすると1日約５００グラムの炭水化物を消費していることになる。５００グラムの炭水化物は７３３グラムのCO_2を生み出す[15]ので1年に換算すると７３３×３６５＝２６８kg＝約０・27トン。実際には家畜がそれなりの数がいる。世界全体の質量構成通り、

13 ＯＥＣＤの統計データベースであるOECD.Statにおいても、温室効果ガス項目（Greenhouse gas emissions by source）の下にCO_2、メタン、N_2O、フロンなどが並ぶ。国連ＩＰＣＣ（気候変動に関する政府間パネル）によれば２０１０年段階で温室効果ガスの76％がCO_2、16％がメタンだ（ＩＰＣＣ"Technical Summary"p.42）

14 Tada et al. "Japanese dietary lifestyle and cardiovascular disease". J *Atheroscler Thromb* 2011;18:723-34

15 炭水化物は（C-H_2O）をN倍化した化学式なので、C-H_2O＋O_2→CO_2＋H_2O。CH_2O＝12＋2＋16＝30、CO_2＝12＋16×2＝44であるから、1日で換算すると500×44／30≒733グラムだ

家畜が人間の約2・4倍おり、質量（体重）あたりのCO_2排出量が同じレベルとすると年間0・27トン×2・4≒約0・65トン乗ってくるので一人年0・92トンとなる。

正直この程度であればそれほど問題はない。杉人工林1ヘクタール（100メートル四方：約3000坪）で年8・8トンのCO_2を吸収するので、[16] 1ヘクタールの森で9・6人分、1平方キロで960人分のCO_2がまかなえる。ちなみに日本の土地の森林面積割合は67・0%、25・3万平方キロ存在しているので、[17] すべてが杉林であると仮定すると、25・3万×960＝2・4億人分の吸収余力があることになる。

ただ、問題は現代社会のCO_2を生み出す量が、この生物学的な排出とは比較にならないほど多いことにある。実は日本人は一人年間9・5トン、人間自体の呼吸量の35倍強のCO_2を排出している（図6－7a）。電力、産業用途のエネルギー、交通機関の推進力を生み出すために必要なエネルギー量が膨大なためだ（図6－7b）。IPCCのレポートにあるとおり、この大半が化石燃料とセメント由来だ（図6－7c）。この値に人間や家畜の呼吸を含めると、年一人あたり10・4トンものCO_2を生み出していることになる。これは体重が平均70kgの人間がそのまま大きくなったとすると、なんと2・7トン、半ば象になったも同然の値ということになる。日本に1・2億頭以上の象がいる世界を想像してほしい。

この結果、当然のことながら地球上の余剰熱エネルギーは加速度的に増加している。残念ながら現在のところ、地球上では水しか膨大な熱を吸収する余力がないため、膨大な海がひたすら熱を吸収している。米国海洋大気庁（NOAA）のレビタスらの調べによると1985年から2005年までの20年だけで海洋に溜まっている熱量は10倍以上にのぼる（図6－8）。

16 林野庁「森林はどのぐらいの量の二酸化炭素を吸収しているの?」

17 "List of countries by forest area" *Wikipedia*

図6-7a　国別一人あたりCO_2排出量推移

トン／年／人（1970-2014）

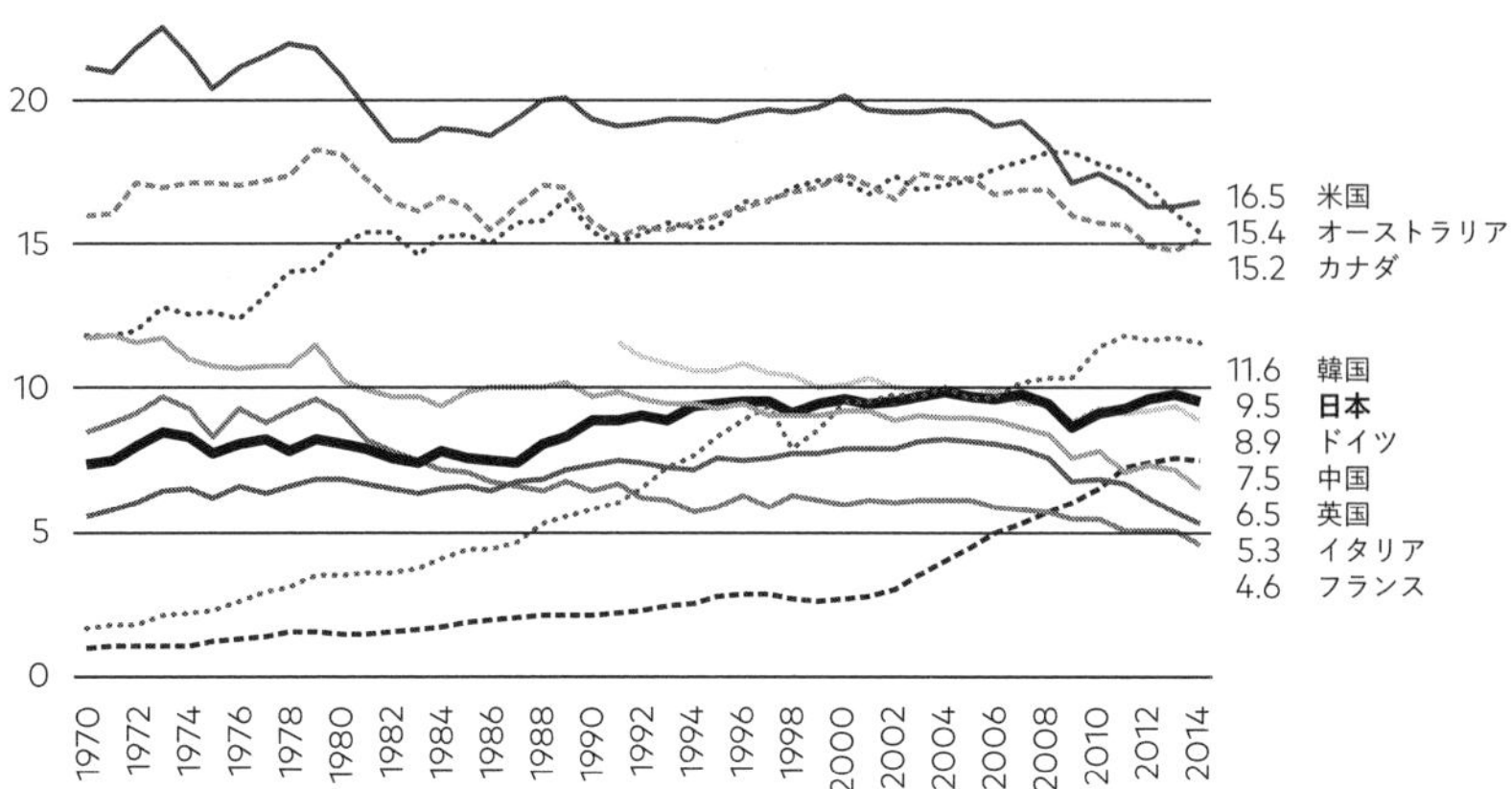

資料：World Bankデータより安宅和人分析・作成 https://data.worldbank.org/indicator/EN.ATM.CO2E.PC

図6-7b　化石燃料によるCO_2排出の内訳推移

日本

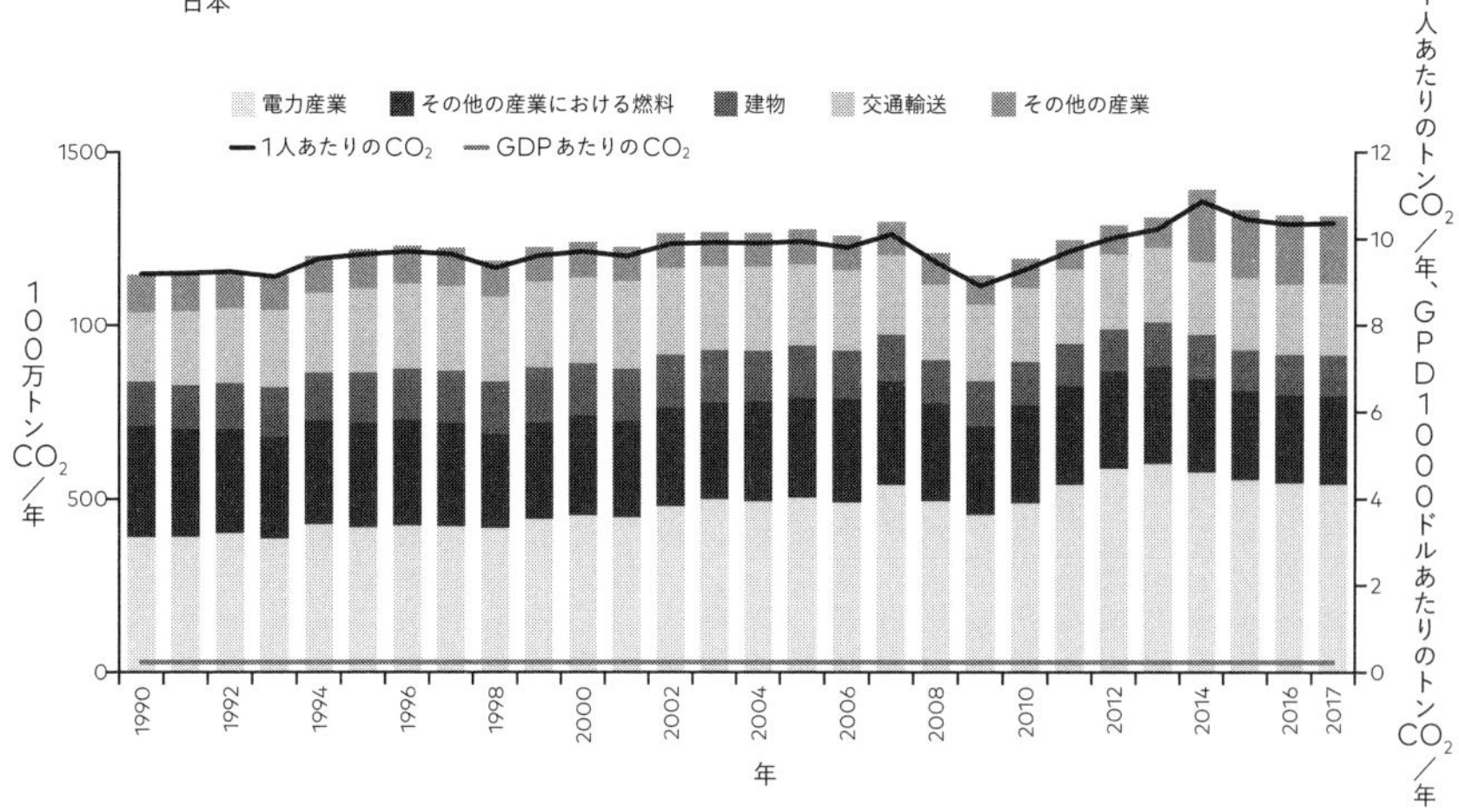

資料：Muntean, M. et al., “Fossil CO2 emissions of all world countries - 2018 Report”, EUR 29433 EN, Publications Office of the European Union, Luxembourg, 2018 p.125
https://ec.europa.eu/jrc/en/publication/fossil-co2-emissions-all-world-countries-2018-report

図6-7c 人類由来のCO_2排出に占める化石燃料推移

全世界

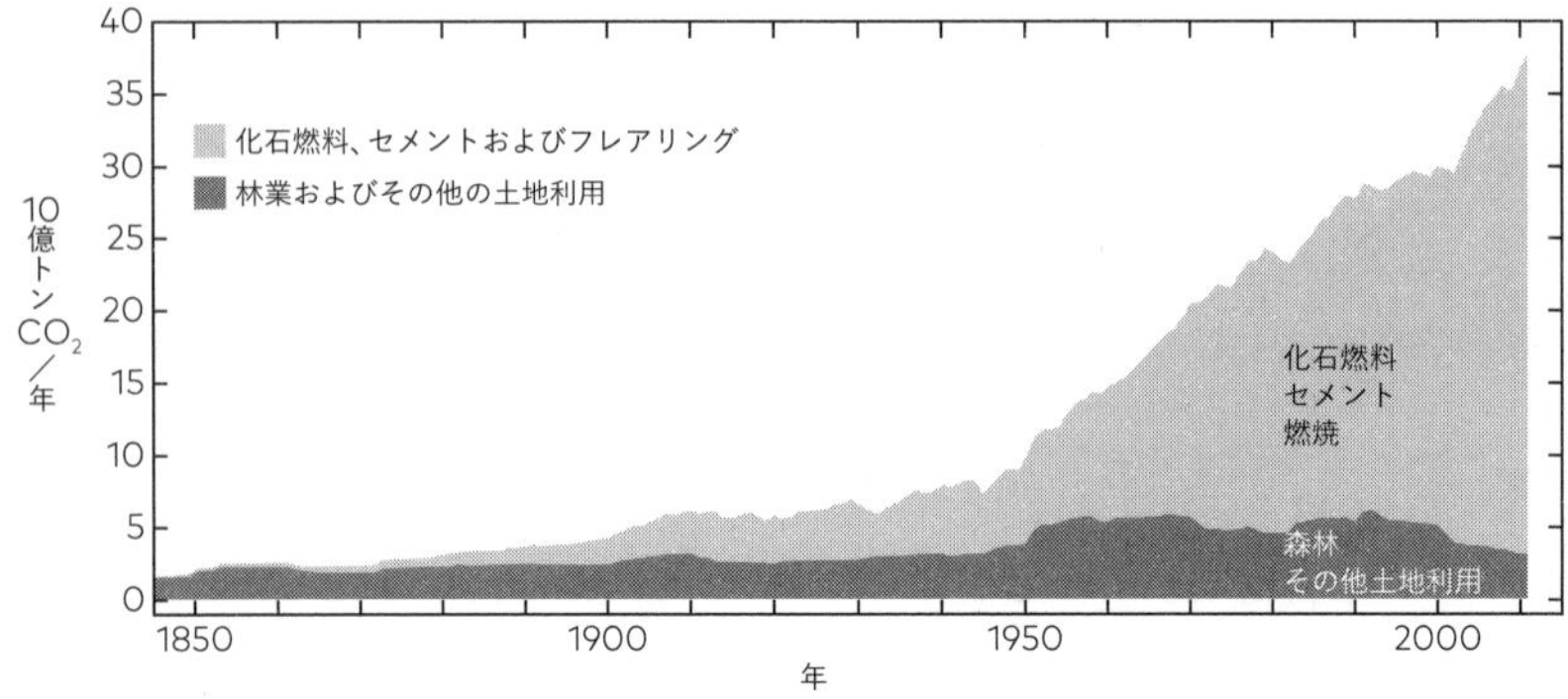

化石燃料、セメントおよびフレアリング
林業およびその他の土地利用
10億トンCO_2／年
40
35
30
25
20
15
10
5
0
化石燃料
セメント
燃焼
森林
その他土地利用
1850
1900
1950
2000
年

注:1850-1970年の間のメタンと亜酸化窒素の定量的な情報は限定的
資料: IPCC's Fifth Assessment Report (AR5) “Climate Change 2014 Synthesis Report Summary for Policymakers” Figure SPM.1d
https://www.ipcc.ch/report/ar5/syr/

図6-8 世界の海洋に溜まる熱量の推移(表層0〜700m)

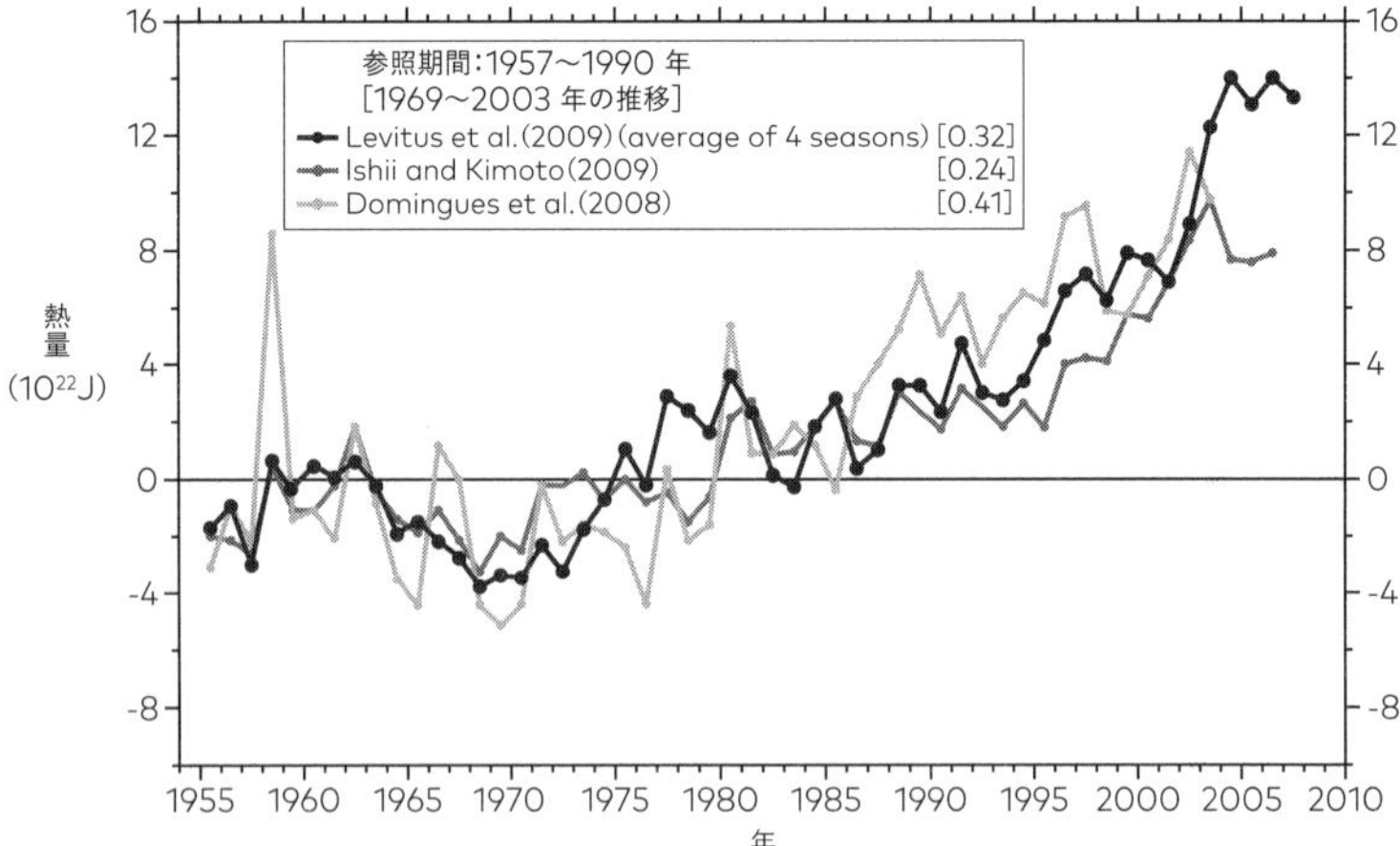

資料:Levitus et al. "Global ocean heat content 1955–2008 in light of recently revealed instrumentation problems" GEOPHYSICAL RESEARCH LETTERS, VOL. 36, L07608, doi:10.1029/2008GL037155, 2009 ftp://ftp.nodc.noaa.gov/pub/data.nodc/woa/PUBLICATIONS/grlheat08.pdf

成長の前に星がもたない

北極や南極の氷山が急激に溶けていることに心を痛めている人は僕だけではないだろう。一方、これらの氷の融解による熱吸収がなかったら今とは比較にならない気温上昇がすでに起きていた可能性が高い。海面上昇問題など課題は多いが、氷があったことが僥倖（ぎょうこう）とすら言える状況だ。

ただ、雪や氷の表面が失われるということは、加速度的に地球が熱を蓄積しやすくなることを意味している。アルベド（albedo）と呼ばれる地球の太陽放射の反射率[18]が大きく変わるからだ。雪や氷の表面は太陽放射を地球外に反射しやすく75〜85%を反射する。新雪では反射率は95%にも及ぶという。一方、森林地帯は15%程度、砂漠の場合は30〜45%しか反射しない。つまり、雪や氷が溶けるということは急激に熱として蓄積される度合いが高まるということでもある。[19]気温が上昇する際に北極や南極のような長い年月を経て積もり固まった雪や氷が一気に溶けていく背景には、この正のフィードバック効果がある。[20]

この海洋に蓄積される熱量の大幅な上昇に伴い、海面の上昇気流は極めて発生しやすくなっている。すでに北米では晩秋から冬でも台風と呼ぶべき巨大な低気圧が時折来るようになって久しい。その強い低気圧に北からの寒気が流れ込み、時折、ニュージャージー州など東海岸北部では氷点下10度以下になって氷結している。爆弾サイクロン（Bomb cyclone）と呼ばれる気象現象だ。[21]

2019年夏、メキシコでは2メートルもの雹（ヒョウ）が積もり、かたやヨーロッパ各地は40度を超すという途方もない熱波に包まれたが、[22]これらも同じ温暖化の結果と考えられる。上昇気流に伴い、

18 天体の外部からの入射光に対する、反射光の比（Wikipediaによる）

19 田家康『気候文明史』（日本経済新聞社 2010年、pp.85-86, p.77）より。ちなみに、このアルベド（反射率）は海面の場合、中緯度から極側では8％以下であり、太陽から降り注ぐ光のエネルギーの9割以上が地球内部にとどまることになる

20 アイス・アルベド・フィードバック（Ice-albedo feedback）という。雪が一面を覆っている間は簡単には雪解けに至らないが、ひとたび暗い地面が露出すると相乗的効果により一気に雪が溶け始める。逆に何らかの理由で気温の低下が起きると、アルベドの高い氷が範囲を広げて太陽光の吸収を抑制するので、温度はますます下がる（Wikipedia「アイス・アルベド・フィードバック」を参考に筆者取りまとめ）

巨大な積乱雲が生まれなければヒョウが夏場にこれほどまとまって降ることなど考えにくいからだ。

日本のような中緯度地帯でも気温が上がりすぎたため上昇気流が発生しやすくなり、スコールのような雨が夏に降ることは昨今は当たり前になっている。

東京は、環境省の予測どおりであれば2100年には夏に40度を軽く超す（最高気温43〜44度）現在のインド並みの街となり、台風の風速は最大90メートルに上る。[23] 他の地域も同様に気温が上がる。このままだと地球で夏場にエアコンなしでまともに住めるところは、南北の高緯度地域か高地だけになるだろう。気温上昇と共に植生にも大きな影響が発生し、農作物も今と同じようには育たなくなる。当然、大規模な飢饉が発生する可能性も高まる。

ちなみに、風速90メートルというのは家すら倒壊する風速だ。CO_2排出抑制になんとか成功したとしても、風速70メートルの台風が予測されている。これは、走っているトラックが横転するレベルだ。2019年に観測史上初めて風速57・5メートルの台風が上陸しただけでも千葉県の房総に甚大な被害が発生した[24]ことを考えると、風速70メートル以上の台風が来る時代に備え、これからの50年あるいは80年で、家も街もすべて設計し直し、作り直さなければいけない可能性が高い。破壊されてから直すのではなく、先に手を打つ「グリーン・ニューディール」政策が必要なのではないか、というのが先に東京都副知事に着任した宮坂学氏[25]の見解だが、確かにそのとおりだ。

なお、現生人類（ホモサピエンス）が現れて10万年以上であるが、人類の文明が発展してきた過

21 Brandon Miller, "What is a bomb cyclone? Here's what you need to know", CNN, 16 Oct. 2019 ; Colin Dwyer, "'Bomb Cyclone' Whips Through The West As Winter Storms Snarl Thanksgiving Travel", NPR.org, 27 Nov. 2019.

22 「メキシコの大都市で大量のひょう 最高で2m、押し流された車も」2019年7月1日 AFP BB News; Ivana Kottasová "France endures its hottest day ever as Europe swelters in heat wave", CNN, 29 June. 2019.

23 環境省「2100年 未来の天気予報」（新作版）の公開について（令和元年7月8日）

24 令和元年台風第15号（アジア名：ファクサイ／Faxai）

25 ヤフー社長、会長を歴任し、2019年9月 東京都副知事に着任

図6-9　過去8万年の気候変動

北部グリーンランドの氷床コアの酸素の同位体からの復元値*

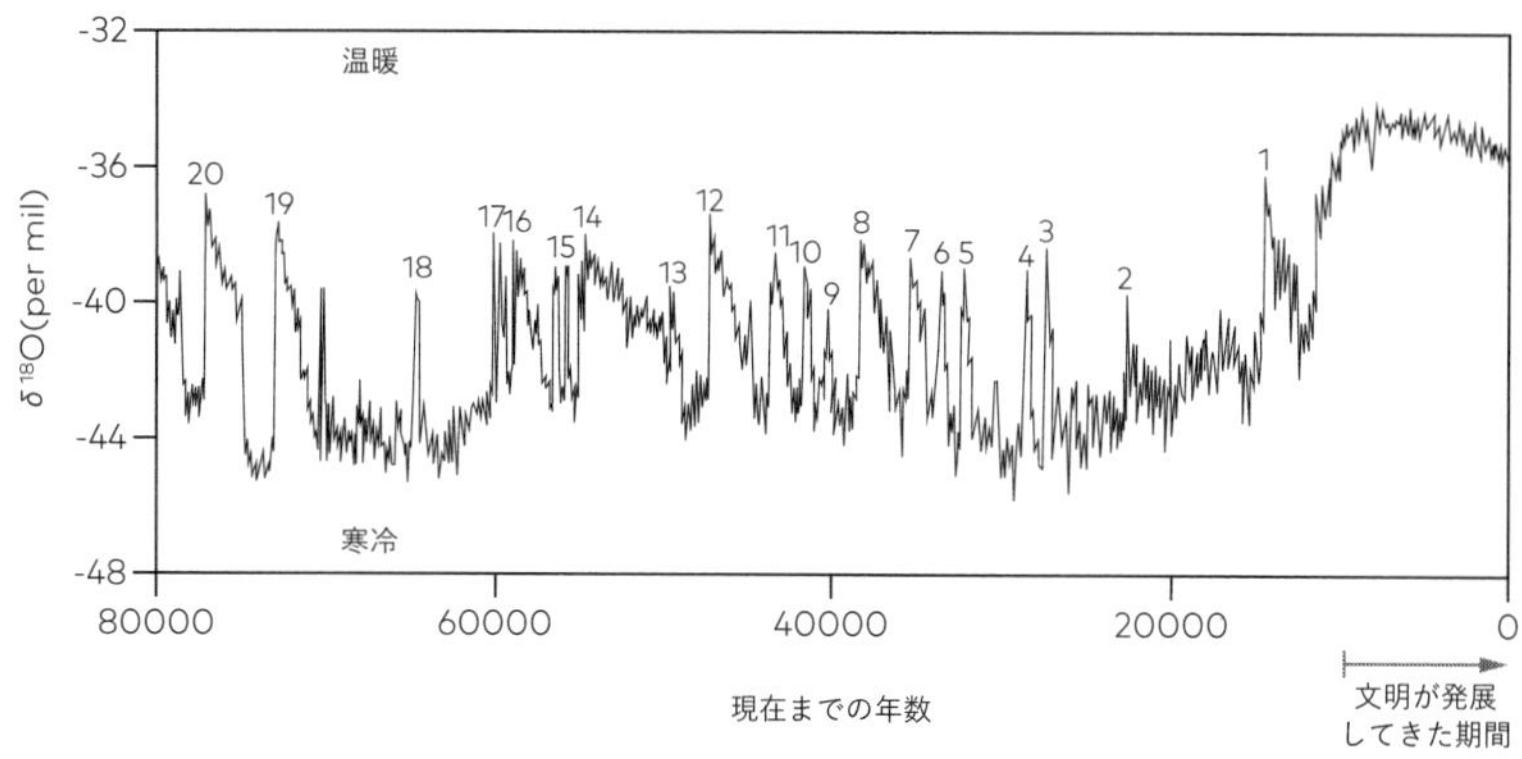

*数字は氷期を特徴づける急激な温暖化（ダンスガード＝オシュガーイベント）の番号
資料：Andersen, K., Azuma, N., Barnola, J. et al. "High-resolution record of Northern Hemisphere climate extending into the last interglacial period". Nature 431, 147-151 (2004) ;
NOAA National Centers for Environmental Information "A Paleo Perspective on Global Warming" (https://www.ncdc.noaa.gov/global-warming) をもとに補足説明を安宅和人加筆

去1万年間は氷河期が沈静化したあとの例外的に安定的な期間であったことを共有しておこう（図6－9）。アルベド効果のため温暖化、寒冷化は指数関数的な変化（図1－1参照）を生みやすくダンスガード＝オシュガーイベント[26]と呼ばれる急激な温度変化を繰り返し引き起こしてきた。1万年前以前の人類史の大半は現在とは比較にならないほどワイルドな気候変動の中にあったのだ。先史時代、人口が大きく増えなかった大きな理由がここにある。

今までが例外的な時期だと思って腹をくくって対応していくべきときが来ている。

26　Dansgaard–Oeschger event。最終氷期に1500年から3000年のスケールで起こった急激な気候変動の循環。数十年間で10度という急激な温暖化を迎えたかと思うと穏やかな寒冷化を迎え、そして再び急激に温暖化するという循環を最近6万年弱の間に25回程度起こしている。1980～90年代、ウィリ・ダンスガード（Willi Dansgaard）とハンス・オシュガー（Hans Oeschger）による氷床コアの研究により発見された。地球と太陽との位置関係による気候変動では説明できず、原因はいまだに不明（Wikipedia「ダンスガード・オシュガーサイクル」より）

3 新たなテクノロジーと持続可能な世界

SDGsとSociety5.0の交点

以上見てきたとおり、これまでのペースやり方で人間が生活を営んでいけば、地球がもたないことは明らかだ。風速90メートルの台風でも人類は生き延びるだろうが、食料供給にも大きな影響が発生し、おそらくもう今までのような人口維持は不可能になる。こうならないために僕らに残された時間は10~30年程度だろう。何らかのまったく新しいアプローチが必要だ。国連が掲げるSDGs[27]（持続可能な開発ゴール）の1つの前提はここにある。

この地球全体の問題と、それ以外の世の中の現状を整理し、今世の中にある大きなイニシアチブの関係を整理してみたものが次の図6－10だ。経団連・経産省側が訴えているSociety5.0と、環境と資源、貧困・性別などによる不平等を訴えているSDGsがあり、訴えている主体がかなり異質なため、まったく異なる問題かのように見えがちだが実体は大きく重なっている。

ちなみに、僕の整理ではSDGsの17のゴールには大きく2つのかたまりがある。「才能と情熱を解き放つ」（9項目）と「持続可能な空間を作る」（6項目）だ。持続可能な空間を作る問題ばかりが注目されがちだが、それはむしろ項目としては少ない。これに加えて「力と方法を持つ」系の2項目がある。これらの分類で、アイコンを並べ直すと次の通りだ（図6－11）。

個別の項目のキャッチフレーズだけでは中身がよくわからないのでもう少し詳細に見てみよう。[28]ここまでで多少なりとも触れた内容については太字で表記してみた。

27 Sustainable Development Goalsの略

28 実際には個別の項目ごとに10ほどの細目（計169ターゲット）があるがそちらは割愛する

図6-10　世の中の現状と現在のイニシアチブの関係

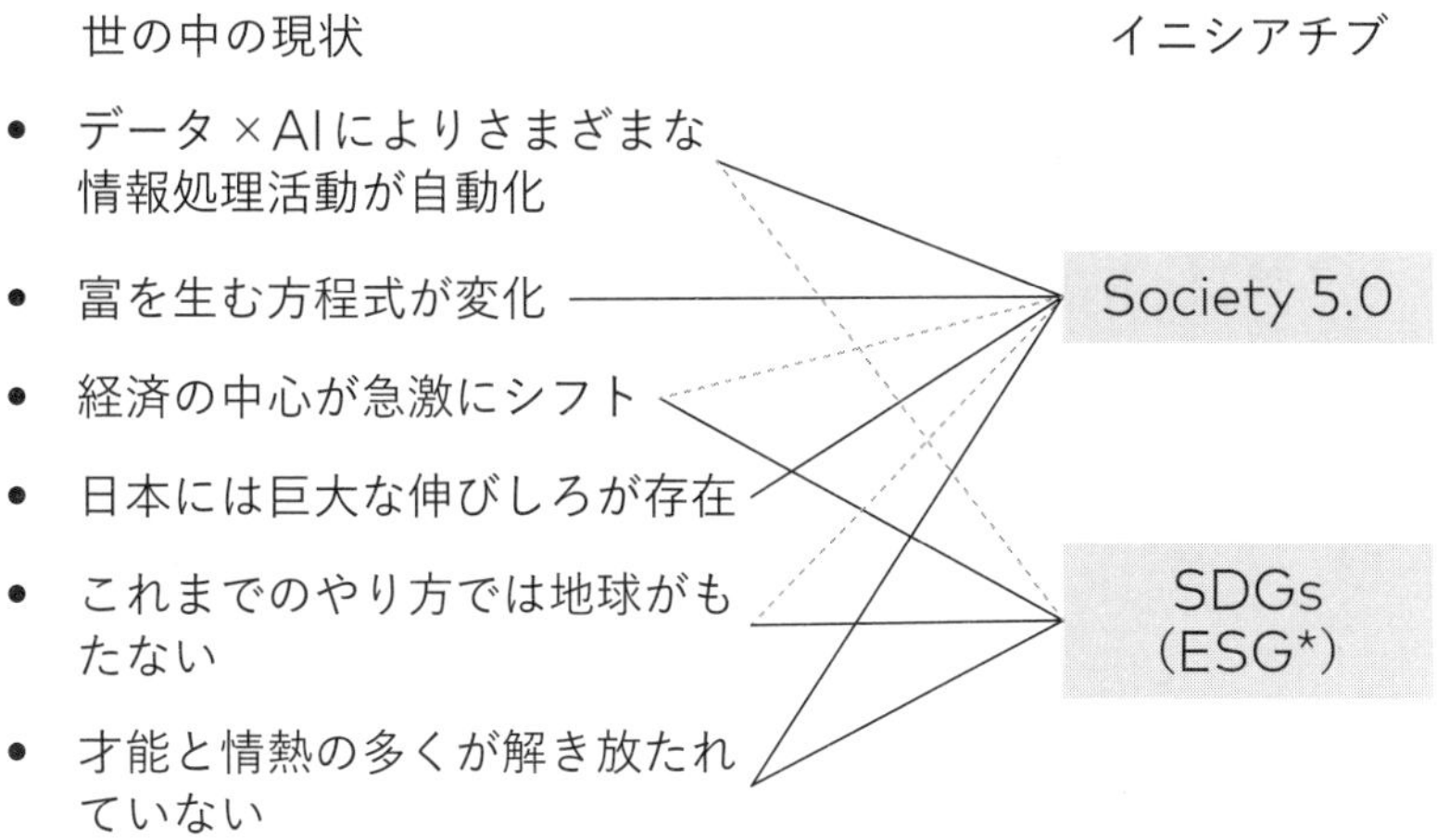

世の中の現状	イニシアチブ
・データ×AIによりさまざまな情報処理活動が自動化	Society 5.0
・富を生む方程式が変化	Society 5.0
・経済の中心が急激にシフト	SDGs（ESG*）
・日本には巨大な伸びしろが存在	Society 5.0
・これまでのやり方では地球がもたない	SDGs（ESG*）
・才能と情熱の多くが解き放たれていない	Society 5.0、SDGs（ESG*）

*企業成長に今後求められる観点としてまとめられたEnvironment（環境）、Social（社会）、Governance（企業統治）の３つの言葉の頭文字
資料：安宅和人分析

図6-11　SDGsの17のゴール

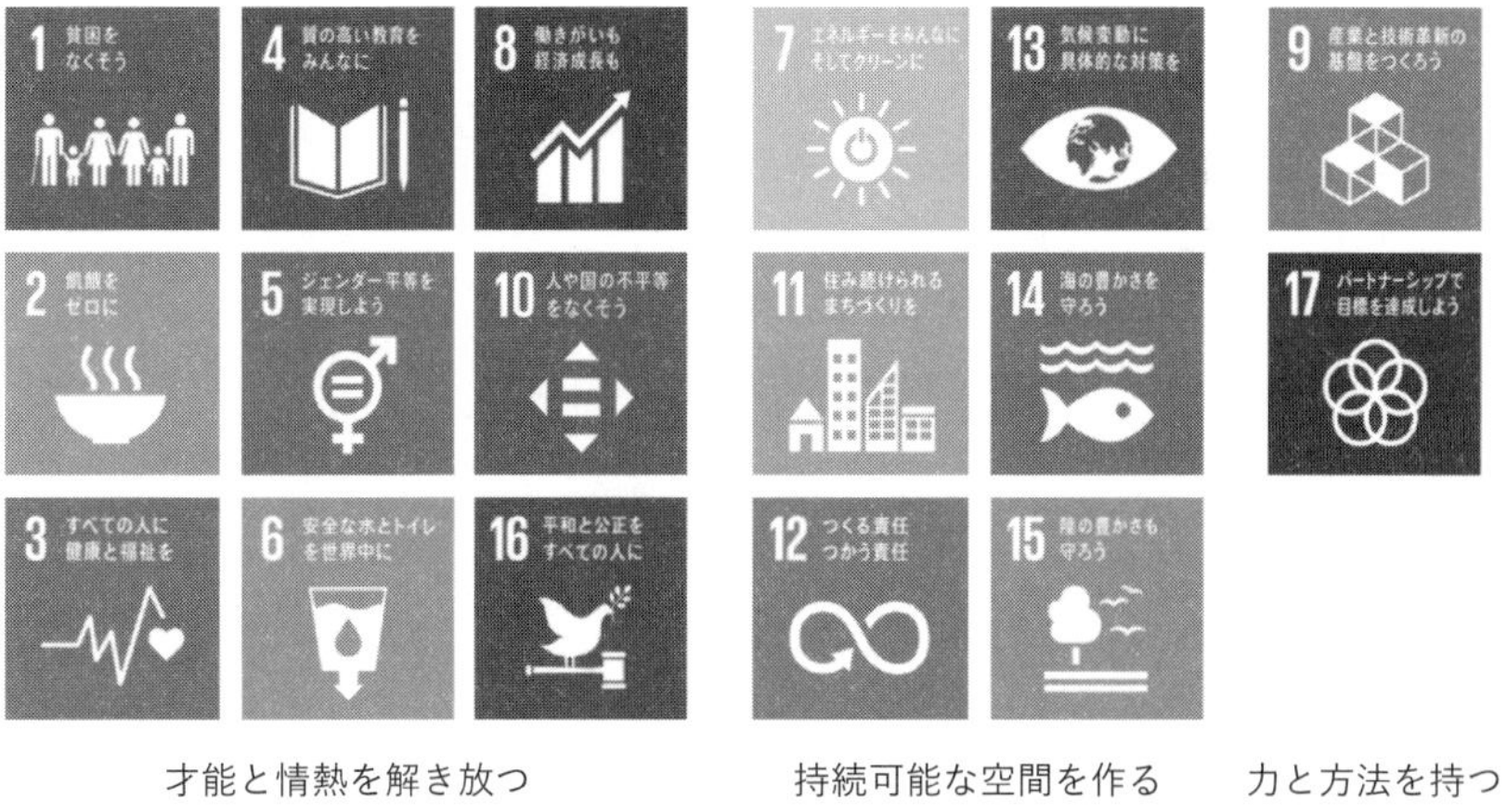

17 パートナーシップで目標を達成しよう

才能と情熱を解き放つ　　持続可能な空間を作る　　力と方法を持つ

資料：安宅和人分析

「才能と情熱を解き放つ」系

1：**貧困をなくそう…「あらゆる場所で、あらゆる形態の貧困に終止符を打つ」**

2：飢餓をゼロに…「飢餓に終止符を打ち、食料の安定確保と栄養状態の改善を達成するとともに、持続可能な農業を推進する」

3：**すべての人に健康と福祉を…「あらゆる年齢のすべての人の健康的な生活を確保し、福祉を推進する」**

4：**質の高い教育をみんなに…「すべての人に包摂的かつ公平で質の高い教育を提供し、生涯学習の機会を促進する」**

5：**ジェンダー平等を実現しよう…「ジェンダーの平等を達成し、すべての女性と女児のエンパワーメントを図る」**

6：安全な水とトイレを世界中に…「すべての人に水と衛生へのアクセスと持続可能な管理を確保する」

8：**働きがいも経済成長も…「すべての人のための持続的、包摂的かつ持続可能な経済成長、生産的な完全雇用およびディーセント・ワーク（働きがいのある人間らしい仕事）を推進する」**

10：**人や国の不平等をなくそう…「国内および国家間の格差を是正する」**

16：**平和と公正をすべての人に…「持続可能な開発に向けて平和で包摂的な社会を推進し、すべての人に司法へのアクセスを提供するとともに、あらゆるレベルにおいて効果的で責任ある包摂的な制度を構築する」**

「持続可能な空間を作る」系

7：**エネルギーをみんなに、そしてクリーンに…「すべての人に手ごろで信頼でき、持続可能かつ近代的なエネルギーへのアクセスを確保する」**

11：**住み続けられるまちづくりを…「都市と人間の居住地を包摂的、安全、強靭かつ持続可能にする」**

12：つくる責任つかう責任…「持続可能な消費と生産のパターンを確保する」

13：**気候変動に具体的な対策を…「気候変動とその影響に立ち向かうため、緊急対策を取る」**

14：**海の豊かさを守ろう…「海洋と海洋資源を持続可能な開発に向けて保全し、持続可能な形で利用する」**

15：**陸の豊かさも守ろう…「陸上生態系の保護、回復および持続可能な利用の推進、森林の持続可能な管理、砂漠化への対処、土地劣化の阻止および逆転、ならびに生物多様性損失の阻止を図る」**

「力と方法を持つ」系

9：**産業と技術革新の基盤をつくろう…「強靭なインフラを整備し、包摂的で持続可能な産業化を推進するとともに、技術革新の拡大を図る」**

17：パートナーシップで目標を達成しよう…「持続可能な開発に向けて実施手段を強化し、グローバル・パートナーシップを活性化する」

こうやって眺めてみると、実によく練り込まれた文面であり、[29]日本の現状にもかなり合致していることがわかる。SDGsといえばどちらかと言えば途上国の問題もしくは単なる環境問題のよ

29 翻訳は国連開発計画（UNDP）駐日代表事務所の掲載内容を採用した

うに考えられがちだが、そうではないのだ。

ちなみに、Society5.0の本質であるデジタル革新と妄想力の掛け合わせ（図2－33参照）を単純に追求すると、よりヒートプラネット化を進める可能性が高い。現在進むCPU／GPUおよびセンサー数の爆発的な増加、データ量の爆発的な増加、深層学習の展開に伴う計算量の増大はすでに無視できない規模となっている。これらの電力消費場所であるデータセンター（DC）の消費電力は、これからもひたすら上がる可能性が高い。

世界的な科学専門誌『Nature』によれば、2007年に50EB[30]であった世界のインターネットトラフィック量は2017年には1・1ZB[30]に到達（22倍）。2030年には世界全体の電力消費の20・9％はICTによるものになることが予測されている。[31] もちろん、プロセッサー技術（小型化や量子コンピュータなど）の進展によって計算あたりの消費電力が想定以上に下がることもあり得るが、その比でないほどデータ処理量が増えるため普通に考えれば必要エネルギー量は相当に増えるだろう。

一方、SDGs側は脱テクノロジー、あるいは脱貧困、脱ジェンダー不平等といった社会運動論になりがちだ。この2つのイニシアチブは旗を振っている人も相当異なる。

では人類全体としてみたらどう考えたらいいのか。どちらも正しいのだ。つまりこの2つの活動の交点こそを狙うべきなのだ（図6－12）。Society5.0はSDGsとアラインして初めて価値がある。

実はこれが経団連で我々検討メンバーが中西会長直下でSociety5.0を取りまとめた際に、タスクフォースで多様性、分散、持続可能性を明確に取り入れた背景だ（図6－13）。

30 Eb＝exa-byte＝10の18乗＝100京バイト、Zb＝zetta-byte＝10の21乗＝10垓バイト

31 Nicola Jones "How to stop data centres from gobbling up the world's electricity", Nature, vol. 561, pp.163-166, 13 Sep. 2018.

図6-12 **Society5.0とSDGsの交点こそ目指すべき**

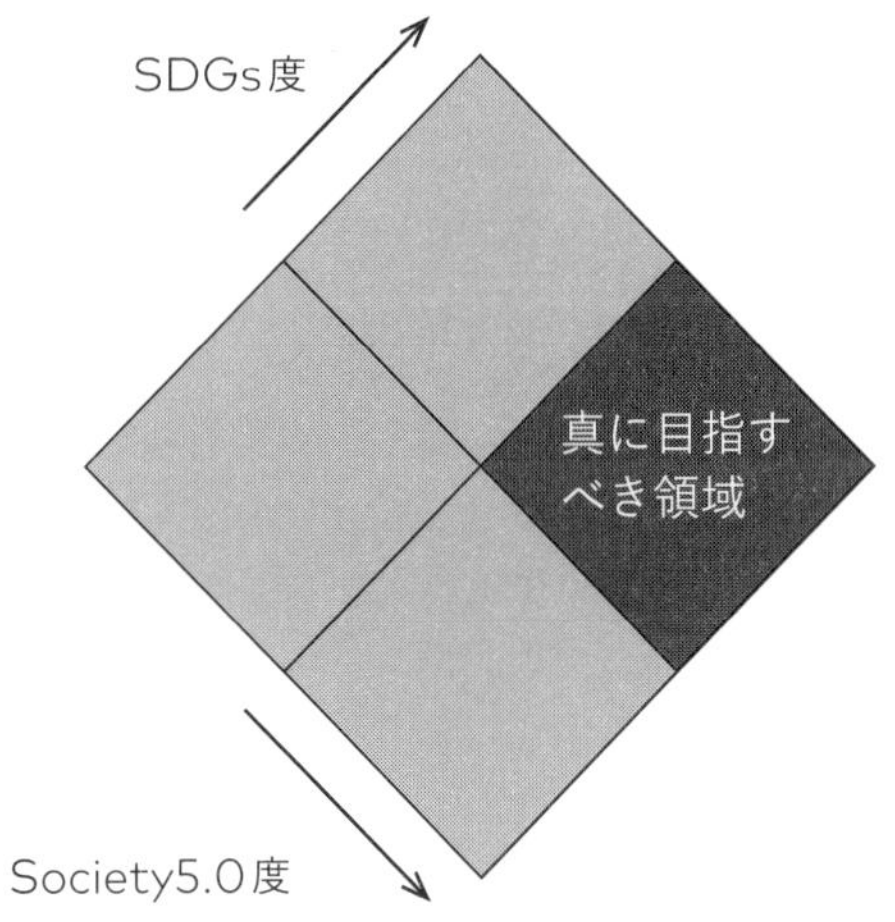

資料：安宅和人分析

図6-13 **Society5.0の価値の源泉**

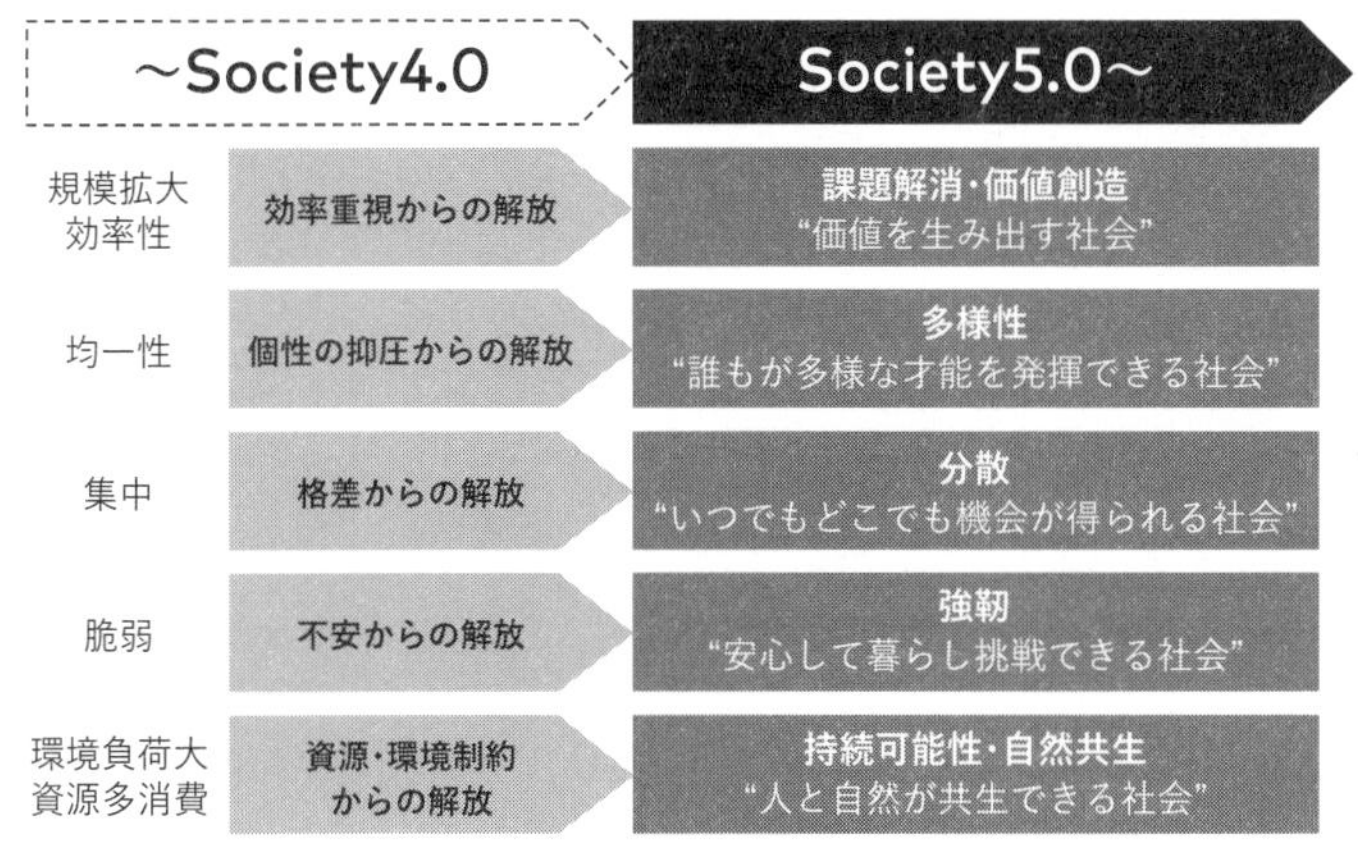

資料：経団連トップ Policy（提言・報告書）Society 5.0 －ともに創造する未来－
http://www.keidanren.or.jp/policy/society5.0.html

人口減少は悪いことか？

このように地球全体で生命の存続問題が顕在化している一方で、日本ではどんな集まりに行っても人口減少問題が議論になる。これが議論される大きな理由は、

① 人口縮小局面では経済が縮小する可能性が高い

② 経済規模が小さくなると国債が返済できなくなる

③ これ以上シニア対ヤングの比率がシニア寄りになると社会保障の枠組みでシニアを支える力がなくなる

④ このままでは人口が消滅する

あたりだ。

この中で無条件に正しいと言えるのは②だけだが、その前提は①だ。要は一人あたりの生産性を大きく増やすことができない、人口増以外で経済規模を生み出す方法がない、という前提で議論が行われている。③はシニア層の定義が変わらないことを前提とした話だ。

まず①「人口縮小局面では経済が縮小する可能性が高い」について考えてみよう。ここまで見てきたとおり日本の生産性は相当に大きな伸びしろがある。そもそもG７の各国にすら追いついていない（図２－３b参照）。数倍、10倍以上の伸びしろがある産業セクターも多い（図２－４〜２－６参照）。つまり当面の人口減少、生産年齢人口減少は、生産性が他のG７諸国レベルに到達するだけで解決する部分が大きい。

生産性向上が十分可能であること、豊かさの増大が必ずしもCO_2の増大を引き起こすわけではなく抑制が可能であることは永住者人口が400万人しかいないシンガポールの過去20年余りの経済成長を見ても明らかだ[32]（図6－14、15）。

1章で見たとおり（図1－2参照）、人類の生産性は過去200年かけてほぼ100倍に増えてきた。新しい技術革新が起きる中、トレンドに逆行さえしなければ、これまでどおり100年で10倍程度の一人あたりの豊かさの増強が起きるだろう。

また富の生まれ方はスケールの世界から、刷新がテコになる世界に劇的に動いてきたことはここまで示してきたとおりだ。あらゆる分野で夢を描き、人類をさらに前に進めるという意志を持つべきだ。それをさまざまな技術革新やこれまでの技術の力を使って形にし、パッケージとしてデザインすることから大きな事業価値が生まれる。それをベースにさらに付加価値を生み出していくのが現在の流れだ。

この潮流を拒み労働集約的にスケールだけで富を生み出そうと考えると、確かに先の議論のとおりになる。しかし、それは、これからの世代にとってまったくインスパイアされる[33]ような考えでなく、引き潮に逆らうようなもので相当にリスクの高い発想だ。

僕らの国はここまで世界でも屈指の妄想力とさまざまな技術を磨いてきた。ここに日本伝来のキャッチアップする力を組み合わせデータ×AI的な力を持つことができれば、必ずや面白い、楽しい、そしてワクワクする未来がたくさん生まれてくるはずだ。

並行してデータ×AIの進展に伴い、これまでの労働の多くが自動化していくことは確定的な流れだ。つまり、同じアウトプットが格段に軽い労働によって可能になる。歩いて東京から横浜、

32 シンガポール共和国 基礎データ（外務省、2019年8月22日時点）

33 inspiring＝奮い立たせる、元気づけられる、力がわき上がるというような意味の言葉

図6-14　1人あたりGDPの推移(1960-2018)

現在のUSドル; 日本、シンガポール、韓国

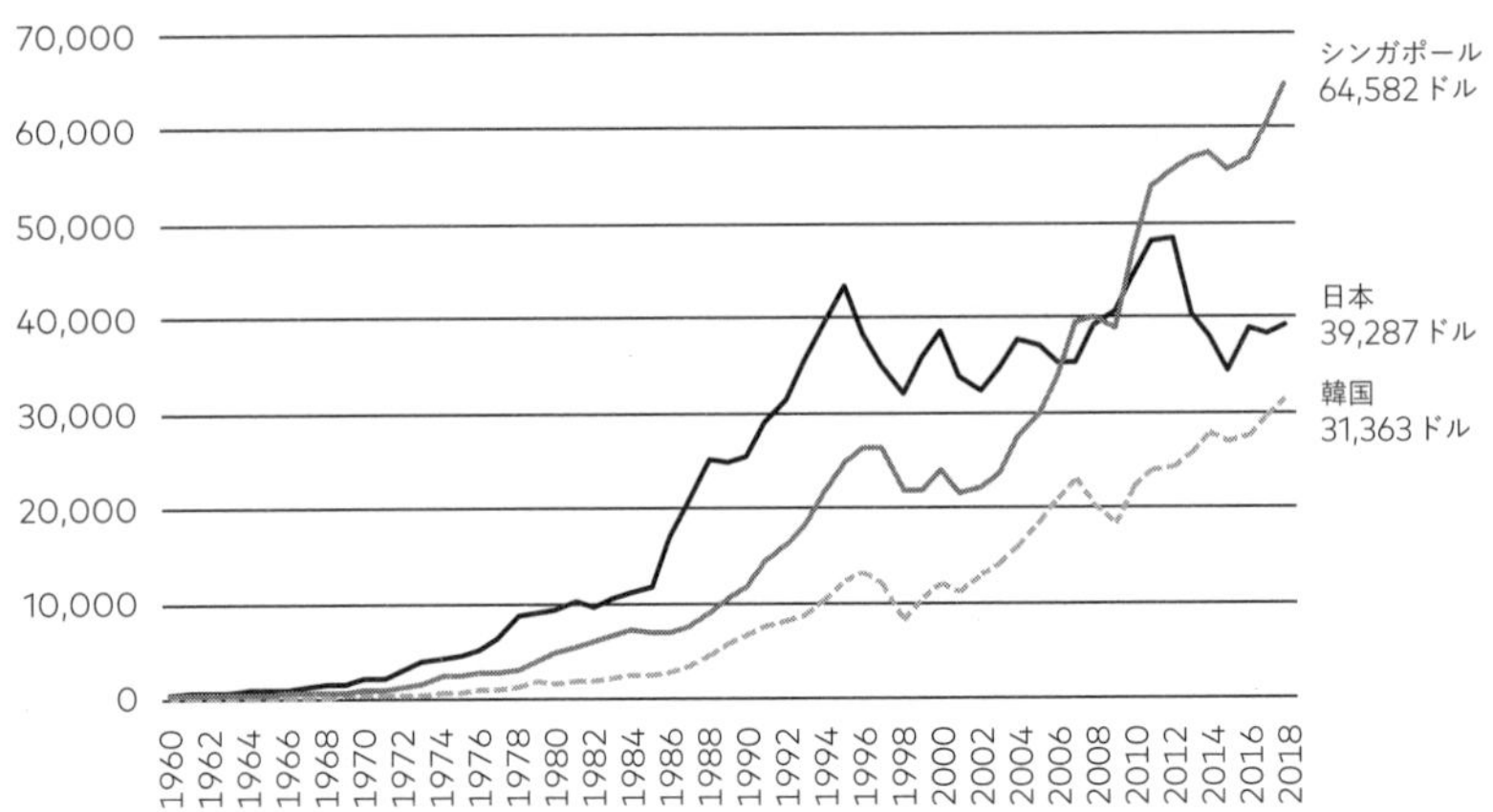

資料: The World Bank "GDP per capita (current US$) - Singapore, Japan, Korea, Rep." (2019/11/2抽出)
https://data.worldbank.org/indicator/NY.GDP.PCAP.CD?locations=SG-JP-KR&view=chart

図6-15　1人あたりCO_2排出量の推移(1960-2014)

トン/年/人; 日本、シンガポール、韓国

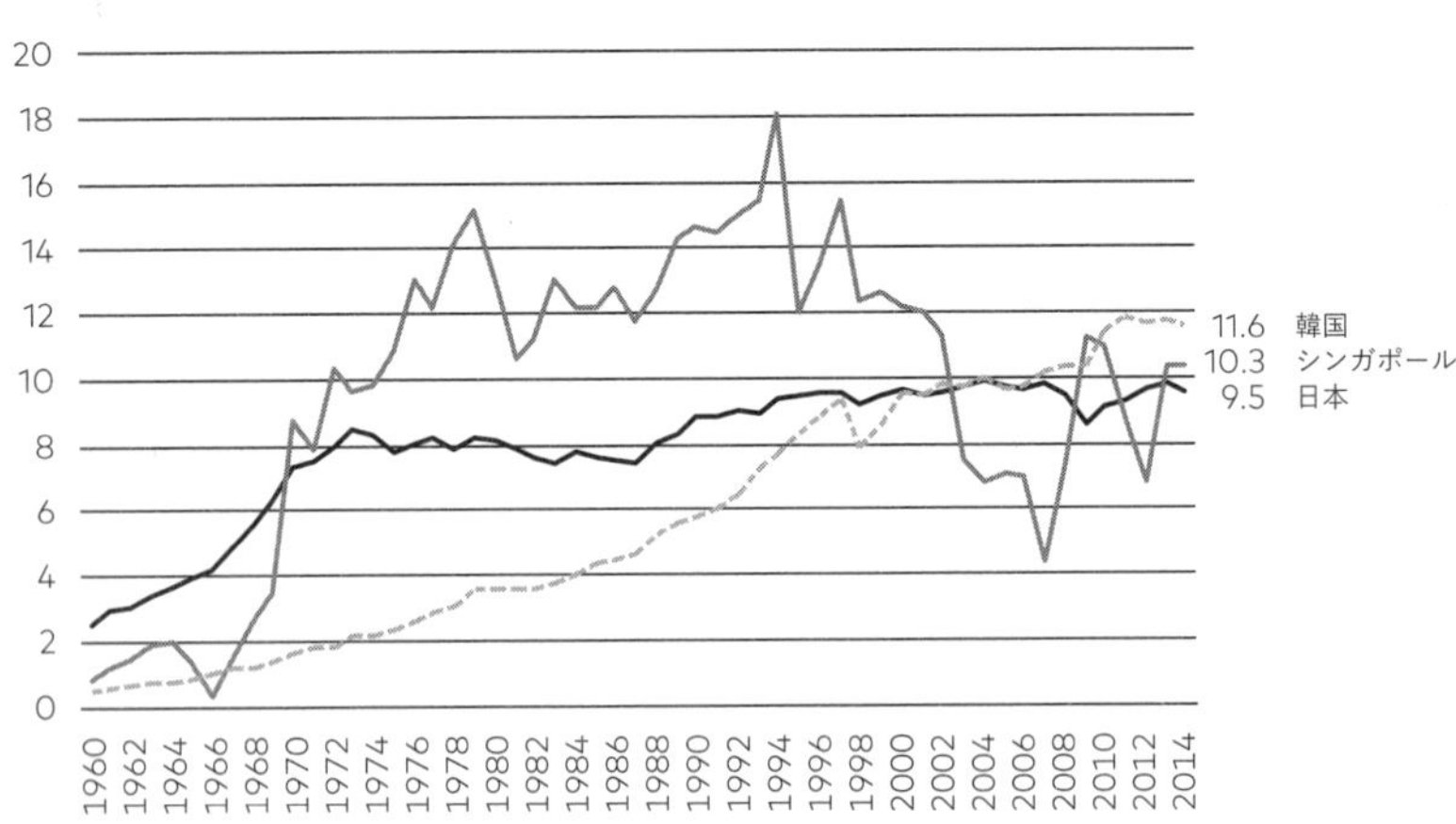

資料: The World Bank "CO2 emissions(metric tons per capita) - Singapore, Japan(2019/11/5 抽出)
https://data.worldbank.org/indicator/EN.ATM.CO2E.PC?locations=SG-JP

神戸から大阪に通っていた時代が、いきなり電車やクルマで移動できるようになったのと同じような劇的な変化が今まさに生まれている。人間の「数」が経済的に優位になるのは、正直なところＡＩを作るときの学習データ獲得と消費人口ぐらいしかない時代に突入している。学習データはこれまでどおり世界規模で事業さえすれば手に入るわけであり、市場としての人口は幸い中国やインド、アジアに十二分にある。①、②「人口が減ると国債が返済できなくなる」のような発想は時代錯誤だということだ。

③「これ以上シニア対ヤングの比率がシニア寄りになると社会保障の枠組みでシニアを支える力がなくなる」については、2章および5章で議論したとおり、人道的な意味においても経済的な意味においても根底から見直すべきときが来ている。人間は生きている限り誇り高く、キャパのある範囲で社会に貢献する時代になる。

つまり経済的な理由で人口減が大きな問題だという議論は、正しく現実を見れば、もはや筋違いである可能性が高い。ここまでの前提をしっかりと共有することが今、僕らの未来を生み出していくためにもっとも大切だ。本書が時代背景とその意味合いから議論を始めた理由はここにある。

最後の④「このままでは人口が消滅する」については、日本人、人類が不妊化してしまったというのであれば深刻であるが、むしろ起きていることは逆だ。実態としては、不妊化ではなく、男女ともに単に結婚、妊娠年齢の高齢化が進んでいることが大きな要因であり（しかもこれを前倒しさせるためのストレートな打ち手はまだ施されていない）、一方で、これまでであれば不妊であった人が解決のために活用できる技術の発展は驚くほどのレベルだ。かつて魔法の技術であった人工授精は今や普通に行われるところまで来ており、卵子凍結技術も進んでいる。人口は消滅などしない。

以上、見てきたとおり「人口減少が悪」という議論はもはや基礎となる前提が崩れてしまっている。これまで議論してきたとおり、時代の流れに逆行することをやめ、正しく流れに即した取り組みさえすれば、経済規模は十分維持し得るはずだ。

人口が減るのが無条件に問題だという議論をやめ、単なる調整局面としてしばらくは見守るべきときが来ている。課題の設定が間違っているのだ。僕らの解くべき課題は、人口減少のターンアラウンドではなく、むしろ持続可能な人口に戻る局面で、経済的にどうやって縮小に陥らないようにうまく回していくか、つまり移行（transition）マネジメントなのだ。

CO_2排出の視点での日本の適正人口

人口減少はトランジションの課題であることは理解してもらえたと思う。ではどの程度の人口を我々は長期的に（向こう1～2世紀で）想定すべきなのだろうか。これを地球の持続可能性の視点から見てみたい。

ここまで見てきたとおり、もうこの星は人間の発展についていけなくなっている。廃棄物の問題以前に、CO_2を安定的に吸収する余力すら失っているのだ。経済的にうまく回せる限り、人口減少に向けて率先して対応するのは先進的であるとすら言える。地球が安定的に生存可能な星でなくなるのであれば、経済発展など考えてもしょうがないからだ。

既存の数字から考えると、CO_2排出の視点ではどの程度が日本の適正な人口の上限なのだろうか。

日本人のCO_2排出量は前述のとおり、家畜と自分たちの呼吸を含めると年10・2トンだ。先程と同様の計算でいけば杉林1平方キロあたり日本人86・3人分のCO_2を吸収できる。[34] 86・3人×森林面積25・3万平方キロ＝2183万人。現在[35]の約6分の1（平均人口密度58人）という少々驚くべき値になる。つまり、今の排出量のままであれば、現在の日本は自国の森が吸収できる約6倍もの人口を抱えているということだ。

日本の森林面積率（67・0%）は世界最大の森林アマゾン流域の大半を持つブラジルの56・1%を大きく超え世界16位。先進国ではスウェーデン（68・9%）に次ぐレベルであり、G7ではダントツだ。[36] 7割の土地が森という恵まれた日本で、他の国の森がないと人口分のCO_2発生が支えられない（CO_2固定できない）というのは目も当てられない話だが、実際そうなのだ。[37]

ここで森林率と人口密度をプロットしてみると、次の図6－16[38]のようになる。

日本の杉林と同じ生産性が世界中で保てると仮定し、どこまでのCO_2排出量であれば各国が自国で吸収できるかを示した領域をグレーで示した。

この範囲に収まり、自国内でまかなえるようにするには3つ方法がある。すなわち森林率を増やす、人口密度を下げる、CO_2の排出量を減らす、だ。森林率は産業国としてはもはや上限に近い。したがって、自由度があるのは人口密度と排出量ということになる。人口密度、もしくは排出量を下げれば下げるほど受け入れられる人口キャパが増える。人口密度だけで解決しようとすると前述のとおり少々無理のある数字になる。現実解としては両方の見直しが必要だろう。

そもそも、現在日本の人口はこの現実を予期していたかのように、なだらかに縮小していって

34 （8・8／10・2）×100＝86・3

35 2019年5月の人口は1億2614万人（総務省統計局）

36 "List of countries by forest area", *Wikipedia*

37 もちろん領海まで含めればもっとキャパ（CO_2吸収余力）は増えるが、海は、空と同じく、実質的にこの星の共有財産という認識に立てば、当てにすることは正しくないと考える。IPCC第5次評価報告書によると海は陸地に匹敵する吸収余力を持っているという（気象庁『全球の海洋による二酸化炭素吸収量に関する情報提供の開始について』平成25年11月6日）

38 日本はインドの8がけほどの相当に高い人口密度なのに、3分の2が森だということは残りの3分の1の人口密度が極度に高いことを示している。日本の家屋や庭がG7的な基準で見ると相当に小さい理由はここにある

図6-16　国別の森林率と人口密度

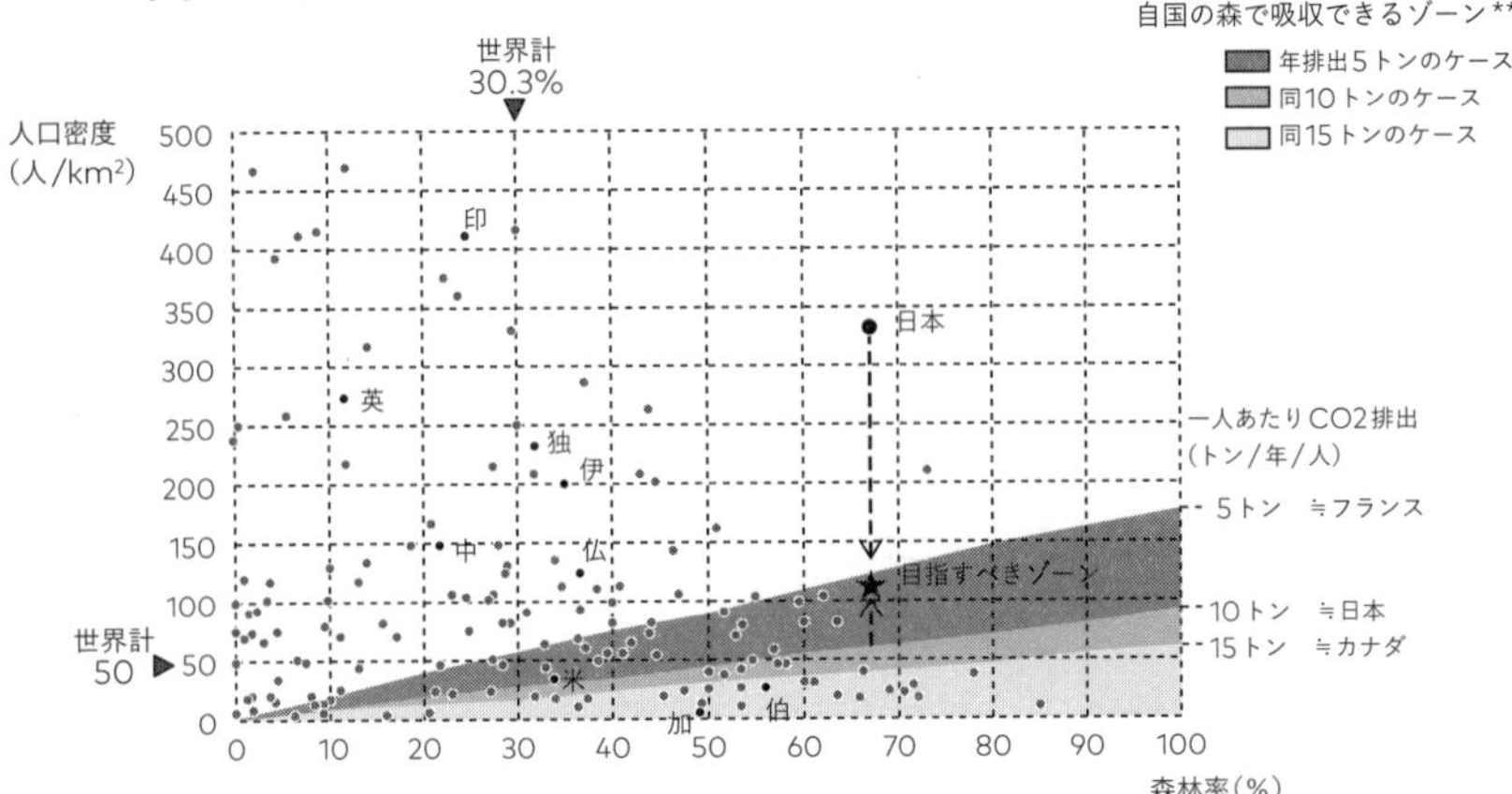

* 人口80万人未満の国、80万以上でも人口密度500/km²以上の国（シンガポール、バーレーン、バングラデシュ、パレスチナ、レバノン、台湾、モーリシャス、韓国）をのぞく
** 森の生産性が国によって変わらないとした値

資料：Wikipedia "List of countries and dependencies by population density" https://en.wikipedia.org/wiki/List_of_countries_and_dependencies_by_population_density;
同 "List of countries by forest area" https://en.wikipedia.org/wiki/List_of_countries_by_forest_area
データ（2019/11/2抽出）より安宅和人分析

いる。内閣府によれば2060年の推定人口は8674万人（現在人口の約69%）だ。[39] また、仮に日本が化石燃料分のCO_2排出量を一人年4・1トン（今の半分弱。自分たちと家畜の呼吸込みで一人年5トン）にできたとしたら、約4500万人までキャパが上がる。[40] 一人年4・1トンは、現在のフランスの約9がけの値であり、十分に現実的なターゲットだ。これを実現しつつ、とりあえずは人口密度120人／平方キロ[41]（総人口約4500万人、現在の約36%）あたりに向こう1〜2世紀かけて移行していくという想定は、将来の日本人にとっても地球にとっても、決して悲観すべきものではないのではないだろうか。

若い人たちは僕らの命をつなぎ、未来を創るとても大切な人たちだ。彼らのためにもこの島（日本）と星（地球）への負荷を軽くしていくべきだ。約150年前までの江戸時代は1700年以降、約3

39　内閣府「将来推計人口でみる50年後の日本」。ちなみに終戦直後の人口はおよそ7200万人（国土交通省　日本の人口の推移）

40　（8・8／5）×100×25・3＝4453万

41　現在のフランス（123人／平方キロ）にほぼ近い値

000万の人口でおおむね一定していたと推定されている。[42] CO_2排出量が今の半分弱となり、数世紀後を目処にそこまで人口が減少すれば、本当に豊かな未来をそれ以降の世代に残すことにつながるだろう。

地球全体として考えるとどうだろうか。前提として、地球全体の森林は3900万平方キロ（陸地面積の約30％）であり、うち極地が1380万平方キロだ。[43] 2017年の値を見ると、化石燃料によるCO_2排出が371億トン。[44] 同年の世界人口は75・5億人。[45] 以上からCO_2の排出量は世界平均で一人年4・9トン、これに人と家畜の呼吸分0・9トンを含むと年5・8トンになる。極地の森は炭素固定の速度が半分（年4・4トン／ヘクタール＝年440トン／平方キロ）として計算すると、

極地の森林吸収余力1380万×440＝60・7億トン
非極地の森林吸収余力（3900－1380）×880＝221・8億トン
森林の吸収余力計60・7＋221・8＝282・5億トン（28・2Gトン）
人口キャパシティ282・8／5・8（トン／人）＝48・7億人

であり、約50億人（現在の約3分の2）がCO_2吸収視点で見たこの星のキャパになる。[46] 1章で見たとおり世界的に進む人口縮小局面はマクロ的に見た人類の生存本能の表れなのかもしれない。

42 江戸時代の日本の人口統計（Wikipedia）

43 Steve Nix, "Maps of the World's Forests", *ThoughtCo*, 21 Mar. 2019.

44 Marilena Muntean et al. "Fossil CO2 emissions of all world countries - 2018 Report", *EU SCIENCE HUB*, 2018

45 UNITED NATIONS DESA / POPULATION DIVISION

46 日本と同レベルの1人あたり排出量の場合ざっくり半分の25億人がキャパとなる

人類は人口減少を乗り越えてきた

ある中央省庁の勉強会でこの人口減少トレンドの話をしたときに、官僚の方から「こんな状況で僕らは政策を考えたことがないんです」と言われたことがある。正直なコメントだと思ったが、「心配しなくても皆さんの数百年前の役人にとってこのぐらいの変化は日常茶飯事だったはずです、優秀な皆さんであれば十分対応できます」とお答えした。

つい100年前、第一次世界大戦での戦没者は1600万人にも及んだが（当時のヨーロッパの1・8%、国によっては15%超）、その数倍から5倍程度の人が翌年の「スペイン風邪」、悪質なインフルエンザの一種で死亡している。黒死病と恐れられたペストが1347年から1350年に蔓延したときには、4年の間にユーラシア大陸全体の約半分、ヨーロッパの総人口の3分の1（約2000万人）、イタリアや南フランスでは75～80%の人が病死したと推定されている。[47]

戦争直後の日本人を見れば1947年、わずか70年あまり前でも死因のダントツ1位は結核、2位は肺炎だった（厚生労働省人口動態調査による）。エボラ出血熱すらワクチン開発が進む[48]21世紀を生きている我々にはピンとこない人も多いかもしれないが、このように疫病は最近まで人類の死因の筆頭であり続けてきた（図6－17）。

飢饉で数年のうちに1～2割の人が死ぬことは近代までも日常茶飯事であり、戦争や暴力でも1～2割の人が死んできた。[49]継母に棄てられた兄弟が魔女に捕まったものの、スキを見て魔女を殺し宝石とともに実家に帰るというグリム童話の「ヘンゼルとグレーテル」のストーリーが生ま

47 "Black Death, death toll", *Wikipedia*; 田家康『気候文明史』p.258

48 読売新聞オンライン【独自】国産初「エボラ」ワクチン、今月から臨床研究を開始へ』2019年12月5日

49 ユヴァル・ノア・ハラリ『ホモ・デウス』（河出書房新社 2018）第1章

図6-17　人類史の三大死因とインパクト

Famine 飢饉	• 太陽王ルイ14世が愛人と戯れている1692〜1694年の3年間で**総人口の15%**（**280万人**）のフランス人が飢餓で死亡
Plague 疫病	• 1330年代：**ユーラシア大陸全体の4人に1人**（**7500万〜2億人**）が黒死病で死亡 • 1520年：スペイン人上陸後9ヶ月間で**アステカ人の36%**（**800万人**）が天然痘により死亡 • 1918年：**5000万〜1億人**がスペイン風邪（the Spanish Flu）で死亡
War 戦争	• 石器時代から近代になるまで死の**15%**は戦争および暴力によるもの

→ 人類はつい60〜70年前まで、年に1〜2割のヒトが簡単に減るような環境の中で生き延びてきた

資料：Yuval Noarh Harari “Homo Deus – A brief history of tomorrow” (Penguin Random House 2015)；ユヴァル・ノア・ハラリ『ホモデウス』第1章（河出書房新社 2018）より安宅和人作成

れた背景には、1315~1317年の大飢饉の農村で口減らしが行われていた惨状があったという。[50] 前述の日本の江戸中期以降の推計人口が1721年3128万人に対し、1846年が3242万人とほとんど増加していないのも飢饉が相次いだことが大きい。[51]

『ホモデウス』でハラリが喝破したとおり、これらの歴史的な3大死因を打ち破った人類が現在のなだらかな変化に耐えられなくてどうする、とすら言える。もちろん疫病の流行や戦争などは人類にとって悲劇である。だが、そのような悲劇と人口減少を乗り越えてきたことこそが、人類の逞しさの証だ。

また、肌の色や体型が異なる人種がいくつかに分かれている現状を見て人類の多様性は高いと思っている人も多いかも

50　田家康『気候文明史』p.258

51　享保の飢饉（1732）、宝暦の飢饉（1753~1757）、天明の飢饉（1782~1787）、天保の飢饉（1833~1837）。宝暦の飢饉では盛岡藩だけで5万人の餓死者が出ている。明治になる約30年前の天保の飢饉では弘前藩の藩内人口の半分が死亡したという（餓死7・5万人、疫病死2・6万人）。田家康『気候文明史』pp.297-299, pp.314-315

図6-18　極めて低い現生人類の遺伝的多様性

独立に進化して同じ形質を獲得した現象(homoplasy)を除去した系統樹

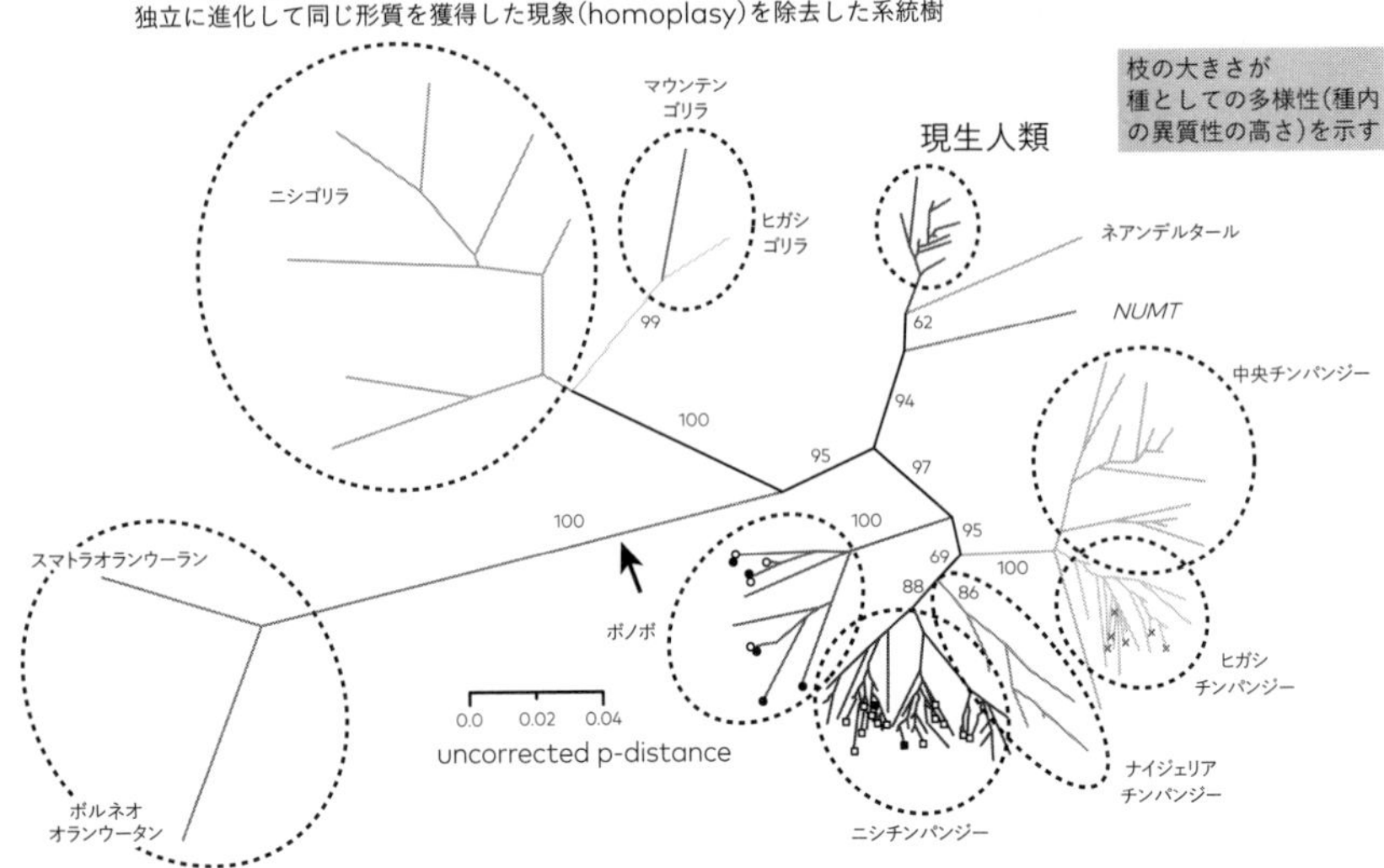

資料：Gagneux P et al. (1999) "Mitochondrial sequences show diverse evolutionary histories of African hominoids" Proc Natl Acad Sci U S A. 1999 Apr 27; 96(9): 5077–5082. Figure1B に安宅和人加筆

しれないが、ホモサピエンス、すなわち人類の遺伝的な多様性は人類史の長さに比して極めて低いことが知られている。[52]

世界の75億人が持つ遺伝的な多様性は、現存する人類にもっとも近い種であり、500〜600万年前に分岐したチンパンジーの1つの系統群の持つ多様性よりも低い（図6－18）。これは人類史、それも直近において、人口が急減した遺伝的なボトルネックを通り抜けた可能性が高いことを示している。ある研究によれば、人類は2000人前後にまで減り絶滅に瀕したこともあったという。[53] 我々の一人ひとりはこれらの危機を逞しく乗り越えてきた者たちの末裔なのだ。

これらの人類史を振り返れば、150年かけて3分の1に下がるというのは、確かに相当な変化ではあるものの、絶滅からは程遠いゆるやかなものだと言える。

52　Gagneux P et al. (1999) "Mitochondrial sequences show diverse evolutionary histories of African hominoids" Proc Natl Acad Sci U S A. 1999 Apr 27; 96(9): 5077–5082. Figure1B; Noah A. Rosenberg et al. "Genetic Structure of Human Populations", Science, vol. 298, Issue 5602, pp. 2381-2385, 20 Dec. 2002

53　Lev A. Zhivotovsky et al. "Features of Evolution and Expansion of Modern Humans, Inferred from Genomewide Microsatellite Markers", *Am J Hum Genet.* 72(5): 1171–1186, May. 2003.

今起きている人口減少は疫病や飢饉、戦争などの惨事によるものとは異なり、かつてないほどおだやかだ。人類はそれほどのテクノロジーと智恵を持つようになったのだ。

また、歴史を振り返れば中世のペストによる人口激減は産業革命の大きなドライバーの1つであったことが知られている。[54] この人口縮小局面（しかも疫病ではない平和的な理由）で本書冒頭で見たようなデータ×AIをはじめとした技術革新が起きており、その応用の芽が生まれつつあることは実に興味深い合致であると思うのだが、いかがだろうか。

臭いものに蓋をすることなく、知恵とリソースを投下すべき問題をむしろ表に出し、解決を進めるべきだ。

54 （参考）Daron Acemoglu and James Robinson, "*Why Nations Fail: The Origins of Power, Prosperity, and Poverty*" (Currency books, 2012)；（邦訳）ダロン アセモグル、ジェイムズ A ロビンソン『国家はなぜ衰退するのか：権力・繁栄・貧困の起源』（早川書房 ２０１３年）第４章

4 ビジョンから未来をつくる――「風の谷」という希望

時代の変化の意味合いから始まり、日本の現状、必要な取り組み、そして環境課題と現状からも SDGs × Society5.0 の交点を狙うべき、とここまで長い旅のような議論をしてきた。最後に、僕自身がどのような視点で、未来に向けて生み出したい世界のために仕掛けているか、もう1つの話をエピローグ的に残して本書を終わることにしよう。「風の谷を創る」という運動論の話だ。

2017年の秋、知人の三田愛さん、そして太田直樹さん[55]の誘いで鎌倉にある建長寺[56]に「コクリ！プロジェクト[57]」の合宿に行ったところからこの話は始まる。「100年後に語られる一歩を創ろう」とさまざまな社会変革を働きかける人たちが、その働きかけそのものについて語り合うのではなく、心の底に降りていき、そして自分の中にあるものをお互いに見つめ合う、そんな集まりだった。

行ってみると、体の奥底に潜んでいる何かを表に出す試みなど、数多くのユニークなセッションがあり、あっという間に一日が終わりに近づいた。そして、最後に自分が何をやりたいのかを深く考えるひとときがあった。そこで僕に唐突に電撃のように1つの考えが降りてきた。

至るところが限界集落となって古くから人が住んできた集落が捨てられつつある。この1～2世紀、世界のどの国も人口は爆増してきたのに、だ。これは世界中のあらゆる場所で人間が都市に向かっているということだが、このままでいいのか。このままでは映画『ブレードランナー』のように人間は都市にしか住めなくなり、郊外はすべて捨てられてしまう。そんな未来を生み出

55 三田さんはリクルートの一員だが、このコクリ（Co-creation）運動論を長らくリクルートの社会変革プロジェクトの一部として仕掛けられていて、公と私が高度に一体化している。太田さんは前総務大臣補佐官なので、霞が関界隈の人であればご存知の方も多いだろう。ＢＣＧのコンサルタントを長らく務められ、今は公務の延長だけでなく、数多くの地方再生的な取り組みに関わられている

56 鎌倉五山第一位の臨済宗・建長寺派の大本山で、国の重要文化財に指定されている総門・三門・仏殿・法堂・方丈が一直線に並ぶ伽藍配置が残る。公式サイトによる

57 コクリというのはコ・クリエーション（Co-creation: 共に創るの意）の略

すために僕らは頑張ってきたのか。これが僕らが次の世代に残すべき未来なのか。

今、データ×AIや、それ以外にも数多くのこれまでは不可能だったことを可能にする技術が一気に花開いているが、これらはそもそも人間を解放するためにあるのではないのか。テクノロジーの力を使い倒すことにより、僕らはもっと自然と共に生きる美しい未来を創ることはできないのか？　そうだ！「風の谷」だ！

もう少し丁寧に説明しよう。

ブレードランナーと風の谷

『ブレードランナー（原題：Blade Runner）』[58]はハイパー都市セントリックな未来の舞台で、人造人間と人間の相剋を描いたSFの名作だ。この映画の中では高層ビル群が立ち並んだ人口過密の大都市以外は捨てられ、人の住めない土地になっている。奇しくも今この原稿を書いている2019年11月はブレードランナーが舞台として描いた世界と同じ年の同じ月だ。この未来がまだ来ていないことに安堵する。

「風の谷」というのは、宮崎駿監督が最初に生み出した歴史的な映画作品『風の谷のナウシカ』[59]（以下ナウシカ）に現れる、1つの心の原風景のような集落だ。『風の谷のナウシカ』には、ほとんどの空間が巨大な菌類に覆われた〝腐海〟という、人間や大半の生命体にとっては毒まみれの極めて危険な空間になった未来が描かれている。〝腐海〟にはその毒性に耐え得る巨大な蟲（むし）たちが繁栄していて、人は〝腐海〟に覆われていない限られた空間に暮らしている。

58　1982年公開のSF映画。監督リドリー・スコット。主演ハリソン・フォード。フィリップ・K・ディックのSF小説『アンドロイドは電気羊の夢を見るか？』が原作（Wikipediaより著者抜粋編集）

59　1984年公開のアニメーション映画。監督 宮崎駿。徳間書店のアニメ情報誌『アニメージュ』誌上にて宮崎自身の異様なエネルギーを込めた手描きの作品として連載されていたSF・ファンタジー作品が原作。当時、ときに涙を流しながら読んでいたところ、まだ連載中にそこまでの一部が映画化された

資料6-2　ブレードランナー的未来

資料：iStock

資料6-3　風の谷的未来

著者撮影 © Kaz Ataka　英国湖水地方の風景

人類の文明が発達しすぎて、バイオテクノロジーとロボティクスを組み合わせたような破滅的な兵器、巨神兵が世界のほとんどを焼き尽くし、それから1000年ぐらい経ってしまったあとの話、というのがそもそもの設定だ。[60]「風の谷」は人が住めなくなった〝腐海〟の風上にあり、つねに風が吹き込んでいるために〝腐海〟の毒に覆われていない、そんな場所として描かれる。原作含めとても好きな作品ではあったものの、扱うテーマが重く、正直もう10年以上も観た記憶がないぐらいの状態だったのだが、唐突に僕の上にその言葉が降りてきたのだった。

60 なお、もちろん、この建長寺での着想は、ナウシカに描かれた厳しい世界を生み出そうとしているわけでも、都市を〝腐海〟だと言っているわけでもない

課題解決の2つの型

ちょっと違う話をしよう。あまり語られないことではあるが、課題解決には大きく2つの型がある（図6－19）。1つは、病気を治し健康にするといったあるべき姿が明確なタイプの課題解決（タイプA）。もう1つがあるべき姿（ゴールイメージ）から定める必要があるタイプの課題解決（タイプB）だ。

タイプAの課題解決の場合、あるべき姿は明快であり、病気の場合で言えば健常状態である。今の状況が一体何に由来するものかを正しく見極められれば、通常、それに沿った打ち手（ソリューション）を提供することで解決できる。故障の原因解明や売れ行き不振からの脱却など、おそらく世の中の課題解決の9割かそれ以上を占めると思われる。

あり得る原因を頻度と深刻さからチェックし、ロジックツリー的に原因を絞り込んでいく。もっとも確率が高そうなところを見極め、それにそって処方する。問題が起きるパターンについて

図6-19　**課題解決の2つの型**

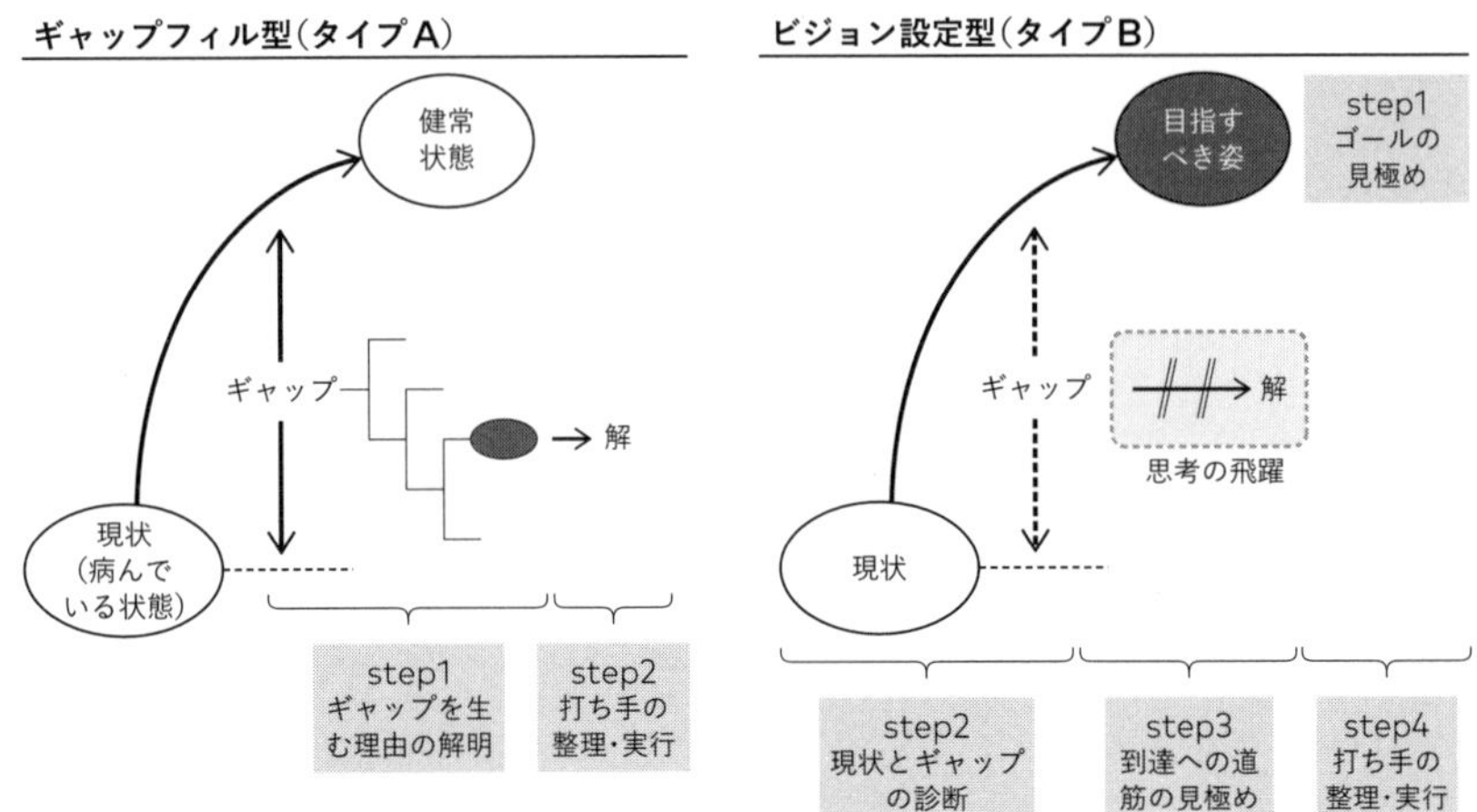

資料：安宅和人 「知性の核心は知覚にある（perception represents intelligence）」DIAMOND ハーバード・ビジネス・レビュー（2017/5）

の体系的な知識、あるいは論理的な整理が必要ではあるが、原因が特定できればやるべきことも明確になる。これらは、「ギャップフィル型の課題解決」と呼ぶことができる。

　タイプBの場合の課題解決はまったく異なる。たとえば、芸能人を目指すある若者がマツコ・デラックスさんのような、チャーミングで、他の誰とも異なる味と存在感のある司会者になりたいと思ったとする。この場合、明らかに答えは、マツコさんのような体型になることでもなければ、マツコさんのような立ち居振る舞いをすることでも、ソフトでスパイシーな発言をすればいいわけでもない。そもそも真似をしようとする段階で間違っている。誰も自分と異なる存在にはなれないからだ。

　このようにタイプBの課題解決の場合、

そもそも、その若者がどういう姿になるべきなのか（ゴール、目指すべき姿）の見極めから課題解決を始めなくてはならない。そうしないと、現状の診断すらできないのだ。現状の見極めから始まるタイプAとは真逆のアプローチなのである。これは、「ビジョン設定型の課題解決」と言える。

しかも、仮にどういう姿になるべきかが見えたとして、どのようにしたらそこにたどり着けるかの明確な答えも簡単には見つからない。このタイプの課題解決は、世の中の課題解決の1割もあるかどうかだと思うが、これこそが、データ×AI時代に人間に求められる真の課題解決だ。

経営コンサルタント、そして企業のストラテジストとして、これまで長年幅広い課題解決に携わってきた。その中で、タイプBの課題解決をタイプAのアプローチで解こうとして行き詰まっているケースを多く見てきた。現状、あるべき姿、ギャップ、ソリューションという構造は同じでも、ケリをつけるべきポイント（イシュー）が異なるのだ。この「風の谷を創る」の課題解決は典型的なタイプBで、それも特大の複雑性（complexity）を持つものだ。これを世界中の知恵と試みる力を募って取り組んでいけたら、そう願っている。

プロジェクト始動

こんな僕の考えに共鳴してくれた、僕の近くの面白くワイルドな人で、かつ立ち上げのふわっとした段階からしっかりとコミットしてくださる人に少しずつ声をかけ、2017年のクリスマスの日に第一回の議論を開始した。2018年からは慶應SFC安宅研の学生も10人ほど加わって、さまざまな角度から分析・検討を進めている。毎月の会合に加え、視察・合宿など2019

年末までで30回を超える議論を繰り返してきた。

コアメンバーは最初の賛同者である熊谷玄さん（ランドスケープデザイナー）、藤代健介さん（Cift代表）、白井智子さん（日本初の公設民営のフリースクールを運営）、原田英治さん（英治出版の創業社長）に加え、太田直樹さん、岩佐文夫さん（編集者／前ハーバード・ビジネス・レビュー編集長）、宇野常寛さん（評論家／Planets 主宰）、菊池昌枝さん（星野リゾート／前 星のや東京総支配人）、佐々木康晴さん（クリエーター／電通）、園田愛さん（インテグリティヘルスケア）、橋本洋二郎さん（コクリ／ToBeings）、深田昌則さん（Panasonic Catapult）、柴沼俊一さん（シグマクシス）など多士済々だ。[61]

今後も知恵のある人は知恵を、お金のある人はお金を、時間のある人は時間を、とさまざまな形で才能と情熱を募っていければと考えている。

都市集中型の未来へのオルタナティブ

本題に戻る。次の写真（資料6－4）のある東北の歴史ある集落は、5000年前にはすでに人が住んでいたと推定される場所だ。自然の豊かさに惹かれ、僕らの先祖が住み着いた場所だが、これから20年以内に無人化する見込みだ。

水もあり、森もあり、海もある、そんな豊かさと共に生きてきたもっとも本来生命に近い土地が捨てられていっている。他にも、縄文以来の歴史があるが、郵便局員が突然いなくなったために郵便局すら維持できなくなった鹿児島県の島[62]もある。

ヨーロッパでも田舎に行くと、たとえば南仏のゴルド（Gordes）など有名な村には当然世界中

61 現在ではさらに広がり、小林博人さん（建築家／慶応SFC）、大藪善久さん（土木のプロ／元日建設計）、喜多唯さん（東大暦本研）、上野道彦さん（暦本研／LINE）、御立尚資さん（BCG）などにも入っていただけるようになった。そのほか、名前を聞けばわかるようなテクノロジストの先生、元秋田県副知事、資源エネルギー庁高官、—Living Anywhere—運動の主宰者の方々などヤバい面々にもアドバイザリー的に入っていただいている。また小田原市長の加藤憲一さんにも賛同していただき力強い仲間の一人になっていただいている

62 島崎周「職員が突然いなくなった島の郵便局、離島ならではの事情」朝日新聞 2017年11月21日

資料6-4 **宮城県雄勝半島波板**

長い歴史を持つが数十年以内に無人化することが予測されている美しい集落

から人が集まるが、そこから20キロも離れているかどうかというところでは、廃村とまでは言わないが、昼間行っても町中なのに10分以上も誰にも会わない。人気（ひとけ）すらあるのかわからないような集落も多い。

2018年頭に米国『TIME』誌が田舎の限界集落（Communities on the brink）特集を組んだとおり[63]、米国でもかつて駅馬車が停まったような町の多くが捨てられつつある。1年ほど前に日本視察に来たオーストラリアのスタートアップ経営者十数名にこの問題意識を共有すると、自分たちの国でも正にそうであると、口々に彼らも同意した。日本だけではない、世界的な現象なのだ。

もちろん、この限界集落の崩壊は人口が減っているからではない。逆に産業革命以降、人口はひたすら増えてきた。1

63 Wes Moore and Matt Black, "States of Vulnerability", *TIME*, 5 Feb. 2018.

800年と比べると、日本の人口は4・2倍、フランスは2・2倍、英国は5・5倍（図6－20）、移民国家米国は48倍だ。[64]

産業革命の導入が遅れた我が国は明治以降急激に人口が増え、先の大戦が終わってからだけでも1・75倍にもなった。

ではなぜ古い集落が捨てられつつあるのか。原因は明確だ。世界のどの地域においても、人が都市に急速に向かっているからだ。日本でもヨーロッパでも北米でも、アジアでもだ。

僕らの活動の最初の数ヶ月はそもそも我々は何を目指そうとしているのかの具体化だった。結局のところ、僕らが目指しているのは「都市集中型の未来に対するオルタナティブ」を作ろうということなんだ、ということが最初の何回かの議論ではっきりした。大事な留意点としては、いわゆる村おこしをしようとしているわけでは決してないということだ（もちろん結果的にそうなる部分は多分にあるだろう）。

また「数百年、少なくとも200年以上続く運動論の最初の型を立ち上げる」ということでも合意した。都市集中型の未来に向かうのはある意味では合理的であり、これに対して筋が通るオルタナティブを作ることは並大抵のことではない。だからこそ、一過性の、今この2019年段階での最適解を見つけることが目的なのではなく、正しく問いを立て、継続性のある運動論にしていこうと。

実際の空間の中で、全身で考えなければ考えが及ばないことも多く、各人が「谷」的な場所に行って、体験してきては気づきをシェアすると共に、コアメンバーの有志でいくつかの場所の視

64 "World Population Growth", Our World in Data（2019年11月6日抽出）

図6-20 G7国の人口の推移

単位:百万人(1800-2019)米国/カナダをのぞく

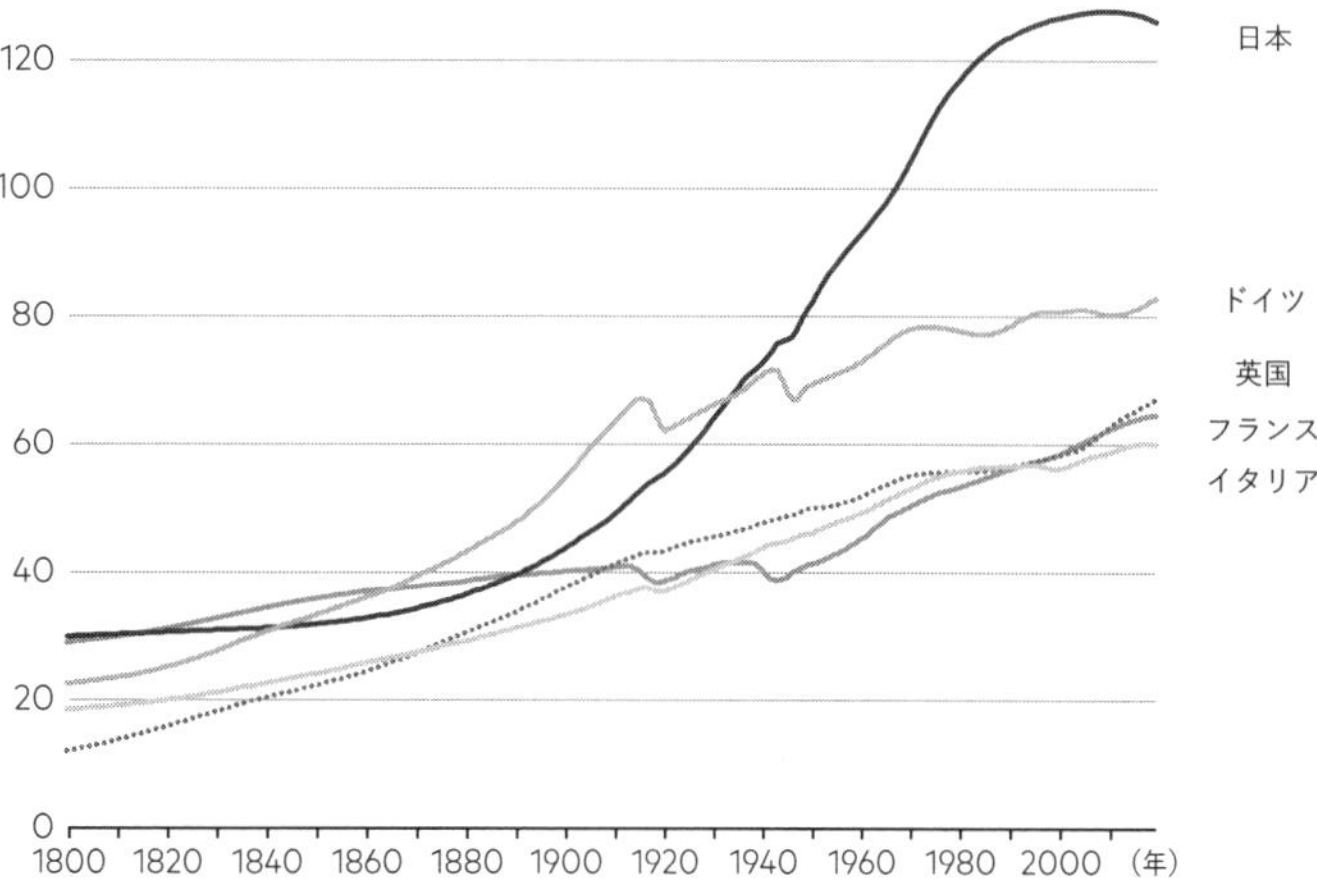

資料:Our World in Data "World Population Growth" (https://ourworldindata.org/world-population-growth)のデータより安宅和人作成

資料6-5 ひたすら都市に向かう人口(香港)

著者撮影:© Kaz Ataka

察や合宿にも行った。その中の1つ、奥会津は実に美しい空間だった。人がいなくて回るか回らないかギリギリのところとは何かを知り、実際に隣の建物と1キロ近く離れている空間でモビリティと道についての考えを深めた。

柳田國男先生の『遠野物語』の舞台でもある岩手県の遠野にも赴いた。1000年以上続く日本屈指の馬の産地だ。見渡す限りの牧場の中、僕らよりも遥かに大きな生物、馬の群れと何時間も触れ合うことからの気付きは深かった。夜、外に出ると、360度あらゆる方向が動物の活動でざわついており、そこからくる本能的な戦慄と僕らの先祖が普通に体験してきた夜の重みを味わった。

風の谷憲章

並行して、これらの議論から浮かび上がってきた我々の目指す姿、価値観を憲章[65]としてまとめていった。すべての価値観を問い直せる運動論にするためだ。なお憲章は永遠のβであり、いつまでたってもver.1には到達しない。一部を抜粋して紹介しよう。

前文的なもの

人間はもっと技術の力を使えば、自然と共に豊かに、人間らしく暮らすことができる空間を生み出せる。経済とテクノロジーが発展した今、我々は機能的な社会を作り上げることに成功したが、自然との隔たりがある社会に住むようになり、人間らしい暮らしが失われつつある。これは現在生きる我々の幸福だけの問題ではない。これからの世代にとってのステキな未来を創るため

65 憲章の最初のドラフトを岩佐さんが書き起こし、これを宇野さんと共に揉み直してもらい、さらにコアメンバーで揉み込んでいる

の課題でもある。「風の谷を創る」プロジェクトは、テクノロジーの力を使い倒し、自然と共に人間らしく豊かな暮らしを実現するための行動プロジェクトである。

「風の谷」はどんなところか

・よいコミュニティである以前に、よい場所である。ただし、結果的によいコミュニティが生まれることは歓迎する。
・人間が自然と共存する場所である。ただし、そのために最新テクノロジーを使い倒す。
・その土地の素材を活かした美しい場所である。ただし、美しさはその土地土地でまったく異なる。
・水の音、鳥の声、森の息吹……自然を五感で感じられる場所である。ただし、砂漠でもかまわない。
・高い建物も高速道路も目に入らない。自然が主役である。ただし、人工物の活用なくしてこの世界はつくれない。

「風の谷」はどうやってつくるか

・国家や自治体に働きかけて実現させるものではない。ただし、行政の力を利用することを否定するものではない。
・「風の谷」に共感する人の力が結集してでき上がるものである。ただし「風の谷」への共感以外は、価値観がばらばらでいい。
・既存の村を立て直すのではなく、廃村を利用してゼロからつくる。ただし、完全な廃村である必要はない。

・「風の谷」に決まった答えはない。やりながら創りだしていくもの。そのためには、行き詰ってもあきらめずにしつこくやる。ただし、無理はしない。

・「風の谷」を1つ創ることで、世界で1000の「風の谷」が生まれる可能性がある。ただし、世界に同じ「風の谷」は存在しない。

「風の谷」が大切にする精神

・自然と共に豊かに人間らしい生活を営む価値観。ただし、「人間らしさ」は人それぞれである。

・多様性を尊び、教条的でないこと。ただし、まとまらなければならないことがある。

・コミュニティとしての魅力があること。ただし、人と交流する人も、一人で過ごしたい人も共存している。

・既存の価値観を問い直すこと。ただし、現代社会に背を向けたヒッピー文化ではない。ロハスを広げたいわけでもない。

・既得権益や過去の風習が蔓延(はびこ)らないこと。ただし、積み重ねた過去や歴史の存在を尊ぶ。

さいごに

・「風の谷」は観光地ではない。ただし、観光客が来ることを拒まない。

・「風の谷」は風の流れがあり、匂いや色彩の豊かさを五感で感じられる空間である。ただし、谷がなくてもいい。

66 この「〇〇」と1つのことを決めつけず「ただし」という文章をつなげながら意思を表明する表現を僕らは「風の谷文法」と呼んでいる

67 僕の故郷の富山県富山市は日本でも指折りのコンパクトシティ化が進められている地域だ（参考：富山市都市整

いかがだろうか。[66]僕らがやろうとしていることをなんとなくイメージしてもらえたのではないだろうか。単なる目先のテクノロジーをはめ込むようなことをやろうとしているわけでも、ロハス的な運動論の延長をやろうとしているわけでもない。自然と共に人が共存し得る魅力的な空間を創ろうとしているのであり、村おこしをしようとしているわけでもない。今多くの地方都市で行われようとしているようなコンパクトシティを目指しているわけでもない。

コンパクトシティは、現在のところ経済的にもっとも効率的に回る「都市という答え」を（限界集落に至っていない）地方の空間や郊外に持ち込むものだ。確かに地方都市のサバイバル方法としては筋が通っている。[67]また、チロルなど古くからのヨーロッパの地方の町、日本でも昔からの城下町、寺家町に行けば住宅や商業地が寄せ集まっている（＝コンパクトシティ化している）のは当然のことだ。本来、明治・大正、また大戦後の人口急拡大局面で（図6－20参照）、都市計画的にやっておくべきだったことを忘れていた夏休みの宿題のようにやっているという見方もできる。

ただ、これはあくまで地方都市をリーンに回す[68]ためのソリューションだ。[69]「風の谷」のように美しく自然豊かな空間を生み出すことを目指すような話ではない。僕らがやろうとしているのは、コンパクトシティ領域に選ばれないような特に維持が不可能になりつつある空間を、逆に真に価値のある場にするにはどうしたらいいかを問い続ける、という運動論だ。

備部理事 粟島康夫『富山市はなぜコンパクトシティを目指したのか？―公共交通を軸としたコンパクトなまちづくり―』国土交通省 第3回コンパクトシティ推進研究会資料（2009年9月30日）。中心部は確かに活性化している。一方、僕の実家のある場所のように選ばれなかったところは、かつて毎時間来ていたバスが、そもそも数時間に一本しか来なくなり、バス停も錆びて曲がったままになっていたりする。このようにコンパクトシティ化は確かに筋が通っている取り組みであるが、あるべき人口の密集の再現を目指すものであり、領域に選ばれなかった空間はさびれたものになることを理解した上で行う必要がある

68 事業的な贅肉を削ぎ落として運用すること。リーン（Lean）は本来、身体に脂肪がない引き締まった状態を言う

69 解、答えのセット

自動化技術だけでは解決できない

また並行して、仕事の合間を見てさまざまな分析も進め、議論を深めていった。この検討から見えてきた課題の全体観についてざっくりとまとめておこう。

まず、当然のことながら人不足だ。ただ、「郵便局員がいなくなったから廃村」などの人が足りない問題はもはや多くが技術的に解決できる。今自動化できないことの多くも遠からずデータ×AI、そしてロボティクス、ドローン技術の発達に伴い、可能になっていくだろう。

しかし、今捨てられつつある空間をよく見ると、シンプルな自動化技術では解決できない課題が大きく2つあることが見えてきた。

1つが空間を維持し続けるためのインフラコストの異様な高さであり、[70] もう1つが都市の利便性や楽しさに対抗し得るだけの、土地としての求心力を持たせることの困難さだ。現在、この二大課題と全体統括的な課題をさまざまな個別課題に切り分けつつ、道、モビリティ、上水・下水、エネルギー、ごみ、ヘルスケア、森の多様性、食、建物など領域ごとに課題解決のスコープを整理すると共に、深掘り、検討を進め始めている。

一人あたり自治体予算

数字とともに見てみよう。自治体の一人あたりの予算をいくつかの県別で見てみたものが次の図だ。驚くほど人口密度に違いがあるにもかかわらず、ほぼまったく関係なく50〜60万円である

70 この前半部分の最初の分析は落合陽一・小泉進次郎両氏による【落合陽一・小泉進次郎】平成最後の夏期講習2018年7月31日で冒頭に僕から投げ込み、その後、このイベント討議をまとめられた本（落合陽一『日本進化論』SBクリエイティブ 2019）の中にも寄稿したのでご覧になった人もいるかもしれない

ことがわかる（図6－21）。

これがいわゆる基礎自治体になると大きく異なり始める。東京都目黒区は年間一人30数万円だが、同じく東京でも奥多摩町になると年間一人120万円。また島根県に村おこしで有名な海士町という島があるが、その財政を見ると一人あたり年間250万円以上もの公費を入れないと回らないというのが実情だ（図6－22）。四人家族で年1000万円以上の公費投入であり、ほぼベーシックインカムと言ってもいいほどの値である。このお金の大半は、このあと見るとおり当然のことながら都市部から来ており、都市が支えきれなくなった途端に維持が不可能になるという状況だ。

ちなみに海士町の一人当たり予算が極端に高いわけではない。日本のすべての基礎自治体の一人あたりの予算を計算し、人口密度を横軸（対数軸）にプロットしたものが図6－23だ。見てわかるとおり、住民一人あたりの公費投入が海士町レベルの自治体は相当数あり、一人100万以上の予算を投入している自治体は数百に上る。[71] 薄氷を踏むような僥倖で回っているという状態の自治体群がこれだけあるということだ。

極稀にではあるが、一人あたり年間800～900万円（四人家族で3000万円以上）もの公費投入でようやく回っているところもある。

探求すべきはオフグリッド的な解

海士町を例にとって歳入と歳出を見てみよう（図6－24）。町税が2億円、それ以外の自主財源を合わせて7・5億円の歳入で58億円強の予算だ。なかなかワイルドだが、この不足分は地方交

71 政府統計 e-Stat「市区町村数を調べる」によると全国の市町村数は計1724（2019年11月7日現在）

図6-21　一人あたりの自治体予算と人口密度

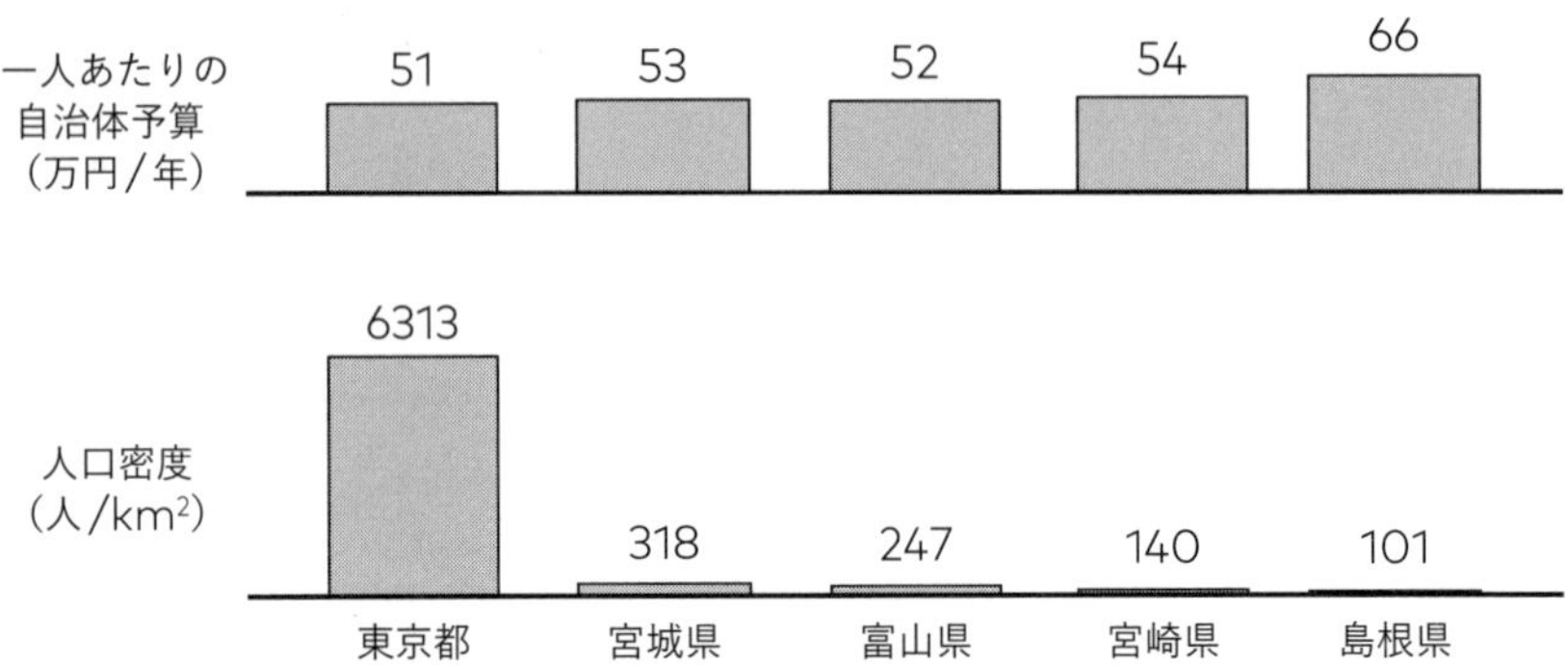

資料：各自治体の開示情報。安宅和人分析

図6-22　一人あたりの自治体予算

一般会計：万円/年；2018

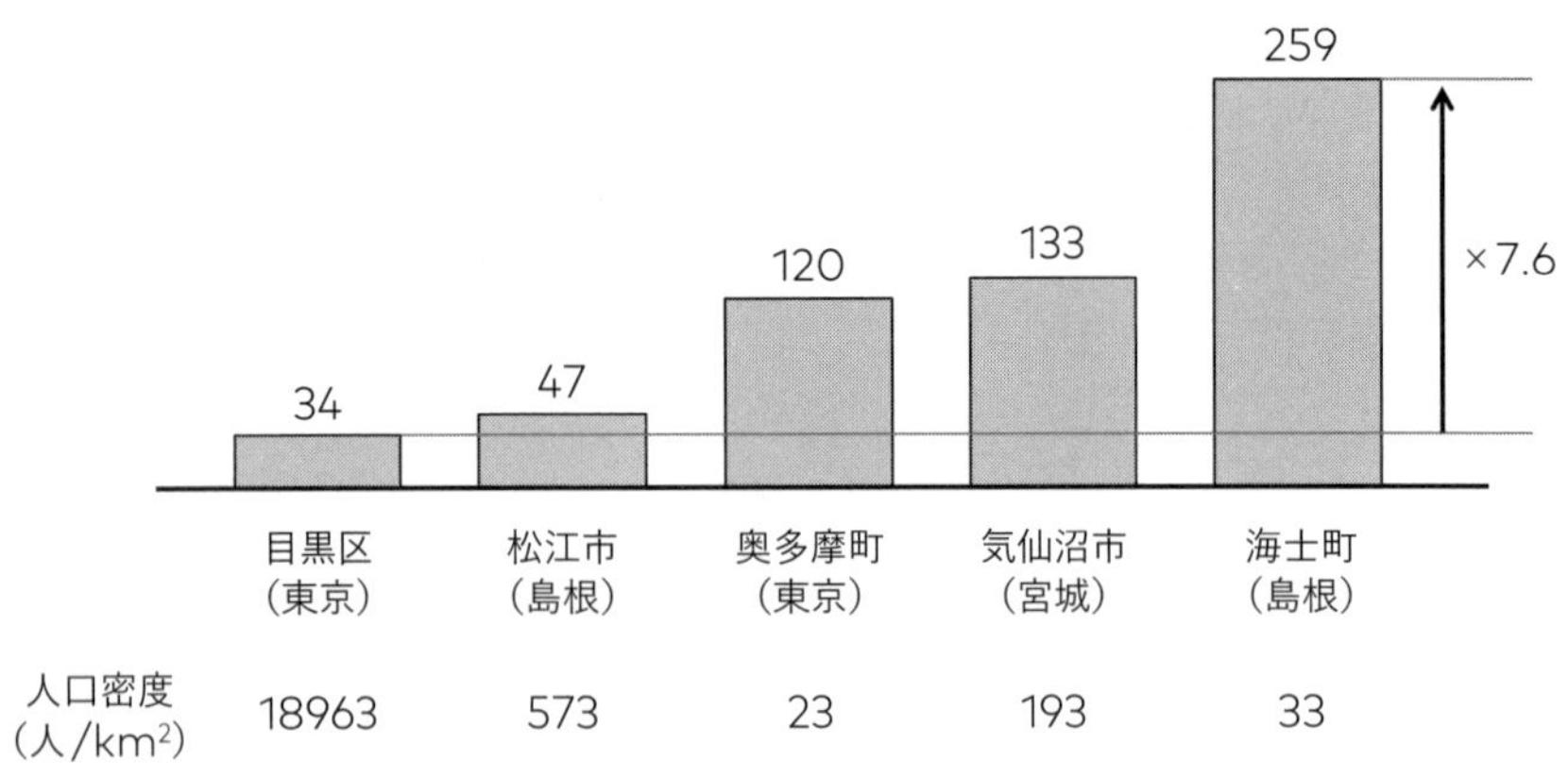

資料：各自治体の開示情報。安宅和人分析

図6-23 全国自治体の一人あたり歳出と人口密度

町村別、H29(2017)年度

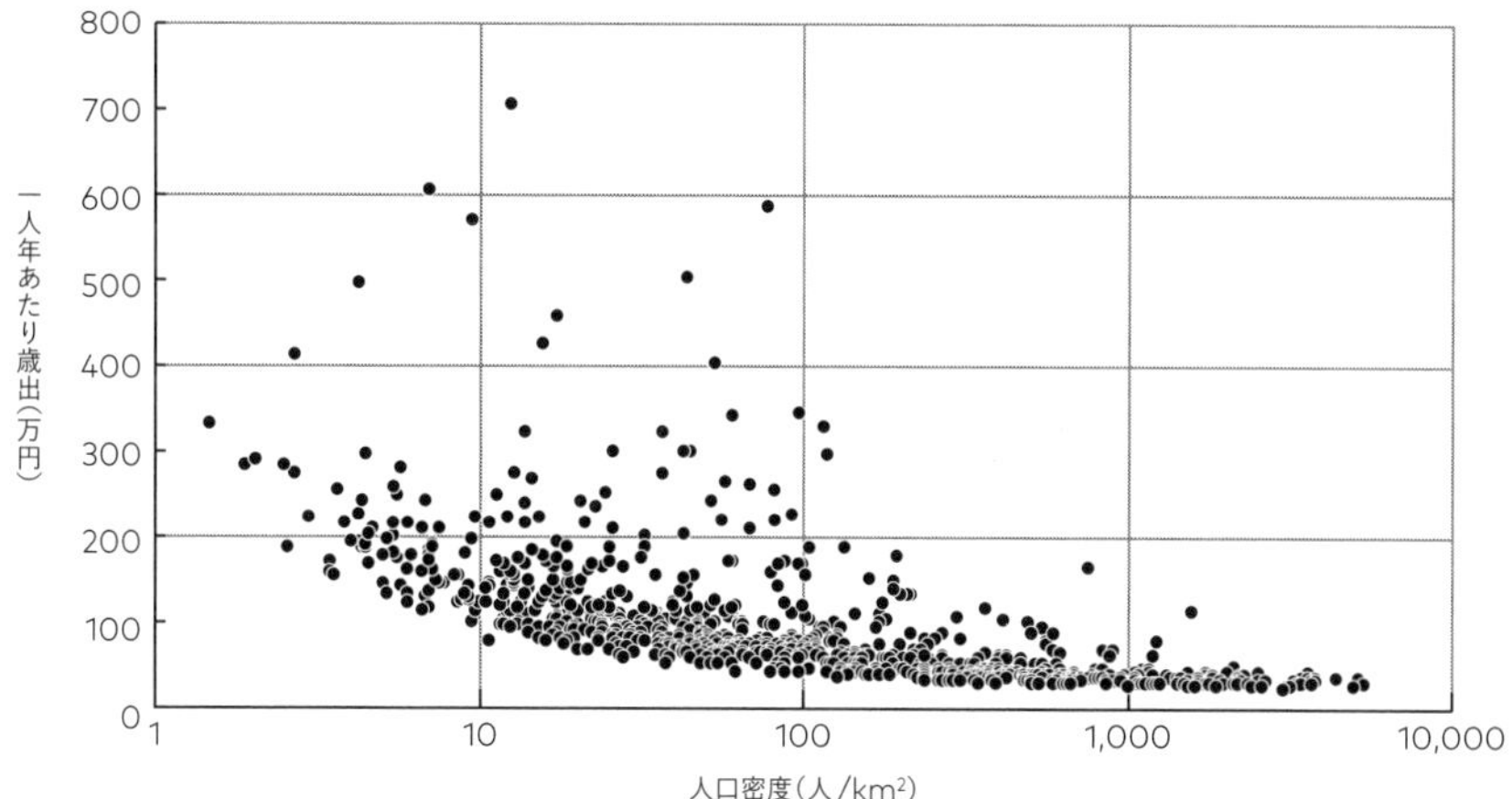

資料：総務省「平成29年度 市町村別決算状況調」町村別概況データに基づき慶應SFC安宅研分析

図6-24 海士町のP/L

億円 2018、概算：一般会計予算のみ

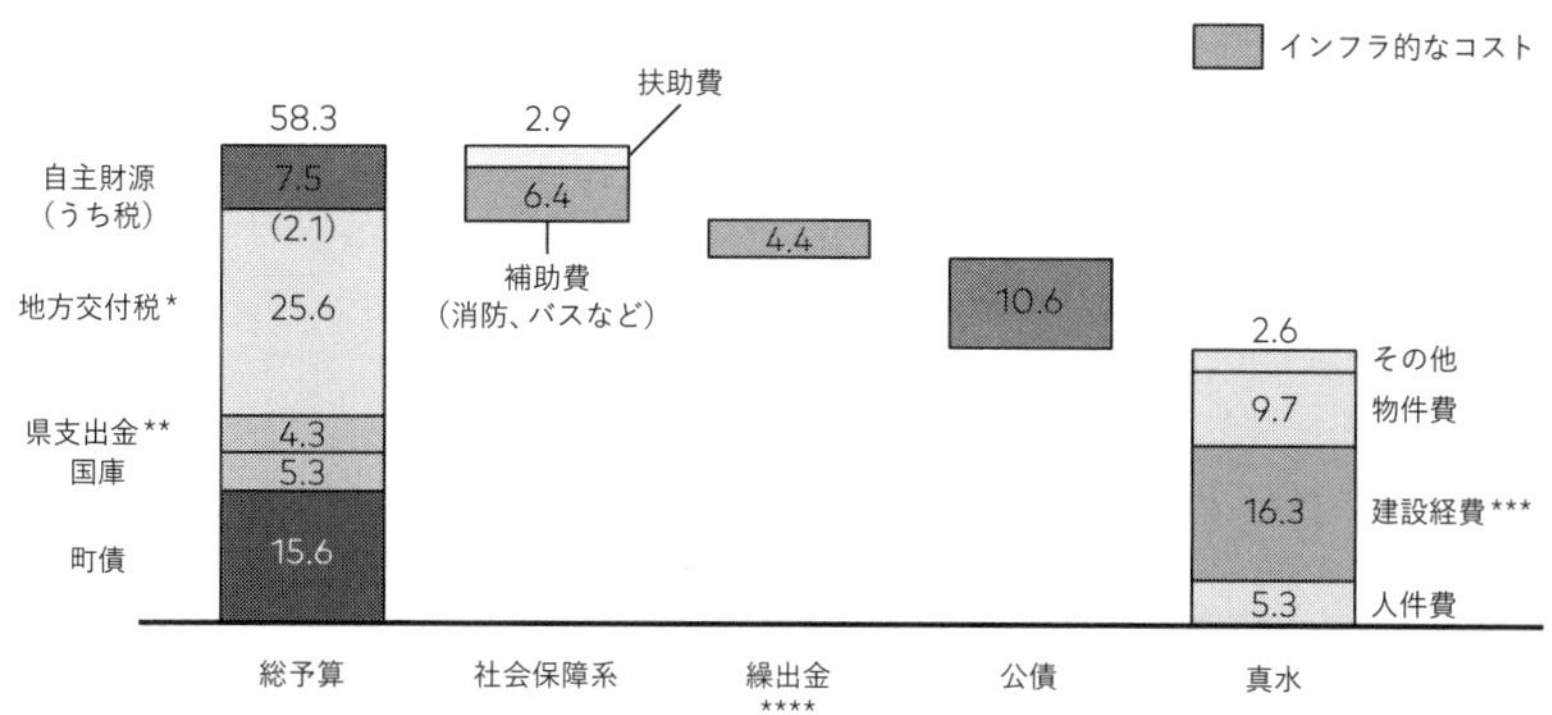

* 地方贈与税 0.2を含む，** その他 0.8を含む、*** 県事業負担 0.1、災害復興費 0.2を含む 、
**** 国保、診療所、上下水道など特別会計への負担金
資料：広報海士 第476号 http://www.town.ama.shimane.jp/koho-ama/pdf/476_8-9p.pdf、安宅和人分析

付税という形で国から26億円、県から4億円、さらに国から5億円投入し、それでも足りないので16億円を未来から借りている（町債）という状況だ。

この58億円の内訳は、道や港湾などの土木系が16億円、診療所、水道、下水、ごみ処理などの公的ユーティリティ[72]が4億であり、消防、バス、保安などの基礎機能が6億円と大半がインフラ系だ。何か明らかにおかしなことをやって予算が膨らんでいるのではない。つまりコンピュータにたとえれば、人間が住んでいるために発生するOS（オペレーションシステム）のコスト負荷が、理にかなわないほど高いのだ。

ちなみにここでかなりの割合を占める土木系のコストは国全体で見るとどのぐらいかご存知だろうか。実は月に約2兆円とかなりの規模だ（図6－25）。さすがに340万人もの人が働いているだけのことはある。ただ、その中身は図6－26のとおりほとんどが社会インフラとしか言いようがない、項目としてはほぼ不可避のものばかりでもある。

さらに中身を見ると、最大項目の道だけで年間7・14兆円（港湾・空港を含めると7・61兆円：平成27年度）。これは、よく巨額だと議論になる薬局調剤医療費（平成27年度で7・98兆円[73]）にほぼ匹敵する規模の額でもある。舗装道路の建設単価を計算すると、国道でざっくり1kmあたり約3億円弱、県道で約7000万円弱、市道で約4000万円程度要する。[74]

都心や地方の幹道など日に1万台など通るような場所であれば採算的にまったく問題ないのだが、限界集落的な空間ではこれらのコストは重く、住民、近隣負担で支えるのは到底しんどい額になる。[75] ここでも都市型のソリューションしか持たない僕らがそれを無意識に当てはめているためにこれらの課題が起きている。

72 Public utility、単にユーティリティとも。社会の公的なインフラおよびそれを維持するための組織。またこれらの組織によって提供されるサービスのこと。電気、ガス、水、下水が代表的だがインターネット接続もいまやユーティリティの1つと言える

73 厚生労働省 平成29年度国民医療費の概況

74 土地取得代を含まず：慶應SFC安宅研調べ

図6-25　国全体で見た土木・公共建設費用

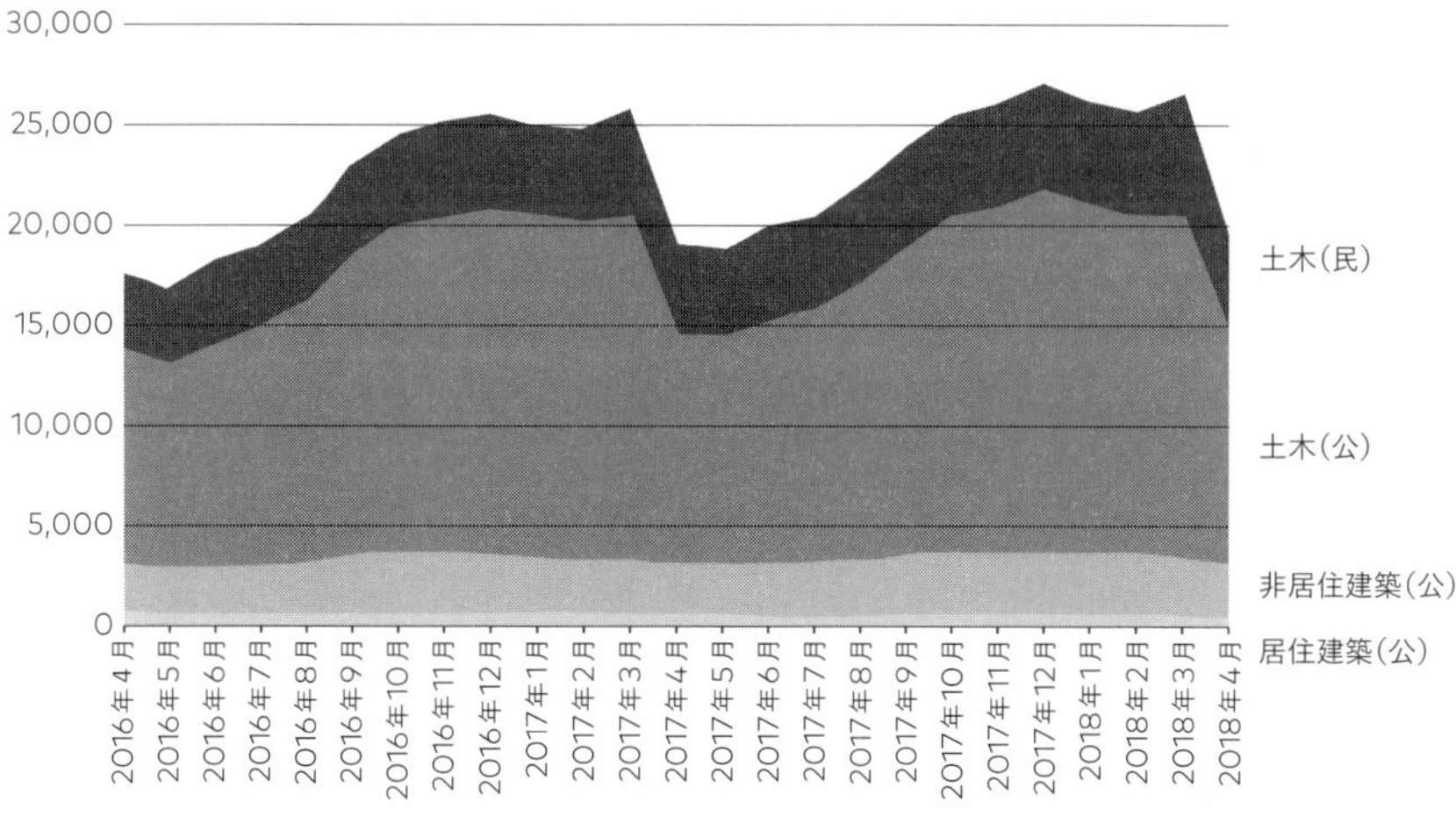

資料：国土交通省 建築総合統計（平成30年3月分）http://www.mlit.go.jp/report/press/joho04_hh_000761.htmlより安宅和人分析

図6-26　土木費用は官民問わずほぼ社会インフラ

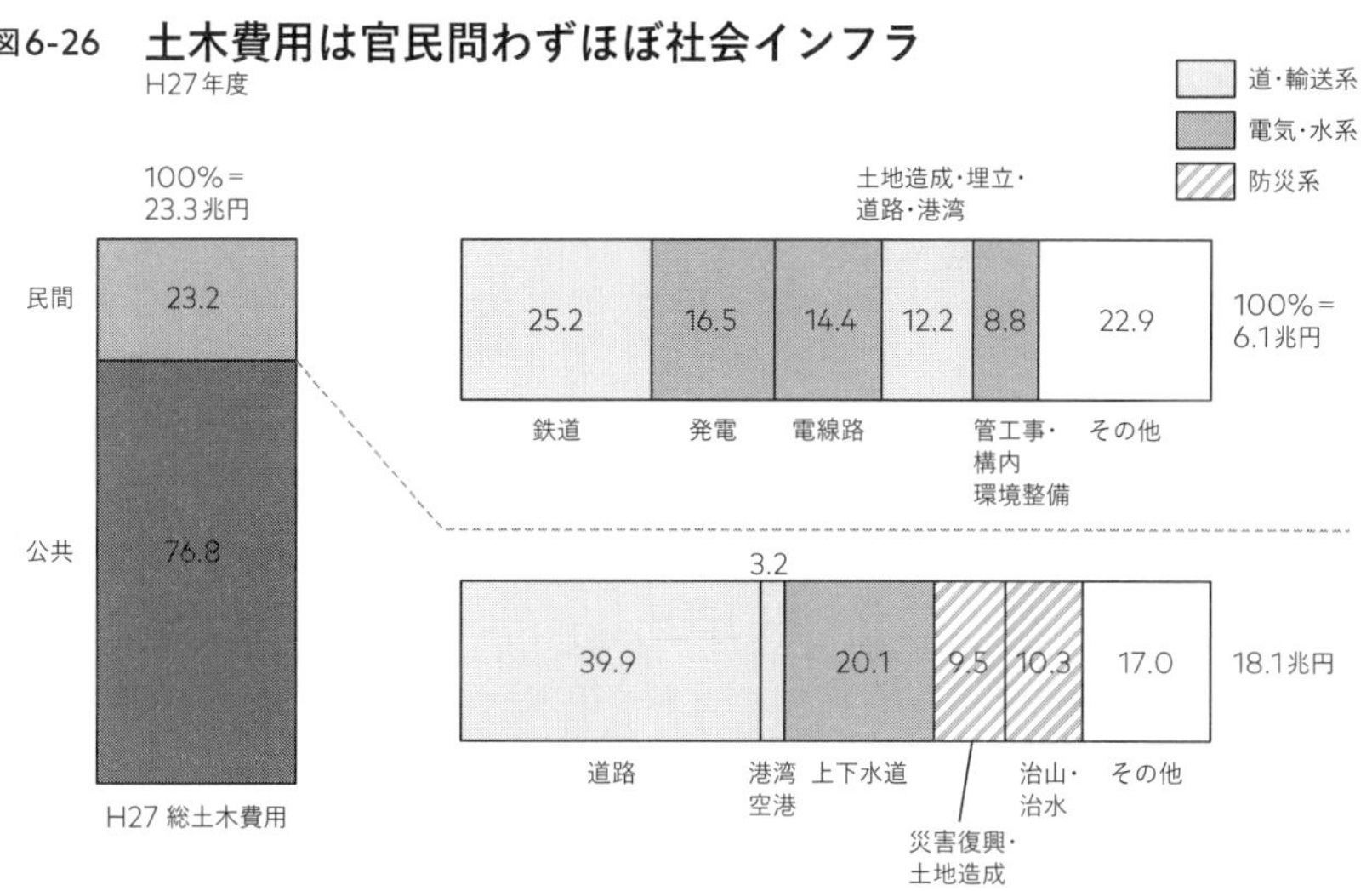

資料：国土交通省 建設産業の現状（http://www.mlit.go.jp/common/001172153.pdf）より安宅和人分析

配電網の構築・メンテや、運ぶことにかなりのコストがかかるごみ処理でも同様のことがいえる。処理費用は全国で見ればトン当たり2000円を割るぐらいであるが、人の少ない離島ではトン当たり数十万円にものぼる。[76] 都市部と切り離された限界集落のような地域でどのように低コストで社会インフラを回すのかという問題を解かないと、経済的にいずれ回らなくなり、捨てざるをえなくなる。

さまざまなインフラネットワーク（グリッド）から切り離されている状態のことをオフグリッド[77]というが、まさに人が半ば分散した空間におけるインフラ構築・維持コストの劇的な低廉化が求められている。2章で触れたとおり土木系の労働者が劇的に少なくなることが予想されている中、仮にシニア層の解き放ちによってインフラの建設力の経済的な問題がなくなったとしても、都市や幹道的な部分に集中せざるをえなくなることが半ば必至であり、その意味でもよりコストも建設の手間も本質的に下げた方法を見出す必要がある。

つらつらと考えても答えを出すべき問いは多い（図6－27）。そしてこれらへの答えがまた新たな問いを生み出していく。

・それぞれのインフラ領域（例：道）で作るべきインフラは一種類なのか？　どのような機能を満たすものがどのぐらいゼロベースで必要なのか？（例：集落を外部と「つなぐ道」と集落の中の建物や場所に「つながる道」は大きく異なるのではないか？）

・どのような機能とスペックが必要なのか？　機能的な要件としては何が押さえるべきポイントなのか？　逆に何は特にいらないものなのか？　コスト要件としてはどのぐらいを考えるべきか？

75 たとえば4×5＝20平方キロの空間に4キロ、5キロの縦横の道を2本ずつ引き、1本が国道（5キロ）、1本が県道（4キロ）、2本が市道だとすると、5×3＋4×0・7＋（4＋5）×0・4＝15＋2・8＋3・6＝21・4億円。これを10年で均等償却しようとすると、それぞれ2・14億円／年。ここに1000人（50人／平方キロ）住んでいると仮定すると年21・4万円／人。四人家族の場合、年85・6万円。すべてが市道だとしても（4＋5）×2×0・4＝7・2億円。償却0・72億円／年。一人あたり年7・2万円／人。家族あたり年28・8万円

図6-27　オフグリッド関連課題の広がり

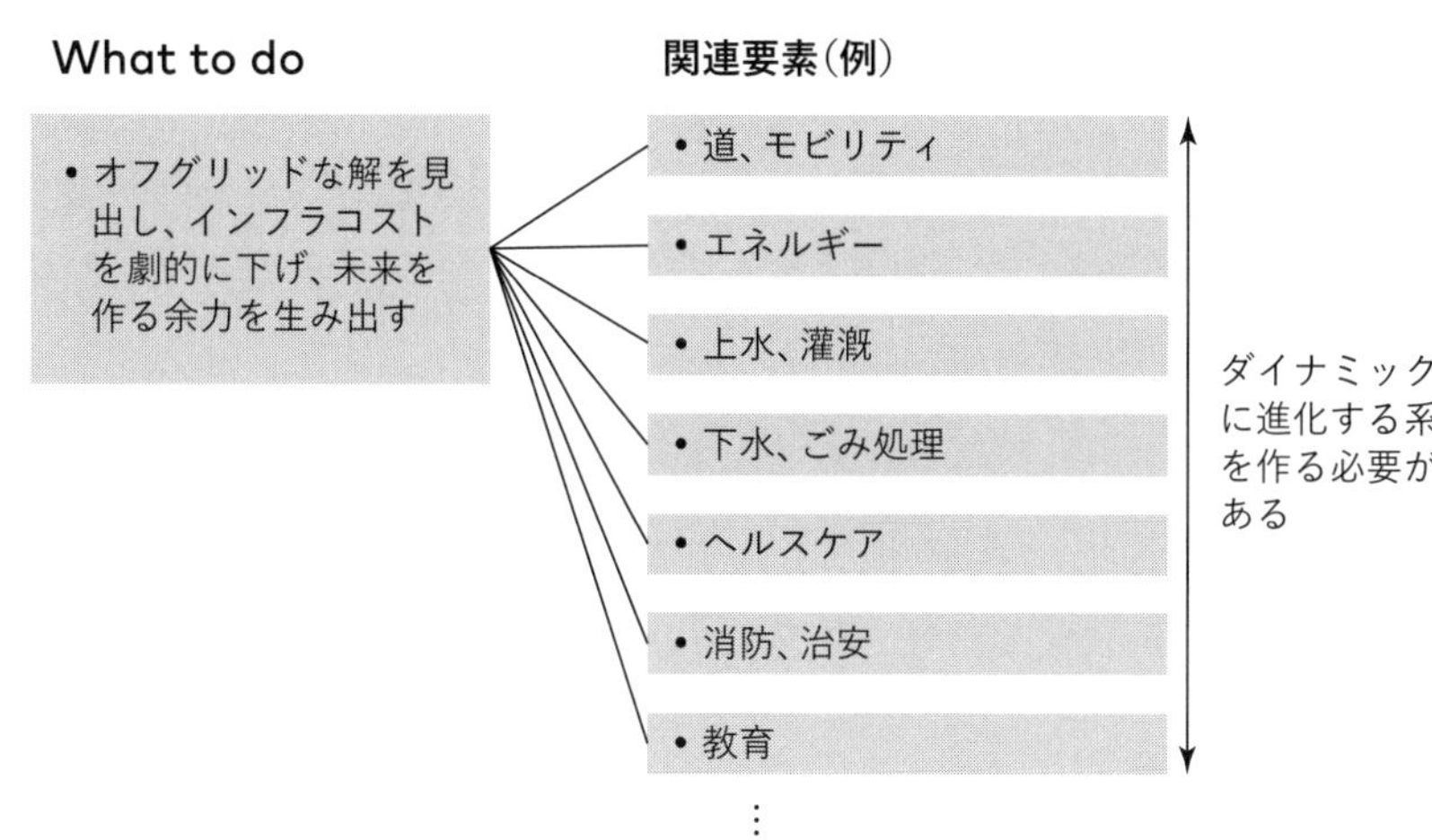

資料：安宅和人：「風の谷」という希望 http://kaz-ataka.hatenablog.com/entry/2019/07/15/01555

・機能やコスト以外の要件としては何を考えるべきなのか？（例：谷の限られた人で大半のメンテナンスが可能になるためにはどうあるべきなのか？）

・現状としてそれぞれのインフラ構築と運用はどのような種類と広がりがあるのか？

・これらはどのようなコスト構造とバリューチェーンによって生み出されているのか？

・コストはどこから生まれているのか？　主たる変数は何か？　人口密度と直接相関しているものなのか？（例：上水の場合、浄水、配水のどこなのか？　設営とメンテナンスのどちらがどのぐらい重いのか？　浄水、配水のあり方でどう変わるのか？）

・他のインフラ課題とどのように関わり合っているのか？　合わせて考えるべきものがあるのではないか？

76　慶應ＳＦＣ安宅研調べ。少々驚くべきことだが、世界的に見ても相当に人口密度が高い部類である東京都のごみ処理単価（円／トン）は県別で見れば日本一高い。離島が多いせいだ。国境線、国土を守るコストを東京の豊かさで担っているという見方もできる

77　本来は電力の世界で送電系統のことをグリッドと言い、家庭などの電力システムがグリッドにつながっていない状態のことをオフグリッドと言う

・合わせて考えるとすると、それはどのような課題に答えるものなのか？
（例：道とモビリティ）

また、これらオフグリッドな解を見出すべき課題の広がりは極めて広く、しかもこれらが動的につながり合った進化する系を育てる必要がある。これをどのように組み上げ、系として考えていくかは重大な問いだ。

「風の谷」で子育てはできるか

実はこのインフラ課題の中でも早期の解決がとりわけ難しいと思われるテーマが2つある。子育て及び教育、そして健康医療システムだ。

まず子育てを見てみよう。現在の限界集落で15歳未満の人口密度を調べてみると、平方キロあたり1〜2人というところが珍しくない（これは15学年分の総和であり、一学年ではない）。なお、一般の県庁所在地では40人前後だ（図6−28）。限界集落の多くは、もはや普通に子どもを育てる最小密度を割ってしまっているのだ。

仮に生徒・学生がランダムに散らばって住んでいるとして、15歳未満の子どもを一学年2人集めようとすると30平方キロになる。10人の子どものために普通の規模の小学校や中学校をつくるというのは経済的にまったく割が合わない。これを諦め、5〜6キロメートル四方（30平方キロ）に一施設で保育所／幼稚園、小学校、中学校までを兼ねたものをかなりコンパクトに作ることは理屈上可能だが[78]、それが本当に答えなのかといえば相当に疑問だ。

78 既存の学校の敷地を使えるとしても、教員、校庭、施設の維持に金がかかりすぎるという問題が残る

図6-28 15歳未満の人口密度
人/km²

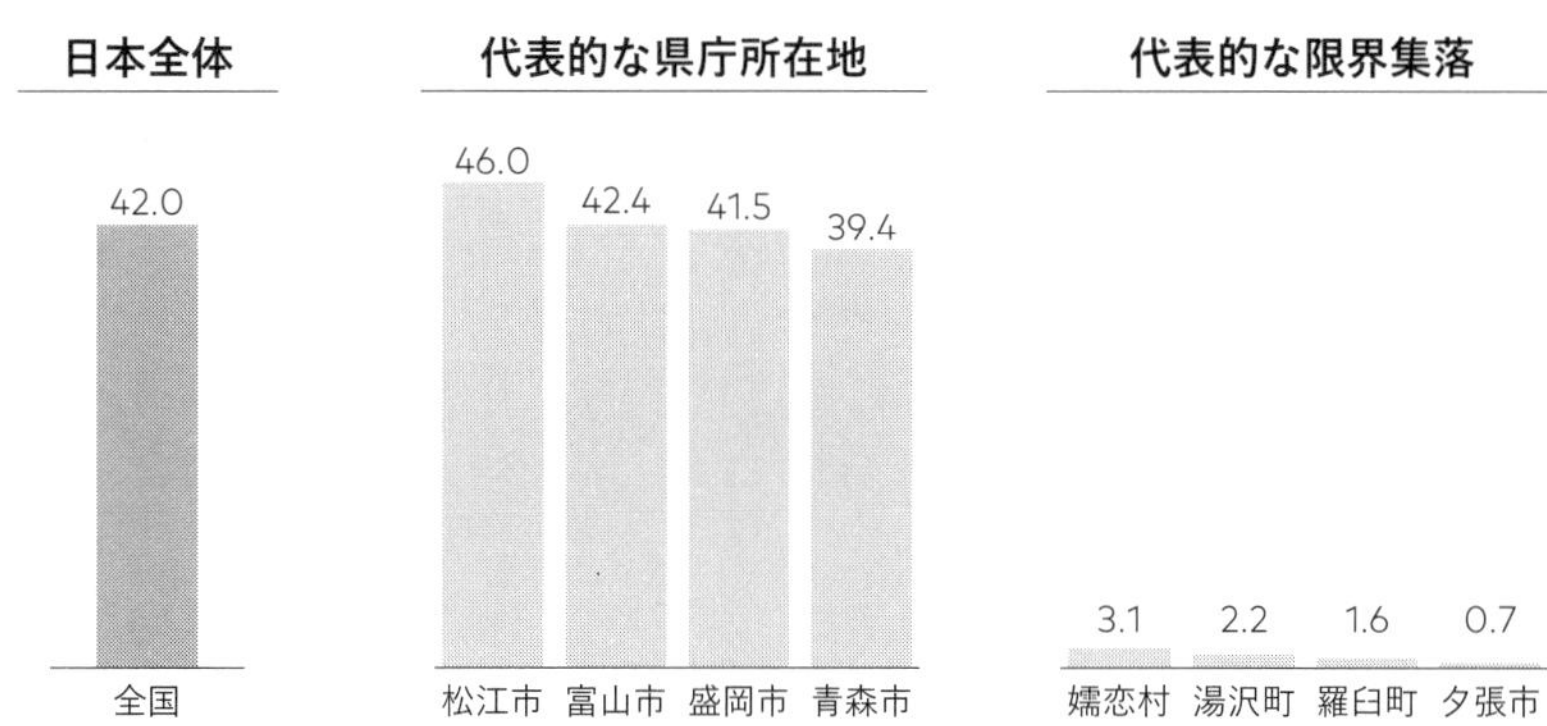

資料：国勢調査　都道府県・市区町村別統計表　2015年
National census statistical table by prefecture / city / town, 2015より安宅和人分析

なぜか。知覚の項で述べたとおり、人間の知性を深めるために必要なのは知的経験だけではない。人間は人との関わりの中で初めて人として生きることができ、生き方を学ぶことができる。

複数の人で考えをまとめる、ボディランゲージを学ぶ、力学関係を学びつつ、そこでのいなし方を身につける……これはどれほどバーチャルでのやり取りが発達しても、直接の人同士でのやり取りなしに学ぶことは無理な部分が多い。ある密度を割り込んでしまうと、もうそれらを学ぶことが困難になる。

とはいっても、オーストラリアの過疎地のように昔から遠隔で教育を行ってきた土地もある。5Gの時代に突入し動画での学習のハードルも下がるわけで、教科書的な知識の部分はもちろんある程度提供可能だろう。しかし、それは、人間的な部分はあくまでその遠隔地で補うことを前提としている。未来を創ることが目的とはいえ、教育的にも財政的にも現実解が見出しにくい。

自然に満ちた環境は子育てには素晴らしい部分もあるが、周囲の大人との付き合いで、子どもたちのすべての人的体験を補完するぐらいのつもりがなければ当面は定住に向かないと言える。

風の谷の「憲章」どおり、一度廃村に近い状態から始めると仮定すると、おそらく定常的な学校ではなく、週か月に一度、自然に触れる場所として活用するのがはじめの段階の姿だろう。子育てを定常的に行うためには、徐々に住む人の年代層構成を変え、子どもの数を増やす必要がある。場合によっては寄宿学校など都会から留学させる場所としての開発も検討する必要があるだろう。だとしても実現可能なのはまず小学校高学年からであり、乳幼児を育てられる空間になるのはさらに先になる可能性が高いのではないかと考えている。[79]

菊の花構想

もう1つの大きなインフラ課題は、国家功労者であるシニア層のQOLに直結する健康医療システムだ。

我々日本人は先程見たとおり2019年段階でも基本90歳ぐらいまで生きる。これ自体は大変に素晴らしいことだが、人間も物理的な存在でありどうしても故障する。実際、国民医療費の49%は70歳以上の方々にかかっており（図6－29）、現在救急車での搬送の約6割が65歳以上の高齢者だ（図6－30[80]）。1000人の集落の場合、平均年間約50回の救急搬送が必要だが、うち65歳以

79　筆者個人の2019年11月現在の見立て

80　搬送全体の58・8%、緊急搬送の61・8%（総務省消防庁「平成30年版 消防白書」第4節　救急体制 1．救急業務の実施状況による）

図6-29 年齢階層別にみた国民医療費内訳（2017年度）

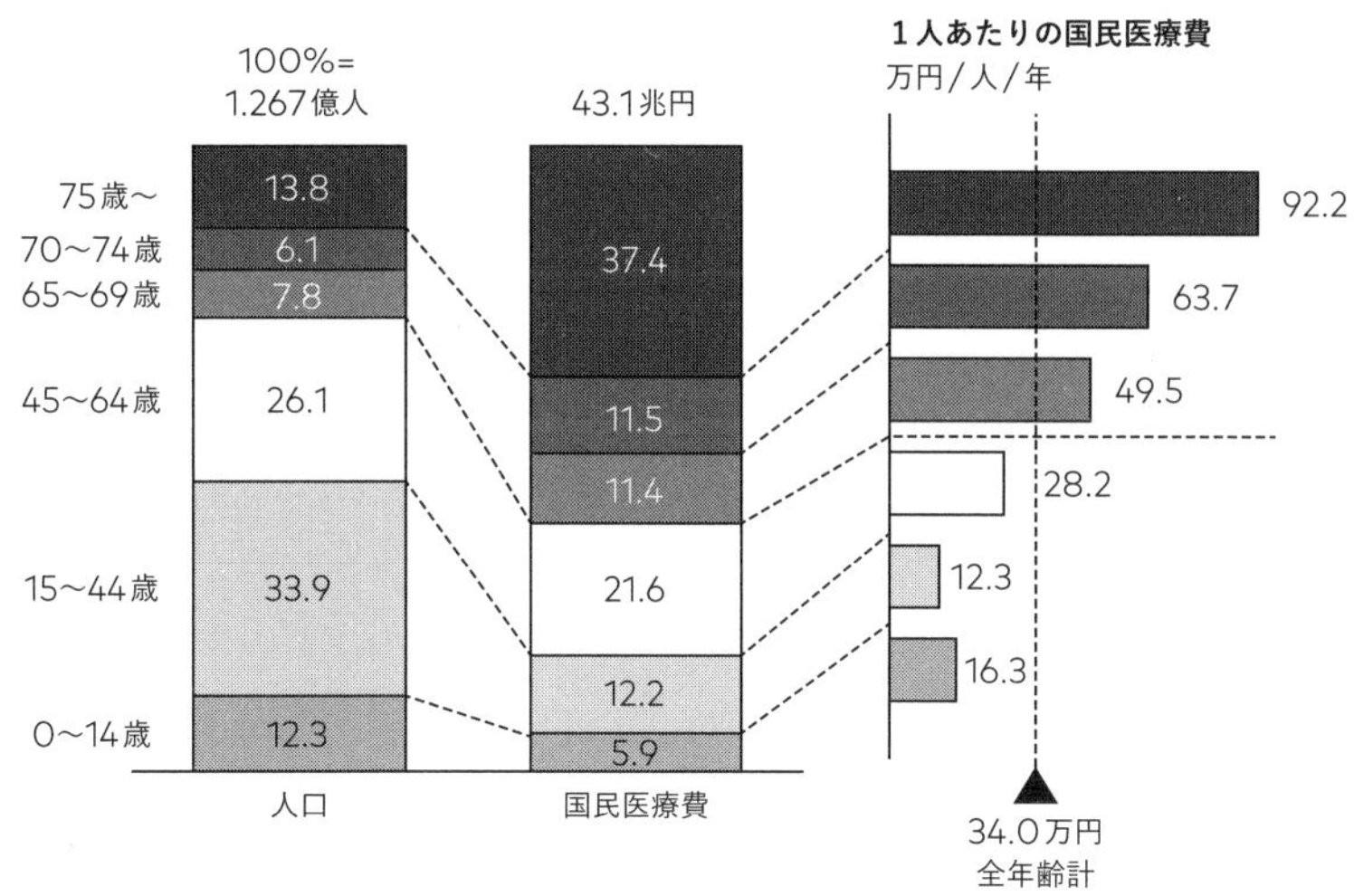

資料：厚生労働省 平成29年度 国民医療費の概況；総務省統計局 人口推計（平成29年10月1日現在）より安宅和人分析

図6-30 年齢階層別にみた救急車利用内訳

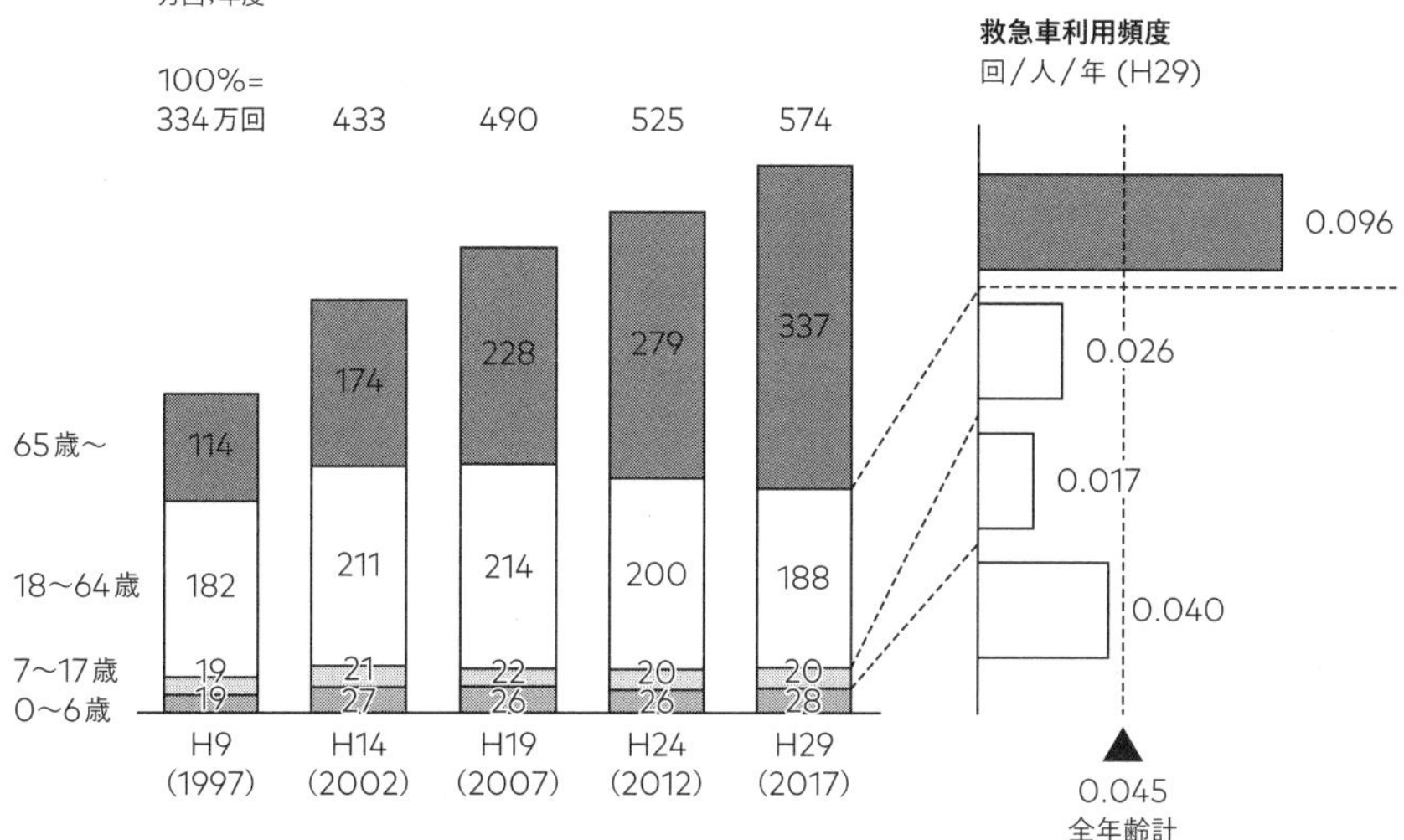

資料：総務省消防庁「平成30年版消防白書」第4節救急体制 1．救急業務の実施状況より安宅和人分析

上向けの出動が約30回ということになる。[81]

しかも、人があまりいない地域では救急車を呼ぶこと自体が大変であり、来てもらうのにどうしても時間がかかる。手当てができる基幹病院到達までの時間は、急性のトラブルの場合（心筋梗塞や脳内出血など）、生死確率、トラブル後のダメージの大きさに直結することは言うまでもない。心肺停止の場合、1分ごとに生存率は10％低下する。[82] しかしこれらの地域は連絡から病院到達まで30分以上時間のかかるところが主だ。

つまりこのような廃村間際の（nearly abondoned）地域ではこの医療先進国日本が誇る適切なサービスを提供することは物理的に困難だ。ヘリを飛ばせば状況は改善するが、ドクターヘリを1台維持・運用するコストは初期導入時に約3億円、毎年のランニングコストとして2・3億円かかるという。[83] 20平方キロで1000人かそれ以下程度の集落で、そのコストを負担することはなかなか厳しい。[84] 仮に3集落で1台持つとしても、ヘリの維持だけで一人あたり年約7・7万円もの追加コストが生まれることになるからだ。離発着の場所の確保の課題もある。

ということで、現在の状況ではまともなQOLを保てる健康医療システムをこのような「谷」的な場所に作る現実解を生むことが難しい。シニア層が住むことに、この「谷」的な場所は適していないのだ。しかしながら、現在起きているのはまったく真逆で、こういう「谷」的な場所になればなるほど我々の恩人であるシニア層ばかりになってしまいがちだ。意図していないにもかかわらず、ある種の「姥捨て山」状態になってしまっており、それを見て見ぬ振りをして放置しているのが現状と言える。人道的に相当に課題の大きな状況だ。

ではどうしたらいいのか。「風の谷を創る」のメンバーで今検討している考えの1つは、この

81 年齢分布が日本全体と同じと考えたときの期待値。平成30年版 消防白書より年間出動回数634・2万件（平成29年）。総務省統計局人口推計（平成29年10月1日現在）より総人口1・267億人、65歳以上3515万2千人。以上より全年齢をならすと、救急車出動頻度は634・2万回／1億2670・6万人=0・050回／人／年。65歳以上に絞ると（634・2×0・6）／3515・2=0・108回／人／年

82 国立循環器病研究センター 循環器病情報サービス「心臓発作からあなたの大切な人を救うために」に掲載された米国心臓協会のデータより

83 鳥取県救急医療体制高度化検討委員会「ドクターヘリ単独導入に向けた検討報告書」資料7（平成27年11月）

国家功労者の方々の多くを我々の作り上げた人間にとってもっとも至適な空間、すなわち都心(市の中心部)、特に中核となる病院の近くに住んでもらうというものだ。たとえば90歳以上の方は1キロ圏、80歳以上の方は2キロ圏などに優先的に住めるようにする。この対象地域においては若い人や強い人には逆に都心税(負のインセンティブ)をかける。

またその中心の病院の周りを花びらのようなループ状に自動走行の乗り合いバスのようなものを回す。そうすると救急車などを呼ばなくとも何分か待つと5~10分あれば病院に着けるようになる。もちろん緊急度の高いときは救急車を呼べばよく(スマホで緊急時用に登録などをしておけば特に呼び出しボタンを作成するコストもかからない)、あっという間に来てもらえ、助かる確率もおそらく劇的に上がる。消防署も含めた医療システム的な搬送負担もかなり下がる。上から見ると菊の花のように見えるので「菊の花構想」と呼んでいる(図6-31)。これが回るようになれば日本中に「菊の花」が咲くようになる。

この構想が実現すると近くに同世代の人が多く住んでいるため、人と会うためにデイケアにわざわざ出向く必要もかなり減るだろう。当然集まる場は作ればいいと思うが、それもその菊の花ループの近隣に、簡単な広場なのか公園などがあればいいだけだ(これらは特にシニア専用にする必要はない)。もちろん、健康上の問題も考慮し直射日光の当たらない空間を作る。すぐに実現させるのは無理でも、効果を見つつ、課題解決も進めつつ、10~20年かけて寄せていく。住む場所は別に老人ホームのようなものである必要はない。そもそもどこの都市でも空き家や空き部屋だらけなのだから、それを借り上げるなり、借りるときの補助を付けていけばいい。

これが実現できればシニア層のQOLは大幅に上がると同時に、健康医療システム全体の経費

84 緊急ヘリ病院ネットワーク(HEM-Net)によれば2018年9月現在、全国43道府県に53機のドクターヘリが配備。国土交通省「消防防災ヘリコプターの配備状況(平成30年10月1日現在)」によると、消防防災用は44都道府県、55団体で75機配備

図6-31　菊の花構想

たたき台的なイメージ

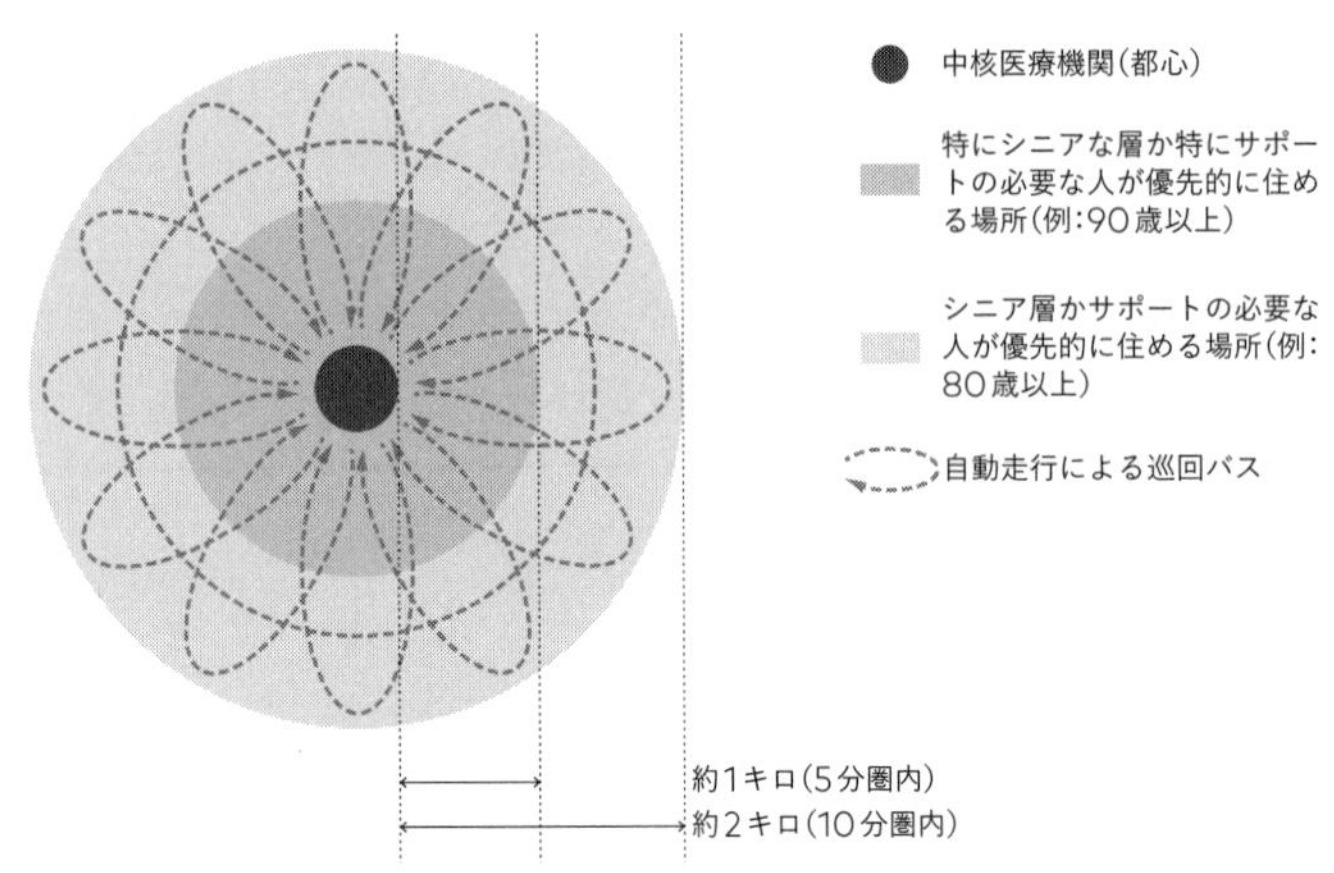

資料：「風の谷を創る」検討コアチームメンバー議論

は下がるはずだ。若い人たちがこの都心（病院近隣）地域に住む際はコストを若干多く持ってもらい、[85]逆に「谷」的な場所に住むインセンティブをつける、ということをやればなだらかな移行は十分可能なのではないだろうか。

ただ一方で、長年住んできた土地を離れたがらない人が多いという話も聞くが、どうだろうか。80歳近い僕の母も、富山の田舎で市の基幹病院から離れて住んでいるが、免許は持つものの運転はすでにやめており、いざというときのことを考え大病院の近くのもっと小さな都心のマンションにでも住めないかと言うことがある。あくまで1つの例にすぎないが、これが例外的な話とは思いづらい。長年住んできたからといっても同じ土地に住み続けたい人ばかりではないのではないだろうか。もちろん無理やり移住する必

85　都心税のようなものを年代指定で導入するイメージ

要はまったくない。10～20年かけての取り組み案なので、まずは明らかに通常のヘルスケアシステムでは支えきれないリスクを取られているということだけをお伝えすればいい。

「菊の花」構想が仮に機能すれば、我々の恩人層へちゃんと報えるようになる。搬送コストが落ちるだけでなく、重病にならない可能性が高まり、社会全体として見たときのヘルスケアシステムのコストもおそらく下がる。その上、その恩人たちが長年住んできた「谷」の社会インフラコストは軽くなり、経済的にも格段に回しやすくなる。

「菊の花」周辺に移住された恩人層も、廃村され、野性に戻った荒れ地ではなく、よみがえったふるさとにいつでも遊びに来ることが可能になるはずだ。QOL的にも、空間の維持的にも、エコノミクス的にもwin-winなのだ。「谷」を独立した課題として考えるのではなく、社会全体としての系の最適化も図ってはどうかということだ。

もちろん並行して「谷」自体のヘルスケアシステムとしての課題解決も行っていかないといけない。少し考えてみるだけでも、

- 谷の発展フェーズに沿って、人とヘルスケア課題はどのように変わっていくのか？
- そもそもどのような機能が必要なのか？　絶対的に保たれるべきものは何か？　逆に谷としては捨てるべきものは何か？
- 現在のヘルスケアシステムの場合、立ち上げ、運用においてどのようなコストがどこで発生しているのか？
- 以上を踏まえると、まず何を立ち上げ、どのように機能を発展、あるいは変化させてい

くべきか？

・これに必要なヘルスプロフェッショナルと当面のテクノロジーの広がりはどのようなものか？　技術的に解決が必要な課題はどのようなものか？

・他のインフラとの関連と意味合いはどのようなものか？（例：モビリティ、エネルギー）それを踏まえると境界課題としてどのような課題を解決していくべきか？

など盛りだくさんだ。

都市に対抗し得る求心力を生み出せるか？

単にテクノロジーでは解決できないもう1つの大きな課題についても触れておきたい。土地の「求心力」についての課題だ。

「風の谷」の実現により自然豊かな空間を創ろうとすることは重要だが、そもそも、そのためには現在急速に進む才能の都市への流出にも何らかの形で手を打たなければいけない。当初は未来へのコンセプトを打ち出すだけで谷に人が集まるかもしれないが、「風の谷」が回るようになるために大切なのは、都市の利便性や楽しさに対抗し得るだけの本質的な求心力をいかに数世紀以上にわたって土地に持たせるかだ。これは単にインフラを維持する仕組みが抜本的にリーンになろうと、人がやっていたことを自動化しようと解決されない課題だ。

テクノロジーを使い倒しつつも、人と共存できる魅力的で価値のある空間を創ろうと思うのであれば、ワイルドな生命力、仕掛ける力を持った多様な才能と情熱が必要だ。既存の価値観にとらわれず、未来に意味ある空間を作るという視点で、新しい価値観をも作っていく人たちでないといけない。これは現在進行形の価値観で動く街で生きるのとはまったく違う生み出す力、前例のないものを楽しむ力、協力し合う力が必要だということでもある。[86]

自然があれば十分求心力があると思われるかもしれないが、日本の土地が67％も森であることを思い起こしてほしい。森があるくらいでは求心力にはならないのだ。むしろ深夜にこういう空間に入るとよくわかるが、ありのままの森は戦慄するレベルでゾワゾワと感じる空間であり、自然の怖さと強さを全身で感じさせられる。また前述のとおり現在の森の大半で大樹は伐採され、単層林に近い、動植物の多様性を失ってしまっている状態だ。この森や人のいない空間自体を、魅力的で豊かなものに戻すこと自体が大きな課題なのだ。

この求心力関連の課題は広い（図6－32）。そもそもどういう空間を創ろうと思うのか？　そこでの価値をどのようなものにするか？　というコンセプトレベルの課題がある。「風の谷を創る」の運動論全体では、憲章として価値観を大きくまとめたが、実際にそれぞれの場所において何らかの空間を作っていこうとすれば、全体としてどのような価値観に挑戦するのか？　どのように発展させていこうと夢見るのか？　これらのビジョンがある程度は必要だろう。もちろんこれは建築プランのような確定的なものではない。有機的かつダイナミックな発展を想定した上でのものである。

86　そもそもどういう人がどのぐらい必要なのか自体が課題ではあるが、個別の領域ごとに必要な検討も多く、一旦棚上げしておこう

図6-32　求心力関連の課題

What to do	関連要素（例）
都市の利便性と楽しさに抵抗し得るだけの、求心力を十分に高めた空間を生み出す必要がある	• 目指す価値の明確化（憲章） • 森／自然の多様性を再生 • 土地の重層的な記憶を活かす • 建物／空間、食 • 空間としてのプロデュース ⋮

資料：安宅和人：「風の谷」という希望 http://kaz-ataka.hatenablog.com/entry/2019/07/15/01555

資料6-6　都市に流出し続けている才能と情熱

著者撮影：© Kaz Ataka

森の再生

自然と共に豊かに生きる空間でなければ「風の谷」ではない。「谷」としての生命線である森と自然の多様性の再生についても少し考えてみよう。自然は壊すのは容易だが、戻すのには膨大な手間と時間がかかる。ただし再生の事例がないわけではない。しかも東京の人には実に身近な例が都心にある。原宿の駅のそばにある明治神宮[87]だ。

明治神宮の都心とは思えぬ広大な森は、にわかには信じ難いが、天然林ではない。もともとは、ほとんどが畑地、草原、沼地の荒れた土地であったという。1920（大正9）年11月、日本全国から集められた350以上の樹種、10万本もの献木の植栽工事がほぼ終了。造営に従事した勤労奉仕者の数は延べ11万人。意図的に日本中から樹を集めてきて作られ、第四期の完成期の入り口に到達するまでほぼ90年を要している。日比谷公園の設計などで知られる林学博士の本多静六、やはり日比谷公園の設計に携わった造園家の本郷高徳らの作った第四期のプランの大枠は以下のとおりだ[88]。

第1期：神社にふさわしい森を形づくるため、既存の木々を活かし〝仮設の森〟をつくる
第2期：林間の最上部を占めていた松（アカマツ、クロマツ）がヒノキやサワラなどの針葉樹に置き換わる
第3期：カシ、シイ、クスノキなどの常緑広葉樹が林相の中心になっていく
第4期：第3期の常緑広葉樹群が主木としてさらに成長すると共に、2世代目の木が育ち、主木

87 「表参道」は単なる駅だと思っている人も多いが、実際は地下鉄駅を上がったところにある大きな石灯籠から始まる明治神宮に通じる大きな参道の名前そのものだ

88 『日本人がつくった自然の森──明治神宮「鎮守の杜」に響く永遠の祈り』：日本人が作った森「明治神宮」後編（Webナショナルジオグラフィック）をもとに筆者要約

が人手を介さず、自ら世代交代を繰り返す「天然林相」に到達する土地の木を使いつつ、サイクルを生み出す見事なグランドプランだ。このように森や海、川、草原など、多様な「谷」的な空間を豊かなものに蘇らせるためには相当の豊かな発想と知恵が必要であることは間違いない。またこれらの知恵を試していくにはそれなりの数と多様性を持つ実験的な場所と、一緒に取り組んでくれる人たち、少なくとも数十年単位のまとまった時間、その間の記録、学び、知恵の共有が必要だ。１００年、２００年というスパンでこの運動論を進めていく必要はここにもある。日本にも世界にも多く存在する捨てられつつある土地、そのままでは荒れるばかりの林になるようなところが、夢を試し創る未来のための土地になる。これは海や川の再生も同じだ。

ソニーコンピュータサイエンス研究所（ソニーCSL）の舩橋真俊氏は、サハラ以南の地域[89]で砂漠化が進むアフリカの国ブルキナファソの土地を、１年で食用植物が満ち溢れる緑地に変えるという、半ば魔法のような協生農法の研究に取り組んでいる。[90] これはあくまで農地の話だが、まさにこのような取り組みを活かしながら森林や海の再生なども試していかないといけないのではないかと思う。幸い日本には無限に近いほど実験空間がある。「風の谷を創る」は必ずしも日本に閉じた運動論ではないが、森の再生についてはどこよりも多くの実験ができる可能性があるはずだ。

・どのような多様な自然に満ちた空間を作り上げることを目指すのか？　その土地らしさ

89　サブサハラ・アフリカ（Sub-Saharan Africa）と呼ばれる

90　「壊れゆく地球環境を農業から立て直す」ソニーコンピュータサイエンス研究所 https://www.sony.co.jp/brand/stories/ja/our/products_services/sonycsl-ga/

と素材をどのように活かすのか？
・その空間での人との関わり合い方はどのようなものであるべきなのか？
・そこではどのような多様性が大切なのか？　何が特に重要な要素として考えられるか？
・見落としがちなポイントにはどのようなものがあるのか？
・どのぐらいの時間軸で、どのようなフェーズで考えるのか？
・その作り込みのアプローチはどのような手段を主として取るのか？
・そのためにどのような人たちを巻き込み、どのように展開していったらいいのか？
・これらの取り組みからの学び（試み、成功、失敗、その他のレッスン）をどのように共有し、さらに相互に活かしていったらいいのか？

あくまでたたき台だが、こういう問いに答えを出していかないといけないのではないだろうか。

土地の重層的な記憶を活かす

土地の求心力の視点で僕らが大切だと考えていることの1つに「土地の記憶を活かす」ことがある。ディズニーランドのように完全に人間の想像力だけから生まれる土地というのは、「風の谷」的な空間には似つかわしくない。それぞれの土地が持つ豊かな記憶を大切にし、それをいい意味で活かすことが真の求心力につながると考えるからだ。

たとえば、岩手県の遠野は前述のとおり、1000年以上も馬を育ててきた日本屈指の馬の産地であり、駒形神社と名のつく神社が市内だけで6つもある。数多くの馬が放牧によって育てら

資料6-7　**土地ごとに根づく重層的な記憶**（岩手県 遠野）

著者撮影：© Kaz Ataka

れている。

ここまで明示的ではなくとも、風の谷の候補になるような昔から人が住んでいたような土地には、どこもなにかしら土地にしっかりと根付く話があるはずだ。

土地の記憶の中には、『遠野物語』でまとめられたような伝承もあれば、そこに携わる多くの人たちの価値観や言葉の歴史もあるだろう。この点で日本のような、歴史があらゆるところで深く積み重なっている土地で「風の谷を創る」運動論を始められるのは大きな利点があるのではないかと思っている。どんな土地にも何層にも積み重なる部分をうまく掘り起こし、価値につなげていくことができれば、単なる美しさ以上の厚みのある世界が生み出せるだろう。

・土地の持つ記憶の広がりと深さ

にはどういうものがあるのか？

- 歴史や文化の記憶をどのように掘り起こしていくのか？
- それぞれの土地で見出したものにどのように価値を与え、土地の価値としていくべきか？
- 目に見える価値、言語化された価値以上を生む場を育むためにどうしたらいいのか？
- それを押し付けがましくなく、打ち出していくためにはどうしたらいいのか？
- それが世界のさまざまな土地で共鳴する運動になった際、どのように学び合い、知恵を身につけ、さらに広げていったらいいのか？

こんな問いが問いを生む世界で活動を続けつつ、広げ、深めていければと考えている。

直結するテーマだが「食」も当然のことながら大切だ。食べることは生きることであり、生きることは食べることだ。You are what you eat（あなたはあなたが食べるものそのものだ）という言葉もある。その土地に行きたい、大切にしたいと思う大きな理由の1つがその土地の持つ食の魅力であることは否み難い。

パンケーキ、ハンバーガー、ステーキ、クラムチャウダー、ロブスター、ケイジャン料理ぐらいしか土地の料理がないように見える米国の地方もずいぶん魅力的なので、必ずしも美食である必要はない。ただ、昔からある沢庵漬けや漬物や煮物のようないわゆる郷土料理や食材だけでいいとは思えない。いかに美味しくても毎日3度食べれば飽きるし、栄養的にも偏る。日本の場合、海岸沿いどこに行っても魚介類というのもイマイチだ。また滅びつつある海産資源の視点でも何らかのケアが必要だ。

各土地の誇る土地の記憶、土地の素材を活かしながらも、その土地ごとに見合った、ステキで現代的な食文化を生み出していくことは求心力の視点では必須になる。素材を提供して世界中から才能を募るというアプローチもあり得るだろう。食の現代的な意味での本当のアップデートを図る大きなポテンシャルが、多様性の塊である風の谷の大きな強みだ。

- そもそも人にとって食とは何なのか？　僕らは食を通じてどういう喜びと価値を生み出しているのか？
  - 場面と価値の広がりはどのようになっているのか？
  - 毎日食べるもの、週末食べるもの、大切なときに食べるものに共通するものと違いは何か？
  - 自分で作るもの、作ってもらうもの、できあい（中食）をどう考えるか？
- 食材、調理、プレゼンテーション、器、場所、サービス、デリバリー、評価システムなど食を生み出す広がりをどこまで、どういう風に捉えるべきか？
- 単に美味しいだけでない価値をどう生み出すか？　風の谷の食はほかの食と何がどう違うのか？
  - 驚き、広がりをどう考えるか？
  - その土地のシグネチャー的な食は何か？　食材？　料理法？　両方？（例：小豆島のオリーブオイル）
  - どこまで土地の食材にこだわるべきなのか？　こだわり抜くポイントはどこか？

○季節性はどのように取り込み活かすか？
○さまざまな風の谷の共通的な食体験を考えるべきか？　どのように考えたらいいのか？
○持続可能性の視点をどのように取り込み、活かすべきか？
・全体としてどのように価値を生み出し、伝達していったらいいのか？
○作る人をどう世界中からinviteし、どう育てるか？
○デリバリーチャネルをどう考えたらいいのか？　自炊を前提とするのか？　お店は成り立つのか？　成り立つとしたらどのように？
○世の中の人、味わう人にどのように訴えるか？
・どのように長期的に発展させる系を作っていくべきなのか？
○初期的なコンセプトとプロトタイプをどう発展させていくか？
○フィードバックをどう取りこみ反映させていけばいいのか？
○この土地のほかの魅力とどのようにつなげ、１つの世界観としていくべきか？

考え出すときりがないほど、面白く深い課題だ。

空間全体としてのプロデュース

もちろん空間全体としてのプロデュースも重要だ。「風の谷」全体をどのようにレイアウトし、デザインするのか。テイストはどうするのか。建物はどうあるべきなのか。そもそもどういう機

資料6-8　土地の素材をふんだんに使った豊かな食（福島県奥会津）

福島県奥会津にて、土地の素材をふんだんに使い世界水準の食が実現可能であることを、福島県の奥会津（会津若松市）RISTORANNTE Luceの矢澤直之シェフのお力を借りて体験したときの情景
著者撮影：© Kaz Ataka

能がそこの空間に必要なのか。空き地はどうあるべきなのか。森も含めて、どうやって人の手が過度にかからないように作っていくのか。

米国ニューイングランドやヨーロッパの郊外などには、100平方キロに3000人程度の人口なのに驚くほど豊かで美しい町が存在する。こういう空間を作るために何が必要なのかも研究しなければいけない。村おこしをやろうとしているわけではないが、お金の流れ方も含めて相当深く考えていく必要があるだろう。

建物一つとっても奥深い。住居部分の中身はもちろん自由にしていけばいいが、空間全体の価値を高めるためには、土地の歴史や文化的な深みを表現した、ある程度スタイルやトーン&マナーが揃ったものであったほうが望ましい。また、しょっちゅう建て直さないといけないようなものでは困る。

環境省の予想どおり、風速70メートル以上の台風が来るようになったら、現在の町や建物はそのままではほとんどもたないだろう。ハワイで70メートルの台風を体験したリゾート関係者の話を聞いたことがあるが、家が飛ぶというどころではなく、すべてがめちゃくちゃになったという話だった。「風の谷」の建物が風で飛んでなくなるようではジョークにもならない。未来の人間の空間のオルタナティブを作ろうとしている僕らとしては、強風耐性はおそらく必須だ。取水や土砂災害予防、治水も含めた立地や道のレイアウトも合わせて考えていく必要がある。

一方で、現在、大工と言えるような人はひたすら減っており、京都、滋賀の山のほうに実験的に移住した「風の谷を創る」の仲間から、数千人に一人しか大工がいないという集落の話を耳にしたこともある。[91] そんなところでも谷の関係者で基本的にメンテナンスできるところが望ましい。奥まったところにあるため、プロに依存しなければ直せないという状況はなるべく避けないと厳しいからだ。しかも50年後も100年後もメンテ可能な形でなければ困る。

そうすると入れ替え可能なある種のモジュール構造（例：レンガ）が重要なのではないか、など考えを深めていくと、相当の検討課題のかたまりになっていく。オフグリッドに近い状態を前提とし、エネルギーの入手と備蓄の課題も、建物と同時に解決していかないといけない。[92]

運動論としての「風の谷」に

以上を踏まえると「風の谷」を作っていく段階は実際には3〜4段階で考えざるをえないこと

91　彼が移住して最初に行ったのはなんと大工としての技能の伝承を受けることだった

92　必ずしも建物とエネルギーが一体型である必要はない

もわかる。はじめは菊の花を実施しつつの入谷段階。次は定住者が少し生まれる段階。そして最終段階が、子どもがいる人も住めるような段階だ。

環境もテクノロジーも果てしなく変わっていく。だからこそ、今の暫定解を生み出すことを目的とするのではなく、果てしなく発展する運動論にしていく必要がある、と僕らは考えている。

このままのトレンドが続けば、都市型の未来しか選択肢はなくなり、都市がコモディティ化することはほぼ確実だ。スマートシティという言葉があるが、都市がスマートなのは当たり前だ。今僕らに問われているのは、むしろスマートで豊かなカントリー的空間を作れるかどうかだ。

単なる荒れ地でもジャングルでもなく、人が自然と融和できる豊かな空間を持てるかどうかが、大きな価値を持つ時代がきっと来る。このような土地が生まれれば、近郊の都市にとっても、また国というコミュニティ全体にとっても、大きな意味を持つはずだ。

僕らはどんな未来を残すつもりなのか。

それが今、一人ひとりに問われている。

おわりに

未来のことばかり書いてきたので1つ昔の話をしよう。

1993年の春、僕が一旦サイエンスの世界から離れ、マッキンゼーというコンサルティングファームで仕事を始めたころのことだ。

訓練も兼ねて、国内外のリサーチ案件が僕ら新人にどんどんと振り分けられ、毎日ガンガンとこなしていた。そんなある日、とあるデータが必要になり、某省にコールドコールをかけ[1]、言われた部署に書類を取りに行った。すると、僕の名刺を受け取った人は「は!? マッキンゼー?」と言い放ち、なんとそれを横に投げた。名刺はスチール製の書類引き出しの上を、まるで西部劇でよく見る丸い草のようにカラカラと転がり、その向こうにあった本棚の壁にあたってパタッと手前に倒れた。見事だった。

当時、マッキンゼーは国家改革についての議論を書籍などで相当量出版していたこともあって、きっと目障りだった、もしくは腹が立っていたのだろう。それにしても国の機関（しかも中央省庁）に行って名刺を投げられるなど想定していなかったこともあり、またもともと親方日の丸というのは生理的に少々……と感じていたこともあいまって、長年とにかく国からは極力距離を置く、国には頼らない、変化は自ら起こす、というスタンスでやってきた。

あのプロジェクトがなければこの世の中はこうならなかっただろうという仕事にもずいぶん携

1 cold call。ビジネス用途でまったく知らない相手に電話をかけること

わった。20年以上も普通にコンビニの棚に並んでいるような消費財の開発もあれば、日本中で使われることになるキャッシュレス決済作りの仕事もあった。25年も右肩下がりだったある市場の歴史的な立て直しにも深く関わった。今の働き方改革の議論の核心ともいうべき、知的生産の本質についての本も書いた。[2] 出版は9年以上前だが今も愛されているところを見ると、書いた意味があったのだと信じたい。

世の中視点で仕掛けてきた変化の1つが２０１３年から立ち上げメンバー、またスキル定義委員長としてずっと手弁当でコミットしてきたデータサイエンティスト協会（DS協会）の仕事だった。「データの持つ力を解き放つ人」が必要であること、そのためにはサイエンス力、エンジニアリング力だけではなく、実課題をつなげて考えるビジネス力が必要であること、そもそも時代が本質的に変わり、生き方も価値創造の方法も変わること、またこれらの力を持つ人を抜本的に増やす必要があること、これは新たなリテラシー（読み書きそろばん的な能力）であり大学に行くような人の大半が身につけるべきということ……これらを、多くの人々にとってビッグデータの理解すらままならぬ頃から一貫して訴えてきた。

並行して「データの持つ力と面白さを伝えよう」とヤフーでビッグデータレポートを立ち上げ、[3] ハーバード・ビジネス・レビューやさまざまなカンファレンスでビッグデータ時代の本質、ＡＩの本質とそれがもたらすもの、このような時代に求められる人間の役割と知性の核心などをお伝えしてきた。[4]

2 『イシューからはじめよ』（英治出版 ２０１０）。本来は研究者に向けた本だったが、最後の最後に出版側の意向もあり、急遽ビジネス書としても読める形に手直しして出版した。少なくとも5年は知的生産に関わった経験を持たないと読んでも理解できない本のはずだが、なぜか学生に多く読まれ少々驚いている。今だから明かすと、当時、歴史的なビジネスディールの責任者として世界を飛び回り、命を削るような日々の中での執筆だった。本書も夏以降、毎日深夜、本来寝るはずの時間を削って分析し書いたので、似たようなものかもしれない

3 Yahoo! JAPANビッグデータレポート（https://about.yahoo.co.jp/info/bigdata/）２０１２年の年末に開始。『ビッグデータ探偵団』（講談社 ２０１９）として抜粋出版した

そんな活動をしているうちに、2015年夏、信頼する友人[5]から「経産省で未来のビジョン設計に携わる人たちが世の中の押さえどころと変化の本質、日本の現状についてヘソが捉えきれず、困っているので相談に乗ってあげてもらえないか」と紹介があった。これがいずれ委員として検討に加わることになる新産業構造ビジョン[6]につながる。前後して、文科省の方でビッグデータ時代の人材育成[7]についての急ぎの検討にも呼び込まれ、それが4章でも紹介した3層の人材育成論につながった。

なんとも不思議なものだ。国からひたすら距離をおいて生きてきた自分が、四半世紀するとずいぶんと国の仕事をしている。[8]

もちろん国とは関係なく、今もDS協会でのスキル定義や、慶應SFCでの人づくりや仕組みの改革、「風の谷を創る」運動論などをひたすらに仕掛け続けてはいる。とはいえ、少々驚く。

「なんで国とかフォーマリティ[9]は嫌いだと言っていたお前が、こんなに国の仕事をしているんだ」と昔からの友人には言われることもある。

僕もどうしてなのか、と正直思う。が、あえて言うなら、もうこの国にも、この星にも、そして自分にも、それほど時間が残されていないと思うことが1つ。本当の意味で「仕事」が生み出せる案件[10]に絞って関わることができているからということが1つ。また名刺を投げるような人に会うことがないというのも、もちろんある。[11]

4 『ビッグデータ vs. 行動観察データ―どちらが顧客インサイトを得られるのか』（2014／8）；『人工知能はビジネスをどう変えるか』（2015／11）；『知性の核心は知覚にある』（2017／5）いずれもDIAMONDハーバード・ビジネス・レビュー掲載

5 荒井優さん（当時ソフトバンク株式会社 社長室。現札幌新陽高校 校長）

6 経済産業省「新産業構造ビジョン」（2017年5月30日発表）

7 情報・システム研究機構「ビッグデータの利活用のための専門人材育成について」（2015年7月30日発表）

これまでずいぶんと大きな企業や組織のマネジメントに関わってきた。「一人産官学」的な日々の中で、国という規模の組織マネジメントにある種、知恵袋、変化を引き起こす触媒として携わり、これが大学やビジネス、その他もろもろの仕事で仕掛けていることで相乗効果的に影響が出ているのはありがたいと思う。変化が確かに生まれつつあるという事実が、なんとか少しでも未来に向けてマシな世界を残せたらと思う自分の、疲れとコリでパンパンに張った背中を押してくれる。

宮坂学さんがヤフーの社長だった頃よく話されていた「来たときよりも美しく」という言葉をよく思う。この「とき」はタイミングであり、時代だと考えることもできる。自分が生まれたのは１９６０年代の終わりだ。そのときと比べて、自分は素敵な未来を残せているのか。そう考えると、なかなかに胸が痛い。これからも毎日自分の胸に手を当て、この言葉に向き合いながら生きていきたい。

最後に、ここまで読んでくださって本当にありがとうございます。

いつかどこかでお会いしたとき、こんなことを仕掛けてます、そういうことを報告し合えたら素敵だナと思う。もしこの本の価値を感じ、一部でも共感してくださったのなら、「#シンニホン」とつぶやいたり、書評でもなんでも、周りの人に手に取るようにすすめていただけるととてもうれしい。

高校生の頃からいつも自分の心にある１つの言葉とともに、この本を書き終えたい。

8 これまで何らかの形で一緒にお仕事した国関連の機関は経済産業省、文部科学省、警察庁、内閣府、内閣官房、外務省、国土交通省、財務省、総務省、NEDO、IPA、理化学研究所、情報・システム研究機構などがあり、今もこのうち7機関と10ほどの案件検討が継続している

9 formality。形式

10 対象が大きく、自分が関わることで生まれる変化が十分に大きい仕事

11 自分が歳を取ったせいかもしれないが、今お会いする役所の方々は礼儀正しく立派な方ばかりで、あのとき一体何が起きたのか正直自分でもよくわからない

「一日生きることは、一歩進むことでありたい」湯川秀樹

さあ行動だ。

2020年1月　安宅和人

謝辞

まずこの本の表題につながる強烈なインスピレーションと力は映画『シン・ゴジラ』から頂きました。庵野秀明監督および制作に関わった方々に深く感謝します。また最終章で紹介した「風の谷を創る」プロジェクトは『風の谷のナウシカ』から得た深いインスピレーションにより始まりました。宮崎駿監督、鈴木敏夫プロデューサー、ジブリの方々には感謝の念が絶えません。

次に、明るい未来を仕掛ける同志であり、シン・ニホンという言葉を生み出す貴重な機会をもらったTEDxTokyo主催者のPatrick Newell氏、シン・ニホンを国政の舞台に持ち込む機会を頂いた井上博雄、伊藤禎則の両氏、シン・ニホンを本としてまとめるべきだと真剣に強く勧めてくれたS氏こと柴山和久WealthNavi CEOに心から感謝したい。TEDxTokyo[1]、経産省 産構審[2]および官邸の教育再生実行会議[3]での投げ込み、また柴山さんのあの時の真摯な語りかけなしにこの本は生まれませんでした。

さらに、データ×AI時代の新しいリテラシーをゼロベースで整理し、広めてきた同志であるデータサイエンティスト協会／IPAの関係各位、未来に向けた変革の同志としてさまざまなワイルドな議論をご一緒してきた北野宏明、松尾豊、落合陽一の3氏、数多くの国家レベルの検討にお声がけ頂いてきた中央省庁・経団連・主要政党内の方々、慶應義塾SFCでのメンターとして教育と活動の貴重なチャンスと場を頂いた村井純、鈴木寛の両先生、データ世界でのメンターとして長年親身にご指導頂いてきた樋口知之 前統計数理研究所長、喜連川優 国立情報学研究所長の両先生、激励と国研運営を多面的に考察する得難い機会を頂いてきた藤井良一情報・システム研究機構長、都市集中型未来に対するオルタナティブを探る同志である「風の谷を創る」コア

1 シン・ニホン - 安宅和人（TEDxTokyo 2016） https://www.tedxtokyo.com/tedxtokyo_talk/shin-nihon-kazuto-ataka/?lang=ja

2 第13回 産業構造審議会 新産業構造部会 https://www.meti.go.jp/shingikai/sankoshin/shinsangyo_kozo/013.html

3 教育再生実行会議 技術革新ＷＧ（第4回） https://www.kantei.go.jp/jp/singi/kyouikusaisei/jikkoukaigi_wg/kakusin_wg4/siryou.html

メンバー[4]およびSFC安宅研の面々に感謝したい。皆様との真剣なディスカッションなしに本書の考えは到底まとまりませんでした。

出版にあたっては「〝希望を灯す〟をコンセプトにしたレーベルを立ち上げる。そこで未来に残すべき言葉を是非」と繰り返しお話を頂いたNewsPicksパブリッシングの井上慎平編集長、ハーバード・ビジネス・レビュー編集長時代から思い出深い仕事をいくつもご一緒させて頂き、今回もプロデューサーとして得難いサポートを頂いた岩佐文夫さんのお二人に心より感謝したい。この苦痛度の高い道のりをなんとかここまでこれたのはお二人のおかげです。

また忙しい本務の隙間に、ボランティア的なCSOスタッフとして対外的な分析を様々に手伝ってもらった大瀧直子、伊藤沙季、大久保洸平、山崎潤、伊佐次隼士、丸吉香織の各氏、慶應SFC（湘南藤沢キャンパス）・ヤフー・霞が関の間を移動し続け、20以上のロールを同時に回すアクロバティックな日々を可能にしてくれているアシスタントの安藤恵子さんに感謝をお伝えしたい。

そしてヤフー変革の長年の同志であり、国および教育のアップデートを力強くサポート頂いている川邊健太郎 ヤフー社長／CEO、前ヤフー社長・会長である宮坂学 現東京都副知事の両氏に深く感謝したい。お二人の懐の深さ、自社を遥かに超えた問題意識の広さ、多岐にわたる挑戦への理解と力強いご支援なしにここまでの道のりは決して不可能でした。また、この両氏と出会うご縁を頂き、本質を射抜くものの考え方を日々学ばせて頂いた故井上雅博 ヤフー創業社長に心から感謝したい。

最後に、さまざまなものを自らの手で作ることの大切さと喜びを教えてくれた天国の父、言葉の力と表現にかける情熱を教えてくれた母、どんなに忙しいときもこの未来に向けた活動を温かく見守り、応援し続けてくれる我が最愛の妻と娘に心から感謝します。

4 参加メンバーは6章の本文及び注釈を参照

【や】

【ら】

【た】

【な】

【は】

【ま】

【か】

【さ】

索 引

【A-Z】

【あ】

著者プロフィール

安宅和人（あたか・かずと）

慶應義塾大学 環境情報学部教授
ヤフー株式会社 CSO（チーフストラテジーオフィサー）
データサイエンティスト協会理事・スキル定義委員長。東京大学大学院生物化学専攻にて修士課程修了後、マッキンゼー入社。4年半の勤務後、イェール大学脳神経科学プログラムに入学。2001年春、学位取得（Ph.D.）。ポスドクを経て2001年末マッキンゼー復帰に伴い帰国。マーケティング研究グループのアジア太平洋地域中心メンバーの一人として幅広い商品・事業開発、ブランド再生に関わる。2008年よりヤフー。2012年7月よりCSO（現兼務）。全社横断的な戦略課題の解決、事業開発に加え、途中データ及び研究開発部門も統括。2016年春より慶應義塾大学SFCにてデータドリブン時代の基礎教養について教える。2018年9月より現職。内閣府 総合科学技術イノベーション会議（CSTI）基本計画専門調査会委員、官民研究開発投資拡大プログラム（PRISM）AI技術領域 運営委員、数理・データサイエンス・AI教育プログラム認定制度検討会 副座長なども務める。著書に『イシューからはじめよ』（英治出版、2010）

資料作成協力

伊藤沙季　図1-12、5-7、6-28
植田陽　図6-23
大久保洸平　図2-19
大瀧直子　図1-10、2-1、2-2、2-3a、2-7、2-8、2-9、2-26、5-5、5-11
山崎潤　図1-10、6-26

装幀・本文デザイン――杉山健太郎
本文DTP――朝日メディアインターナショナル
図版作成――朝日メディアインターナショナル、ダイヤモンド・グラフィック社
校正――鷗来堂
プロデュース――岩佐文夫
編集――井上慎平
営業――岡元小夜・鈴木ちほ
事務――中野薫

シン・ニホン
AI×データ時代における日本の再生と人材育成

2020年２月20日　第１刷発行
2023年９月４日　第16刷発行

著者———安宅和人
発行者———金泉俊輔
発行所———ニューズピックス（運営会社：株式会社ユーザベース）
〒100-0005 東京都千代田区丸の内 2-5-2 三菱ビル
電話 03-4356-8988　※電話でのご注文はお受けしておりません。
FAX 03-6362-0600　FAXあるいは左記のサイトよりお願いいたします。
https://publishing.newspicks.com/

印刷・製本—シナノ書籍印刷株式会社

ISBN 978-4-910063-04-1
本書に関するお問い合わせは下記までお願いいたします。
np.publishing@newspicks.com

希望を灯そう。

「失われた30年」に、
失われたのは希望でした。

今の暮らしは、悪くない。
ただもう、未来に期待はできない。
そんなうっすらとした無力感が、私たちを覆っています。

なぜか。
前の時代に生まれたシステムや価値観を、今も捨てられずに握りしめているからです。

こんな時代に立ち上がる出版社として、私たちがすべきこと。
それは「既存のシステムの中で勝ち抜くノウハウ」を発信することではありません。
錆びついたシステムは手放して、新たなシステムを試行する。
限られた椅子を奪い合うのではなく、新たな椅子を作り出す。
そんな姿勢で現実に立ち向かう人たちの言葉を私たちは「希望」と呼び、
その発信源となることをここに宣言します。

もっともらしい分析も、他人事のような評論も、もう聞き飽きました。
この困難な時代に、したたかに希望を実現していくことこそ、最高の娯楽（エンタメ）です。
私たちはそう考える著者や読者のハブとなり、時代にうねりを生み出していきます。

希望の灯を掲げましょう。
1冊の本がその種火となったなら、これほど嬉しいことはありません。

令和元年
NewsPicksパブリッシング 編集長
——井上 慎平